Voyage éclair autour du monde
dans le temps et dans l'espace

Paulette Collet

University of Toronto

Rosanna Furgiuele

Collège universitaire Glendon
York University

THOMSON

NELSON

Australia   Canada   Mexico   Singapore   Spain   United Kingdom   United States

THOMSON

NELSON

Voyage éclair autour du monde: dans le temps et dans l'espace

By Paulette Collet and Rosanna Furgiuele

Editorial Director and Publisher:
Evelyn Veitch

Acquisitions Editor:
Brad Lambertus

Marketing Manager:
Cara Yarzab

Developmental Editor:
Shefali Mehta

Managing Production Editor:
Susan Calvert

Production Coordinator:
Helen Locsin

Copy Editor and Proofreader:
Sophie Lamontre

Creative Director:
Angela Cluer

Interior Design:
Katherine Strain

Cover Design:
Ken Phipps

Cover Image:
Pierre-Paul Pariseau

Composition Manager:
Marnie Benedict

Compositor:
Nelson Gonzales

Printer:
Webcom

National Library of Canada Cataloguing in Publication Data

Collet, Paulette
   Voyage éclair autour du monde: dans le temps et dans l'espace/Paulette Collet, Rosanna Furgiuele. — 1st ed.

For students of French as a second language.
Includes bibliographical references and index.
ISBN 0-7747-3748-4

   1. French language – Textbooks for second language learners – English speakers. I. Furgiuele, Rosanna

PC2128.C64 2002   448.2'421
C2002-902232-0

LA RONDE AUTOUR DU MONDE

Si toutes les filles du monde voulaient s'donner la main, tout autour de la mer elles pourraient faire une ronde.

Si tous les gars du monde voulaient bien êtr' marins, ils f'raient avec leurs barques un joli pont sur l'onde.

Alors on pourrait faire une ronde autour du monde, si tous les gens du monde voulaient s'donner la main.

Paul Fort

❧ TABLE DES MATIÈRES ❧

❧ PRÉFACE ❧

Voyage éclair autour du monde : dans le temps et dans l'espace est un manuel à la fois de lecture et de grammaire qui s'adresse à des étudiants ayant déjà acquis les éléments de base de la langue. Il est conçu principalement pour les non-spécialistes qui désirent être à même de parler et d'écrire correctement.

On s'étonnera peut-être que nous ne nous soyons pas limitées ici à des pays francophones. Il existe maintenant de si nombreux ouvrages traitant de la francophonie que nous avons préféré visiter surtout des régions où le français n'est pas la langue dominante. Cependant, nous avons choisi des textes rédigés en français plutôt que des traductions.

Objectifs

Le but de ce manuel est de permettre à l'étudiant de consolider ses connaissances orales et écrites et d'en acquérir de nouvelles à travers une étude approfondie des textes et une révision détaillée de la grammaire. Nous espérons que les textes choisis élargiront les horizons de l'étudiant et l'amèneront à réfléchir sur la culture et la civilisation d'autres pays. Les extraits, sélectionnés avec soin, devraient lui donner le goût de lire davantage. Grâce aux cartes, il pourra suivre l'itinéraire parcouru et ainsi étendre ses connaissances géographiques.

Organisation

Le manuel comporte 21 chapitres d'égale longueur et de même structure. Un texte décrivant un aspect du pays choisi est au cœur de chaque chapitre. Ce texte est précédé de données géographiques, démographiques et politiques situant le pays ; une brève notice biographique présente l'auteur. Le passage est exploité dans des exercices de compréhension, d'interprétation, de vocabulaire. Ces exercices sont suivis de la révision de différentes règles grammaticales et de leur mise en application. Le manuel contient trois chapitres consacrés à la récapitulation de la grammaire étudiée dans les six chapitres précédents. À la fin de chaque chapitre, on trouvera des suggestions pour des travaux écrits de plus longue haleine ainsi que des sujets de dialogues. Un commentaire, parfois humoristique, parfois sérieux, inspiré par le contenu, vient clore le chapitre. L'appendice contient un tableau des conjugaisons et d'autres tableaux susceptibles d'aider l'étudiant. Le volume se termine par un glossaire suivi d'un index.

Textes

Les textes tentent de mettre en relief un aspect du mode de vie et de la culture du pays présenté soit à notre époque, soit dans le passé. Ils sont variés : articles de journaux, nouvelles, contes, poèmes, extraits de romans, de pièces de théâtre, d'autobiographies, de récits de voyage. Grâce à cette variété, différents niveaux de langue, différents styles et différents modes d'expression sont représentés ici. Les textes ont été sélectionnés, en partie parce qu'ils illustrent l'emploi des structures grammaticales, mais surtout parce qu'ils intéresseront les jeunes. Nous guidons ces derniers à travers des régions souvent inconnues, leur permettant ainsi de découvrir et d'apprécier les civilisations et les cultures de divers pays à travers les yeux de différents auteurs. Les notes qui accompagnent chaque extrait en faciliteront la compréhension comme le fera le glossaire à la fin du manuel. Les exercices de compréhension et d'interprétation permettront à l'étudiant de mieux saisir le sens du texte.

Vocabulaire

Comme son nom l'indique, l'exercice intitulé **Maîtrisons la langue** aide l'étudiant à assimiler le vocabulaire du texte, à le réutiliser en contexte, à l'exploiter de façon systématique et à étendre ses connaissances lexicales en utilisant judicieusement le dictionnaire. Une liste à la fin de chaque passage attirera l'attention sur le vocabulaire à retenir. Le fait que nous ayons sélectionné des pays qui ont leurs propres traditions nous fournit l'occasion de présenter un lexique nouveau.

Grammaire

Voyage éclair autour du monde comprend une révision, aussi complète et ordonnée que possible, de la grammaire. Les règles sont formulées clairement et simplement ; les extraits fournissent, en grande partie, les illustrations. Des exercices nombreux et variés donnent la possibilité à l'étudiant d'appliquer et d'assimiler le contenu grammatical. Les exercices de récapitulation renforceront davantage les connaissances grammaticales acquises.

Devoirs écrits / Travail oral

Chaque chapitre offre des sujets de rédaction découlant de la lecture avec des compositions guidées et des compositions libres. Ces exercices exigent que l'étudiant réfléchisse à la question posée, apprenne à organiser ses idées et à rédiger des phrases complètes. Certains sujets se prêteront aussi à des activités orales.

Dialogues

Les dialogues offrent à l'étudiant la possibilité d'utiliser les notions grammaticales et lexicales déjà acquises dans des situations de la vie courante. Une liste d'expressions, la plupart idiomatiques, l'aidera à enrichir son vocabulaire.

Remarques générales

Voyage éclair autour du monde a plusieurs fonctions :

1) C'est un manuel de lecture. Les textes sélectionnés sont assez importants pour donner lieu à l'approfondissement du sujet.

2) C'est un manuel de grammaire qui présente une révision détaillée des grandes règles grammaticales.

Bien que les exemples soient, en général, tirés du texte, il est très possible, avec l'aide du glossaire, de comprendre les explications grammaticales et de faire les exercices qui les suivent sans avoir étudié l'extrait.

3) C'est un manuel qui englobe tous les aspects de l'enseignement de la langue : lecture, grammaire, écrit, oral. Il fournit la possibilité de sélectionner les aspects grammaticaux, les exercices et les extraits qui répondent le mieux aux besoins des étudiants.

Nous remercions vivement

le Collège universitaire Glendon (Université York), qui nous a fourni un appui financier fort apprécié ;

Hédi Bouraoui, Didier Leclair, Shodja Ziaïan, qui nous ont permis d'utiliser gracieusement leurs beaux textes ;

Brad Lambertus, Directeur responsable du développement, sans qui ce manuel n'aurait pas vu le jour ;

Susan Calvert, Coordinatrice de la production, dont le calme et la patience ne se sont jamais démentis ;

Sophie Lamontre, qui a minutieusement révisé notre manuscrit ;

Nils Fagerburg, qui nous a fourni des renseignements fort utiles.

LE GROENLAND

LA
RUSSIE

l'ISLANDE (f.)

LE CANADA

LE
ROYAUME
UNI

L'IRLANDE
(f.)

LA FRANC

L'AMÉRIQUE
DU NORD
(f.)

LES ÉTATS UNIS
(m. pl.)

LE MARC

L'ALGÉRIE (f.)

L'ANCIEN SAHARA
OCCIDENTAL (m.)

LE MALI

LA MAURITANI

LE MEXIQUE

LE
BELIZE

LES CARAÏBES (m. pl.)

L'AMÉRIQUE
CENTRALE
(f.)

LE GUATEMALA
LE SALVADOR
LE NICARAGUA
LE COSTA RICA
LE PANAMA

LE HONDURAS

LA GUYANA

LE SURINAM

la Guyane française
(LA FRANCE)

LE SÉNÉGAL

LE BURKINA
-FASO

LA GAMBIE

LA GUINÉE-BISSAU

LA GUINÉE

LA SIERRA LEONE

LE LIBERIA

LA CÔTE D'IVOIRE

LE
VENEZUELA

LA
COLOMBIE

KIRIBATI

L'ÉQUATEUR
(m.)

L'AMÉRIQUE
DU SUD
(f.)

LE GHANA

LE TOGO

LE GABON

LA GUINÉE-
ÉQUATORIALE

TUVALU

LE PÉROU

LES SAMOA
(f.pl.)

LA
BOLIVIE

LE BRÉSIL

TONGA
(m.)

LA POLYNÉSIE
FRANÇAISE

LE CHILI

LE PARAGUAY

L'URUGUAY (m.)

L'ARGENTINE
(f.)

LA SUÈDE

LA NVÈGE

LA FINLANDE

L'ARMÉNIE (f.)

LA GÉORGIE

L'AZERBAIDJAN (m.)

LA RUSSIE

L'ASIE (f.)

L'EUROPE (f.)

LE KAZAKHSTAN

L'OUZBÉKISTAN (m.)

LA MONGOLIE

LA TURQUIE

LA KIRGHIZIE

LA TURKMÉNIE

LE TADJIKISTAN

LA CORÉE DU NORD

LA TUNISIE

L'IRAK (m.)

L'IRAN (m.)

L'AFGHANISTAN (m.)

LA CHINE

LA CORÉE DU SUD

LE JAPON

LA LIBYE

L'ÉGYPTE (f.)

LE PAKISTAN

LE BHOUTAN

TAÏWAN

L'ARABIE SAOUDITE (f.)

L'AFRIQUE (f.)

LE NÉPAL

L'UNION DE MYANMAR (f.)

L'OMAN (m.)

L'INDE (f.)

LE NIGER

LE TCHAD

LE SOUDAN

LE YÉMEN

LE LAOS

LE VIÊT-NAM

LE BÉNIN

DJIBOUTI

LA SOMALIE

LE BANGLADESH

LES PHILIPPINES (f.pl.)

LE NIGERIA

L'ÉTHIOPIE (f.)

LA THAÏLANDE

LE KAMPUCHÉA

LE CAMEROUN

LA RÉPUBLIQUE CENTRAFRICAINE

L'OUGANDA

LE KENYA

LA PAPOUASIE-NOUVELLE-GUINÉE

LE CONGO

LE ZAIRE

LE RUANDA

LE BURUNDI

LA TANZANIE

LE SRI LANKA

LA FÉDÉRATION DE MALAISIE

L'INDONÉSIE (f.)

L'ANGOLA (m.)

LA ZAMBIE

LE MALAWI

FIDJI (m.)

LE ZIMBABWE

VANUATU (m.)

LA NAMIBIE

LE BOTSWANA

MADAGASCAR

la Nouvelle-Calédonie (LA FRANCE)

LE MOZAMBIQUE

L'AUSTRALIE (f.)

LE SWAZILAND

L'AFRIQUE DU SUD (f.)

LE LESOTHO

LE MONDE

LA NOUVELLE-ZÉLANDE

0   1000   2000 *Milles*

0   1000   2000   3000 *Kilomètres*

At Equator

Chapitre 1

Le Départ
L'Angleterre

Aspects grammaticaux étudiés :

- Le présent de l'indicatif
- Les verbes à changements orthographiques à l'indicatif présent
- Quelques constructions à retenir :
    être en train de + infinitif
    venir de + infinitif (passé récent)
    aller + infinitif (futur proche)
- Les verbes pronominaux
- L'impératif
- Les verbes pronominaux à l'impératif

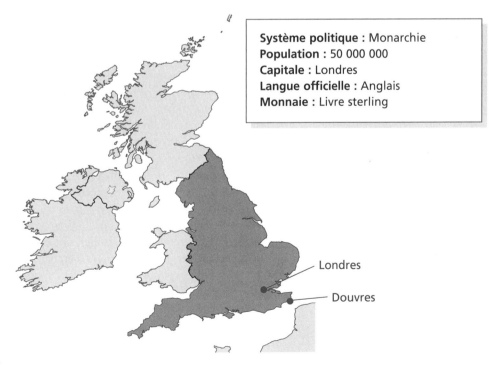

Système politique : Monarchie
Population : 50 000 000
Capitale : Londres
Langue officielle : Anglais
Monnaie : Livre sterling

Londres

Douvres

Dans l'extrait ci-dessous, nous rencontrons le gentleman anglais typique tel que se l'imaginent les Français. Il est évident que Phileas Fogg est un stéréotype et que tous les Anglais ne lui ressemblent pas.

Il n'y a guère d'imprévu dans la vie de Phileas Fogg. Depuis des années, il suit la même routine. Il passe ses journées à son club (luxe qui n'est permis qu'à une classe aisée) où il déjeune, lit les journaux, dîne et, vers six heures du soir, avec un groupe d'amis, fait une partie de whist et boit du brandy.

Jules Verne (1828-1905), né à Nantes, demeure, même au XXIᵉ siècle, un des auteurs de science-fiction les plus célèbres. Longtemps considéré par la critique comme un écrivain pour adolescents, il est maintenant reconnu comme un romancier important. Son ouvrage, *Le Tour du monde en quatre-vingts jours* (1873), a inspiré un film célèbre.

PRÉ-LECTURE

Le tour du monde en quatre-vingts jours ! C'était un exploit à l'époque de Jules Verne, époque où il n'y avait pas d'autos ni, surtout, d'avions. Les choses ont bien changé...

Imaginez ceci : vous avez quatre-vingts jours en notre XXIᵉ siècle pour faire le tour du monde. Quels moyens de transport utilisez-vous ? Où faites-vous escale et pourquoi ?

Un pari qui mène loin

À six heures moins vingt, le gentleman reparaît dans le grand salon et s'absorbe dans la lecture du Morning Chronicle.

Une demi-heure plus tard, divers membres du Reform-Club font leur entrée et s'approchent de la cheminée, où brûle un feu de houille. Ce sont les
5   partenaires habituels de Mr. Phileas Fogg, comme lui enragés joueurs de whist :
l'ingénieur Andrew Stuart, les banquiers John Sullivan et Samuel Fallentin, le brasseur Thomas Flanagan, Gauthier Ralph, un des administrateurs de la Banque d'Angleterre, — personnages riches et considérés, même dans ce club qui compte parmi ses membres les sommités de l'industrie et de la finance.
10   « Eh bien, Ralph, demande Thomas Flanagan, où en est cette affaire de vol ?
— Eh bien, répond Andrew Stuart, la banque en sera pour son argent[1].
— J'espère, au contraire, dit Gauthier Ralph, que nous mettrons la main sur[2] l'auteur du vol. Des inspecteurs de police, gens fort habiles, ont été envoyés en Amérique et en Europe, dans tous les principaux ports d'embarquement
15   et de débarquement, et il sera difficile à ce monsieur de leur échapper.
— Mais on a donc le signalement du voleur ? demande Andrew Stuart.

---

[1] perdra son argent.
[2] nous attraperons

— D'abord, ce n'est pas un voleur, répond sérieusement Gauthier Ralph.

20 — Comment, ce n'est pas un voleur, cet individu qui a soustrait cinquante-cinq mille livres en bank-notes (1 million 375 000 francs-or) ?

25 — Non, répond Gauthier Ralph.

— C'est donc un industriel ? dit John Sullivan.

— Le *Morning Chronicle* assure que c'est un gentleman. »

30 Celui qui a fait cette réponse n'est autre que Phileas Fogg dont la tête émerge alors du flot de papier amassé autour de lui.

35 En même temps, Phileas Fogg salue ses collègues, qui lui rendent son salut.

Le fait dont il est question, que les divers 40 journaux du Royaume Uni discutent avec ardeur, s'est accompli trois jours auparavant, le 29 septembre.

Phileas Fogg et son valet font le tour du monde.

Une liasse de bank-notes, formant l'énorme somme de cinquante-cinq 45 mille livres, a été prise sur la tablette du caissier principal de la Banque d'Angleterre.

« Je soutiens, dit Andrew Stuart, que les chances sont en faveur du voleur, qui ne peut manquer d'être un habile homme !

— Allons donc ! répond Ralph, il ne peut se réfugier nulle part.

50 — Par exemple[3] !

— Où peut-il aller ?

— Je n'en sais rien, répond Andrew Stuart, mais, après tout, la terre est assez vaste.

— Elle l'était autrefois… dit à mi-voix Phileas Fogg. Puis : « À vous de 55 couper, monsieur », ajoute-t-il en présentant les cartes à Thomas Flanagan.

La discussion est suspendue pendant le jeu. Mais bientôt Andrew Stuart la reprend, disant : « Comment, autrefois ! Est-ce que la terre a diminué, par hasard ?

---

[3] Vraiment !

— Sans doute, répond Gauthier Ralph. Je suis de l'avis de Mr. Fogg. La terre
60   a diminué, puisqu'on la parcourt maintenant dix fois plus vite qu'il y a
cent ans. Et c'est ce qui, dans le cas dont nous nous occupons, rendra les
recherches plus rapides.

— Et rendra plus facile aussi la fuite du voleur !

— À vous de jouer, monsieur Stuart ! » dit Phileas Fogg.

65   Mais l'incrédule Stuart n'est pas convaincu, et, la partie achevée : « Il
faut avouer, monsieur Ralph, reprend-il, que vous avez trouvé là une
manière plaisante de dire que la terre a diminué ! Ainsi parce qu'on en fait
maintenant le tour en trois mois…

— En quatre-vingts jours seulement, dit Phileas Fogg.

70   — En effet, messieurs, ajoute John Sullivan, quatre-vingts depuis que la
section entre Rothal et Allahabad est ouverte sur le « Great-Indian
Peninsular Railway », et voici le calcul établi par le *Morning Chronicle* :

De Londres à Suez par le Mont-Cenis et Brindisi, railways
et paquebots . . . .   7 jours
75   De Suez à Bombay, paquebot . . . . 13 jours
De Bombay à Calcutta, railway . . . .   3 jours
De Calcutta à Hong-Kong (Chine), paquebot . . . . 13 jours
De Hong-Kong à Yokohama (Japon), paquebot . . . .   6 jours
De Yokohama à San Francisco, paquebot . . . . 22 jours
80   De San Francisco à New York, railroad . . . .   7 jours
De New York à Londres, paquebot et railway . . . .   9 jours
Total   80 jours

— Oui, quatre-vingts jours ! s'écrie Andrew Stuart, qui, par inattention coupe
une carte maîtresse, mais non compris le mauvais temps, les vents
85   contraires, les naufrages, les déraillements, etc.

— Tout compris », répond Phileas Fogg, qui, abattant son jeu, ajoute : « Deux
atouts maîtres. »

Andrew Stuart, à qui c'est le tour de « faire »[4], ramasse les cartes en
disant :

90   « Théoriquement vous avez raison, monsieur Fogg, mais dans la
pratique…

— Dans la pratique aussi, monsieur Stuart.

— Je voudrais bien vous y voir[5].

— Il ne tient qu'à vous[6]. Partons ensemble.

95   — Le Ciel m'en préserve ! s'écrie Stuart, mais je parierais bien quatre mille
livres (100 000 francs-or) qu'un tel voyage, fait dans ces conditions, est
impossible.

— Très possible, au contraire, répond Mr. Fogg.

— Eh bien, faites-le donc !

---

[4] de donner les cartes
[5] vous voir essayer
[6] Cela dépend de vous.

100 — Le tour du monde en quatre-vingts jours ?

 — Oui.

 — Je le veux bien.

 — Quand ?

 — Tout de suite.

105 — C'est de la folie ! s'écrie Andrew Stuart, qui commence à se vexer de l'insistance de son partenaire. Tenez[7] ! jouons plutôt.

 — Refaites, alors, répond Phileas Fogg, car il y a « maldonne »[8].

Andrew Stuart reprend les cartes d'une main fébrile ; puis tout à coup, les posant sur la table :

110 « Eh bien, oui, monsieur Fogg, dit-il, oui, je parie quatre mille livres !…

 — Mon cher Stuart, dit Fallentin , calmez-vous. Ce n'est pas sérieux.

 — Quand je dis : Je parie, répond Andrew Stuart, c'est toujours sérieux.

 — Soit[9] ! » dit Mr. Fogg. Puis se tournant vers ses collègues :

115 « J'ai vingt mille livres (500 000 francs-or) déposées chez Baring frères. Je les risquerai volontiers…

 — Vingt mille livres ! s'écrie John Sullivan. Vingt mille livres qu'un retard imprévu peut vous faire perdre !

 — L'imprévu n'existe pas, répond simplement Phileas Fogg.

120 — Mais, monsieur Fogg, ce laps de quatre-vingts jours n'est calculé que comme un minimum de temps !

 — Un minimum bien employé suffit à tout.

 — Mais pour ne pas le dépasser, il faut sauter mathématiquement des railways dans les paquebots, et des paquebots dans les chemins de fer !

125 — Je sauterai mathématiquement.

 — C'est une plaisanterie !

 — Un bon Anglais ne plaisante jamais, quand il s'agit d'une chose aussi sérieuse qu'un pari, répond Phileas Fogg. Je parie vingt mille livres contre qui voudra que je ferai le tour de la terre en quatre-vingts jours ou moins,

130 soit[10] dix-neuf cent vingt heures ou cent quinze mille deux cents minutes. Acceptez-vous ?

 — Nous acceptons, répondent MM. Stuart, Fallentin, Sullivan, Flanagan et Ralph, après s'être entendus.

 — Bien, dit Mr. Fogg. Le train de Douvres part à huit heures quarante-cinq.

135 Je le prendrai.

 — Ce soir même ? demande Stuart.

 — Ce soir même, répond Phileas Fogg. Donc, ajoute-t-il en consultant un calendrier de poche, puisque c'est aujourd'hui mercredi 2 octobre, je devrai être de retour à Londres, dans ce salon même du Reform-Club, le samedi

---

[7] allons !
[8] erreur
[9] D'accord !
[10] c'est-à-dire

140 21 décembre, à huit heures quarante-cinq du soir, <u>faute de quoi</u>[11] les vingt mille livres déposées actuellement à mon crédit chez Baring frères vous appartiendront messieurs. — Voici un chèque de pareille somme. »

Un procès-verbal du pari est fait et signé <u>sur le champ</u>[12] par les six cointéressés.

145 Sept heures sonnent alors. On offre à Mr. Fogg de suspendre le whist pour lui permettre de faire ses préparatifs de départ.

« Je suis toujours prêt ! » répond cet impassible gentleman, et donnant les cartes :

« Je retourne carreau, dit-il. À vous de jouer, monsieur Stuart. »

Jules Verne, *Le Tour du monde en quatre-vingts jours,* Paris, Hachette, 1950, p. 13-18. (adaptation)

Expressions à retenir

mettre la main sur (l. 12)
en même temps (l. 35)
à mi-voix (l. 54)
à vous de jouer (de répondre, de lire...) (l. 64)
je le veux bien (l. 102)
tout de suite (l. 104)
le chemin de fer (l. 124)
être de retour (l. 139)
actuellement (l. 141)
faire ses préparatifs (l. 146)

COMPRÉHENSION

1. Combien de personnes jouent au whist avec Phileas Fogg ? cinq
2. À quelle heure font-elles leur entrée au club ? six heures dix
3. Quelle somme la banque d'Angleterre a-t-elle perdue ? cinquante-cinq mille livres
4. Pourquoi la terre a-t-elle « diminué » ? qu'on la parcourt maintenant dix fois plus vite qu'il y a cent ans
5. Pourquoi le *Morning Chronicle* utilise-t-il à la fois *railway* et *railroad* ? US utilise "railroad" England use "railway"
6. Selon ces messieurs, quelle est l'attitude des Anglais en ce qui concerne les paris ? ils sont toujours sérieux
7. Combien chaque partenaire de Fogg parie-t-il ? vingt mille livres
8. Qu'est-ce qui montre que Fogg est un excellent mathématicien ? l'abilité de calculé combien des heures et minuits que sont dans quatre-vingt jours.
9. Qui doute le plus de la réussite de Fogg ? Andrew Stewart

---

[11] sans cela ; autrement
[12] immédiatement

INTERPRÉTATION

[handwritten annotation: homme plus haut dans la société / privilège, respectable, fortune / poli, propre]

1. Qu'est-ce qu'un *gentleman* d'après ce passage ?
2. Phileas Fogg est « impassible ». Trouvez, dans le texte, des exemples de cette
   « impassibilité ». *[handwritten: il continue de jouer le whist quand les amis arrête. / il utilise la même tone]*
3. Comment Jules Verne réussit-il à rendre ce passage amusant ?
   [handwritten: beaucoup de personnes interrupter, beaucoup de choses qui se passe / au même temps → jeu de carte et le parie]

MAÎTRISONS LA LANGUE

A

1. Relevez les noms ou expressions qui ont trait :

   a) au jeu de cartes ;
   b) à l'argent ;
   c) à des professions.

2. Dans le contexte, remplacez les expressions suivantes par des expressions
   équivalentes :

   a) font leur entrée (l. 3) ;
   b) houille (l. 4) ;
   c) enragés joueurs (l. 5) ;
   d) l'auteur du vol (l. 13) ;
   e) le signalement (l. 16) ;
   f) à mi-voix (l. 54).

B

1. a) Faites quatre phrases qui illustrent chacune un sens différent du mot **livre.**
   b) Faites deux phrases qui illustrent chacune un sens différent du mot **jeu.**
   c) Faites deux phrases qui illustrent chacune un sens différent du mot **maîtriser.**

2. **Mots de la même famille.** Les mots qui ont une même racine forment une
   famille de mots. Par exemple : **tolérer, tolérant, tolérance, intolérable,
   intolérance.** Trouvez trois mots de la même famille que :

   a) jeu ;
   b) prêt.

3. Expliquez, en vos propres mots, ces phrases où entre le mot **jeu.**

   a) Monsieur Fogg joue gros jeu.
   b) Il met toute sa fortune en jeu.
   c) Ses amis entrent dans le jeu.
   d) Pour lui, maintenant, les jeux sont faits.

GRAMMAIRE

LE PRÉSENT DE L'INDICATIF

Les verbes réguliers

Il y a trois conjugaisons régulières en français :

les verbes en -**er** (la première conjugaison)
les verbes en -**ir** (la deuxième conjugaison)
les verbes en -**re** (la troisième conjugaison)

Verbes en -er	Verbes en -ir	Verbes en -re
arriv-**er**	chois-**ir**	répond-**re**
j'arriv-**e**	je chois-**is**	je répond-**s**
tu arriv-**es**	tu chois-**is**	tu répond-**s**
il/elle/on[13] arriv-**e**	il/elle/on chois-**it**	il/elle/on répond
nous arriv-**ons**	nous chois-**issons**	nous répond-**ons**
vous arriv-**ez**	vous chois-**issez**	vous répond-**ez**
ils/elles arriv-**ent**	ils/elles chois-**issent**	ils/elles répond-**ent**

1. **Les verbes en -er**

   a) Le verbe **aller** est le seul verbe irrégulier en -**er.**

   b) Comme les terminaisons -**e**, -**es**, -**ent** ne se prononcent pas, les trois formes du singulier et la troisième personne du pluriel ont la même prononciation.

2. Quand le verbe commence par une voyelle ou par un *h* muet :

   a) On utilise une forme élidée du pronom **je : j'.**

      j'arrive, j'entre, j'aime, j'habite
      Mais : je hais (*h* aspiré équivaut à une consonne bien qu'il ne se prononce pas).

   b) La liaison entre le pronom et le verbe qui le suit est toujours obligatoire. Le *s* est prononcé *z*. La prononciation de la consonne *z* distingue la forme plurielle d'un verbe qui commence par une voyelle.

      nous‿arrivons, vous‿acceptez, ils / elles‿embarquent

   c) La liaison distingue la 3ᵉ personne du singulier de la 3ᵉ personne du pluriel.

      il arrive   ils‿arrivent

      elle embarque   elles‿embarquent

---

[13] **On** est en réalité un pronom indéfini (voir chapitre 10).

3. **Les verbes en -ir**

    a) Les trois formes du singulier des verbes en **-ir** ont la même prononciation.

         je finis, tu finis, il/elle/on finit

    b) Certains verbes en **-ir** ont une conjugaison irrégulière et ne prennent pas l'infixe **-iss-**, notamment **dormir, mentir, partir, sentir, servir, sortir** (voir l'appendice).

je pars	nous partons
tu pars	vous partez
il/elle/on part	ils/elles partent

    c) Quelques verbes en **-ir (accueillir, couvrir, cueillir, découvrir, offrir, ouvrir, souffrir)** sont conjugués au présent comme les verbes en **-er** (voir l'appendice).

je découv**re**	nous découv**rons**
tu découv**res**	vous découv**rez**
il/elle/on découv**re**	ils/elles découv**rent**

4. **Les verbes en -re**

    a) Les trois formes du singulier des verbes en **-re** ont la même prononciation.

         je vends, tu vends, il/elle/on vend

    b) La prononciation de la consonne finale marque la forme plurielle.

je réponds	nous répondons
tu réponds	vous répondez
il/elle/on répond	ils/elles répondent

    c) Certains verbes en **-re** ont une conjugaison irrégulière (voir l'appendice).

Les verbes à changements orthographiques

Certains verbes du premier groupe (**-er**) présentent des particularités orthographiques.

1. Les verbes en **-cer** tels que **commencer** prennent une cédille (**ç**) à la première personne du pluriel (**nous**) pour conserver le son **s** du **c** à l'infinitif.

     nous commen**çons**, nous lan**çons**, nous for**çons**, nous mena**çons**

2. Les verbes en **-ger** tels que **voyager** prennent un **e** à la première personne du pluriel (**nous**) pour conserver le son doux de la consonne **g**.

     nous voyag**eons**, nous mang**eons**, nous nag**eons**, nous song**eons**

3. Certains verbes (**acheter, espérer, lever, mener, répéter**) changent **-e, -é** en **-è** devant les terminaisons muettes **-e, -es, -ent** (voir l'appendice).

j'ach**è**te	nous ach**e**tons
tu ach**è**tes	vous ach**e**tez
il/elle/on ach**è**te	ils/elles ach**è**tent

4. Certains verbes en **-eler** et **-eter** (**appeler, jeter**) doublent la consonne finale (**l** ou **t**) devant les terminaisons muettes **-e, -es, -ent** (voir l'appendice).

j'appe**ll**e	nous appelons	je je**tt**e	nous jetons
tu appe**ll**es	vous appelez	tu je**tt**es	vous jetez
il/elle/on appe**ll**e		il/elle/on je**tt**e	
ils/elles appe**ll**ent		ils/elles je**tt**ent	

5. Les verbes en **-yer** (**employer, essuyer, payer**) changent le **y** en **i** devant les terminaisons muettes **-e, -es, -ent** (voir l'appendice).

j'emplo**i**e	nous employons
tu emplo**i**es	vous employez
il/elle/on emplo**i**e	ils/elles emplo**i**ent

> *Remarque*
>
> Pour les verbes en **-ayer** (**payer**), on peut aussi garder le **y**.
>
> | | |
> |---|---|
> | je paie / paye | nous payons |
> | tu paies / payes | vous payez |
> | il/elle/on paie / paye | ils/elles paient / payent |

Les verbes irréguliers

1. Dans un grand nombre de verbes irréguliers, la première et la deuxième personnes du pluriel ont le radical de l'infinitif.

2. Pour la conjugaison des verbes irréguliers, voir l'appendice.

3. Les verbes **avoir** et **être**

    Voici les deux verbes irréguliers les plus importants :

avoir		être	
j'**ai**	nous **avons**	je **suis**	nous **sommes**
tu **as**	vous **avez**	tu **es**	vous **êtes**
il/elle/on **a**	ils/elles **ont**	il/elle/on **est**	ils/elles **sont**

Emplois

Comme en anglais, le présent s'emploie en français :

1. Pour décrire une action qui se passe au moment où l'on parle.

    Eh bien, **demande** Thomas Flanagan, où en **est** cette affaire de vol ?
    Je **parie** quatre mille livres !

2. Pour exprimer un état au moment où l'on parle.

    Ce **sont** des personnages riches et considérés.

3. Pour exprimer une vérité générale ou permanente.

> Un bon Anglais ne **plaisante** jamais, quand il **s'agit** d'une chose aussi sérieuse qu'un pari.
> L'imprévu n'**existe** pas.

4. Pour exprimer une action habituelle.

> Phileas Fogg **passe** ses journées à son club où il **déjeune, lit** les journaux, **dîne** et **fait** une partie de whist.
> Ces gentlemen **boivent** du cognac et **fument** des cigares tous les soirs.

5. Pour exprimer une action future.

> Le train de Douvres **part** à huit heures quarante-cinq ce soir.
> Il **commence** le voyage ce soir même ; donc, on ne le **voit** pas au club demain.

6. Pour exprimer un passé récent.

> Il **sort** du club à l'instant.

7. Avec les expressions **depuis, depuis que, il y a ... que, cela / ça fait ... que, voici / voilà ... que** pour exprimer qu'une action (ou un état) commencée dans le passé continue dans le présent.

> Ce monsieur **est** membre du Reform-Club **depuis** vingt ans.
> On fait le tour du monde en 80 jours **depuis que** cette section **est** ouverte.
> **Cela / Ça fait** une heure **qu'**ils **jouent** au whist.
> **Il y a** dix minutes **qu'**il **lit** le journal.

Quelques constructions à retenir

1. **Être en train de + infinitif** pour insister sur le fait qu'une action est en cours au moment où l'on parle.

> Les membres du club **sont en train de discuter** du vol.

2. **Venir de + infinitif (le passé récent)** *to have just* pour décrire une action ou un événement qui a eu lieu tout récemment.

> Ils **viennent d'apprendre** qu'on a volé cinquante-cinq mille livres en banknotes.

3. **Aller + infinitif (futur proche)** pour exprimer une action qui va se passer dans un avenir proche.

> Ils espèrent que la police **va trouver** le coupable.

APPLICATION

1. Mettez les verbes entre parenthèses au présent de l'indicatif.

a) Nous (faire) une partie de whist et nous (prendre) un verre.

b) Ils (partir) le 2 octobre et ils (devoir) être de retour à Londres le 21 décembre.

c) Est-ce que le voleur (pouvoir) échapper aux inspecteurs de police ?

d) Elles (acheter) des billets de loterie parce qu'elles (vouloir) devenir riches.

e) Il (espérer) qu'il ne (aller) pas perdre cette somme.

f) Tu (entreprendre) un voyage dangereux, car tu ne (craindre) rien.

g) Nous (songer) à faire le tour du monde, mais nous (réfléchir) aussi à l'énorme dépense.

h) Vous (répondre) à sa question, mais vous ne (dire) pas la vérité.

i) Il (falloir) sauter d'un train dans un paquebot.

j) À six heures moins vingt, les gentlemen (reparaître) dans le grand salon.

k) Est-ce qu'ils (rejeter) la suggestion de Phileas Fogg ? — Non, ils l' (accepter).

l) Dès qu'on (quitter) le train, on (prendre) l'avion.

m) Je (ouvrir) la porte et je (voir) qu'il (pleuvoir).

n) Vous (suspendre) la discussion pendant que vous (donner) les cartes.

o) Nous (voyager) quand nous (avoir) assez d'argent.

p) Scotland Yard (envoyer) des inspecteurs à New York parce qu'on (croire) que le voleur (être) en Amérique.

q) Quand tu (perdre) au poker, tu (cesser) de jouer.

r) Ils (lire) le *Morning Chronicle*, puis ils (boire) un cognac.

s) Avant de partir, nous (placer) les choses bien en ordre et nous (mettre) les bijoux dans le coffre-fort.

t) Je (promettre) que je t' (envoyer) cette somme tout de suite.

2. Mettez au présent de l'indicatif.

Le soir, quand Mr. Fogg (partir) du club, il (se rendre) immédiatement chez lui. Il (appeler) son valet, Passepartout, un Français, et lui (dire) de préparer deux valises. Il lui (annoncer) qu'ils (aller), ensemble, faire le tour du monde. « Il ne (falloir) pas apporter beaucoup de vêtements, (déclarer) Fogg, car nous (devoir) changer souvent de moyen de transport. » Le domestique ne (reconnaître) pas son maître. Ce sédentaire (vouloir) faire le tour du monde ! Passepartout ne (pouvoir) pas s'expliquer cette transformation. Il (croire) que son maître (devenir) fou. Cependant, il (obéir) et (courir) faire les bagages. Quand, en route pour la gare, les deux hommes (voir) une mendiante, Phileas Fogg lui (offrir) une livre. Passepartout et son maître (arriver) à la gare quelques instants avant le départ du train. Ils (acheter) leurs billets, (monter) dans le train où ils (choisir) des places près de la fenêtre. Ils (être) heureux car ils (commencer) une aventure qui (devoir) les amener loin.

3. À vous la parole !

a) Qu'est-ce que vous faites tous les jours / tous les soirs / le week-end ?

b) Énoncez trois vérités générales.

c) Décrivez ce que vous faites en ce moment.

d) Qu'est-ce que les jeunes font pour s'amuser ?

e) Faites le portrait de l'ami(e) idéal(e).

4. Refaites les phrases en employant l'expression **être en train de.**

   a) Passepartout lit le journal quand son maître rentre.
   b) Vous choisissez un cadeau.
   c) Ne nous téléphonez pas après dix heures. En général, nous dormons à cette heure-là.
   d) Les touristes achètent des souvenirs.
   e) Le chauffeur de taxi conduit trop vite.

5. Répondez aux questions suivantes par une phrase de votre cru en employant :
   aller + infinitif (futur proche)
   venir de + infinitif (passé récent)

   > **Modèle** : Lis-tu le journal maintenant ?
   > Non, je **vais lire** le journal ce soir.
   > Non, je **viens de lire** le journal.

   a) Recevez-vous des invités ?
   b) Appelles-tu tes parents ?
   c) Prennent-ils des vacances ?
   d) Fait-il un voyage en Angleterre ?
   e) Est-ce que vous accueillez les nouveaux membres du club ?

6. Faites des phrases complètes avec les éléments donnés en employant une des expressions suivantes : **depuis, depuis que, il y a ... que, cela / ça fait ... que, voici / voilà ... que.** Faites tous les changements nécessaires et employez chaque fois une expression différente.

   a) Tu / habiter / à Londres / cinq ans
   b) Nous / faire / des préparatifs de voyage / trois jours
   c) Ils / essayer / de trouver le voleur / deux mois
   d) Il / être / président de la banque / les choses / aller / bien
   e) On / attendre / son arrivée / une semaine

LES VERBES PRONOMINAUX

1. Un verbe pronominal est précédé d'un pronom objet à la même personne que le sujet : **me, te, se, nous, vous, se.**

   je **me** réfugie   tu **t'**approches

   Remarque 1

   Le pronom objet précède toujours immédiatement le verbe, sauf à l'impératif affirmatif (voir p. 15) ou si le pronom objet est suivi de **y** ou **en** (voir le chapitre 8).

   > Nous ne **nous** occupons pas de ces cas.
   > Est-ce qu'il **se** calme ?
   > Ne **vous** approchez pas trop du feu.

2. Un grand nombre de verbes transitifs (qui ont un objet direct ou indirect) peuvent être employés à la forme pronominale.

Je lave le bébé.	Je **me** lave.
Nous levons la main.	Nous **nous** levons.
Ils téléphonent à leurs amis.	Ils **se** téléphonent.

3. Certains verbes existent seulement à la forme pronominale. Tels sont : **s'écrier, s'efforcer (de), s'enfuir, s'évanouir, se fier (à), se méfier (de), se moquer (de), se souvenir (de), se suicider, s'exclamer.**

Tu **te** souviens.   Ils **se** moquent de Mr. Fogg.

4. Le verbe pronominal est **réfléchi** quand le sujet du verbe agit sur lui-même.

Il **se** regarde. (se = *himself*)
Tu **te** sers. (te = *yourself*)

5. Le verbe pronominal est **réciproque** quand le sujet du verbe représente au moins deux personnes (ou choses) qui agissent l'une sur l'autre (ou les unes sur les autres). Le verbe est alors toujours pluriel.

Ils **se** regardent. (se = *each other*)
Nous **nous** parlons. (nous = *to each other*)

Remarque 2

L'expression **il s'agit de** est impersonnelle et ne s'utilise qu'à la troisième personne du singulier. Le sujet **il** est le seul sujet possible.

Il s'agit d'un vol.
Dans ce texte, **il s'agit** d'un pari.

APPLICATION

1. Complétez la phrase par le pronom qui convient.

a) Les messieurs _____ approchent de la cheminée.
b) Où le voleur va-t-il _____ réfugier ?
c) Nous _____ occupons de ce cas.
d) Ne _____ vexe pas ainsi.
e) Andrew Stuart ne _____ calme pas.
f) De quoi _____ agit-il dans le *Morning Chronicle* ?
g) Nous _____ levons tôt et nous _____ couchons tard.
h) Tu ne _____ aperçois pas de ton erreur.
i) Ne _____ taisez-vous pas ?
j) Je _____ souviens de leur conversation.

2. Traduisez les phrases suivantes.

   a) These gentlemen get along, but they sometimes make fun of Phileas Fogg.
   b) We are taking care of the matter.
   c) He exclaims : "I mistrust the gentleman".
   d) You have a lot of fun at the club.
   e) I never joke when it is a matter of money.

L'IMPÉRATIF

Forme

1. Il n'est utilisé qu'à la 2e personne du singulier (**tu**) et à la 1re et à la 2e personnes du pluriel (**nous, vous**). Le pronom sujet n'est pas employé.

Finis la partie !	**Prends** le bateau !
Partons ensemble !	**Faites** le tour du monde !

2. À la 2e personne du singulier, les verbes en **-er** n'ont pas de **s** final.

Joue au whist !	**Ramasse** les cartes !	**Va** au club !

3. Les verbes en **-er** qui présentent des changements orthographiques au présent de l'indicatif ont ces mêmes particularités à l'impératif.

Lève la main !	Ne **jette** pas cet argent !	**Commençons** la partie !

4. Les verbes suivants, souvent employés, sont irréguliers à l'impératif (voir l'appendice).

avoir	être	savoir	vouloir
aie	sois	sache	veuille
ayons	soyons	sachons	veuillons
ayez	soyez	sachez	veuillez

Les verbes pronominaux à l'impératif

1. À l'impératif affirmatif, le pronom réfléchi suit le verbe et y est relié par un trait d'union. À la deuxième personne du singulier, on emploie la forme **toi** du pronom réfléchi.

Dépêchons-**nous !**	Occupe-**toi** de cette affaire !
Calmez-**vous !**	Prépare-**toi** pour le voyage !

2. À l'impératif négatif, le pronom réfléchi précède directement le verbe.

Ne **te** fâche pas !	Ne **te** réfugie pas dans ce pays !
Ne **nous** disputons pas !	Ne **vous** attendez pas à gagner le pari !

Emplois

On utilise l'impératif :

1. Pour donner un ordre direct.

    Salue tes collègues !   **Prenez** une décision !

2. Pour exprimer un souhait, un conseil, une prière.

    Faites bon voyage !
    Il fait froid. **Approchez-vous** de la cheminée !
    Ne t'en va pas !

3. Pour exprimer une interdiction.

    Ne fumez pas !

4. Avec le verbe **vouloir** suivi de l'infinitif, pour exprimer plus poliment un ordre
   ou un désir.
   L'impératif a le sens ici de **s'il vous plaît.**

    Veuillez m'expliquer comment il fait ce calcul !

5. Pour faire une suggestion, généralement à la première personne du pluriel.

    Allons au club !   **Dînons** à huit heures !

APPLICATION

1. Utilisez la forme voulue de l'impératif pour donner les ordres ou les conseils
   indiqués.

    Modèle : Ordonnez à Thomas de distribuer les cartes.
              Distribue les cartes !

    a) Invitez un monsieur à partir avec vous. Pars avec nous
    b) Conseillez à votre ami(e) de ne pas se vexer. Ne te vexe pas
    c) Dites aux inspecteurs de police de poursuivre le voleur. Poursuivi
    d) Dites à votre frère de se lever et de prendre le petit déjeuner. Lève-toi et prend le
    e) Dites au domestique d'offrir un verre aux invités. Offres
    f) Demandez à la dame de ne pas plaisanter. Ne plaisante pas
    g) Conseillez à vos collègues de ne pas investir d'argent dans une nouvelle
       entreprise. N'investissez pas
    h) Ordonnez à votre sœur de nettoyer la chambre. Nettoye la chambre
    i) Priez vos parents d'emmener la famille en Europe. Emmenez la famille
    j) Proposez au banquier de prêter de l'argent aux investisseurs. Prête de l'argent

2. Mettez au négatif.

    a) Ne Prenons le train qui part à huit heures.
    b) Envoyez les invitations. N'envoyez pas
    c) Déposons cette somme chez Baring frères. Ne déposons pas
    d) Demande-toi s'il est possible de faire ce voyage. Ne te demande pas
    e) Pars tout de suite.

3. En employant des impératifs (affirmatifs et négatifs), donnez trois conseils ou suggestions qui correspondent à chaque situation.

   a) Votre ami(e) veut abandonner ses études.
   b) Vos parents désirent apprendre le français.
   c) Votre voisine va déménager.
   d) Un(e) de vos camarades doit avoir une entrevue.
   e) Vous et vos ami(e)s faites du camping pour la première fois.
   f) Votre frère (sœur) a envie de pratiquer un sport dangereux.

4. Quand Phileas Fogg arrive en Inde, il rencontre une jeune femme et il la sauve d'une mort horrible. Dans le passage suivant, mettez les verbes entre parenthèses à la forme polie de l'impératif.

Lorsque Phileas Fogg se rend compte du danger qui menace la jeune Indienne, il s'écrie : « (Suivre)-moi ! (Courir) ! (Ne pas avoir) peur ! On nous poursuit, (se dépêcher). (Monter) sur l'éléphant. Nous pouvons nous cacher dans la forêt. » Après quelques heures, ils traversent une immense plaine. « Nous pouvons nous arrêter, déclare Mr. Fogg. (Boire) quelques gorgées d'eau et de brandy. (Se reposer) un peu et (se remettre). Nous devons nous rendre à la gare d'Allahabad pour aller à Calcutta. » Une fois dans le train, Mr. Fogg dit à Mrs. Aouda, la belle Indienne : « Cette région est trop dangereuse ; (venir) avec nous. Nous allons prendre un paquebot pour Hong-Kong. » Pendant la traversée, Phileas Fogg et Mrs. Aouda passent beaucoup de temps ensemble et deviennent de très bons amis. Mrs. Aouda accompagne Phileas Fogg et son domestique, Passepartout, jusqu'en Angleterre. Un jour, Mr. Fogg lui fait sa déclaration d'amour : « (Écouter) ce que je vais vous dire et (ne pas m'interrompre). (Permettre)-moi de vous parler franchement et (pardonner)-moi si je suis trop direct. Je vous aime. (Être) ma compagne pour la vie. (Devenir) mon épouse. » La jeune femme s'approche de lui et déclare : « (Prendre) ma main. Vous avez déjà mon cœur. »

DEVOIRS ÉCRITS / TRAVAIL ORAL

A. COMPOSITION GUIDÉE

Imaginez une journée typique dans la vie de Phileas Fogg à Londres.

1. À quelle heure se lève-t-il ?
2. Que fait-il avant de quitter la maison ?
3. À quelle heure se rend-il au club ?
4. Que fait-il au club ?
5. Comment passe-t-il la soirée après l'arrivée de ses amis ?

B. COMPOSITION LIBRE / TRAVAIL ORAL

1. Un(e) de vos ami(e)s va fréquemment à Las Vegas. Vous lui écrivez (ou vous lui parlez) pour lui exposer les dangers que le jeu comporte.

2. Un metteur en scène choisira six acteurs. Ils joueront ensemble la scène du pari en s'inspirant du texte.

DIALOGUES

1. **À l'agence de voyage.** Inventez un dialogue entre un agent de voyages et deux jeunes personnes qui veulent faire le tour du monde avec peu d'argent.

Quelques expressions utiles

Le dictionnaire vous en fournira d'autres.

prendre des renseignements	to obtain information
un dépliant touristique	a travel brochure
faire du stop[14]	to hitchhike
un sac à dos	a knapsack
faire escale	to stop over
le décalage horaire	jet lag
le chèque de voyage	traveller's cheque
l'argent liquide	cash
les frais de déplacement	travel expenses
l'assurance voyage	travel insurance
un permis de séjour, de travail	a residence, a work permit
une auberge de jeunesse	a youth hostel

2. **À la banque.** Vous désirez acheter une voiture et vous vous rendez à la banque pour faire un emprunt. Imaginez la conversation entre vous et le directeur de la banque.

Quelques expressions utiles

une voiture d'occasion	a secondhand car
un prêt bancaire	a bank loan
à court / long terme	short-term / long-term
le taux d'intérêt	the rate of interest
le paiement mensuel	monthly payment (instalment)
payable à l'échéance	payable when due

---

[14] Au Québec, on dit généralement *voyager sur le pouce.*

donner des garanties	to give guarantees
une pièce d'identité	identification
ouvrir un compte	to open an account
rembourser	to reimburse
libeller un chèque à l'ordre de	to make a cheque payable to

UNE POINTE D'HUMOUR

Vivent les vacances !

ÉPOQUE DU VOYAGE — On hésite souvent avant d'entreprendre un voyage, en se demandant quelle époque sera la meilleure. Hésitation superflue : la meilleure époque pour la visite d'un pays se situe un peu avant, ou immédiatement après, celle que vous avez choisie.

CARTES POSTALES — Représentation idéale des lieux destinée à impressionner le destinataire[15] en faisant mentir l'expéditeur[16].

CAMÉRA — Merveilleux instrument de tourisme auquel le voyageur fait voir le pays avant de le voir lui-même. Généralement vide quand il y a quelque chose d'exceptionnel à filmer.

Pierre Daninos, *Vacances à tout prix,* Paris, Le livre de poche, 1973, p. 5, 10-11.

---

[15] celui qui reçoit la carte postale
[16] celui qui envoie la carte postale

Chapitre 2

L'Amérique du Nord
Le Canada
Le Québec

Aspects grammaticaux étudiés :

- Le passé composé : forme
- Le passé composé des verbes conjugués avec l'auxiliaire **avoir**
- Le passé composé des verbes conjugués avec l'auxiliaire **être**
- L'accord du participe passé
- Les emplois du passé composé

Système politique : Province de l'est du Canada
Population : 7 420 000 (6 millions de francophones)
Capitale : Québec
Langue officielle : Français
Monnaie : Dollar canadien

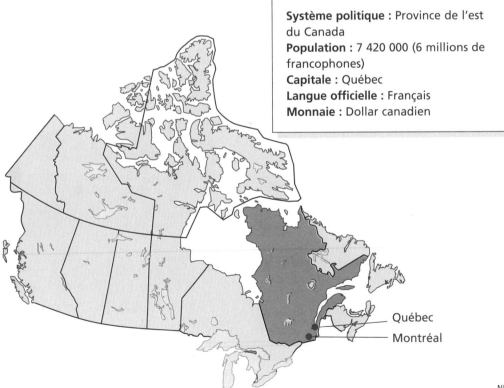

Québec
Montréal

C'est au Québec, province la plus étendue du Canada, qu'est née la nation canadienne-française. Jacques Cartier est arrivé au village indien d'Hochelaga en 1534. Le véritable fondateur du Québec, alors appelé Nouvelle-France, est Samuel de Champlain qui a stimulé la venue des colons français. À la suite de la victoire des Anglais sur les Français en 1759 sur les plaines d'Abraham, le Québec est devenu une colonie anglaise. En 1791, lorsqu'il a reçu le nom de Bas-Canada, il a revendiqué son caractère francophone. Supprimé par l'Acte d'union de 1840, il a retrouvé son autonomie avec la création de la Confédération du Canada en 1867. Malgré le grand nombre d'anglophones qui les entourent, les francophones du Québec ont su conserver vivante, jusqu'à nos jours, la langue de leurs ancêtres.

Roch Carrier, né en 1937 dans la Beauce, au Québec, a publié des contes, des romans, des pièces de théâtre. *La Guerre, yes sir!* tirée du roman du même nom, a été créée à Montréal par le Théâtre du Nouveau Monde en 1970. L'humour noir, l'atmosphère carnavalesque ont contribué à son succès, à la fois au Canada et en Europe.

Certains hommes ont peut-être envie d'aller se battre et de risquer leur vie à la guerre, mais Napoléon préférerait rester tranquillement dans son village. Quant à Bérubé, il trouve la compagnie d'une jolie femme beaucoup plus intéressante que les bang de la guerre.

PRÉ-LECTURE

1. Le cinéma présente souvent le soldat qui risque sa vie comme un héros. Qui est plus héroïque, à votre avis, celui qui va se battre ou celui qui refuse de prendre les armes parce que c'est contre ses principes ?

2. La guerre est inhumaine, sans aucun doute, mais n'est-on pas parfois obligé de se battre pour se défendre ?

3. Doit-on désarmer si le voisin s'arme ?

4. Les déserteurs ont-ils parfois raison ? Justifiez vos réponses.

La Guerre, non merci !   Napoléon et sa femme.

Acte I, scène II
NAPOLÉON ET JOSÉPHINE
Au village, Napoléon sort de la porte sans la refermer et s'en va, déguisé en soldat — il a même sa carabine — en traînant les pieds dans la neige.

JOSÉPHINE   (*de l'intérieur*) Napoléon ! Oh Napoléon !
NAPOLÉON   Qu'est-ce que tu veux, Joséphine ?
JOSÉPHINE   (*elle apparaît*) Napoléon Labonté, au lieu de marmonner, tu
         pourrais me regarder, me prendre dans tes bras, me dire adieu. Tu t'en vas

5   pas[1] à la messe, Napoléon, mais à la guerre.

NAPOLÉON   À la guerre… Oui, à la guerre…

JOSÉPHINE   C'est loin, la guerre.

NAPOLÉON   Et ça va durer plus longtemps que la messe.

JOSÉPHINE   Aujourd'hui, c'est ton tour…

10   NAPOLÉON   Tous les hommes du village vont partir l'un après l'autre…
      Joséphine, je veux pas y aller. C'est trop loin : la guerre. J'ai jamais eu envie
      d'aller aussi loin.

JOSÉPHINE   I[2] paraît que Corriveau est parti avec le sourire aux lèvres.

NAPOLÉON   Corriveau, i' est parti à la guerre parce que la bière est gratis

15   pour les soldats. Moi, j'aime pas la bière.

JOSÉPHINE   Pleure pas.

NAPOLÉON   Je pleure pas, j'pisse dans ma culotte.

JOSÉPHINE   Napoléon, t'es[3] pas un homme.

NAPOLÉON   Joséphine, j'ai peur. J'ai pas envie de me faire tuer. J'ai pas envie

20   de me faire tuer par un gars que je connais pas !… Pourquoi est-ce qu'il faut
      aller tuer du monde dans les Vieux Pays[4] ? J'pourrais rester ici, au village,
      aller à la chasse aux canards et attendre le printemps en fumant
      doucement… même si t'aimes pas l'odeur du tabac.

JOSÉPHINE   Le gouvernement fait la guerre pour la liberté, Napoléon. La

25   liberté, tu sais ce que c'est ?

NAPOLÉON   La liberté, c'est rester ici, avec toi, si j'en ai envie.

JOSÉPHINE   Le gouvernement t'a demandé d'aller à la guerre… Quand le
      gouvernement demande, Napoléon, on obéit.

NAPOLÉON   Le gouvernement, moi, j'ai voté contre. J'lui[5] ai pas demandé de

30   déclarer la guerre. J'ai pas demandé d'aller à la guerre. J'ai même pas
      demandé de venir au monde…

JOSÉPHINE   C'est le bon Dieu qui le veut. Dis pas de gros mots[6]. *des blasphèmes*

NAPOLÉON   C'est tout ce qui me reste, Joséphine…

JOSÉPHINE   Et moi ?

35   NAPOLÉON   (*bégayant*) Je… Je… J't'aime, Joséphine.

JOSÉPHINE   I' faut aller faire la guerre.

NAPOLÉON   (*désolé*) Ah, petit Jésus jaune !

JOSÉPHINE   Blasphème pas, Napoléon, c'est pas bon pour la santé. Bon : va !
      Va faire la guerre. Tu sais que t'es fragile des pieds, oublie pas de mettre tes

40   deux paires de chaussettes de laine ! Puis prends bien garde d'enlever[7] les
      médailles[8] que j'ai cousues à ton pantalon. Elle vont te protéger : tu vas dans

---

[1] Dans la langue populaire, on omet généralement le **ne** du négatif.

[2] Il — langue populaire

[3] tu n'es pas — langue populaire

[4] l'Europe d'où sont venus les premiers immigrants

[5] Je ne lui — langue populaire

[6] Ne sois pas vulgaire.

[7] de ne pas enlever

[8] Les médailles représentent un saint protecteur. Les personnages ici sont tous catholiques comme l'étaient la majorité des Québécois à cette époque.

les Vieux Pays : tu sais
qu'i' ont pas de morale ni
de religion. Attention aux
45 femmes : c'est plus
dangereux que la guerre.
Puis oublie pas tes trois
« <u>Je vous salue,
Marie[9]</u> »… Napoléon…
50 Va… tuer des
Allemands… Corriveau
doit avoir hâte de voir
quelqu'un du village.
NAPOLÉON   J'veux pas
55 aller à la guerre,
Joséphine : j't'aime trop.
JOSÉPHINE   Va. Dépêche-
toi, va-z-y[10] avant que la
guerre finisse !

Un village québécois

*Napoléon s'en va en traînant les pieds. Quand il est disparu, Joséphine le regarde encore
s'en aller et elle éclate en pleurs.*

60 JOSÉPHINE   Je l'ai envoyé à la guerre. Je l'ai poussé à la guerre. (*Criant*)
Napoléon ! Mon Napoléon est capable de faire son devoir aussi bien que
Corriveau. Je l'ai poussé à la guerre, (*pleurs*) comme sous les roues d'une
locomotive…

Acte I, scène VI

Chambre d'hôtel à Gander, Terre-Neuve. MOLLY, BÉRUBÉ. *Molly, fille à soldats qui
semble avoir plus de classe que celles de sa profession, entre dans la chambre suivie de
Bérubé qui, sans être tout à fait ivre, a cependant une allure joyeuse. Sa tenue de soldat
s'en ressent.*

BÉRUBÉ   Sainte-Vierge[11] !
65 MOLLY   Whaaat ?
BÉRUBÉ   Holy Vierge ! Avec une fille comme toi, j'vais me prendre pour un
général !
MOLLY   Long live the generals !
BÉRUBÉ   Stop ! Stop it ! Si tu veux, on va causer en français. Ça me fait rien
70 de faire la guerre en anglais, mais j'veux faire l'amour en français. […]
MOLLY   Tu es French Canadien ?
BÉRUBÉ   Yes Sir ! Puis si tu veux une preuve, c'est pas mon passeport que je
vais te montrer.

---

[9] Dans la religion catholique, prière à la Vierge Marie, mère du Christ
[10] vas-y
[11] Ici, expression blasphématoire

Bérubé cherche dans ses poches des billets qu'il donne très généreusement : cette générosité des pauvres.

> BÉRUBÉ   Ça coûte aussi cher qu'un billet aller-retour pour le ciel… Mais t'es
> 75   plus affriolante qu'un ange… Hostie[12] … Quand j'pense que j'avais déjà
>   oublié qu'y a des filles comme toi sur la terre. J'pensais qu'i restait plus
>   seulement que des soldats. Bang ! Bang ! Tu tires : Bang ; tu te couches,
>   Bang ; tu cours, Bang ! Puis t'oublies qu'y a des femmes…
>
> MOLLY   As-tu tué beaucoup d'Allemands ?
>
> 80 BÉRUBÉ   J'aurais bien aimé ça ; j'ai pas eu la chance. Moi, vois-tu, j'suis
>   coléreux. J'suis mauvais. Je suis effrayant, quand j'suis en colère. Les majors
>   s'en sont aperçus. I'ont dit : « Si on laisse sortir Bérubé, i' va faire trop de
>   ravages. Puis i' va devenir général. » Mais un général canadien-français, ça se
>   fait pas. […] (*Pendant qu'il parle, Molly s'est dévêtue partiellement*) What a
> 85   babe ! Au lieu de passer notre vie à regarder ça, comme un cadeau du bon
>   Dieu, on s'en va à l'autre bout du monde attendre, dans la vase, qu'une balle
>   nous passe à travers le corps. On est fou. People are crazy !

Molly, presque entièrement dévêtue, se laisse tomber sur le lit. Bérubé est tout à coup intimidé, il tremble en arrachant son pantalon, il est comme figé de voir Molly.

> MOLLY   Come on ! Come on ! Viens mon petit chéri de soldat French
>   Canadian.

Bérubé s'assied sur le rebord du lit. Il regarde Molly.

> 90 BÉRUBÉ   Écoute.
>
> MOLLY   Quoi ?
>
> BÉRUBÉ   T'entends pas ? C'est le diable !

Son. On entend, grossissant, le bruit d'une horloge : tic tac tic tac.

> BÉRUBÉ   C'est l'horloge de l'enfer ! The clock of Hell.

Son. Le tic tac est plus fort. Peu à peu, il se transforme en « toujours-jamais » que répète une voix diabolique.

> BÉRUBÉ   (*effrayé*) T'entends pas l'horloge de l'enfer ? Elle compte les secondes
> 95   de l'éternité. Écoute les cris des damnés qui se font manger par le feu et les
>   serpents. (*S'agenouille*) Mon Dieu, j'vous demande pardon du péché que
>   j'allais faire. (*Il se retourne vers Molly*) Do you want to marry me ? Veux-tu
>   me marier[13] ?
>
> MOLLY   Tu es un bon petit French Canadian.
>
> 100 BÉRUBÉ   Vite, ferme la lumière.

Ils se retrouvent au lit.

---

[12] expression blasphématoire au Québec
[13] m'épouser — français populaire

BÉRUBÉ   Après, on ira voir le Padre. I' nous confessera[14] puis i' nous mariera. Après, j'demanderai une permission de mariage, puis je t'amène chez moi . J'ai plus de père ni de mère. Mais j'ai encore mon village. C'est chez moi. Là, y a pas de guerre. Maudit que c'est un beau village. C'est pas aussi beau
105   que toi, ma femme. Ma petite femme… Ma femme… Tu vas être reçue comme la reine d'Angleterre.

Acte II, scène VI (extrait)

[Des soldats anglais ont ramené chez ses parents le corps du soldat Corriveau, tué à la guerre. Molly et Bérubé viennent d'arriver chez les Corriveau.]

BÉRUBÉ   *(prenant tout le monde à témoin)* J'avais le feu dans le cœur en montant vers le village. J'avais de la neige jusqu'icitte[15], jusqu'au cou, mais j'marchais comme sur un nuage. Ma femme était sur mes épaules ; c'est juste
110   une femme et elle aurait pas pu marcher dans une neige si épaisse. […] J'étais heureux de revenir au village. J'étais heureux de pas avoir été tué à la guerre. J'étais heureux de venir vous montrer que j'suis pas un monstre[16] parce qu'une belle femme comme Molly a pas eu peur de moé[17]. J'portais ma petite femme sur mes épaules.
115   J'pensais : c'est ma vie que j'tiens sur mon dos […]. Puis je pensais :
          ✳ Tabernacle[18] ! que c'est beau le bonheur ! J'en mangerais trois fois par jour. Tout à coup, j'ai eu envie de faire l'amour à ma femme. Quand on est un homme, et qu'on est tout seul avec une femme dans la neige blanche à vous arracher les yeux, on a envie de l'aimer. C'est naturel. J'avais les veines
120   comme l'Abitibi en feu. J'ai étendu Molly sur le dessus de la neige, j'l'ai serrée dans mes bras avec la force d'un homme qui aime sa femme. C'est naturel. Ma femme s'est mise à crier comme si elle avait eu peur. Elle se tordait, elle hurlait, elle m'aimait plus. Elle m'a griffé dans le visage. *(Un temps. À Molly)* Putain ! *(Aux autres)* Moi, j' l'ai frappée <u>pour qu'elle sache</u>[19]
125   que je suis son mari. C'est naturel. Molly s'est sauvée en m'insultant. Un homme a le droit de donner une taloche à sa femme. […]

PÈRE CORRIVEAU   Bérubé, si j'avais ton âge, j'serais heureux d'avoir une aussi belle petite femme. Mais j'lui ferais pas de mal… Pour te calmer, va donc parler un peu avec mon garçon. Il va être bien content de te voir en
130   vie.

MÈRE CORRIVEAU   *(admirative devant Bérubé et Molly)* <u>On a beau dire</u>[20], le ciel, ça vaut pas une vie bien vivante. […]

BÉRUBÉ   *(il a marché très lourdement vers le cercueil en tirant Molly derrière lui)* Pourquoi ? Pourquoi les as-tu laissés te prendre la vie ? T'en avais besoin de

---

[14] Bérubé est sur le point de commettre un péché et, pour les catholiques, la confession est obligatoire avant le mariage.
[15] ici
[16] Bérubé était un adolescent peu docile.
[17] moi
[18] expression blasphématoire au Québec
[19] pour lui apprendre
[20] On peut dire ce qu'on veut

135   ta vie. Christ, c'est pas pour eux que t'es venu au monde… Pourquoi t'es-tu
pas gardé en vie pour te trouver une belle femme comme Molly ? T'aurais
pas eu Molly parce que Molly, c'est moi qu'elle préfère. Pourquoi t'es-tu
laissé voler ta vie ? Moi, je vais me faire des enfants. I'seront pas aussi
malheureux que je l'ai été. I'auront pas besoin de se jeter à la guerre pour

140   oublier leur malheur… Toé[21] aussi, t'aurais pu te faire des enfants. (*D'une
voix étouffée*) Parce qu'on est né au village, on était des frères. Parce qu'on <u>se
cassait la gueule</u>[22] le plus souvent possible, on était plus frères que des frères.
Parce qu'on est des soldats, on se ressemble encore plus. Mais t'es mort…
Mort. Mort…

act de violence

145   Ce qui est fait est fait. On peut plus se chicaner. T'es mort, moi j'ai
envie de vivre. Parce que j'ai Molly, encore plus envie de vivre.

MOLLY   Je vais t'aimer beaucoup ; tu ne vas plus haïr la vie.

PÈRE CORRIVEAU   Je vais ouvrir une bouteille.

MÈRE CORRIVEAU   (*à Bérubé et à Molly*) Les enfants, j'veux pas que vous

150   vous en alliez dehors. Mon petit voyou, c'est pas parce que t'as pas de père
ni de mère qu'on va t'envoyer comme un chien dans la neige. Allez tous les
deux dans la chambre de mon garçon, i' en a plus besoin pour dormir.

PÈRE CORRIVEAU   I' vous la prête.

LE MAIGRE[23]   Le lit, c'est tout ce qu'il faut pour rétablir la paix. Au lieu de

155   jeter des bombes, i' devraient parachuter des lits.

Bérubé prend la taille de Molly et tous les deux montent dans leur chambre.

MOLLY   I love you.

BÉRUBÉ   Je veux pas être tout seul. I don't want to be alone. Puis je veux
vivre !

MOLLY   You're a real baby. Mon petit enfant.

Ils montent amoureusement l'escalier.

160 MOLLY   Je t'aime, mon nouveau mari tout neuf pour toujours à moi.
Maintenant, je veux rester toujours avec toi comme un petit chien parce que
le Padre nous a mariés et je suis ta femme. Je ne veux pas que tu te fasses
tuer comme ton ami… Mon mari French Canadian, aime-moi fort.

PHILIBERT[24]   (*après les avoir suivis avec intérêt*) Maudit[25], le père[26], j'ai hâte

165   d'être soldat.

Roch Carrier, *La Guerre, yes sir !* Montréal, Éditions Stankè, 1976.

---

[21] toi
[22] se battait
[23] un villageois
[24] un adolescent
[25] juron assez faible
[26] le père de Philibert est aussi chez les Corriveau

Expressions à retenir

c'est ton tour (l. 9)
un billet aller-retour (l. 74)
au lieu de (l. 85)
s'agenouiller (l. 96)
arracher (l. 119)
en feu (l. 120)
serrer dans ses bras (l. 121)
faire du mal / ne pas faire de mal (l. 128)
avoir beau (dire, faire, etc.) (l. 131)
se ressembler (l. 143)

COMPRÉHENSION

1. Expliquez l'importance du mot « déguisé » dans l'expression « déguisé en soldat ».
2. Qu'est-ce qui montre, dès l'entrée en scène de Napoléon, qu'il ne veut pas partir ?
3. Quelle phrase montre que Joséphine respecte l'autorité sans poser de questions ?
4. Selon Joséphine, quels sont les dangers qui menacent Napoléon dans les « Vieux Pays » ?
5. Qu'y a-t-il de ridicule dans les conseils qu'elle donne à son mari ?
6. Qu'est-ce qui montre qu'elle regrette tout de même son départ ?
7. Qu'est-ce qui montre que, selon Bérubé, les Canadiens français ne sont pas traités avec justice dans l'armée ?
8. Quelle idée Bérubé se fait-il de l'enfer ?
9. Pourquoi Bérubé est-il parti à la guerre ?

INTERPRÉTATION

1. Pourquoi Napoléon bégaye-t-il quand il dit à Joséphine qu'il l'aime ?
2. Pourquoi Joséphine encourage-t-elle Napoléon à partir ?
3. « Mon Dieu, j'vous demande pardon du péché que j'allais faire. » Qu'y a-t-il d'illogique dans cette prière de Bérubé ?
4. Pourquoi Bérubé propose-t-il à Molly de l'épouser ?
5. Qu'est-ce qui montre que Bérubé a tout de même une certaine gentillesse envers sa femme ?
6. De quoi Bérubé a-t-il surtout besoin ?
7. Pourquoi a-t-il frappé Molly ?
8. Quelle force est constamment opposée à la guerre (à la mort) dans ces extraits ?
9. Pourquoi les expressions ayant trait à la religion sont-elles très nombreuses ?

MAÎTRISONS LA LANGUE

A

1. Relevez les expressions ayant trait à la religion.

2. Trouvez, dans le texte, un mot de la même famille que : a) mariage ; b) diable ; c) aimer ; d) cri.

3. Trouvez, dans la scène II, acte I, des expressions équivalentes aux expressions suivantes : a) je veux pas ; b) des gens ; c) naître ; d) ôter ; e) peut.

4. Dans la scène VI, acte I, trouvez trois mots et leur antonyme (mot ayant le sens contraire).

5. Dans la scène VI, acte II, trouvez l'antonyme des mots suivants : a) heureux ; b) bonheur ; c) aimer ; d) guerre ; e) né.

6. Dans la scène VI, acte II, trouvez les expressions équivalentes aux expressions suivantes : a) j'ai voulu ; b) a commencé ; c) j'l'ai battue ; d) une gifle ; e) t'es né ; f) se quereller ; g) vaurien.

B

1. **Un suffixe** (particule ajoutée à la fin d'une racine ou d'un radical) détermine souvent le genre d'un nom.

   a) **Village** est un mot qui revient plusieurs fois dans le texte. Quel en est le suffixe ? Quel est le genre des noms terminés par ce suffixe ? Trouvez deux autres mots formés à l'aide de ce suffixe et utilisez chacun dans une phrase qui en montre le sens.

   b) Dans **gouvernement**, le suffixe est **-ement** (l. 24). Quel est le genre des noms qui se terminent par **-ement** ? Donnez trois autres noms qui ont le même suffixe.

   c) Quel est le genre des noms qui ont le suffixe **-ité** (**éternité**, l. 95) ? Trouvez trois autres noms formés avec ce même suffixe.

2. Faites quatre phrases qui indiquent la différence de sens entre :

   a) frapper et gifler ;
   b) crier et hurler.

3. Donnez quelques caractéristiques de la langue parlée ici ?

4. Voici quatre expressions où figure le mot **guerre.** Utilisez chacune d'elles dans une phrase qui en illustre le sens. Servez-vous du dictionnaire, s'il y a lieu :

   a) de guerre lasse ;
   b) à la guerre comme à la guerre ;
   c) Qui terre a, guerre a (proverbe) ;
   d) L'argent, c'est le nerf de la guerre (proverbe).

GRAMMAIRE

LE PASSÉ COMPOSÉ

Le passé composé comporte deux éléments : l'auxiliaire **avoir** ou **être** + **le participe passé** du verbe.

Forme

Le participe passé des verbes réguliers :

demander	deman**dé**
finir	fin**i**
vendre	vend**u**

(Pour les participes passés irréguliers, voir l'appendice.)

Les verbes conjugués avec l'auxiliaire *avoir*

1. La grande majorité des verbes sont conjugués avec l'auxiliaire **avoir.**

j'ai demandé	j'ai fini	j'ai vendu
tu as demandé	tu as fini	tu as vendu
il, elle, on a demandé	il, elle, on a fini	il, elle, on a vendu
nous avons demandé	nous avons fini	nous avons vendu
vous avez demandé	vous avez fini	vous avez vendu
ils, elles ont demandé	ils, elles ont fini	ils, elles ont vendu

2. Au négatif, **ne** précède l'auxiliaire et **pas** le suit.

    Je **n'ai pas** demandé.   Tu **n'as pas** fini.   Elle **n'a pas** vendu.

3. À l'interrogatif, on utilise **est-ce que** ou **l'inversion.**

Est-ce que j'ai demandé ?	**Ai-je** demandé ?
Est-ce que tu as fini ?	**As-tu** fini ?
Est-ce qu'elle a vendu ?	**A-t-elle** vendu ?

4. Le participe passé est un mot variable. Employé seul, sans auxiliaire, il s'accorde, comme l'adjectif, avec le nom qu'il qualifie.

    Molly, dévêtu**e**, se laisse tomber sur le lit.
    Molly, suivi**e** de Bérubé, entre dans la chambre.

5. Le participe passé d'un verbe conjugué avec **avoir** s'accorde avec le complément d'objet direct si celui-ci précède le verbe. Pour trouver l'objet direct, il faut poser la question **qui ?** ou **quoi ?** après le verbe. L'objet qui précède le passé composé est généralement un pronom personnel ou un pronom relatif.

    J'ai serré Molly dans mes bras.   Je **l'**ai serré**e** dans mes bras.
    Pourquoi **les** as-tu laissé**s** te prendre ta vie ?
    Les Allemands **qu'**il a tué**s** étaient ses ennemis.

> *Remarque*
>
> Le passé composé du verbe **être** est toujours invariable.
>
> Ils ont **été** fatigués après leur voyage.

APPLICATION

1. Mettez au négatif.

    a) Napoléon a pris sa carabine.
    b) Est-ce que Joséphine a encouragé Napoléon à partir ?
    c) Molly a connu beaucoup de Canadiens français.
    d) Le Padre les a mariés.
    e) Tu l'as épousée par amour.
    f) Ont-ils été tués ?
    g) Je l'ai serrée dans mes bras.
    h) Est-ce qu'elle l'a griffé au visage ?
    i) Avez-vous bu le cidre de Corriveau ?
    j) Est-ce qu'ils ont ramené le corps du soldat ?

2. Mettez le passage au passé composé.

    Un jour, Bérubé quitte son village parce que, tout à coup, il désire voir du pays. Il dit adieu à ses amis et il commence à voyager. Il décide enfin de se faire soldat. À l'armée, il est déçu. Il trouve la vie dure et quand, plus tard, il lui faut aller se battre, il voit souffrir et mourir ses camarades. Heureusement, il n'est pas blessé et il peut revenir au village où il épouse une brave et belle jeune fille.

3. Mettez les verbes au passé composé et faites accorder le participe, s'il y a lieu.

    Quand Bérubé (rencontrer) Molly, il la (suivre) dans une chambre d'hôtel. Elle lui (parler) anglais, mais le soldat (ne pas vouloir) lui répondre. Il (insister) pour qu'ils parlent français. Lorsqu'il (rejoindre) la jeune femme au lit, il (croire) entendre le diable dans le tic tac de l'horloge. Il (ne pas pouvoir) faire l'amour à Molly. Il lui (demander) de l'épouser parce que, selon l'Église, l'amour n'est permis qu'après le mariage. Le Padre les (marier) et Bérubé (amener) Molly dans son village. En route, il (avoir) une querelle avec sa femme qu'il (gifler). Elle (courir) vers le village. Il la (retrouver) chez les Corriveau. Là, ils (voir) les villageois réunis autour du cercueil du fils Corriveau. Le père Corriveau (servir) du cidre aux invités. La mère Corriveau (offrir) la chambre de son fils aux jeunes mariés.

Les verbes conjugués avec l'auxiliaire *être*

Un certain nombre de verbes sont conjugués avec **être**.

1. Les verbes pronominaux (voir le chapitre 3)

2. Un quinzaine de **verbes intransitifs**, c'est-à-dire qui n'ont ni objet direct ni objet indirect. En général, ils indiquent un mouvement, sauf **rester.**

aller	venir (devenir, revenir, survenir)
arriver	partir (repartir)
entrer (rentrer)	sortir (ressortir)
monter (remonter)	descendre (redescendre)
naître	mourir
passer (repasser)	rester
retourner	tomber (retomber)

> ### Remarque
>
> Les composés de ces verbes (rentrer, revenir, devenir, survenir, retomber, etc.) sont également conjugués avec **être.**
>
> > Bérubé **est revenu** au village.
> >
> > Qu'est-ce qu'il **est devenu ?**

Forme

je suis parti(e)	nous sommes parti(e)s
tu es parti(e)	vous êtes parti(e)(s)(es)
il/elle/on est parti	ils/elles sont parti(e)s

> Napoléon **est parti** à la guerre.
>
> Tu **es mort.**
>
> Bérubé **est né** au village.

1. Le participe passé d'un verbe conjugué avec **être** s'accorde avec le sujet du verbe.

Elle est partie.	Sont-**ils** mort**s** ?
Quand est-**elle** née ?	**Les soldats** sont parti**s**.

2. Les verbes **entrer, sortir, monter, descendre, passer, retourner** peuvent être transitifs, c'est-à-dire qu'ils peuvent avoir un objet direct. Ils sont alors conjugués avec **avoir** et leur participe passé suit la règle qui régit les participes passés conjugués avec **avoir.**

> Le père Corriveau **a monté** <u>une bouteille</u> de cidre.
>
> La bouteille <u>qu'il</u> **a montée** est excellente.

APPLICATION

1. Mettez les infinitifs au passé composé.

   Corriveau (naître) dans un village du Québec. Un jour, une lettre du gouvernement (arriver) chez ses parents. Corriveau (passer) dire adieu à ses amis et (partir) pour l'armée. Il (rester) quelques mois au Canada et, petit à petit, il (devenir) un soldat passable. Ensuite, il (partir) pour l'Europe. Il (aller) d'abord en Angleterre où les ordres d'un nouveau départ (venir). Il (ne plus retourner) à son village car il (mourir) sur les plages de Normandie.

2. Mettez les verbes au passé composé et faites accorder le participe, s'il y a lieu.

   a) Il (monter) l'escalier.
   b) Ils (entrer) chez les Corriveau.
   c) Beaucoup de soldats (mourir).
   d) Nous (rester) longtemps à l'hôtel.
   e) Elle (tomber) malade.
   f) Vous (rentrer) la voiture.
   g) La carabine qu'il (sortir) est ancienne.
   h) Molly (naître) à Terre-Neuve.
   i) Ils (partir) de bonne heure, mais ils (arriver) en retard.
   j) Ils (monter) dans la chambre de Bérubé.
   k) Le père Corriveau leur (monter) une bonne bouteille.
   l) Le père et la mère (devenir) très vieux.
   m) À quelle heure (rentrer)-vous hier ?

Emplois

Le passé composé est employé dans la conversation, les lettres, le style familier et dans bon nombre de romans contemporains, souvent écrits à la première personne. On l'emploie dans les cas suivants :

1. Pour exprimer une action terminée dans le passé ou un état passé.

   Je l'**ai envoyé** à la guerre.
   Je l'**ai frappée.**
   Mon fils ne va pas être aussi malheureux que je l'**ai été.**

2. Pour une série d'actions successives terminées dans le passé. C'est le temps de la narration. Il répond aux questions : « **Qu'est-ce qui s'est passé d'abord ? Qu'est-ce qui s'est passé ensuite ? Ensuite ? etc.** »

   Bérubé **a étendu** Molly sur la neige, (ensuite) il l'**a serrée** dans ses bras, (ensuite) elle **a crié**, (ensuite) il l'**a frappée.**

3. Pour une action dont la durée est indiquée.

   Bérubé **a habité** au village **pendant vingt ans.**
   Il **est resté longtemps** dans les Vieux Pays.
   Il **n'a jamais eu** envie de partir.

4. Pour une action répétée un nombre de fois déterminé.

> Il **a frappé** sa femme **plusieurs fois**.
> Elle lui **a demandé** de partir **deux fois**.

5. Pour une action qui s'est produite avant qu'une autre action (ou un autre état) se termine. L'action incomplète est généralement à l'imparfait (voir le chapitre 4).

> Le gouvernement t'**a demandé** de partir parce qu'il **avait** besoin d'hommes.
> **As**-tu **tué** beaucoup d'Allemands quand tu **étais** dans les Vieux Pays ?

APPLICATION

1. Mettez les passages suivants au passé composé.

a) Au cours de la Deuxième Guerre mondiale, le gouvernement canadien (voter) la conscription. Beaucoup de jeunes, attachés à l'Angleterre ou à la France, (obéir) aux ordres du gouvernement. Nombreux sont ceux qui (partir) et qui (mourir) sur les plages de Normandie et ailleurs. Cependant, bon nombre de Canadiens français (ne pas vouloir) aller se battre. L'Europe leur (paraître) trop lointaine, trop étrangère. Certains (déguiser) leur identité ; d'autres (trouver) refuge dans les bois où ils (passer) la guerre. On les (chercher) en vain et ils (réussir) à éviter d'aller mourir pour une cause à laquelle ils ne croyaient pas.

b) Quand Napoléon (recevoir) l'ordre de partir pour l'armée, il (vouloir) se cacher ; mais sa femme, Joséphine, l' (encourager) à s'en aller. Elle lui (dire) : « Tous les hommes (quitter) le village. Ils (être) courageux. Bérubé (partir), le sourire aux lèvres. » Napoléon (ne pas répondre). Il (aller) chercher sa carabine, (embrasser) sa femme et (sortir) en traînant les pieds.

c) Molly, maintenant fille à soldats, (naître) et (grandir) à Terre Neuve. Un jour, le jeune Bérubé (passer) devant Molly dans la rue. Il (trouver) la jeune fille jolie et (retourner) sur ses pas. Molly et Bérubé (aller) dans un hôtel et (monter) dans leur chambre. Quand ils (arriver) devant la porte, Bérubé (hésiter). Il (craindre) de commettre un péché. Toutefois, il (ne pas descendre) ; il (ouvrir) la porte et ils (entrer) dans la chambre.

2. Écrivez une dizaine de phrases sur la façon dont vous avez passé la journée hier.

a) Qu'avez-vous mangé le matin ?
b) Comment êtes-vous allé(e) à l'université ?
c) Qui avez-vous rencontré ?
d) Quels cours avez-vous suivis ? etc.

Expressions avec *avoir*	
avoir chaud, froid	avoir peur + de + nom ou infinitif
avoir faim, soif	avoir honte + de + nom ou infinitif
avoir lieu	avoir hâte + de + infinitif
avoir sommeil	avoir raison, tort + de + infinitif
avoir beau + infinitif	avoir mal + à + nom
avoir besoin + de + nom ou infinitif	avoir l'air + adjectif
avoir envie + de + nom ou infinitif	avoir l'air + de + nom ou infinitif

Quand on **a faim**, on mange ; quand on **a soif**, on boit.

Moi, j'**ai envie de** vivre.

Bérubé **a eu peur de** faire l'amour à Molly ; il **a peur de** l'enfer.

Corriveau doit **avoir hâte de** voir quelqu'un du village.

Bérubé a **raison (tort) d**'épouser Molly.

Il **a mal aux** pieds parce qu'il a beaucoup marché.

On **a beau dire** que Bérubé aime Molly ; il la bat quand même.

Remarque 1

Avec l'expression **avoir l'air**, l'adjectif peut s'accorder avec **air** (masculin singulier) ou avec le sujet du verbe.

Elle **a l'air** fatigu**é(e)**.   (= Elle semble fatiguée.)

Remarque 2

Ne confondez pas **avoir mal** et **faire mal**.

Bérubé **a mal** au visage.

Molly **a fait mal** à son mari quand elle l'a griffé.

APPLICATION

1. Complétez les phrases à l'aide d'une expression formée avec **avoir.** Utilisez le temps qui convient et une préposition, s'il y a lieu.

   a) Napoléon doit mettre ses chaussettes de laine s'il _____.

   b) Corriveau _____ être soldat parce qu'il aime la bière.

   c) L'hiver dernier, au Canada, a été très dur ; nous _____ et, cet été, nous _____.

   d) Parce que tu n'as pas mangé, tu _____ sans doute.

   e) Parce qu'il est mort, le pauvre Corriveau ne pas _____ sa chambre.

   f) Lorsqu'il a rencontré Molly, Bérubé _____ faire l'amour.

   g) Parce que les invités _____, le père Corriveau monte une bouteille de cidre.

h) Joséphine pense que Corriveau _____ revoir Napoléon.

i) Napoléon ne pas _____ aller se battre parce qu'il _____ être tué.

j) Molly et Bérubé _____ être jeunes ; après leur long voyage, ils doivent _____.

k) Le mariage de Molly et de Bérubé _____ immédiatement après leur rencontre.

l) Bérubé _____ frapper sa femme ; le père Corriveau _____ le lui dire.

m) Bérubé _____ au visage parce que Molly l'a griffé.

n) Napoléon _____ triste parce qu'il ne veut pas faire la guerre. Sa femme _____ son comportement.

2. Répondez aux questions suivantes par des phrases complètes.

a) De quoi avez-vous surtout besoin ?

b) De quoi avez-vous surtout envie ?

c) Avez-vous souvent mal à la tête quand vous étudiez la conjugaison des verbes irréguliers ?

d) Avez-vous eu très froid l'hiver dernier ?

e) De quoi avez-vous peur ?

f) Avez-vous hâte de terminer vos études ?

g) Qu'aimez-vous boire quand vous avez soif ?

h) À votre avis, est-ce que les adultes ont généralement raison ou tort quand ils donnent des conseils aux jeunes ?

i) Quand est-ce que votre dernier examen a eu lieu ?

j) Est-ce que vous avez souvent sommeil pendant la classe de français ?

DEVOIRS ÉCRITS / TRAVAIL ORAL

A. COMPOSITION GUIDÉE

La guerre est « le plus grand de tous les maux ». Pourtant, la Deuxième Guerre mondiale nous a tout de même permis de faire des progrès dans certains domaines. Quels sont, à votre avis, les gains que cette guerre nous a apportés ?

1. Montrez d'abord que la guerre est un grand mal : elle apporte la mort, la souffrance, les privations, la destruction.

2. La Deuxième Guerre mondiale n'a-t-elle pas eu certains résultats heureux ?

a) En politique — l'Organisation des Nations unies à cause de la crainte d'une nouvelle guerre.

b) En médecine — parce qu'il fallait soigner les blessés, on a fait certaines découvertes.

Conclusion : les gains compensent-ils les pertes ?

B. COMPOSITION LIBRE / TRAVAIL ORAL

1. Y a-t-il eu des guerres justes ? Examinez cette question à la lumière des conflits qui ont eu lieu dans l'histoire.

2. « La responsabilité individuelle est le premier pas vers le chemin de la paix », a dit Josef Rotblat, homme de science célèbre. Que pouvons-nous faire individuellement pour empêcher la guerre ?

3. Imaginez un dialogue entre un ancien soldat, blessé à la guerre, et un objecteur de conscience qui a refusé d'aller se battre.

DIALOGUES

1. « Si tu veux la paix, prépare la guerre. » Le pour et le contre.

Quelques expressions utiles

se défendre	to defend oneself
envahir un pays	to invade a country
l'agresseur	the attacker
prendre l'offensive	to attack
protéger son patrimoine	to protect one's heritage
son mode de vie	one's way of life
s'armer	to arm
les armes nucléaires	nuclear arms
conquérir	to conquer
un objecteur de conscience	a conscientious objector
le drapeau	the flag

2. Les femmes doivent avoir le droit, non seulement de faire partie des forces armées, mais aussi de prendre une part active aux combats. Le pour et le contre.

Quelques expressions utiles

se battre	to fight
le combat corps à corps	hand to hand fighting
le viol	rape
l'endurance	stamina, endurance
la force physique	physical strength
s'évanouir	to faint
la camaraderie	good companionship
tomber amoureux, amoureuse	to fall in love
être fait(e) prisonnier, prisonnière	to be taken prisoner
le sexisme	sexism

MATIÈRE À RÉFLEXION

Dans ce beau poème de Jacques Prévert, parmi tous les passés composés, il y a un « intrus ». Dépistez-le !

DÉJEUNER DU MATIN

Il a mis le café
Dans la tasse
Il a mis le lait
Dans la tasse de café
Il a mis le sucre
Dans le café au lait
Avec la petite cuiller
Il a tourné
Il a bu le café au lait
Et il a reposé la tasse
Sans me parler
Il a allumé
Une cigarette
Il a fait des ronds
Avec la fumée
Il a mis les cendres
Dans le cendrier
Sans me parler
Sans me regarder
Il s'est levé
Il a mis
Son chapeau sur sa tête
Il a mis
Son manteau de pluie
Parce qu'il pleuvait
Et il est parti
Sous la pluie
Sans une parole
Sans me regarder
Et moi j'ai pris
Ma tête dans ma main
Et j'ai pleuré.

Jacques Prévert, « Déjeuner du matin », *Paroles*, Paris, Éditions Gallimard, 1949, p. 176-177.

Chapitre 3

L'Amérique du Nord
Le Canada
L'Ontario

Aspects grammaticaux étudiés :

- Le passé composé des verbes pronominaux
- L'accord du participe passé
- Les prépositions devant les noms géographiques

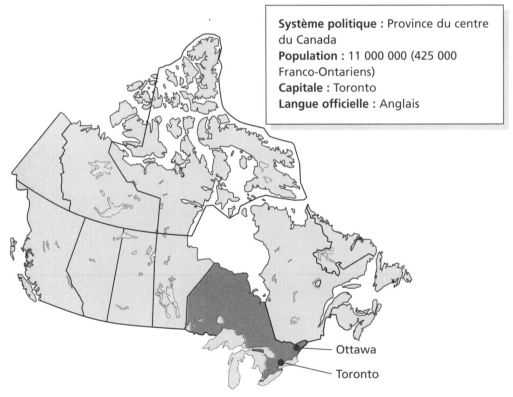

Système politique : Province du centre du Canada
Population : 11 000 000 (425 000 Franco-Ontariens)
Capitale : Toronto
Langue officielle : Anglais

Ottawa
Toronto

L'Ontario est la province la plus peuplée du Canada. L'installation des Loyalistes à la fin de la guerre d'Indépendance américaine a marqué le début du peuplement de l'Ontario. Dès la fondation de la Confédération (1867), l'Ontario a connu un fort développement industriel et il continue à être la première région économique du pays. Les deux villes les plus importantes sont Ottawa, capitale du Canada, et Toronto, particulièrement cosmopolite, capitale de l'Ontario. Comme l'anglais est la langue prépondérante dans cette province, beaucoup d'immigrants, possédant déjà une connaissance plus ou moins approfondie de l'anglais, se sont installés en Ontario où vit aussi une importante communauté francophone.

Dans ce chapitre, nous présentons deux écrivains ontariens qui ont chanté les louanges de Toronto. Hédi Bouraoui et Didier Leclair sont nés ailleurs. Bouraoui a vu le jour en Tunisie et vit au Canada depuis de nombreuses années ; Leclair est arrivé plus récemment du Togo. Tous deux sont attachés à leur nouvelle patrie et, en particulier, à la ville reine, Toronto.

Vous trouverez, ci-dessous, un extrait du roman de Hédi Bouraoui, *Ainsi parle la Tour CN,* précédé d'une interview de l'auteur. Nous citons ensuite un passage du roman de Didier Leclair, *Toronto, je t'aime,* précédé également d'une interview de l'auteur.

PRÉ-LECTURE

Toronto, capitale de l'Ontario. Certains la trouvent dure, arrogante comme la tour qui la domine. Mais, en général, le Torontois apprécie sa ville, ses richesses ethnique, culturelle, gastronomique.

Et vous, aimez-vous les grandes villes en général et, si vous la connaissez, Toronto en particulier ? Quels charmes ou quels désagréments trouvez-vous aux métropoles ?

Hédi Bouraoui, né en Tunisie en 1932, est l'auteur de romans, d'essais et de recueils de poésie, traduits en plusieurs langues. Bouraoui, qui a enseigné de nombreuses années à l'Université York, à Toronto, écrit en français et en arabe. *Rose des sables* s'est mérité le Grand Prix du Salon du livre de Toronto en 1998 et *La Pharaone*, le Grand Prix littéraire tunisien, le Comar d'Or, en 1999. Dans son roman, *Ainsi parle la Tour CN* (1999), il donne la parole à la haute tour qui domine la ville de Toronto.

Interview de Hédi Bouraoui

1. *Où êtes-vous né ? Dans quels pays avez-vous vécu ?*

Je suis né à Sfax, capitale du Sud de la Tunisie. J'ai été élevé et éduqué au sud-ouest de la France. J'ai fait mes études universitaires à Toulouse et à Bordeaux. Puis j'ai obtenu la bourse Fulbright pour entreprendre une maîtrise et un doctorat aux États-Unis. J'ai donc vécu huit ans aux États-Unis avant d'atterrir à Toronto.

5

2. *Pourquoi vous êtes-vous décidé à venir au Canada ? Quand êtes-vous arrivé au Canada ? Vous êtes-vous installé directement à Toronto ?*

Je me suis décidé à venir au Canada principalement parce que je ne me suis
pas bien adapté à la politique américaine, et parce que le Canada a opté pour
deux langues officielles et une politique multiculturelle. La mosaïque
canadienne est un écho direct à mon héritage carthaginois[1]. Le français reste
ma langue quotidienne et celle qui m'a permis d'œuvrer à la promotion de la
francophonie, mon domaine de spécialisation et de créativité.

Je suis arrivé en 1966 et je me suis installé directement à Toronto, ville
que j'adore et que je n'ai pas quittée depuis.

3. *Envisagez-vous de passer toute votre vie dans <u>la ville reine</u>[2] ?*

J'ai passé la plus grande partie de ma vie dans la ville reine et je compte y
habiter toute ma vie. Pour moi, il n'y a que deux villes où j'aime vivre :
Toronto et Paris. Depuis plus de trente ans, je passe neuf mois dans la
première, et trois mois d'été dans la seconde.

4. *Est-ce que votre pays natal vous manque ?*

Mon pays natal ne me manque pas du tout et je n'aime pas la nostalgie. J'y
reviens de temps à autre surtout pour la famille et les plages (sans doute parmi
les meilleures en Méditerranée). Mais <u>quoi que je fasse, quoi que je dise</u>[3], je
reste essentiellement méditerranéen et je suis fier de l'être.

5. *Vous êtes un écrivain connu et apprécié. Vous avez obtenu plusieurs prix littéraires. À quel moment de votre vie vous êtes-vous lancé dans l'écriture ?*

Je me suis lancé très jeune dans l'écriture, conscient du fait que j'ai pour
source d'inspiration <u>l'oralité maghrébine</u>[4] et les troubadours[5] de mon Sud-
Ouest français. <u>D'où mon penchant pour la poésie</u>[6]. J'ai toujours inclus une
dimension poétique dans tous mes écrits. J'ai consacré une grande partie de
ma vie à l'écriture transculturelle[7]. Mon itinéraire personnel est, en somme,
tricontinental. Je n'oublie donc pas l'influence nord-américaine.

6. *Dans votre roman intitulé « Ainsi parle la Tour CN », vous donnez la parole à la Tour. Comment cette idée s'est-elle imposée à votre esprit ?*

Je crois que le tour de force de ce roman, c'est d'avoir donné la parole au
symbole de la ville reine. La Tour CN nous distingue, non seulement par sa
hauteur, mais parce qu'elle est le résultat du génie multiculturel canadien.

---

[1] tunisien
[2] Toronto
[3] j'ai beau faire et beau dire
[4] la littérature orale d'Afrique du Nord
[5] poètes du Moyen-Âge
[6] Voilà pourquoi j'aime la poésie.
[7] liée à plusieurs cultures

Vue de Toronto avec la Tour CN

40 **7.** *À part la Tour CN, quels sont vos coins favoris à Toronto ?*

J'ai décrit tous les quartiers de Toronto, essayant de capter leur essence, de l'Annex à Cabbage Town, de Little Italy à China Town… Il vous suffit de parcourir le roman pour vous rendre compte que je n'ai rien oublié.

8. *Selon vous, qu'est-ce qui différencie Toronto des autres villes canadiennes ? Ces*
45 *différences sont-elles une richesse ou une pauvreté ?*

Pour moi, Toronto est la plus belle ville du Canada. On peut s'y promener en toute sécurité le jour comme la nuit. On y trouve diverses activités culturelles et artistiques pour tous les goûts et dans les deux langues officielles du Canada. Montréal est la seule ville à laquelle on puisse la comparer et ces
50 derniers temps, c'est Toronto qui arrive au premier rang. Je n'oublie pas des villes spectaculaires comme Vancouver ou Québec, mais leur charme n'enlève rien à celui de la ville reine.

Le ciel est ma limite   *La tour est narratrice.*

Tellement couverte de brume, de brouillard, de nuages, parfois, je ne me fais pas voir. Puis j'émerge, fantôme d'une fille d'eau qui paraît et disparaît <u>au gré de</u>[8] la
55 météo. Le temps qu'il fait agit sur mon humeur et conditionne ma manière de voir les choses. Dans notre région, nous avons deux saisons. L'hiver dure six mois avec des températures inhumaines qui chutent parfois à moins quarante degrés.

donne un vue generale de l'esprit multiculturelle de Toronto et Canada.

---

[8] selon le goût, la volonté de

L'été, il fait tellement chaud que l'on ne peut pas vivre sans climatiseurs. Quant au printemps et à l'automne, ils ne durent pas plus d'un mois chacun. Qu'il fasse
60 froid, qu'il vente ou qu'il neige, qu'il fasse chaud, humide et poisseux, le soleil est toujours de mise[9]. Les orages et les perturbations météorologiques passent vite. Les hivers, on les supporte parce qu'on est équipé pour y faire face. C'est la période où l'on se reçoit les uns les autres et où l'on retrouve, enfin, un peu de notre humanité. On ne m'oublie pas, non plus. Nombreux sont ceux qui
65 viennent se réchauffer sous mes arcades, dans mes salles de jeu, mon Q-ZAR, mon cinéma de simulation ou mon Restau-carrefour... D'autres, des curieux, tiennent à se rincer l'œil[10] à mes terrasses et à mes belvédères… [...]

Le peuple canadien me voit Super-tour, vedette médiatique inamovible et sympathique, puisque je leur octroie une fierté qu'ils sont prêts à endosser
70 comme *a matter of fact*. Mais comme tout être humain, je n'ai pas demandé à naître. Cependant j'existe. C'est tout. Et, comme peu, j'ai cette chance du diable[11] d'être née dans un pays riche, immense, puissant. Son espace me donne le vertige. Je donne moi aussi le vertige à tous ceux qui me regardent. Nous donnons, tous les deux, dans la grandeur[12].

Hédi Bouraoui, *Ainsi parle la Tour CN*, Vanier (Ontario), Éditions L'Interligne, 1999, p. 151-153.

Expressions à retenir

les études universitaires (l. 3)
le pays natal (l. 22)
le pays me manque / ne me manque pas (l. 23)
de temps à autre (l. 24)
être fier (fière) de (l. 26)
se lancer dans l'écriture (l. 28)
donner la parole (l. 35)
pour tous les goûts (l. 48)
au gré de (l. 54)
faire face à (l. 62)

COMPRÉHENSION

1. Pour quelles raisons Hédi Bouraoui s'est-il établi au Canada plutôt qu'aux États-Unis ?

2. Comment explique-t-il son goût pour la poésie ?

3. Expliquez le sens du mot « tricontinental » dans le contexte.

[9] présent
[10] veulent admirer (le paysage)
[11] extraordinaire, extrême
[12] Nous sommes caractérisés par notre grandeur.

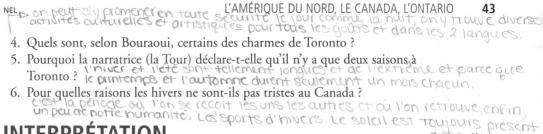

on peut s'y promener en toute sécurité le jour comme la nuit, on y trouve diverse activités culturelles et artistiques pour tous les goûts et dans les 2 langues.

4. Quels sont, selon Bouraoui, certains des charmes de Toronto ?

5. Pourquoi la narratrice (la Tour) déclare-t-elle qu'il n'y a que deux saisons à Toronto ? *l'hiver et l'été sont tellement longues et de l'extrême et parce que le printemps et l'automne durent seulement un mois chacun.*

6. Pour quelles raisons les hivers ne sont-ils pas tristes au Canada ? *c'est la période où l'on se reçoit les uns les autres et où l'on retrouve, enfin, un peu de notre humanité. Les sports d'hivers. Le soleil est toujours présent dans l'hiver.*

INTERPRÉTATION

on peut voir la réflexion dans l'eau. la Tour semble d'être née de l'eau dans notre perspective.

1. Qu'est-ce qui montre que, même s'il se sent canadien, Hédi Bouraoui ne renie pas ses origines ? *"mais quoi que je fasse, quoi que je dise, je reste essentiellement méditerranéen." l. 29. il est fier de ça.*

2. Pourquoi la Tour se compare-t-elle à « une fille d'eau » (l. 54) ? *à côté du lac Ontario.*

3. Quels moyens le romancier utilise-t-il pour personnifier la Tour ? *première personne, perspective de la Tour.*

4. Quelles ressemblances y a-t-il entre la Tour et le Canada ? *Les deux sont une grandeur qui est élégante et admirée.*

Didier Leclair, de son vrai nom, Didier Kabagema, est né à Montréal en 1967. Il a bientôt quitté son pays pour l'Afrique où ses parents, d'origine rwandaise, décident de ramener leur famille. Enfant, il vit dans différents pays d'Afrique francophone. Il fréquente les écoles au système français, puis, en 1987, décide de revenir au Canada pour y poursuivre ses études universitaires. Il choisit Toronto où il a de la famille. *Toronto, je t'aime* (2000) a remporté le prix Trillium.

Interview de Didier Leclair

1. *Vous êtes né au Canada. Avez-vous vécu dans d'autres pays ?*

J'ai quitté Montréal à un très jeune âge. Je n'allais pas encore à la maternelle. J'ai vécu dans plusieurs pays d'Afrique francophone. J'ai résidé au Congo (Brazzaville), au Gabon (Libreville), au Togo (Cotonou), en Côte-d'Ivoire (Abidjan). Il m'est arrivé de passer des vacances dans d'autres pays d'Afrique francophone.

5

2. *Pourquoi vous êtes-vous installé à Toronto après un long séjour en Afrique ?*

Pour une raison simple. J'ai de la famille à Toronto, deux oncles. En 1987, j'avais trois oncles et trois cousins. Je suis donc venu chez mes oncles. Je n'ai pas de famille à Montréal. Je voulais revenir dans ce pays que je ne connaissais pas.

10

3. *Que vous attendiez-vous à trouver à Toronto ?*

Exactement ce que j'y ai trouvé. Une multitude de résidents d'origines différentes, la rapidité dans les activités nord-américaines, une certaine effervescence, du travail et une impression de liberté.

15 **4.** *Vous êtes-vous facilement adapté à la vie dans une grande ville anglophone ?*

Non. L'anglais est une barrière à franchir, les habitudes des gens, leur ferveur pour des sports inconnus ailleurs mais surtout la réserve très anglicane.

D.2 Pourquoi est le témoin des variations dans sa vie de rue Queen

5. *Quand vous êtes-vous rendu compte que vous êtes écrivain ?*

20   Depuis toujours. Je suppose que chacun le découvre à sa façon et à son
rythme. Je suis écrivain depuis ma naissance. Je l'ai toujours su à cause de ma
passion pour l'observation, l'analyse et l'amour des mots. Mes proches le
savaient également.

6. *Quand vous êtes-vous mis à écrire « Toronto, je t'aime » ?*

Il y a quatre ans que j'ai mis par écrit ce qui mijotait en moi depuis plus
25   longtemps.

7. *Nous nous rendons compte que vous n'êtes pas <u>Raymond Dossougbé</u>[13], mais avez-vous vécu quelques-unes de ses expériences ?*

Oui, j'ai vécu certaines expériences. J'ai travaillé dans un hôtel [...], comme
un des personnages ; j'ai eu les sensations de Raymond lorsqu'il est dans le
30   métro ou encore lorsqu'il découvre la rue Queen (Ouest).

8. *Raymond <u>a le coup de foudre pour Toronto</u>[14] et vous avez intitulé votre roman
« Toronto, je t'aime ». Est-ce que, comme Raymond, vous avez eu le coup de
foudre pour la ville reine ?*

Oui, j'ai eu le coup de foudre pour Toronto. Elle n'est pas immense comme
35   New York mais elle a son charme ; cet assemblage d'images. Une sorte de
juxtaposition de plusieurs facettes, ville d'affaires, d'immigration, de culture et
de sans-abri…

9. *Pour le personnage principal, la rue Yonge est mise en évidence dans une carte
postale. Quelle est votre impression de la rue la plus longue de Toronto ?*

40   Je sais qu'elle est très longue, mais ma fascination vient surtout à partir du
centre-ville, Yonge/Bloor en descendant. Il y a des contradictions à chaque
carrefour. On peut voir de l'opulence, mais aussi de la misère.

10. *Dans votre roman, votre attention s'est portée sur des immigrants. Un des
personnages vient d'Haïti, un autre de la Jamaïque et un autre est originaire du
45   Portugal. Pourquoi avez-vous choisi de présenter des personnes venant d'autres
cultures ?* Ouvre à T.O. ouverture culturel

Toute culture m'appartient.

11. *Vous vous êtes sans doute promené dans différents quartiers de la ville. Lesquels
préférez-vous ? Pourquoi ?*

50   C'est une question de goût. J'ai tendance à aimer l'ouest de la ville car j'y ai
vécu. J'aime la rue Queen, je la trouve moderne, punk, disco, rétro, avant-
gardiste à sa façon… j'aime bien d'autres endroits pour une question de goût.
Un conseil : évitez d'aimer une ville par goût du dépaysement : cela veut dire
que vous aimez réellement la ville que vous fuyez.

---

[13] le héros du roman de Didier Leclair
[14] tombe immédiatement amoureux de Toronto

55 **12.** *Que pensez-vous de Toronto en général ? Quels sont, à votre avis, les aspects positifs et les aspects négatifs de la ville ?*

Toronto est cruelle. Il ne faut pas que vous vous leurriez. Sa rapidité et surtout le côté « débrouille-toi, sinon je te laisse croupir dans la misère » est très présent. Il y a de tout : racisme, violence, intolérance sur la religion et
60 l'orientation sexuelle. Mais ce qui m'a toujours intrigué de Toronto, c'est sa capacité de faire cohabiter les haines pacifiquement. La beauté de Toronto vient probablement de sa capacité à apprivoiser ses résidents.

Une dernière chose importante porte sur les circonstances de l'écriture de mon roman. J'ai écrit mon livre la nuit sur <u>une machine à taper</u>[15] car je ne
65 pouvais m'offrir un ordinateur. J'ai eu des boulots différents et même comme journaliste pigiste, je n'arrivais pas à payer toutes mes factures. J'ai découvert ma témérité à Toronto. Je dois cela à cette ville.

Enfin, je souligne que mes origines sont rwandaises. Mon héritage culturel vient de là, mais je n'y ai jamais mis les pieds.

Queen Street, la reine ?

Difficile d'integrer dans Toronto
Contraire d'autre texte.

Raymond Dossougbé, récemment immigré à Toronto, part à la découverte de la rue Queen.

70 Comme prévu, le lendemain, je *pris*[16] le chemin du centre-ville. Il faisait un temps ensoleillé. Même les occupants des autobus avaient l'air moins maussades que les jours précédents. En consultant la carte de Toronto, je *choisis* de me rendre dans la rue Queen, à cause du nom. Une rue reine, me *dis-je*. Une rue qui règne peut-être sur les autres. En sortant de la bouche de métro, je *constatai* à
75 mon grand regret que la rue Queen n'était pas une rue luxueuse. Il y avait très peu de maisons imposantes. Toutefois, les gens que je *croisai* semblaient pleins d'énergie. Les cyclistes régnaient sans partage dans cette rue étroite où passaient des rails. Ils pédalaient à toute vitesse, les cheveux au vent, se faufilaient entre les voitures, telles des libellules insaisissables. La circulation était stressante. En
80 marchant vers l'ouest, je *me rendis compte* que je me déplaçais plus vite que les tramways bondés. Après avoir observé les vélos, je *suivis* les disputes des chauffeurs de taxi. Ils criaient <u>à tue-tête</u>[17] s'engueulant, s'invectivant dans toutes les langues imaginables. Plus loin, un homme était assis à l'ombre de deux bâtiments. Il tendait une main vide aux passants. Il *me regarda* de ses yeux bleus
85 délavés. Il sentait l'urine. Sa barbe, vieille d'une semaine au moins, n'arrivait pas à cacher le piteux état de ses dents. « J'ai pas mangé depuis deux jours », *dit-il*. La scène était pénible. Je *fouillai* rapidement dans mes poches et lui *donnai* quelques pièces.

---

[15] L'expression courante est « machine à écrire ».
[16] Les verbes en italique sont au passé simple (voir le chapitre 5). Afin de faciliter la compréhension du passage, nous donnons l'équivalent de ces verbes au passé composé.

pris : ai pris ; choisis : ai choisi ; dis-je : ai-je dit ; constatai : ai constaté ; croisai : ai croisé ; me rendis compte : me suis rendu compte ; suivis : ai suivi ; me regarda : m'a regardé ; dit-il : a-t-il dit ; fouillai : ai fouillé ; donnai : ai donné ; me remercia : m'a remercié ; eus : ai eu ; tint : a tenu ; jetai : ai jeté ; notai : ai noté ; vis : ai vu ; laissai : ai laissé

[17] très fort

La rue Queen

empathique parce qu'il identifié avec ces personnes

Je ne me doutais pas que trois autres mendiants m'attendaient plus loin. Le
90   premier me *remercia* de sa voix cassée. J'*eus* un sourire ambigu. Celui d'une
personne mal à l'aise. L'homme *tint* à me rendre un sourire également. Alors,
sans pouvoir m'en empêcher, je *jetai* un coup d'œil à ses dents. Il n'en restait pas
beaucoup. Sa bouche était un trou dans lequel il ne fallait pas que je tombe. Les
piétons autour de nous ignoraient notre présence. J'étais à côté d'un fantôme.
95   Les passants bouchaient leur âme comme on bouche son nez[18]. Je réalisais peu à
peu qu'un jour je pourrais ressembler à ces gens qui passaient sans rien voir.
Toronto, c'était ça aussi. Vivre au milieu de fantômes qui vous demandent du
pain, et les ignorer. […]

En continuant mon exploration de la rue Queen, je *notai* un grand nombre
100   de gens bien différents les uns des autres. Il y avait des punks aux cheveux bleus,
des artistes vêtus de noir et pâles comme la mort. Je *vis* de nombreuses têtes
rasées, des nez percés, des langues trouées et des brodequins lacés jusqu'à mi-
cuisse. Même les enseignes de cette rue témoignaient de prouesses d'imagination.
On avait souvent recours à des matériaux hétéroclites : barbelés, tourne-disques
105   rouillés, lampions de Noël.

la rue Queen a les personnes differentset aussi

La rue Queen aimait cultiver la différence. Dans ses vitrines, elle affichait ses
trésors de pacotille avec l'irrévérence d'une reine sans royaume. Elle se voulait
indomptée dans ses lignes de vêtements, ses meubles rétro, ses galeries d'art

→ vêtements vintages treasures

eday artiste qui push les limites

ne respect pas le standard → eccentrique

[18] Les passants refusaient de voir la pauvreté comme on refuse de respirer les mauvaises odeurs.

remplies de cadres sans toiles. Cette rue chargée d'émotions ressemblait aux âmes
110 qui la fréquentaient. Des âmes à cran[19]. À manipuler avec précaution.

Captivé par la rue, je ne *vis* pas le temps passer. Je voulais rentrer bien avant
la nuit. Alors, je *laissai* derrière moi tous ces personnages affamés, grotesques et
flamboyants qui, à leur façon, étaient des joyaux à l'état brut.

Didier Leclair, *Toronto, je t'aime*, Ottawa, Les Éditions du Vermillon, 2000, p. 128-130.

Expressions à retenir

le séjour (l. 7)
s'attendre à (l. 11)
le coup de foudre (l. 31)
les sans-abri (l. 37)
se leurrer (l. 57)
se débrouiller (l. 58)
à toute vitesse (l. 78)
se rendre compte (l. 80)
bondé(e) (l. 81)
les piétons (l. 94)

COMPRÉHENSION

1. Didier Leclair est né à Montréal. Pourquoi a-t-il choisi de venir s'établir à Toronto, ville anglophone, après son séjour en Afrique francophone ?
2. Pourquoi l'adaptation à Toronto a-t-elle été difficile ?
3. Combien de temps a-t-il mis à écrire son roman ?
4. Pour le romancier, en quoi réside le charme de Toronto ?
5. Il y a beaucoup de préjugés à Toronto. En quoi, pourtant, la ville reine se distingue-t-elle des autres grandes villes où les mêmes préjugés existent ?
6. Comment le narrateur imaginait-il la rue Queen ?
7. Quelle est l'attitude des Torontois face aux mendiants ?

INTERPRÉTATION

1. Selon Leclair, qu'est-ce qui caractérise un écrivain ?
2. « Sa bouche était un trou dans lequel il ne fallait pas que je tombe » (l. 93). Comment interprétez-vous cette phrase ?
3. En général, qu'est-ce qui caractérise la rue Queen ?
4. Expliquez l'expression « des joyaux à l'état brut » (l. 113).
5. En général, quels aspects de Toronto plaisent à la fois à Bouraoui et à Leclair ?

---

[19] enclines à la violence

MAÎTRISONS LA LANGUE

Le ciel est ma limite

A

1. Dans le premier texte, il est beaucoup question du temps (qu'il fait). Relevez les expressions qui ont trait au climat.

2. Remplacez les expressions suivantes par des expressions équivalentes dans le contexte :

   a) j'émerge (1. 54) ; b) chutent (1. 57) ; c) octroie (l. 69) ; d) naître (l. 71).

B

1. Donnez quatre mots de la même famille que **brouillard** (1. 53). Faites deux phrases illustrant le sens de deux de ces mots.

2. « j'ai cette chance du diable » (l. 71-72). Le diable figure en bonne place dans la langue française. Utilisez chacune des expressions qui suivent dans une phrase qui en montre le sens :

   a) un pauvre diable ; _personne miserable, pitoiable? pitable_
   b) un bon diable ; _bon type, sympatique_
   c) habiter au diable (vert ou vauvert) ; _très loin d'ici (middle of nowhere)_
   d) se faire l'avocat du diable ; _"the devil's advocate"_
   e) envoyer quelqu'un au diable ; _"go to Hell"_
   f) tirer le diable par la queue. _difficulté finances_
   "trouble making ends meet"

Queen Street, la reine ?

A

1. Quels moyens de locomotion sont mentionnés dans le texte sur la rue Queen ?

2. Comment appelle-t-on une personne : a) qui roule à bicyclette ? b) qui roule à motocyclette ? c) qui conduit une voiture ? d) qui pilote un avion ?

3. Les chauffeurs (l. 82) parlent différentes langues. Comment appelle-t-on une personne qui parle : a) une langue ; b) deux langues ; c) plusieurs langues ?

4. Remplacez les expressions suivantes par des expressions équivalentes dans le contexte : a) maussades (l. 71) ; b) bondés (l. 81) ; c) piteux (l. 86) ; d) un coup d'œil (l. 92).

B

1. Quel est le sens du préfixe dans le mot **intolérance** (l. 59) ? Donnez trois autres mots formés à l'aide de ce préfxe.

2. **Se faufilaient** (l. 78). Faites deux phrases qui illustrent la différence entre : **se faufiler** et **faufiler.**

3. **Faufiler** est dérivé de fil. Cette racine a donné de nombreux mots en français. Donnez cinq mots dérivés de **fil** et utilisez-en deux dans une phrase (une phrase par mot).

4. Une métaphore consiste en un transfert de sens. Elle emploie un ou plusieurs termes dans une expression où ils n'ont pas leur sens habituel, par exemple : « Les passants bouchaient leur âme » (l. 95). Relevez, dans le texte, deux exemples de métaphores.

GRAMMAIRE

LE PASSÉ COMPOSÉ DES VERBES PRONOMINAUX

Forme

1. Les verbes pronominaux sont tous conjugués avec **être.**

s'installer	**s'établir**	**se battre**
je me suis installé(e)	je me suis établi(e)	je me suis battu(e)
tu t'es installé(e)	tu t'es établi(e)	tu t'es battu(e)
il/elle/on s'est installé(e)	il/elle/on s'est établi(e)	il/elle/on s'est battu(e)
nous nous sommes installé(e)s	nous nous sommes établi(e)s	nous nous sommes battu(e)s
vous vous êtes installé(e)(s)	vous vous êtes établi(e)(s)	vous vous êtes battu(e)(s)
ils/elles se sont installé(e)s	ils/elles se sont établi(e)s	ils/elles se sont battu(e)s

2. Au négatif, **ne** précède le pronom objet et **pas** suit l'auxiliaire.

> Je **ne me suis pas** installé(e).
> Nous **ne nous sommes pas** battu(e)s.

3. À l'interrogatif, on peut utiliser **est-ce que** ou l'inversion en respectant les règles.

> **Est-ce que** je me suis levé tard ?
> **Nous sommes-nous** faufilés entre les voitures ?
> **Pierre s'est-il installé** à Toronto ?

L'accord du participe passé des verbes pronominaux

1. Quand le verbe pronominal est **réfléchi** (le sujet agit sur lui-même) ou **réciproque** (le sujet agit sur une autre personne qui, à son tour, agit sur lui), on suit la règle de l'accord des verbes conjugués avec l'auxiliaire **avoir**. Le participe passé s'accorde avec le complément d'objet direct qui précède le verbe. Comme pour les verbes conjugués avec **avoir**, il faut poser la question **qui ?** ou **quoi ?** après le verbe pour trouver l'objet direct.

> Elles **se** sont lav**ées.** (Elles ont lavé qui ? — elles-mêmes — **se** est objet direct.)

Ils **se** sont installé**s** à Toronto. (Ils ont installé qui ? — eux-mêmes — **se** est objet direct.)

Ils **se** sont regardé**s** (Ils ont regardé qui ? — l'un l'autre ; eux — **se** est objet direct.)

2. Si le complément d'objet est indirect ou s'il suit le verbe, il n'y a pas d'accord.

Ils **se** sont sour**i, se** sont parlé et **se** sont téléphon**é**. (Ils ont souri à qui ? parlé à qui ? et téléphoné à qui ? — l'un **à** l'autre ; **se** est ici objet indirect : le participe reste invariable.)

Elle **se** sont lav**é les mains.** (Elles ont lavé quoi ? — les mains ; l'objet direct suit le verbe : le participe reste invariable.)

3. Pour tous les autres verbes pronominaux, le pronom **se** ne s'analyse pas. C'est le cas des verbes essentiellement pronominaux, c'est-à-dire des verbes qui ne sont utilisés qu'à la forme pronominale (voir le chapitre 1). Le participe passé s'accorde avec le sujet.

Ils se sont évanoui**s**.   **Nous** nous sommes souvenu**s** du mendiant.
Vous vous êtes méfié**s** de lui.   **Elles** s'en sont all**ées.**

Remarque 1

Le participe passé du verbe pronominal **se faire**, suivi de l'infinitif, est toujours invariable.

Elle **s'est fait** <u>voir</u>.

Remarque 2

Le participe passé des verbes pronominaux **se rendre compte, se plaire** est toujours invariable.

Nous nous sommes rend**u** compte de la situation.
Les touristes se sont pl**u** en Ontario.

Emplois

Les verbes pronominaux au passé composé sont employés comme tous les autres verbes (voir le chapitre 2).

Quand il **s'est promené** dans la rue Queen, il **a croisé** beaucoup de gens étranges.

En marchant dans la rue Queen, il **s'est rendu compte** qu'il se déplaçait plus vite que les tramways.

APPLICATION

1. Remplacez « Le romancier » par « La romancière ». Faites les changements qui s'imposent.

Le romancier, qui venait visiter Toronto, s'y est beaucoup plu. Il s'est installé chez des amis hospitaliers et s'est vite habitué à la ville. Il s'est promené partout. Il s'est particulièrement amusé lorsqu'il a visité la rue Queen. Les boutiques, pleines d'objets hétéroclites, l'ont fasciné. Il s'est arrêté souvent pour admirer les vitrines ou pour en rire. Il a, toutefois, été triste de voir tant de mendiants dans une ville aussi riche. Il s'est faufilé entre les voitures pour aller faire la charité à un vieux aux yeux délavés. Les autres piétons ne semblaient même pas voir le pauvre homme.

2. Mettez les infinitifs au passé composé.

Hier, Marie et Pierre (se lever) tôt, (s'habiller) vite et (se promener) dans les rues de Toronto. Ils (aller) d'abord à la rue Bloor où ils (s'amuser) à regarder les belles vitrines. Ils (s'extasier) devant les cristaux et la porcelaine. Ils (s'acheter) un très beau vase qu'ils (se faire) envoyer. Ensuite, ils (se rendre) à la Tour CN. Naturellement, ils (prendre) l'ascenseur et, au sommet, comme le temps était clair, ils (pouvoir) admirer le panorama.

3. Mettez au passé composé.

   a) Elle se lave les mains.
   b) Elle se rend compte de l'heure.
   c) Les cyclistes se faufilent entre les voitures.
   d) La petite s'évanouit.
   e) S'habituent-elles à la ville ?
   f) Nous ne nous installons pas tout de suite.
   g) Ne vous parlez-vous pas pendant les repas ?
   h) Ces enfants ne se battent pas.
   i) Ils se plaisent en Afrique.
   j) Est-ce qu'elles s'en vont ?

4. Mettez au passé composé. Remplacez « Tous les jours » par « Hier ».

Tous les jours, Jeanne se lève à huit heures. Elle se lave, prend un petit-déjeuner léger et se rend au travail en autobus. Avant d'entrer au bureau, elle s'achète un café au petit restaurant du coin. Lorsqu'elle s'assoit à son bureau, elle écoute d'abord ses messages téléphoniques, puis vérifie son courrier électronique. Sa voisine et elle ne se parlent pas beaucoup pendant la journée ; mais après le travail, elles vont prendre un verre avec des collègues.

LES PRÉPOSITIONS DEVANT LES NOMS GÉOGRAPHIQUES

Pour indiquer le lieu ou la direction, on emploie :

1. **EN** devant les noms :

   a) de pays et de régions (provinces, états, etc.) féminins ;
   b) de continents (tous féminins, sauf l'Antarctique) ;

c) de certaines îles ;

d) de pays ou de régions masculins commençant par une voyelle :

Elle va, elle habite

a) **en** France, **en** Angleterre, **en** Tunisie, **en** Côte-d'Ivoire, **en** Écosse, **en** Louisiane ;

b) **en** Europe, **en** Amérique, **en** Afrique ;

c) **en** Corse, **en** Sardaigne, **en** Sicile ;

d) **en** Iran, **en** Alberta, **en** Ontario.

Remarque 1

Les noms de pays et de régions se terminant par **-e** sont presque toujours féminins. Quelques exceptions : **le Mexique, le Mozambique, le Zimbabwe.**

---

2. **AU (à + le)** devant les noms de pays et de régions masculin singulier :

Nous allons, nous habitons
au Canada, **au** Portugal, **au** Togo, **au** Manitoba, **au** Québec.

3. **AUX (à + les)** devant les noms de pays et de régions masculin ou féminin pluriel :

Tu vas, tu habites
aux États-Unis (m.), **aux** Pays-Bas (m.),
aux Bermudes (f.), **aux** Antilles (f.).

4. **À** devant les noms de la plupart des îles :

Il va, il habite
à Chypre, **à** Malte, **à** Cuba, **à** Terre-Neuve.

Remarque 2

Quelques noms d'îles sont précédés de **à + la** :

Elle va, elle habite
à la Martinique, **à la** Guadeloupe, **à la** Réunion.

---

5. **À** devant les noms de villes. On garde l'article s'il fait partie intégrante du nom de la ville :

Vous allez, vous habitez
à Toronto, **à** Paris, **à** New York, **à** Brazzaville, **à** Abidjan,
à la Nouvelle Orléans, **à la** Havane, **au** Caire.

Pour exprimer **l'origine**, on emploie :

1. **DE** (**D' + voyelle**) devant les noms :
   a) de pays ou de régions féminins ;
   b) d'îles ;
   c) de pays ou de régions masculins commençant par une voyelle.

Elle vient

     a) **de** France, **d'**Italie, **d'**Angleterre, **de** Tunisie, **de** Californie, **de** Colombie ;
     b) **de** Corse, **de** Cuba, **de** Chypre ;
     c) **d'**Iran, **d'**Alberta, **d'**Arizona.

Remarque 3

Devant les noms de régions masculins commençant par une voyelle, on emploie parfois **de l'**.

     Elle vient **de l'**Ontario, lui **de l'**Ohio.

Remarque 4

Les noms d'îles précédés de **à + la** sont précédés de **de + la**.

     Elle vient
     de la Guadeloupe, **de la** Martinique, **de la** Réunion.

2. **DU** (**de + le**) devant les noms de pays et de régions masculin singulier :
   Elle vient
   du Canada, **du** Mexique, **du** Maroc, **du** Bénin, **du** Québec, **du** Texas.

3. **DES** (**de + les**) devant les noms de pays et de régions masculin ou féminin pluriel :
   Elle vient
   des États-Unis (m.), **des** Pays-Bas (m.),
   des Bermudes (f.), **des** Antilles (f.).

4. **DE** devant les noms de villes. On garde l'article quand il fait partie intégrante du nom :
   Elle vient
   de Paris, **de** Brazzaville, **de** Cotonou,
   du Caire, **de la** Nouvelle Orléans.

APPLICATION

1. Complétez la phrase par la préposition (et l'article s'il est nécessaire) qui convient.

   a) Il est originaire _____ Tunisie et est arrivé _____ Toronto en 1999.

   b) _____ Ontario et _____ Canada, comme ailleurs, certains préjugés existent.

   c) _____ Manitoba, _____ Québec et _____ Alberta, il fait très froid en hiver.

   d) Beaucoup de Canadiens vont _____ Floride, _____ Cuba ou _____ Martinique pour se réchauffer en hiver.

   e) Sa femme est originaire _____ Ontario, lui vient _____ Corse et leurs enfants sont nés _____ Caire.

   f) Les vins _____ Californie et _____ Australie sont presque aussi fins que les vins _____ France.

   g) Son bureau est _____ New York, mais il voyage beaucoup _____ Amérique du Sud et _____ Afrique. L'année dernière, il est allé _____ Brésil, _____ Chili, _____ Argentine, _____ Togo et _____ Gabon.

   h) Ont-ils passé leurs vacances ———— Bermudes ou ———— Saint-Martin ?

2. Remplacez le nom géographique par le nom donné entre parenthèses et faites les changements voulus.

   a) Il est né à Londres, mais il a vécu longtemps dans le Grand Nord canadien. (Italie, Paris)

   b) L'Alberta est une province qui me plaît. (Québec)

   c) Il a bu plus de café à Istanbul qu'à Montréal. (le Caire, Marseille)

   d) À Toronto, j'ai admiré la haute tour. (Moscou)

   e) Il a voyagé en Floride et en Arizona. (Manitoba, Colombie-Britannique)

   f) Il arrive de France et repart ce soir pour le Cambodge. (Portugal, Chine)

   g) Iras-tu à Malte avec tes parents ? (Corse)

   h) Elle habite à la Guadeloupe, mais désire s'établir à Vancouver. (Bermudes, la Nouvelle-Orléans)

DEVOIRS ÉCRITS / TRAVAIL ORAL

A. COMPOSITION GUIDÉE

Peut-être avez-vous passé quelque temps à l'étranger, soit en vacances, soit pour y travailler. Décrivez ce qui vous a frappé(e) dans ce (ou ces) pays.

1. Pour quelle(s) raison(s) avez-vous décidé de faire un voyage à l'étranger ?

2. Combien de temps y avez-vous passé ?

3. Où êtes-vous allé(e) ?

4. Quels apects du pays vous ont frappé(e) : les paysages ? la vie à la campagne ? la plage ? la grandeur des villes ? les costumes des habitants ? la cuisine ? le coût de la vie ? les coutumes ?

5. Avez-vous envie de retourner dans ce pays ? Ou préférez-vous visiter d'autres endroits ?

B. COMPOSITION LIBRE / TRAVAIL ORAL

1. Peut-être venez-vous d'un autre pays que vous vous rappelez. Parlez de vos souvenirs du pays natal.

2. « Je n'aime pas la nostalgie », déclare Hédi Bouraoui. Trouvez-vous à la nostalgie quelque chose de malsain ou est-elle, à votre avis, source de rêve et de poésie ?

DIALOGUES

1. Deux ami(e)s ne sont pas du même avis. L'un(e) pense qu'on ne peut jamais réellement comprendre la culture d'un peuple étranger ; l'autre déclare, comme Didier Leclair : « Toute culture m'appartient ».

Quelques expressions utiles

le pays natal	the native country
la patrie	the homeland
la langue maternelle	the mother tongue
les habitudes	habits, customs
la liberté d'expression, de la presse	freedom of expression, of the press
les pratiques religieuses	religious practices
élever des enfants	to raise children
l'éducation des enfants	children's upbringing
les œuvres d'art	art works
le sexisme	sexism

2. Un immigrant maintient qu'on ne se détache jamais de ses racines. Il explique pourquoi il tient à rentrer dans son pays d'origine. Un autre immigrant vante les mérites de sa patrie adoptive et explique pourquoi il la préfère à son pays natal.

Quelques expressions utiles

ma famille me manque	I miss my family
respecter les traditions	to respect traditions
je préfère, j'aime mieux	I prefer
construire un avenir meilleur	to build a better future
jouir des avantages d'une ville moderne	to enjoy the benefits of a modern city
avoir un choix d'emplois	to have a choice of jobs

garder sa culture vivante	to keep one's culture alive
vivre parmi les siens	to live among one's own people
avoir l'esprit large / étroit	to be broad / narrow-minded
maîtriser la langue	to master the language
parler couramment	to speak fluently
s'adapter bien / mal au climat	to adapt well / poorly to the climat

MATIÈRE À RÉFLEXION

Voici une chanson amusante que le Canada a inspirée à Charles Trenet lorsqu'il y est venu en tournée.

VOYAGE AU CANADA

Une famille des plus charmantes
Trois enfants maman papa
Partit un beau jour de Nantes
Pour visiter le Canada
Fixant leur itinéraire
Après maintes réflexions
Ils choisirent pas ordinaire
Ces moyens de locomotion
C'est ainsi qu'avant de partir
Ils chantaient pour se divertir

Nous irons à Toronto
en auto
Nous irons à Montréal
à cheval
Nous traverserons Québec
à pied sec
Nous irons à Ottawa
en oua oua[20]
Nous irons à Valleyfield
sur un fil
Nous irons à Trois-Rivières
en litière
Passant par Chicoutimi
endormis
Nous irons au lac Saint-Jean
en nageant

---

[20] moyen de transport imaginaire pour la rime

Voilà ! Voilà !
Un beau voyage un beau voyage
Voilà ! Voilà !
Un beau voyage au Canada !

Oui mais parfois c'est étrange
On ne fait pas toujours ce qu'on veut
Bien souvent le hasard change
Nos projets les plus heureux
Nos amis furent c'est pas de chance
Victimes d'une distraction
Du chef du bureau de l'agence
Des moyens de locomotion
Et à cause de l'employé
Qui s'était trompé de billets

Ils allèrent à Toronto
en nageant
Ils allèrent à Montréal
endormis
Ils se rendirent à Québec
en litière
Ils allèrent à Ottawa
sur un fil
Ils allèrent à Valleyfield à pied sec
Ils allèrent à Trois-Rivières
en oua oua
Passant par Chicoutimi
à cheval
Ils plongèrent dans le lac Saint-Jean
en auto
Voilà ! Voilà !
Un beau voyage au Canada !

Depuis ce temps-là
Messieurs dames
Les voyageurs ont compris
Pour éviter bien des drames
Il faut à n'importe quel prix
Contrôler dans les agences
Les billets de locomotion
Si vous partez en vacances
La plus simple des précautions
C'est de chanter mon petit air
Mon petit air itinéraire

Chapitre 4

L'Amérique du Nord
Le Canada
Le Manitoba

Aspects grammaticaux étudiés :

- L'imparfait : forme et emplois
- La distinction entre le passé composé et l'imparfait

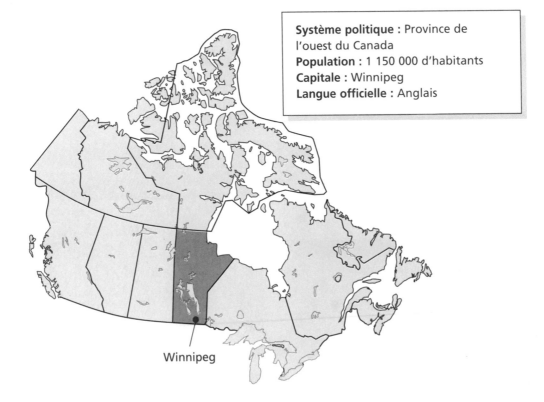

Système politique : Province de l'ouest du Canada
Population : 1 150 000 d'habitants
Capitale : Winnipeg
Langue officielle : Anglais

Winnipeg

Le Manitoba compte 47 000 francophones dont bon nombre sont originaires du Québec. D'autres, vers le début du XXe siècle, sont venus de France ou de Belgique, chercher fortune dans l'Ouest canadien. Les francophones manitobains sont, en général, très attachés à leur patrimoine. Entourés d'anglophones, ils ont lutté et continuent à lutter, pour garder vivantes leur langue et leur culture.

Gabrielle Roy (1909-1983), une des plus célèbres romancières canadiennes-françaises, est née à Saint-Boniface au Manitoba. Elle a reçu de nombreux honneurs et distinctions, dont le prestigieux prix français Fémina, pour son roman *Bonheur d'occasion* (1945), un des sommets de la littérature canadienne-française. Dans son autobiographie, *La Détresse et l'Enchantement*, publiée en 1984, un an après sa mort, l'auteure décrit son enfance, ses premières expériences d'adulte au Manitoba ainsi que son premier voyage en Europe.

Dans cet extrait qui se situe au début de l'autobiographie, Gabrielle Roy raconte une sortie avec sa mère. Dès qu'elles quittent Saint-Boniface, petite ville française, et traversent la rivière Rouge, elles se trouvent dans la capitale, Winnipeg, milieu anglophone.

PRÉ-LECTURE

[annotation manuscrite : aller au Winnipeg pour les grands magasins (Eatons)]

1. Que savez-vous de Gabrielle Roy ? Avez-vous lu ses romans ou ses nouvelles ?

2. Gabrielle Roy parle beaucoup de son enfance. Quand vous évoquez votre enfance, quels lieux, quelles personnes particulièrement chers vous viennent à l'esprit ?

Une excursion à Winnipeg : de l'enchantement à la détresse

[annotations manuscrites : grande ville centrale contre petite ville religieuse · richesse spirituelle · exageration · imparfait · early]

Nous partions habituellement de bonne heure, maman et moi, et à pied quand c'était l'été. Ce n'était pas seulement pour économiser mais parce que nous étions tous naturellement marcheurs chez nous, aimant nous en aller au pas, le regard ici et là, l'esprit où il voulait, la pensée libre, et tels nous sommes encore[1], ceux d'entre nous qui restent en ce monde.

5   Nous partions presque toujours animées par un espoir d'humeur gaie. Maman avait lu dans le journal, ou appris d'une voisine, qu'il y avait solde, chez Eaton[2], de dentelle de rideaux, d'indienne[3] propre à confectionner tabliers et robes d'intérieur, ou encore de chaussures d'enfants. Toujours, au-devant de

[annotations manuscrites : solde → sale in retail · promotion → sale on food · réduction de prix → sale · Maman achète pour la maison · chez Eaton parce que c'est le nom d'un famille]

[1] nous n'avons pas changé
[2] grand magasin canadien
[3] coton peint ou imprimé

[annotation manuscrite : ex. chez Kelsey's à le Bay]

La maison de Gabrielle Roy à Saint-Boniface

chiche argent:
stingy
dépensé difficilement?
hésite à dépenser.

ville
arrogante

10   nous, luisait, au départ de ces courses dans les magasins, l'espoir si doux au cœur
des pauvres gens d'acquérir à bon marché quelque chose de tentant. Il me revient
maintenant que nous ne nous sommes guère aventurées dans la riche ville voisine
que pour acheter. C'était là qu'aboutissait une bonne part de notre argent si
péniblement gagné — et c'était le chiche argent de gens comme nous qui faisait
15   de la grande ville une arrogante nous intimidant. [...]

    En partant, maman était le plus souvent rieuse, portée à l'optimisme et
même au rêve [...]. En cours de route, elle m'entretenait[4] des achats auxquels elle
se déciderait peut-être si les rabais étaient considérables. Mais toujours elle se
laissait aller à imaginer beaucoup plus que ne le permettaient nos moyens. Elle
20   pensait à un tapis pour le salon, à un nouveau service de vaisselle. [...] C'était
donc en riches, toutes les possibilités d'achat intactes encore dans nos têtes, que
nous traversions le pont.

    Mais aussitôt après, s'opérait en nous je ne sais quelle transformation qui
nous faisait nous rapprocher l'une de l'autre comme pour mieux affronter
25   ensemble une sorte d'ombre jetée sur nous. Ce n'était pas seulement parce que

---

[4] me parlait

nous venions de mettre le pied dans le quartier sans doute le plus affligeant de Winnipeg, cette sinistre rue Water voisinant la cour de triage des chemins de fer, toute pleine d'ivrognes, de pleurs d'enfants et d'échappements de vapeur, cet aspect hideux d'elle-même que l'orgueilleuse ville ne pouvait dissimuler à deux

30　pas de ses larges avenues aérées. Le malaise nous venait aussi de nous-mêmes. Tout à coup, nous étions moins sûres de nos moyens, notre argent avait diminué, nos désirs prenaient peur. [...] Nous continuions à parler français, bien entendu, mais peut-être à voix moins haute déjà, surtout après que deux ou trois passants se furent retournés[5] sur nous avec une expression de curiosité. Cette humiliation

35　de voir quelqu'un se retourner sur moi qui parlais français dans une rue de Winnipeg, je l'ai tant de fois éprouvée au cours de mon enfance que je ne savais plus que c'était de l'humiliation. [...]

C'était à notre arrivée chez Eaton seulement que se décidait si nous allions oui ou non passer à la lutte ouverte. Tout dépendait de l'humeur de maman.

40　Quelquefois elle réclamait un commis parlant notre langue pour nous servir. Dans nos moments patriotiques, à Saint-Boniface, on prétendait que c'était notre droit, et même de notre devoir de le faire valoir[6], [ainsi] nous obligerions l'industrie et les grands magasins à embaucher de nos gens.

Si maman était dans ses bonnes journées, le moral haut, la parole affilée[7],

45　elle passait à l'attaque. Elle exigeait une de nos compatriotes pour nous venir en aide. Autant maman était énergique, autant[8], je l'avais déjà remarqué, le chef de rayon était obligeant. Il envoyait vite quérir une dame ou une demoiselle une telle[9], qui se trouvait souvent être de nos connaissances, parfois même une voisine. Alors s'engageait, en plein milieu des allées et venues d'inconnus, la plus

50　aimable et paisible des conversations. [...]

Mais il arrivait à maman de se sentir vaincue d'avance, lasse de cette lutte toujours à reprendre, jamais gagnée une fois pour toutes, et de trouver plus simple, moins fatigant de « sortir », comme elle disait, son anglais.

Nous allions de comptoir en comptoir. Maman ne se débrouillait pas trop

55　mal, gestes et mimiques aidant. Parfois survenait une vraie difficulté comme ce jour où elle demanda « a yard or two of chinese skin to put under the coat... », maman ayant en tête d'acheter une mesure de peau de chamois pour en faire une doublure de manteau.

Quand un commis ne la comprenait pas, il en appelait un autre à son aide,

60　et celui-là un autre encore, [...] car cette ville, qui nous traitait en étrangers, était des plus promptes à voler à notre secours dès que nous nous étions reconnus dans le pétrin[10]. Ces conciliabules autour de nous pour nous tirer d'affaire[11] nous mettaient à la torture. Il nous est arrivé de nous esquiver. Le fou rire nous

Margin notes (handwritten): step foot in Winnipeg + money goes down in value · décider quel langue de parler · elle doesn't speak English well, causes problems. · shamy

---

[5] « s'étaient retournés » serait plus juste
[6] exercer, défendre
[7] prête à discuter
[8] expression qui introduit les éléments d'une comparaison : plus ... plus
[9] remplace un nom propre
[10] en difficulté
[11] aider

gagnait ensuite à la pensée de ces gens de bonne volonté qui allaient continuer à
65   chercher à nous secourir alors que déjà nous serions loin. [...]

De nos expéditions à Winnipeg, nous revenions éreintées et, au fond,
presque toujours attristées. [...] Le pont[12] que nous avions traversé en riches, la
tête pleine de projets, nous ne l'avons jamais retraversé qu'en pauvres, les trois
quarts de notre argent envolés [...]. Bientôt, au-delà du pont, nous devenaient
70   visibles les clochers de la cathédrale, puis le dôme du collège des jésuites, puis des
flèches, d'autres clochers. Inscrite sur l'ardent ciel manitobain, la ligne familière
de notre petite ville, bien plus adonnée[13] à la prière et à l'éducation qu'aux
affaires, nous consolait. Elle nous rappelait que nous étions faits pour l'éternité et
que nous serions consolés d'avoir eu tant de misère à joindre les deux bouts.

75   Quelques pas encore, et nous étions chez nous. Nous n'étions pas nombreux
dans la petite ville pieuse et studieuse, mais du moins avions-nous alors le
sentiment d'y être d'un même cœur. Déjà maman et moi parlions dans notre
langue le plus naturellement du monde, ni plus bas, ni trop haut comme à
Winnipeg [...]. D'autres voix s'élevaient en français autour de nous, nous
80   accompagnant. Dans notre soulagement de retrouver notre milieu naturel, nous
nous prenions[14] à saluer presque tous ceux que nous croisions, mais il est vrai,
entre nous, dans la ville, nous nous connaissions à peu près tous, au moins de
nom. Plus nous allions et plus maman se reconnaissait de gens amis et saluait et
prenait des nouvelles des uns et des autres. [...]

85   Nous arrivions à notre maison, rue Deschambault. La retrouver intacte,
gardienne de notre vie à la française au sein du pêle-mêle et du disparate[15] de
l'Ouest canadien, devait nous apparaître chaque fois une sorte de miracle, car à
la dernière minute, nous nous hâtions vers elle. [...] Elle était avenante et simple,
avec ses lucarnes au grenier, de grandes et nombreuses fenêtres à l'étage et,
90   entourant la façade et le côté sud, une large galerie à enfilade de colonnes
blanches.

Toujours nous revenions vers elle comme d'un voyage qui nous aurait
secouées.

Gabrielle Roy, *La Détresse et l'Enchantement*, 3 éd., Montréal, Éditions Boréal, 1984,
p. 11-17.

---

[12] le pont Provencher qui relie Saint-Boniface à Winnipeg
[13] habituée
[14] commencions
[15] au milieu du mélange et des différences

Expressions à retenir

de bonne heure (l. 1) *early*
à pied (l. 1) *walking*
à bon marché (l. 11) *cheap*
mettre le pied (l. 26) *entrer*
à voix haute / basse (l. 33) *elevation de tone de voix*
se tirer d'affaire (l. 62) *débrouiller, faire action avec resultats positives*
le fou rire (l. 63) *rire incontroyable*
joindre les deux bouts (l. 74) *essayer de bouder des/*
parler bas / haut (l. 77-78)
se connaître (l. 82) *familiarité avec un personne.*

COMPRÉHENSION

elles vont à winnipeg à pied. l. 1-5
économiser, etc.

1. Comment la narratrice et sa mère allaient-elles à Winnipeg ? Pourquoi ?
2. Dans quel but la petite fille et sa mère se rendaient-elles à la capitale ? *pour aller au grand magasins*
3. De quoi parlaient-elles pendant le *trip* trajet ?
4. Comment se sentaient-elles en arrivant à Winnipeg ? *paysage change rue sinistre.*
5. Décrivez, en quelques mots, la « transformation » (l. 23) dont parle la narratrice.
6. Quelle était la réaction des gens quand la narratrice et sa mère parlaient français dans une rue de Winnipeg ? *curiosité, les regardent*
7. Quel sentiment est-ce que cette réaction provoquait chez la narratrice ?
8. Qu'est-ce que la narratrice veut dire par « lutte ouverte » (l. 39) ?
9. Que faisait la mère lorsqu'elle était « lasse de cette lutte » (l. 51) ?
10. Selon la description de la narratrice, qu'est-ce qui caractérise Saint-Boniface ?
religeux et studieuse.

INTERPRÉTATION

1. Comparez le départ pour Winnipeg et le retour à la maison.
2. Décrivez les différences qui existaient entre Winnipeg et la petite ville où habitaient les deux héroïnes.
3. Trouvez des exemples de la personnification : *paixe studieuse*
   a) de Winnipeg ;   b) de la petite ville.
   sinistre, fier, arrogant, orgueileux
4. Pourquoi les expressions ayant trait à l'argent sont-elles si nombreuses ici ? *elles doivent avoir plus d'argent pour vivent là. plutôt modeste*
5. Quelle impression avez-vous de la narratrice ?
   observe les détails   reflexion. pas une vie facile   admiration pour sa mère

MAÎTRISONS LA LANGUE

A

1. Trouvez dans le texte deux expressions qui signifient :

   a) réduction faite sur le prix d'une marchandise ;
   b) demandait avec insistance ;
   c) s'arranger pour sortir d'une difficulté ;
   d) fatiguée(s).

2. Donnez une expression équivalente dans le contexte :

    a) à deux pas de ses larges avenues (l. 29-30) ;
    b) secours (l. 61) ; secourir (l. 65) ;
    c) ces conciliabules (l. 62) ;
    d) nous devenaient visibles (l. 69-70).

3. Relevez dans le texte les expressions ayant trait à l'argent.

4. Repérez dans la description de la rue Water à Winnipeg les expressions qui créent une impression de laideur.

B

1. Expliquez le sens du mot « engager » dans les phrases suivantes :

    a) Alors s'engageait la plus aimable et paisible des conversations (l. 49-50).
    b) Nous nous engagions sur le pont Provencher.
    c) Chez Eaton, on engageait des commis francophones.
    d) La petite Gabrielle s'engageait à apprendre l'anglais pour venger l'humiliation subie par sa famille.

2. Expliquez le sens de : « avoir tant de misère à joindre les deux bouts » (l. 74).

3. Utilisez chacun des mots ci-dessous dans une phrase qui en illustre clairement la différence de sens :

    a) l'humeur (l. 6, 39) et l'humour ;
    b) le moral (l. 44) et la morale.

4. Expliquez le sens des expressions ci-dessous :

    a) avoir le fou rire ;
    b) rire de quelqu'un ;
    c) rire jaune.

GRAMMAIRE

L'IMPARFAIT

Forme

L'imparfait est un temps simple, c'est-à-dire un temps qui se compose d'un seul élément.

La formation de l'imparfait est régulière pour tous les verbes (excepté **être**). On enlève la terminaison **-ons** à la 1re personne du pluriel du présent et on ajoute les terminaisons de l'imparfait au radical.

infinitif	1re personne *nous*	radical
travailler	travaillons	travaill-
finir	finissons	finiss-
sortir	sortons	sort-
attendre	attendons	attend-
dire	disons	dis-

personne	terminaison	1er groupe	2e groupe	3e groupe
je	**ais**	travaill-**ais**	finiss-**ais**	attend-**ais**
tu	**ais**	travaill-**ais**	finiss-**ais**	attend-**ais**
il/elle/on	**ait**	travaill-**ait**	finiss-**ait**	attend-**ait**
nous	**ions**	travaill-**ions**	finiss-**ions**	attend-**ions**
vous	**iez**	travaill-**iez**	finiss-**iez**	attend-**iez**
ils/elles	**aient**	travaill-**aient**	finiss-**aient**	attend-**aient**

On forme l'imparfait du verbe **être** en ajoutant les terminaisons régulières au radical -**ét.**

j'étais	nous étions
tu étais	vous étiez
il/elle était	ils/elles étaient

1. Certains verbes ont des changements orthographiques à l'imparfait.

   a) Les verbes en **-ger** : on ajoute un **e** après **g** devant la voyelle **a** (**-ais**, **-ait**, **-aient**) pour conserver la prononciation douce du **g.**

voyager	je voyag**e**ais	nous voyagions
	tu voyag**e**ais	vous voyagiez
	il/elle/on voyag**e**ait	
	ils/elles voyag**e**aient	

   b) Les verbes en **-cer** : **c** devient **ç** devant la voyelle **a** (**-ais**, **-ait**, **-aient**) pour conserver la prononciation **s.**

commencer	je commen**ç**ais	nous commencions
	tu commen**ç**ais	vous commenciez
	il/elle/on commen**ç**ait	
	ils/elles commen**ç**aient	

c) Les verbes en **-ier** (étudier) et **-ire** (rire, sourire) ont deux **i** aux formes **nous** et **vous** puisque le radical se termine par un **i.**

infinitif	radical	imparfait
étudier	étudi-	nous étudi-ions vous étudi-iez
rire	ri-	nous ri-ions vous ri-iez

Emplois

Comme son nom l'indique, l'imparfait exprime une action incomplète, non terminée. L'imparfait est le temps de la description du passé. Lorsqu'on peut répondre à la question « Quelle était la situation ? », on utilise l'imparfait.

On emploie l'imparfait pour décrire dans le passé :

1. Une personne, une chose, un décor, un paysage.

> Notre maison **était** avenante et simple.
> Ce jour-là, il **faisait** froid, mais le soleil **brillait.**

2. Des actions répétées ou des faits habituels.

> Nous **partions** <u>habituellement</u> de bonne heure.
> <u>Quelquefois</u> elle **réclamait** un commis parlant notre langue.

3. Des souvenirs ou un état de choses (pour dire comment étaient les choses).

> Cette sensation m'**était** plutôt agréable quand j'**étais** enfant.
> Nous n'**avions** pas beaucoup d'argent, mais nous **nous amusions.**

4. Une action qui n'est pas finie et dont la durée est indéterminée.

> Maman ne **se débrouillait** pas trop mal.
> Le père de Gabrielle Roy **travaillait** pour le gouvernement.

5. Un état d'esprit. Très souvent, les verbes **être, croire, espérer, penser, savoir, sembler** et **vouloir** s'emploient à l'imparfait.

> Elle **pensait** à un tapis pour le salon.
> Je ne **savais** pas que c'**était** de l'humiliation.

Remarque

Quand ces verbes sont employés au passé composé, ils ont un sens différent.

> Je pensais qu'ils habitaient au Manitoba. Hier, j'**ai su** (= ai découvert) qu'ils avaient déménagé.
> Elle **a voulu** (= a essayé de) me donner de l'argent, mais je n'ai pas accepté.
> Le commis **n'a pas voulu** (= a refusé de) négocier le prix.

6. Un état de choses ou une action en cours qui est interrompu(e) par une autre action. L'action qui interrompt l'autre est généralement au passé composé.

> Quand donc **ai-je pris** conscience pour la première fois que j'**étais,** dans mon pays, d'une espèce à être traitée en inférieure ?
>
> Pendant que nous **traversions** le pont Provencher, nous **avons rencontré** un de nos amis de Saint-Boniface.

7. L'imparfait s'emploie aussi :

a) dans les constructions **aller + infinitif (futur proche)** et **venir de + infinitif (passé récent)** au passé ;

> Ces gens de bonne volonté **allaient continuer** à chercher à nous secourir.
>
> Nous **venions de mettre** le pied dans le quartier le plus affligeant de Winnipeg.

b) avec les expressions **depuis, depuis que, il y avait ... que, cela / ça faisait .... que** pour exprimer une action ou un état qui a commencé dans le passé et qui continue dans le passé.

> **Cela faisait / il y avait** 15 ans qu'elles **habitaient** à Saint-Boniface.
>
> **Depuis que** le père **était** malade, elles n'**avaient** pas d'argent.

APPLICATION

1. Mettez les verbes entre parenthèses à l'imparfait.

Quand je (être) jeune, je (faire) souvent des achats avec ma mère. Une fois par semaine, nous (aller) au grand centre commercial en ville. Nous (lécher) les vitrines[16], nous (entrer) et (sortir) des magasins, toujours à la recherche de soldes. Parfois, je (essayer) de beaux vêtements, mais ils (coûter) cher et nos moyens (ne pas nous permettre) de les acheter. Quand nous (commencer) à nous sentir fatiguées, nous (s'asseoir) et nous (manger) quelque chose. Nous (voir) des gens qui (se promener) tranquillement, d'autres qui (courir) et des jeunes qui (flâner). D'habitude, maman et moi, nous (prendre) plaisir à jouer à un jeu amusant : nous (imaginer) les vies de différentes personnes. Maman me (encourager) à inventer des histoires passionnantes. Les visites au centre commercial me (offrir) toujours des moments inoubliables en compagnie de ma mère.

2. Complétez les phrases suivantes en employant le temps du passé qui convient.

a) Lorsque j'étais petit(e)…
b) Elle portait toujours trop de bijoux quand…
c) Chaque fois qu'il me voyait…
d) Vous êtes arrivés au moment où…
e) Il faisait beau ce jour-là, mais d'habitude au Manitoba…

---

[16] regarder les vitrines sans acheter

f) Quand nous traversions le pont…

g) Tu étais toujours content(e) quand…

h) Ils avaient l'impression que…

i) Malgré vos efforts pour vous faire comprendre…

j) Elle a acheté ce chapeau parce que…

3. Suggérez 3 phrases qui justifient la définition.

> **Modèle :**   C'était un homme patient.
> Il ne se fâchait jamais.
> Il n'élevait jamais la voix.
> Il gardait toujours son calme.

a) C'était une femme généreuse.

b) C'étaient des enfants gâtés.

c) C'était un boxeur violent.

d) C'était un ami loyal.

e) C'était un couple uni.

f) C'était une fille naïve.

g) C'étaient des étudiants paresseux.

h) C'étaient des jeunes mariés heureux.

i) C'étaient des clients fâchés.

j) C'était un passager peureux.

LA DISTINCTION ENTRE LE PASSÉ COMPOSÉ ET L'IMPARFAIT

Le passé composé est employé pour la narration. Il décrit une série d'actions qui font avancer le récit.

Qu'est-ce qui s'est passé ?

Nous **sommes parties** de bonne heure, puis nous **avons traversé** le pont et puis nous **sommes arrivées** à Winnipeg.

L'imparfait est employé pour la description. Les verbes d'une description ne font pas avancer le récit.

Quelle était la situation ?

Quand maman **était** rieuse, elle **avait** l'air d'une jeune femme.

Le passé composé s'emploie :

- pour exprimer une action finie

    Hier, nous **avons fait** des achats.

- pour exprimer une action unique

    Gabrielle Roy **est née** au Manitoba.

L'imparfait s'emploie :

- pour exprimer une action en train de se dérouler
    Maman **cherchait** du tissu à bon marché.

- pour exprimer une action répétée, habituelle
    Maman et moi **allions** souvent à Winnipeg.

- pour indiquer une action accomplie dans une durée limitée ou spécifique

    Nous **avons passé** trois heures dans le centre commercial.

- pour exprimer une action répétée un certain nombre de fois

    Hier, maman **a réclamé** trois fois un commis francophone.

- pour décrire une action dont le début et la fin sont clairs

    Nous **avons quitté** notre petite ville à huit heures du matin et nous **sommes rentrées** tard dans l'après-midi.

- pour indiquer une durée non limitée

    La romancière **habitait** à Saint-Boniface quand elle était jeune.

- pour exprimer une action répétée un nombre indéterminé de fois

    Quelquefois maman **réclamait** un commis qui parlait français.

- quand ni le début ni la fin de l'action ne sont précisés

    Les journaux **annonçaient** des soldes chez Eaton.

APPLICATION

1. Mettez le passage suivant au passé en employant le passé composé ou l'imparfait selon le sens. C'est une jeune fille qui parle.

Maman (avoir) envie de voyager. Alors, un jour, elle et moi (partir) pour parcourir le pays et voir du neuf. Je (s'apercevoir) que maman (rajeunir) en voyage. Nous (passer) plusieurs nuits dans le train. Le Canada me (paraître) immense et je (s'amuser) à regarder les beaux paysages. Je (se sentir) fière d'habiter dans un si grand pays. Toute une journée, nous (longer) le lac Supérieur. Maman me (dire) qu'elle (penser) que ce (être) le plus grand lac du monde. Depuis ce jour-là, je (aimer) le mot Canada.

   Quand nous (arriver) à Montréal, nous (rendre) visite à des parents. Un soir, nous (aller) chez les sœurs de mon père. Il (pleuvoir) et il (faire) noir. Je (être) si fatiguée que je (dormir) debout. Une des tantes (questionner) maman sur le Manitoba. Maman (hésiter) un moment sur la manière de répondre. D'habitude, elle (embellir) la description du Manitoba. Mais, ce soir-là, devant ces vieilles femmes tristes, elle (décrire) le climat dur et la monotonie de l'Ouest. La réponse de maman (sembler) faire plaisir aux trois vieilles sœurs de papa qui, tout d'un coup, (se découvrir) riches et heureuses dans leur petite maison.

(Exercice inspiré par la nouvelle « Les Déserteuses » dans *Rue Deschambault* de Gabrielle Roy)

2. Mettez les verbes suivants au passé en employant le passé composé ou l'imparfait.

   Un peu d'histoire canadienne

   a) Voici quelques dates importantes qui (marquer) l'histoire du Canada. La victoire des Anglais sur les plaines d'Abraham en 1759 (assurer) la suprématie britannique en Amérique du Nord. Par le traité de Paris en 1763, la France (céder) le Canada à l'Angleterre. En 1840, l'Acte d'union (faire) du Haut et du Bas-Canada une seule province et (imposer) l'anglais comme seule langue officielle. La Confédération des provinces canadiennes (naître) le 1er juillet 1867. L'Acte de l'Amérique du Nord britannique (fonder) la nation canadienne et (créer) ainsi deux provinces : le Québec et l'Ontario.

b) Lord Durham, gouverneur général du Canada, (recevoir) le mandat d'étudier la situation au Canada à la suite des rebellions de 1837-1838. Il (découvrir) deux nations qui (se faire) la guerre au sein d'un même État. Lorsqu'il (écrire) le fameux rapport Durham, il (proposer) des solutions. D'après lui, le problème entre les Canadiens français et les Anglais (ne pas résulter) d'une lutte de classes ; il (s'agir) plutôt d'une lutte entre deux races. Puisque, selon lui, la race anglaise (jouir) d'une supériorité certaine, l'assimilation lui (paraître) la seule solution. Cependant, le peuple canadien-français (prendre) la résolution de rester fidèle à ses origines et (refuser) de se laisser assimiler.

c) Vers 1880, le gouvernement fédéral (projeter) la colonisation de la vallée de la Saskatchewan sans tenir compte du fait que ces terres (constituer) en grande partie les territoires de chasse des Aborigènes et des Métis. Ces derniers (se tourner) vers Louis Riel et le (choisir) pour chef. Il (faire) parvenir à Ottawa une liste de réclamations. Comme le gouvernement fédéral (ne pas répondre) à ses demandes, Riel (décider) de former un gouvernement provisoire en 1885. Le geste de Riel (représenter) une véritable rébellion contre la loi. Le gouvernement fédéral (intervenir) et (envoyer) une armée de 5000 soldats contre Riel et ses hommes. Les troupes fédérales (étouffer) la rébellion et (faire) Riel prisonnier. On le (condamner) à mort pour trahison et on le (pendre) le 16 novembre 1886. Pour les Canadiens français, Riel (incarner) la résistance des minorités. À travers lui, on (juger) toute la nation canadienne-française. À la suite de ces événements, le nationalisme canadien-français (s'affirmer) davantage.

d) Les Anglais (s'intéresser) à l'Acadie parce qu'elle (constituer) une base stratégique pour empêcher l'implantation française en Amérique du Nord. Ce territoire qui (comprendre) les actuels Nouvelle-Écosse, Nouveau-Brunswick, Île-du-Prince-Edouard (représenter) aussi un centre de rencontre pour les pêcheurs et les marchands de fourrure. À la suite de guerres, cette région, qui (se composer) principalement d'habitants d'origine française, (passer) à l'Angleterre. Les Acadiens (désirer) rester neutres dans les querelles qui ne les (pas concerner) directement. Les Anglais (entreprendre) de leur faire signer un serment d'allégeance par lequel les Acadiens (promettre) d'être fidèles au roi d'Angleterre. Dans cet accord, ils (déclarer) qu'ils (reconnaître) le roi George II comme le souverain de l'Acadie. Cependant, les Acadiens (refuser) de prêter serment de fidélité à l'Angleterre. Ils (ne pas vouloir) devenir sujets britanniques. Par conséquent, en 1755 les Anglais (prendre) la décision de les déporter dans les colonies anglaises. Beaucoup de déportés (mourir) au cours de leur voyage forcé ; ils (ne pas pouvoir) survivre aux souffrances et aux privations. Certains (choisir) de retourner en France ; d'autres (s'établir) en Louisiane. Ce triste épisode (recevoir) le nom de Grand Dérangement.

DEVOIRS ÉCRITS / TRAVAIL ORAL

A. COMPOSITION GUIDÉE

Décrivez un endroit que vous associez à votre enfance et où vous passiez autrefois des moments agréables.

1. Quel était cet endroit ?

2. Où se trouvait-il ?

3. À quelle époque de l'année y alliez-vous ?

4. Qui rencontriez-vous ?

5. Comment passiez-vous le temps ?

6. Quels souvenirs sont restés particulièrement vifs ? Pourquoi ?

B. COMPOSITION LIBRE / TRAVAIL ORAL

1. « Ce qui est différent est toujours étrange ». Vous est-il jamais arrivé de juger quelqu'un trop vite et de modifier votre jugement après avoir mieux connu la personne ?

2. En vous appuyant sur le texte de Gabrielle Roy, montrez que l'animosité entre Winnipeg et Saint-Boniface n'était pas due au seul fait que les habitants des deux villes parlaient des langues différentes.

DIALOGUES

1. **On fait des achats.** Rapportez la conversation entre un(e) client(e) et un vendeur / une vendeuse.

Quelques expressions utiles

prix de solde / de rabais	sale price
Quelle taille faites-vous ?	What is your size? (clothes)
Quelle pointure faites-vous ?	What is your size? (shoes, gloves)
Je fais du 10 / une taille 10.	I take size 10.
le rayon des chaussures	the shoe department
C'est pour offrir ?	Is it for a gift ?
un cadeau bon marché / un cadeau	an inexpensive gift / a wedding
de mariage / un chèque-cadeau	gift / a gift certificate
faire la queue à la caisse	to line up at the cash register
payer par carte de crédit / payer	to pay with one's credit card / to pay

comptant / par chèque	cash / by cheque
la TPS (taxe sur les produits et services)	GST (goods and services tax)
garder le reçu	to keep the receipt

2. **Une querelle.** Une femme fait des reproches à son mari qui dépense trop d'argent. Il l'accuse d'être trop économe.

Quelques expressions utiles

jeter l'argent par les fenêtres	to waste money
être dépensier / dépensière	to be a spendthrift
avoir des goûts dispendieux / de luxe	to have expensive tastes
faire de grosses dépenses pour sa voiture	to spend a lot on one's car
gaspiller son salaire	to squander one's salary
faire des folies / de folles dépenses	to go on a spending spree
vivre au-dessus de ses moyens	to live beyond one's means
un manteau meilleur marché / moins cher	a cheaper coat
être avare	to be stingy with money
faire des économies de bouts de chandelles	to penny-pinch
faire des dettes	to get into debt
garder une poire pour la soif / mettre de l'argent de côté	to put something away for a rainy day
prévoir les frais de quelque chose	to budget for something
savoir économiser son argent	to know how to save one's money

UNE POINTE D'HUMOUR

Un peu d'humour à l'imparfait

Voici l'histoire émouvante d'un tout petit monsieur qui aimait tendrement une jeune fille de son village.

Un monsieur attendait

Un monsieur attendait
Au café du Palais
Devant un Dubonnet
La femme qu'il aimait.
La pendule tournait
Et les mouches volaient
Et toujours le monsieur attendait.

Elle lui avait dit :
Je viendrai vers midi.
Il était déjà six heures et demie.

Il pensait c'est bizarre
Comme les femmes ont du retard.
Mais toujours patient et plein d'égards
Un monsieur attendait
Au café du Palais
[...]
Un soir l'âme bien lasse
Il la vit dans la glace.
Elle était
Juste au café d'en face.
Elle s'était tout bonnement
Trompée d'établissement.
Voilà pourquoi pendant quarante ans
Un monsieur attendait
Au café du Palais.

Mais le jour qu'il la vit
Elle avait un mari
Le patron de l'autre bar...
C'est la vie.

                   Georges Ulmer

Chapitre 5

L'Amérique du Nord
Les États-Unis

Aspects grammaticaux étudiés :

- La formation et les emplois du plus-que-parfait
- Le passé simple
- Les adverbes négatifs
- Les conjonctions négatives

Système politique : République
Population : 280 000 000
Capitale : Washington
Langue officielle : Anglais
Monnaie : Dollar américain

Washington
Caroline du Nord
Tennessee
Caroline du Sud
Atlanta
Géorgie
Floride
Louisiane
Arkansas
Alabama
Texas
Mississippi

Le Sud des États-Unis a été le théâtre d'une guerre civile qui a duré quatre ans (1861-1865) et qui avait pour cause le problème de l'esclavage des Noirs doublé d'un problème économique. Au cours de cette guerre, les États du Sud se sont séparés des États du Nord et ont même élu leur propre président. La victoire du Nord a mis fin à la sécession.

Né à Paris en 1932, Vladimir Volkoff est le fils d'immigrants russes. Il est l'auteur de romans de science-fiction et de romans policiers. « Diou et les démes », dont est tiré l'extrait ci-dessous, fait partie du volume *Nouvelles américaines,* inspiré par les États-Unis.

Hester C. Wallbridge III, protagoniste de l'extrait ci-dessous, est originaire d'une grande famille du Sud des États-Unis. La mentalité des gens du Sud est souvent différente de celle des Américains du Nord. Ils sont, en général, plus conservateurs, plus attachés à leurs traditions et aux liens de famille.

PRÉ-LECTURE

[handwritten: Hester C Wallbridge → aristocrat, famille avec un nom établi dans États-Unis (Sud)]

Hester C. Wallbridge III se soumet volontairement à d'ignobles humiliations parce qu'il désire faire partie d'une confrérie. Toutefois, dans les universités nord-américaines, les nouveaux doivent parfois subir des épreuves qu'ils n'ont pas cherchées.

Que pensez-vous de cette coutume ? Aide-t-elle à former le caractère ou vous paraît-elle simplement ridicule ou même dangereuse ?

Rites d'initiation

Ce passage est écrit au passé simple. Nous remplaçons en note les passés simples irréguliers par des passés composés.

Réussir dans ses études n'était pas le premier souci de Hester C. Wallbridge III.
Il se destinait à une carrière de juriste, mais il la sentait loin devant lui[1] [...].
Dans l'entre-temps, il aurait aimé briller sur les terrains de football ; or, sa charpente fragile le lui interdisait, et tout autre sport eût été[2] indigne d'un
5   Wallbridge. Bref, pendant sa première année à l'université d'Antimony Creek, il borna[3] ses ambitions à se faire admettre dans la confrérie Sigma Sigma Phi. *[handwritten: fraternity]*
Il s'imaginait que ce serait difficile, presque impossible... Cependant quel déshonneur si, au lieu de la Sigma Sigma Phi, on lui proposait de se contenter de la Ksi Psi !
10   Il sous-estimait ses chances.

---

[1] il avait l'impression que cette carrière était encore loin
[2] aurait été
[3] a borné, a limité

blackball

Si la Sigma Sigma Phi blackboulait un Wallbridge, qui recruterait-elle ? Celui-ci appartenait, il est vrai, à une branche appauvrie, mais, dans le Sud, nous savons qu'il n'y a rien de plus distingué que d'être un gentleman appauvri : cela ôte à la prééminence sociale ce qu'elle peut avoir de trop voyant[4]. D'ailleurs, ils n'étaient pas si appauvris que cela, les parents de Hester : juste ce qu'il faut.

Bien entendu, Hester ne se trompait jamais de fourchette et n'hésitait pas, en l'absence de petite assiette, à mettre son petit pain sur le marli de la grande. Dans ses études, lesquelles comptent aussi — pourquoi pas ? — il obtenait des notes moyennes, ce qui constitue le comble du bon goût.

En somme, qu'avait-il contre lui ? Un prénom plutôt féminin, mais on n'allait tout de même pas lui en vouloir sérieusement d'un prénom[5]. Une ossature faiblarde et une musculature négligée, ce qui était plus grave, mais il avait aussi eu un arrière-grand-père, colonel de cavalerie, tué à la bataille d'Atlanta […]. Enfin, on le soupçonnait de croire un peu niaisement à l'idéal chevaleresque[6] que la Sigma Sigma Phi revendiquait en public et qu'en privé il n'était pas de bon ton[7] de prendre au sérieux. Oui, il y avait là un accroc. Cependant, comme le faisaient valoir les défenseurs de Hester, tout le monde peut faire des progrès, et, manifestement, il ne s'agissait pas d'un cas désespéré : le candidat avait bu son premier verre de bière sans s'inquiéter du péché qu'il commettait. […]

Le jour où un de ces êtres d'élite[8] lui annonça qu'il était accepté pour le noviciat fut[9] le plus beau de sa vie, et il vécut[10], avec une gratitude qui ne se lassa point, une année entière de bizutage[11] à l'ancienne[12]. De ses propres deniers, il achetait des cigarettes à ses futurs frères et des fleurs à leurs petites amies, il cirait les chaussures de ses aînés, il portait leur linge à la laverie, et ne cessait de jubiler : pensez donc ! S'il avait été refusé, ceci aurait pu être le linge d'un Ksi Psi ou d'un Kappa Alpha !

Enfin le temps des épreuves arriva.

Toute sa vie, Hester les avait attendues et redoutées. À quatre ans déjà, il en avait des cauchemars ! Ce n'était pas tant qu'il craignît[13] la mort — et il y avait quatre ou cinq morts dans les annales de la Sigma Sigma Phi, ce dont elle s'enorgueillissait justement — mais il avait peur d'avoir peur, d'être refusé au dernier moment, et alors que lui resterait-il ? Le suicide, c'est-à-dire le péché suprême.

On vint[14] le chercher la nuit, on le fit[15] monter dans le coffre d'une grosse voiture. La voiture démarra. […] Hester croyait étouffer à chaque instant. Il

---

[4] cela fait paraître plus modestes les gens des grandes familles
[5] reprocher un prénom
[6] La devise de la Sigma Sigma Phi est « Diou et les dèmes (les dames) ».
[7] élégant
[8] un des membres de la confrérie
[9] a été
[10] a vécu
[11] mauvais traitements, *hazing*
[12] à l'ancienne mode
[13] verbe *craindre*
[14] est venu
[15] l'a fait

collait sa bouche au métal, cherchant des fentes pour respirer, n'en trouvant pas.
Seules les secousses incessantes — Pat conduisait avec une brutalité
consommée — l'empêchèrent de perdre connaissance. Et sans cesse, il se
50   répétait :

— Ne pas démériter !

Au bout d'une heure, arrêt en rase campagne. On ouvrit[16] le coffre.

— À poil[17] !

Hester s'était souvent trouvé nu en compagnie d'autres garçons nus, mais
55   cette fois-ci, il devait enlever son pyjama à cloche-pied[18] en pleine nature [...]
— sous les ricanements de quatre grands gars en short et chandail qui, les poings
sur les hanches, faisaient des remarques désobligeantes sur ses proportions
intimes.

Ils l'abandonnèrent, emportant le pyjama.

60   Lorsque la voiture disparut[19] derrière le tournant, Hester <u>faillit pleurer</u>[20] :
comment Pat, Dwight, Colson, Terry, ses supérieurs, sans doute, mais aussi ses
amis, pouvaient-ils le traiter ainsi ? Pourtant, il se raidit. Ceci n'était que la
première épreuve.

Il marcha dans l'herbe, pour ne pas blesser ses pieds nus. Il frissonnait. Il se
65   voûtait. Au premier véhicule qu'il entendit, il sauta dans le fossé. C'était un

Un épouvantail

---

[16] a ouvert
[17] Déshabille-toi ! Tout nu !
[18] en sautant sur un pied
[19] a disparu
[20] a presque pleuré

camion poussif ; il mit[21] des minutes à disparaître. [...]

Hester se remit à marcher. Des images saugrenues lui traversaient l'esprit : il se voyait tantôt recueilli par une belle jeune fille conduisant une Corvette, tantôt condamné par un jury de « cous rouges » pour offense à la pudeur
70   publique. [...]

Le champ où il se trouvait se bombait en forme de mamelon. De l'autre côté de la bosse, une tige dressait sa pointe. Hester s'approcha : c'était le haut d'un épouvantail régnant sur un carré de potirons. Il avait perdu sa veste et son chapeau ; le pantalon à bretelles tenait encore sur la branche transversale.
75   Hester songea à tous les germes de contagion contenus dans cette défroque. [...] N'importe, il s'en empara avec reconnaissance et l'enfila, se promettant de récompenser le propriétaire de l'épouvantail en lui faisant cadeau d'un pantalon neuf.

Maintenant, il pouvait de nouveau suivre la route. La vieille serge racornie
80   lui sciait l'entrejambe. Il marchait, meurtri mais décent. Il n'osa pas arrêter la première voiture qui passa ; à la deuxième il fit des signes incohérents ; lorsque la troisième se montra, il se planta au bord de la chaussée et leva effrontément le pouce. Il apprenait vite.

Il fut ulcéré de constater que cette troisième voiture ne s'arrêta pas. Ni les
85   suivantes. Les hommes peuvent-ils être d'une indifférence si cruelle ? Apparemment ce torse nu et ce grimpant troué n'inspiraient pas confiance.

Enfin un bon Samaritain qui conduisait un poids lourd freina puissamment. Hester, qui avait désespéré de la nature humaine, grimpa dans la haute cabine sans éprouver de gratitude. Le bon Samaritain avait [...] le regard bleu dans les
90   orbites fortement dessinées, les pattes d'oie[22] énergiques.

Il dit :

— Tu t'es mis dans un état, fils !

Et, dix miles plus loin :

— Étudiant ? Gueule de bois[23] ?
95   Plus loin encore, il ouvrit la boîte à gants d'un geste brusque et désigna une pinte qui y reposait parmi des chiffons crasseux :

— Sers-toi. Rien de tel[24].

Hester refusa. Si seulement on pouvait le déposer près d'un téléphone et lui prêter dix cents... Un appel ne coûtait pas davantage, dans les années soixante.
100   L'homme ne répondit pas. Il roula encore une dizaine de miles, puis il dit :

— Si tu veux une chemise... ou même un falzar...

Il désignait du menton un carton placé entre eux. Des vêtements de travail s'y empilaient, soigneusement pliés.

— Non, merci, monsieur. Je... m'arrangerai.
105   Le chauffeur ne prononça plus un mot jusqu'à la première station-service, dans laquelle il jeta son poids lourd aux pneus fumants.

---

[21] a mis
[22] rides sur le côté des yeux
[23] Tu te sens malade parce que tu as trop bu ? (familier)
[24] Il n'y a rien de si bon.

Hester is indignant

Hester fut obligé de lui rappeler qu'il avait besoin d'une pièce de dix cents. Il descendit, la tenant entre deux doigts.

— Où dois-je vous la renvoyer ? demanda-t-il avec un bégaiement, la tête
110 levée vers la portière, tout là-haut.

Mais l'homme avait déjà passé la marche arrière[25], et les roues gigantesques broyaient le sable.

Le reste fut simple. Un coup de téléphone à un ami, un coup de voiture[26], et deux heures plus tard Hester C. Wallbridge III était douché, aseptisé, rhabillé
115 de propre, prêt à affronter les épreuves suivantes.

Le pantalon emprunté fut jeté aux ordures, et, mécontent du camionneur, Hester négligea de dédommager le fermier.

Vladimir Volkoff, « Diou et les démes », *Nouvelles américaines*, Paris, Éditions Julliard, 1986, p. 71-77.

(marginal handwritten note: Un peu confus. Piège de prestige, il oublie humanité pour choisir la prestige)

Expressions à retenir

le terrain de football (l. 3) *soccer → American football*
se contenter (de) (l. 8) *→ accepter, résignation*
se tromper (de) (l. 16) *faire un erreur*
en vouloir à quelqu'un (l. 21) *hold a grudge, être rencoulier*
prendre au sérieux (l. 26) *croire la person*
empêcher quelqu'un (de) (l. 49) *faire obstacle*
à cloche-pied (l. 55) *hop on one foot*
un épouvantail (l. 73) *scarecrow*
faire cadeau (de) (l. 77) *offrir un objet*
la gueule de bois (l. 94) *trop bus → hangover*
la station-service (l. 105) *gas station*
passer la marche arrière (l. 111) *voiture → back up*

COMPRÉHENSION

1. Pourquoi Hester ne pratiquait-il aucun sport ? *il est petit, pas musclé. son nom est féminin.*
2. Quelles tâches imposait-on aux novices de la Sigma Sigma Phi ? *acheter cigarettes, fleurs*
3. Qu'est-ce qui a empêché Hester de perdre connaissance dans le coffre ?
4. Pourquoi Hester a-t-il sauté dans le fossé quand il a entendu le premier véhicule ? *il est gené ?*
5. Pourquoi les voitures ne s'arrêtaient-elles pas quand il leur faisait signe ? *il porte juste partie*
6. Pourquoi Hester n'a-t-il pas remboursé le camionneur ? *camionneux les pantalons partie*

interprète mal le sympatie du camionneur. il pense qu'il parle à lui comme un enfant. dishonor.

---

[25] fini de reculer
[26] On ne dit pas, d'habitude, « un coup de voiture ». L'expression est calquée sur « un coup de téléphone ».

[handwritten top margin:] redneck ce n'est pas un mot qui existe au France. aura →

[handwritten:] gentlemen → courage, d'honor, virtue. "Knights"

INTERPRÉTATION *[handwritten:]* club privées/élites

[handwritten left margin:] p "plouk" stereotype, pas d'éducation, cherche pas à élargir ses horizons

langue simple "falzar" "Gueule de bois"

1. Expliquez l'allusion à « l'idéal chevaleresque » de la Sigma Sigma Phi (l. 24-25) ?
2. Pourquoi « cous rouges » (l. 69) est-il entre guillemets ? *[handwritten:]* red necks → vient d'une campagne profonde
3. Pourquoi le chauffeur du poids lourd est-il appelé un « bon Samaritain » (l. 87) ? *[handwritten:]* → il aide Hester, il arrêté
4. Qu'est-ce qui montre que le chauffeur n'est pas bavard ? *[handwritten:]* talkative
5. Montrez que la langue parlée par le chauffeur n'est pas élégante.
6. Cet extrait contient beaucoup d'ironie. Trouvez-en trois exemples.

[handwritten:] 1) Thinks he is priviledged → is humiliated 2) He refuses help from people who try to help him. 3) His name → feminine name 4) Sigma has idea of chivalry but they humiliate people.

MAÎTRISONS LA LANGUE

[handwritten:] Hester est dans le pétrin (deep trouble)

[handwritten left margin:] - ironie : dire le contraire que tu pense.

- ironie de destinie : circonstances de la vie se moque vais "reversal of fortune"

- ironie dramatique : l'audience a plus de conissance de les characteurs

A

1. Relevez, dans le texte :

   a) les mots désignant un genre de véhicule ;
   b) les mots désignant une partie du véhicule ;
   c) les expressions ayant trait à la conduite d'un véhicule.

2. Relevez, dans le texte, les mots désignant un vêtement.

3. Utilisez chacune des expressions dans une des phrases qui les suivent. Respectez les temps et les accords.

   faire cadeau – se tromper – en vouloir à – prendre au sérieux – venir chercher

   a) Je suis arrivé en retard chez mes amis parce que je *me suis trompé* de route.
   b) C'était l'anniversaire de ma tante hier ; je lui *ai fait cadeau* d'un sac.
   c) Je *en veux à* cette personne qui m'a insulté.
   d) *Venez chercher* votre grand-père pour le conduire chez le médecin.
   e) Parce qu'il aime plaisanter, personne ne le *prend au sérieux*.

4. Trouvez, dans le texte (l. 82-99), le contraire des expressions suivantes :
   a) au milieu ; b) léger ; c) accéléra ; d) descendit ; e) propres ; f) emprunter ;
   g) moins.

   [handwritten:] a) d'abord b) lourd c) s'arrêta d) grimpant e) crasseux f) prêter g) d'avantage

B

1. a) Quel est le sens du préfixe **pré** dans **prééminence** (l. 14) ? Trouvez, dans le texte, un autre mot où le préfixe **pré** a le même sens.
   b) Quel est le sens du préfixe **dé** dans **déshonneur** (l. 8) ? Trouvez, dans le texte, deux autres mots où le préfixe **dé** a le même sens.

2. Donnez trois mots de la même famille que :

   a) pauvre ; *[handwritten:]* pauvreté, appauvrir, pauvrement, paupérisme, pauvresse
   b) épouvantail ; *[handwritten:]* épouvanter, épouvante, épouvantable
   c) preuve. *[handwritten:]* épreuve (trial), prouver, éprouvement

3. Le chauffeur abrège ses phrases le plus possible. Faites des phrases complètes de ses répliques.

4. « Le chauffeur ne prononça plus un mot ». Au chapitre 2, Joséphine reproche à Napoléon de dire des **gros mots. Mot** est utilisé dans de nombreuses expressions. Faites des phrases où vous emploierez les expressions suivantes :

a) le mot juste ; b) le mot de la fin ; c) avoir le mot pour rire ; d) avoir le dernier mot ; e) avoir son mot à dire.

GRAMMAIRE

LE PLUS-QUE-PARFAIT

Forme

Le plus-que parfait, temps composé, est formé de l'imparfait de l'auxiliaire (**avoir** ou **être**) et du participe passé du verbe. Le participe passé s'accorde comme le participe passé de tous les temps composés.

> La bière qu'il **avait bue** était bonne.
> Nous **étions arrivés** avant six heures.
> Ils **s'étaient rencontrés** en Europe.

Emplois

1. Le plus-que-parfait est utilisé pour exprimer :

   a) un état ou une action antérieurs à un autre état ou à une autre action passés ;

   > On l'**avait enfermé** dans le coffre lorsque l'auto a démarré.
   > L'épouvantail qu'il voyait **avait perdu** son chapeau.

   b) une action habituelle antérieure à une autre action habituelle (exprimée à l'imparfait).

   > Quand il **avait fini** de cirer les chaussures, il **portait** leur linge à la laverie.
   > Le soir, après qu'il **avait fait** ses devoirs, il **prenait** une bière avec ses amis.

Remarque

Le plus-que-parfait traduit la forme anglaise *had* + participe passé.

APPLICATION

1. Mettez les infinitifs au temps voulu. Attention à l'accord du participe passé.

   a) Hier, Hester a été maltraité par ses amis ; pourtant, il (ne pas mériter) cela.
   b) Quand il (finir) de laver le linge, il devait acheter des cigarettes.

c) Les épreuves arrivaient, mais il les (attendre) toute sa vie.

d) Quand la voiture a démarré, vous (enfermer) la victime dans le coffre.

e) On nous a dit que tu (redemander) de la bière.

f) Notre équipe a brillé sur les terrains de football, mais avant cela, nous (s'entraîner).

g) Après qu'elles (traverser) le pont, elles se trouvaient en rase campagne.

h) Il n'avait pas peur parce que, toute sa vie, il (se préparer).

i) Le camionneur n'a pas donné son adresse parce qu'il (ne pas entendre) Hester.

j) Plusieurs chauffeurs (ne pas s'arrêter), mais enfin un bon Samaritain a freiné.

2. Transformez les phrases selon le modèle en mettant le verbe de la proposition principale à l'imparfait.

> **Modèle** : Hester sait qu'il n'a jamais brillé sur les terrains de football.
> Hester savait qu'il n'avait jamais brillé sur les terrains de football.

a) On dit que ses parents ont été riches autrefois.

b) Ses amis reconnaissent qu'il ne s'est jamais trompé de fourchette.

c) Nous sommes certains qu'il a fait des progrès.

d) On dit qu'il a déjà pris son premier verre de bière.

e) Il pense qu'on l'a accepté pour le noviciat.

f) Je crois qu'il a acheté des fleurs à sa petite amie.

g) Votre mère affirme que vous avez eu des cauchemars à quatre ans.

h) Vos futurs frères trouvent que vous n'avez pas démérité.

i) Le camionneur croit que j'ai trop bu.

j) Savez-vous que son arrière-grand-père a été tué à la bataille d'Atlanta ?

LE PASSÉ SIMPLE

Le passé simple est utilisé dans les textes littéraires (voir l'appendice). Il faut savoir le reconnaître, mais dans la vie courante, c'est le passé composé qu'on emploie.

> On lui **annonça** qu'il était accepté. On lui **a annoncé** qu'il était accepté.

APPLICATION

Le texte de Volkoff est écrit au passé simple. Remplacez ce temps par le passé composé dans le passage suivant. Attention aux accords.

On vint le chercher la nuit, on le fit monter dans le coffre d'une grosse voiture. La voiture démarra. […] Hester croyait étouffer à chaque instant. Il collait sa bouche au métal, cherchant des fentes pour respirer, n'en trouvant pas. Seules les secousses incessantes — Pat conduisait avec une brutalité consommée — l'empêchèrent de perdre connaissance. Et sans cesse, il se répétait : Ne pas démériter ! Au bout d'une heure, arrêt en rase campagne. On ouvrit le coffre. À poil !

Hester s'était souvent trouvé nu en compagnie d'autres garçons nus, mais cette fois-ci, il devait enlever son pyjama à cloche-pied en pleine nature […] sous les ricanements de quatre grands gars en short et chandail qui, les poings sur les hanches, faisaient des remarques désobligeantes sur ses proportions intimes. Ils l'abandonnèrent, emportant le pyjama. Lorsque la voiture disparut derrière le tournant, Hester faillit pleurer : comment Pat, Dwight, Colson, Terry, ses supérieurs, sans doute, mais aussi ses amis, pouvaient-ils le traiter ainsi ? Pourtant, il se raidit. Ceci n'était que la première épreuve.

Il marcha dans l'herbe, pour ne pas blesser ses pieds nus. Il frissonnait. Il se voûtait. Au premier véhicule qu'il entendit, il sauta dans le fossé. C'était un camion poussif ; il mit des minutes à disparaître. […] Hester se remit à marcher. Des images saugrenues lui traversaient l'esprit : il se voyait tantôt recueilli par une belle jeune fille conduisant une Corvette, tantôt condamné par un jury de « cous rouges » pour offense à la pudeur publique.

LA NÉGATION

Les adverbes négatifs

Forme

adverbe	forme affirmative	forme négative
ne … pas	Cette troisième voiture s'arrête.	Cette troisième voiture **ne** s'arrête **pas.**
ne … point (littéraire)	Sa gratitude se lasse.	Sa gratitude **ne** se lasse **point.**
ne … plus	Il pouvait encore respirer. Il achetait toujours des cigarettes.	Il **ne** pouvait **plus** respirer. Il **n**'achetait **plus** de cigarettes.
ne … jamais	Il se trompait toujours de fourchette. (parfois, souvent, de temps en temps, de temps à autre)	Il **ne** se trompait **jamais** de fourchette.
ne … guère	Hester est très reconnaissant. Il craint beaucoup la mort.	Hester **n**'est **guère** reconnaissant. Il **ne** craint **guère** la mort.
ne … pas encore	Il a déjà vu une voiture.	Il **n**'a **pas encore** vu de voiture.
ne … nulle part	Ces voitures allaient quelque part. On trouve des cigarettes partout.	Ces voitures **n**'allaient **nulle part.** On **ne** trouve de cigarettes **nulle part.**
ne … pas toujours	Il a toujours été un bon Samaritain.	Il **n**'a **pas toujours** été un bon Samaritain.

ne ... toujours pas (= ne pas encore)	Il a déjà trouvé un pantalon.	Il n'a **toujours pas** trouvé de pantalon.
ne ... pas non plus	La troisième voiture s'arrête aussi.	La troisième voiture **ne** s'arrête **pas non plus.**
ne ... pas du tout	Il avait très peur.	Il n'avait **pas** peur **du tout.**

1. Pour former la négation, il faut généralement deux éléments : **ne + un adverbe négatif.** Le mot **pas** n'est pas employé dans une négation avec **jamais, plus, nulle part.**

   > Le chauffeur **ne** prononça **plus** un mot.
   > Il **ne** se trompait **jamais** de fourchette.

2. Aux temps simples, **ne** (**n'** devant une voyelle ou un **h** muet) précède toujours le verbe. L'adverbe négatif (**pas, jamais, pas encore,** etc.) suit le verbe.

   > Il **ne** s'agissait **point** d'un cas désespéré.
   > Un appel **ne** coûtait **pas** davantage.
   > Il **ne** faisait **jamais** de sport.

3. Aux temps composés, **ne** (**n'** devant une voyelle ou un **h** muet) précède toujours l'auxiliaire et l'adverbe négatif (**pas, jamais, pas encore**) le suit.

   > L'homme **n'**avait **pas** passé la marche arrière.
   > La voiture **ne** s'est **pas** arrêtée.
   > Il **n'**avait **jamais** bu de bière.

Remarque 1

Les verbes **pouvoir, cesser, oser** peuvent s'employer au négatif sans le **pas.**

> Il **ne cessait** de jubiler.
> Il **n'**a **pu** obtenir de bonnes notes.

---

4. À l'interrogatif, avec l'inversion du verbe et du pronom sujet, **ne** précède le verbe ou l'auxiliaire et l'adverbe suit le pronom sujet.

   > Les hommes **ne** sont-ils **jamais** reconnaissants ?
   > **N'**avait-il **pas** eu un arrière-grand-père tué à la bataille d'Atlanta ?

5. Les pronoms objets directs ou indirects sont placés entre **ne** et le verbe ou l'auxiliaire.

   > Il **ne lui** restait **plus** qu'une épreuve à subir.
   > Le chauffeur **ne lui** a **guère** parlé.

6. Avec l'infinitif présent, on ne sépare pas les deux éléments de la négation (**ne pas, ne plus,** etc.) et on les met devant le verbe.

> **Ne pas** démériter.
> Il marche dans l'herbe pour **ne pas** blesser ses pieds nus.

Remarque 2

Avec l'infinitif passé, on peut séparer ou ne pas séparer les deux éléments de la négation.

> Il dit **ne jamais avoir eu** peur.   Il dit **n'avoir jamais eu** peur.

---

7. Dans une proposition négative, l'article partitif (**du, de la, de l'**) et l'article indéfini (**un, une, des**) deviennent **de.**

> Il **n'**avait **pas de** vêtements.
> Il **ne** voyait **point de** belle jeune fille.

8. À l'impératif négatif, les pronoms précèdent le verbe (voir le chapitre 7).

> Ne **l'abandonnez** pas.   Ne **lui donne** pas dix cents.

9. **jamais ... ne**

a) **Jamais** est souvent mis en relief au début de la phrase.

> **Jamais** il **ne** se trompait de fourchette.

b) **Jamais,** sans le **ne,** est un adverbe qui équivaut à l'anglais *ever.*

> Avez-vous **jamais** vu une aussi jolie Corvette ?

10. La réponse à une question négative est **si** (au lieu de **oui**).

> Le bon Samaritain lui a-t-il prêté dix cents ? — Oui, il lui a prêté dix cents.
> Le bon Samaritain ne lui a-t-il pas prêté dix cents ? — **Si,** il lui a prêté dix cents.

Remarque 3

ne ... que n'est pas un adverbe négatif. C'est une expression qui implique une restriction, qui équivaut à **seulement, uniquement.** Puisqu'il ne s'agit pas d'un négatif, ni l'article indéfini, ni l'article partitif ne changent après **ne ... que.**

> Ceci **n'**était **qu'**une première épreuve.
> Il **n'**a **que** des ennemis.

APPLICATION

1. Mettez au négatif en utilisant **ne ... pas.**

   a) Réussir dans ses études était le premier souci du jeune homme.
   b) Il brillait sur les terrains de football.
   c) Il connaissait des gentlemen appauvris dans le Sud
   d) Allait-on lui en vouloir de son prénom ?
   e) Il avait eu un arrière-grand-père tué à la bataille d'Atlanta.
   f) On lui a annoncé la bonne nouvelle.
   g) Hester s'était souvent trouvé en compagnie d'autres garçons.
   h) Pouvaient-ils le traiter ainsi ?
   i) Le bon Samaritain avait des pattes d'oie.
   j) S'arrêter.
   k) Demandez au chauffeur de vous prêter dix cents.
   l) Levez-vous.

2. Mettez au négatif. N'utilisez **ne ... pas** que lorsqu'il le faut.

   a) Hester a déjà réussi dans ses études.
   b) Il avait brillé partout.
   c) Les parents de Hester étaient très appauvris.
   d) On pouvait toujours avoir confiance en lui.
   e) Il se trompait quelquefois de fourchette.
   f) Nous pouvons encore l'empêcher de perdre connaissance.
   g) Pat conduisait toujours avec brutalité.
   h) Il a dû enlever son pyjama aussi.
   i) Tu lui as déjà fait cadeau d'un pantalon neuf.

3. Mettez à l'affirmatif.

   a) Il n'apprenait pas vite.
   b) On n'allait pas lui en vouloir d'un prénom.
   c) Il n'obtenait jamais de bonnes notes.
   d) Ne pas boire de bière dans les salles de classe.
   e) La belle jeune fille n'a pas recueilli Hester.
   f) Meurtri, il ne marchait plus.
   g) En général, les hommes n'ont guère de reconnaissance.
   h) Il n'avait pas encore perdu sa veste et son chapeau.
   i) Ne l'ouvre pas.
   j) Ne t'inquiète pas de ce péché.

Les conjonctions négatives

Une conjonction, comme son nom l'indique, sert à joindre deux mots ou deux groupes de mots. Une locution conjonctive est formée de plusieurs mots et joue le même rôle que la conjonction.

conjonction	employée avec	forme affirmative	forme négative
ni … ni … ne	des sujets	(Et) la première voiture et les suivantes s'arrêtent.	**Ni** la première voiture, **ni** les suivantes **ne** s'arrêtent.
ne … ni … ni	des objets directs	Il a (et) un pantalon et une chemise.	Il n'a **ni** pantalon **ni** chemise.
ne … pas … ni	des objets directs	Il a (et) un pantalon et une chemise.	Il n'a **pas** de pantalon **ni** de chemise.
ne …ni … ni	des objets indirects	Il parle (et) à ses amis et au chauffeur.	Il **ne** parle **ni** à ses amis, **ni** au chauffeur.
ne … pas … ni	des objets indirects	Il parle (et) à ses amis et au chauffeur.	Il **ne** parle **pas** à ses amis, **ni** au chauffeur.
ne … ni ne … ni ne	des verbes conjugués	Il fume, il boit et il joue.	Il **ne** fume **ni ne** boit **ni ne** joue.
ne … pas … ni ne ni … ne	des verbes conjugués	Il fume, il boit et il joue.	Il **ne** fume **pas ni ne** boit **ni ne** joue.
ne … ni … ni	des infinitifs	Ses amis veulent lui donner de l'argent et lui prêter des vêtements.	Ses amis **ne** veulent **ni** lui donner d'argent, **ni** lui prêter de vêtements.
ne … pas …. ni	des infinitifs	Ses amis veulent lui donner de l'argent et lui prêter des vêtements.	Ses amis **ne** veulent **pas** lui donner d'argent, **ni** lui prêter de vêtements.

1. L'article partitif (**du, de la, de l'**) et l'article indéfini (**un, une, des**) disparaissent après **ni … ni,** mais deviennent **de (d')** selon la règle avec **pas … ni.**

> Il **ne** possède **ni** argent **ni** vêtements.
> Il **ne** possède **pas d'**argent **ni de** vêtements.
> Elle **n'**a **ni** ami **ni** amie.
> Elle **n'**a **pas d'**ami **ni d'**amie.

2. L'article défini se conserve après **ni.**

> Hester n'avait **ni l'**audace **ni le** courage de se montrer nu.

3. Avec **ni … ni … ne** (+ sujets) + verbe, le verbe est généralement au pluriel.

> **Ni** toi **ni** tes amis **n'aimez** Hester.

> *Remarque*
>
> Quand un sujet exclut l'autre, le verbe est au singulier.
>
> **Ni** Hester **ni** son ami **ne sera** président de la confrérie.

4. Avec une série de verbes négatifs, **ne** est répété devant chaque verbe.

   Il **ne** boit **(pas) ni ne** fume **ni ne** joue.

APPLICATION

1. Mettez les phrases au négatif en utilisant une conjonction avec **ni.**

   a) Il joue au football et au base-ball.
   b) Vous aimez et la Sigma Sigma Phi et la Ksi Pi.
   c) On lui reproche et son ossature faiblarde et sa musculature négligée.
   d) Hester était douché, aseptisé, rhabillé de propre.
   e) Nous avons attendu et redouté les épreuves.
   f) Il a crié et perdu connaissance.
   g) Les grands gars portaient un short et un chandail.
   h) Le camion et la Corvette se sont arrêtés.
   i) Tu as éprouvé du soulagement et de la gratitude.
   j) Il achète des cigarettes, cire les chaussures, porte le linge à la laverie.

2. Mettez les phrases au négatif en utilisant les expressions données entre parenthèses.

   a) Elle réussit dans ses études. (ne … pas, ne … guère, ne … jamais, ne … plus)
   b) Il s'était trompé de fourchette. (ne … jamais, ne … pas toujours)
   c) Il a eu un colonel de cavalerie et un gentleman riche dans sa famille. (ne … ni … ni, ne … pas … ni, ne … jamais … ni)
   d) Vous avez donné un coup de téléphone à un ami. (ne … pas, ne … pas encore, ne … toujours pas)
   e) Hester et ses amis sont allés boire de la bière. (ni … ni … ne, ne … plus, ne … jamais, ne … pas encore, ne … toujours pas)

DEVOIRS ÉCRITS / TRAVAIL ORAL

A. COMPOSITION GUIDÉE

En quelques lignes, le narrateur nous révèle la mentalité de ses personnages. Faites le portrait de Hester ou du camionneur.

1. Décrivez brièvement l'aspect physique du personnage (visage, charpente, voix, etc.).

2. Qu'est-ce que ce physique révèle ?

3. Qu'est-ce que la conduite du personnage montre (éducation, classe sociale, âge, qualités morales) ?

4. Conclusion — Le personnage est-il convaincant ? Avez-vous jamais rencontré des gens comme lui ?

B. COMPOSITION LIBRE / TRAVAIL ORAL

1. Montrez l'absence de logique dans la conduite de Wallbridge.

2. Hester a eu la chance de rencontrer un bon Samaritain. Si vous avez jamais eu cette chance ou si vous avez, vous-même, joué le rôle du bon Samaritain, racontez votre aventure.

DIALOGUES

1. Un(e) étudiant(e) veut devenir membre d'une confrérie ; son ami(e) cherche à l'en dissuader.

Quelques expressions utiles

faire partie d'un groupe	to belong to a group
subir des épreuves	to undergo trials
être snob	to be snobbish
le snobisme	snobbery
perdre son temps	to waste time
s'enivrer	to get drunk
se faire des amis	to make friends
négliger ses études	to neglect one's studies
faire preuve de courage	to show courage
avoir du caractère	to have strength of character
manquer de caractère	to lack strength of character

2. **Les jeunes au volant.** Pierre trouve qu'on ne devrait pas conduire une voiture avant l'âge de 18 ans ; Jeanne, au contraire, pense qu'un(e) jeune de 16 ans devrait avoir le droit de conduire.

Quelques expressions utiles

le permis de conduire	the driving licence
l'examen du permis de conduire	the driving test
une auto-école	a driving school
respecter les règlements	to observe the rules
brûler un feu rouge	to go through a red light

la limite de vitesse	the speed limit
faire des excès de vitesse	to speed
conduire prudemment	to drive carefully
conduire en état d'ivresse	to drink and drive
un casse-cou	a reckless person
le piéton	the pedestrian

UNE POINTE D'HUMOUR

Excès de vitesse

- Un automobiliste traverse un village à cent trente à l'heure. Un agent le poursuit et finit par réussir à l'arrêter. Alors, le chauffeur passe la tête par la portière et dit :
  — Excusez-moi, monsieur l'agent, mais comme je n'ai plus de freins, je me dépêche de rentrer chez moi avant d'avoir un accident.

- Une dame se présente dans une station-service avec sa voiture en accordéon.
  — Est-ce que vous pouvez faire quelque chose ? dit-elle.
  Le garagiste regarde la voiture et répond :
  — Désolé ! Ici, on lave, mais on ne repasse pas.

Snobs

- Un garçon aux cheveux très longs rencontre un groupe de copains.
  — Ça y est, dit-il. J'ai eu le premier prix au concours hippie.
  Étonnés, les autres lui demandent :
  — Le concours hippie, qu'est-ce que c'est que ça ?
  — Ben, répond le garçon, c'est une course de cheveux.

- Une dame entre chez un antiquaire.
  — Ce vase en vitrine, il est bien du XVIIIe, n'est-ce pas ?
  — Non, madame ; malheureusement, il est de 1950.
  — Quel dommage, répond la dame ! Il était si joli…

Chapitre 6

L'Amérique du Nord
Les États-Unis

Aspects grammaticaux étudiés :

- L'article défini : forme et emplois
    L'article contracté
    L'omission de l'article
- L'article indéfini : forme et emplois
- L'article partitif : forme et emplois

Système politique : République
Population : 280 000 000
Capitale : Washington
Langue officielle : Anglais
Monnaie : Dollar américain

Washington

Davenport

Saint Louis

Lorsque les premiers Européens sont arrivés en Amérique, les Indiens étaient les seuls habitants du continent. Après l'arrivée des Blancs, les conflits entre les différentes tribus sont devenus plus graves et plus nombreux. Les Blancs ont aussi apporté des maladies, comme la petite vérole, qui ont exterminé les Indiens. Les premiers Européens se sont établis dans l'Est des États-Unis. Au XIXe siècle, des pionniers sont allés vers l'Ouest dans l'espoir de trouver des terres fertiles et, plus tard, de l'or.

Jacques Poulin, né en 1937 dans la Beauce au Québec, est écrivain et traducteur. Ses œuvres lui ont valu plusieurs prix, dont celui du Gouverneur général en 1978 pour *Les Grandes Marées*.

Dans *Volkswagen Blues* (1984), Jack Waterman, écrivain québécois, accompagné d'une jeune Métisse nommée La Grande Sauterelle, traverse l'Amérique à la recherche de son frère Théo. Le voyage en minibus Volkswagen, commence à Gaspé, au Québec, et prend fin à San Francisco, en Californie.

PRÉ-LECTURE

1. Quelles villes américaines avez-vous visitées ? Quelle impression en gardez-vous ?

2. Traverser un pays en voiture offre des avantages, mais présente aussi des inconvénients. À votre avis, quels sont les côtés positifs et les côtés négatifs d'un long voyage en voiture ?

En quête de l'Amérique

Le Rocher de la Famine

Ils quittèrent l'Interstate et empruntèrent la 178 qui les conduisit à Utica, N. Y. ; le Starved Rock State Park était tout près de cette localité. [...] La Grande Sauterelle annonça qu'elle allait raconter l'histoire du Rocher de la Famine.

C'était une légende plutôt qu'une histoire vraie, et cette légende expliquait à
5   la fois comment les Illinois avaient été exterminés et pourquoi le rocher était appelé Starved Rock ou Rocher de la Famine. [...]

— Autrefois, commença-t-elle, les Illinois vivaient autour du Rocher. [...] Ils habitaient une région où la nature était très riche : il y avait des pins blancs, des ormes, des érables et des chênes, et une grande quantité de fruits sauvages et
10   d'herbes de toutes sortes ; ils pouvaient chasser le bison, le cerf, le rat musqué, le castor et le lapin, et il y avait des écureuils et beaucoup d'oiseaux ; la rivière leur fournissait du poisson et de l'eau fraîche [...].

« Toutefois, le Rocher faisait l'envie des autres tribus à cause de sa situation avantageuse, et les Illinois, malgré leur caractère pacifique, étaient presque
15   toujours en guerre [...]. Lorsqu'ils virent arriver les explorateurs, les missionnaires

et les colons de race blanche, les Illinois leur offrirent l'hospitalité et vécurent en harmonie avec eux. Cependant, le chef des Outaouais, qui s'appelait Pontiac, avait résolu d'unir toutes les tribus du Midwest afin de chasser les Blancs hors du pays. Les Illinois refusèrent de prendre part à cette alliance et, pour se venger, le chef Pontiac leur fit la guerre. [...] Au cours des combats qui suivirent, la plupart des Illinois furent tués. Il ne resta plus de cette tribu qu'un petit nombre de guerriers, de femmes et d'enfants qui se réfugièrent au sommet du Rocher. [...]

20

    « Au lieu de donner l'assaut[1], les Outaouais et leurs alliés firent le siège du Rocher[2]. Ils s'installèrent autour de l'énorme bloc de pierre et attendirent patiemment que la soif et la faim obligent les Illinois à quitter leur refuge. Les Illinois demeurèrent au sommet du Rocher pendant trois longues semaines. [...] De tous les membres de la tribu que l'on appelait communément « les Illinois du Rocher », il n'y eut aucun survivant.

25

    « Plus tard, l'endroit où s'étaient déroulés ces événements tragiques fut appelé « Starved Rock » ou « le Rocher de la Famine ». Pendant de nombreuses années, tous les Indiens qui passaient par la vallée de la rivière Illinois firent un détour afin d'éviter le Rocher, car c'était un endroit habité par la mort et par les esprits de la tribu qui avait été exterminée. » [...]

30

Le Vieil Homme et le Mississippi

Non loin de Davenport[3], sur la 80, ils respirèrent tout à coup une odeur spéciale. [...]

35

    C'était une odeur humide et accablante, épaisse et comme un peu vaseuse, semblable à ce que l'on pouvait sentir dans un sous-bois marécageux, un mélange d'eau, de terre et de plantes, une odeur d'eau boueuse et de mousse vieillie.

40

    En arrivant à un pont, ils virent un cours d'eau très large avec des eaux jaunes et lourdes ; ils comprirent tous les deux et sans avoir besoin de se dire un mot que c'était le Mississippi, le Père des Eaux, le fleuve qui séparait l'Amérique en deux et qui reliait le Nord et le Sud, le grand fleuve de Louis Jolliet et du père Marquette[4], le fleuve sacré des Indiens, le fleuve des esclaves noirs et du coton, le fleuve de Mark Twain[5] et de Faulkner[6], du jazz et des bayous, le fleuve mythique et légendaire dont on disait qu'il se confondait avec l'âme de l'Amérique.

45

    De l'autre côté du pont, Jack prit une route menant à Davenport et, une fois dans cette ville, il dirigea le minibus vers les quais ; ils aboutirent à un vaste terrain où se trouvaient un parc de stationnement et une gare maritime désaffectée.

50

---

[1] d'attaquer

[2] ont encerclé, entouré le Rocher

[3] ville dans l'état d'Iowa

[4] Louis Jolliet (1645-1700), explorateur canadien, et le père Jacques Marquette (1637-1675), jésuite français, ont découvert quatre des principaux affluents du Mississippi : le Wisconsin, l'Ohio, l'Illinois et le Missouri.

[5] Nom de plume de Samuel Langhorne Clemens (1835-1910), humoriste et écrivain américain, qui a écrit *Adventures of Huckleberry Finn* et *Tom Sawyer*.

[6] William Faulkner (1897-1962), écrivain américain, est né au Mississippi. En 1950, il a reçu le prix Nobel de littérature.

Devant eux s'étendait un quai où flânaient quelques clochards et un vieil homme qui regardait le fleuve ; le vieux n'avait rien de spécial si ce n'est que sa peau brune et toute ridée lui donnait l'air très âgé. Ils descendirent du Volks pour aller saluer le Mississippi. Il faisait chaud et humide et le fleuve roulait
55 paresseusement ses eaux boueuses vers le Sud. Au bout d'un moment, Jack s'approcha du vieil homme et échangea quelques mots avec lui. Plus tard, lorsqu'ils eurent repris la route, il essaya d'expliquer quelque chose à la fille ; c'était difficile de trouver les mots justes et il hésitait.

— Chaque fois que... c'est toujours la même chose, disait-il, chaque fois que
60 je vois un vieil homme au bord d'une rivière ou d'un fleuve, il faut que j'aille lui parler — c'est plus fort que moi.

La route qu'ils suivaient maintenant n'était plus la 80, c'était la 61 et elle n'allait pas vers l'ouest, elle allait droit au sud. C'était la route qu'ils allaient suivre jusqu'à Saint Louis.

65 — Longtemps je me suis demandé pourquoi je faisais ça, poursuivit Jack. Je ne comprenais pas. Je voyais un vieil homme au bord de l'eau et, chaque fois, quelque chose me poussait à aller lui parler. Mais aujourd'hui, je pense que j'ai trouvé la raison. [...] Ce que les vieux contemplent, quand ils rêvent au bord d'un cours d'eau, c'est leur propre mort ; je suis maintenant assez vieux pour le
70 savoir. Et moi, je m'approche d'eux parce qu'au fond de moi, il y a une ou deux questions que je voudrais leur poser. Des questions que je me pose depuis longtemps. Je voudrais qu'ils me disent ce qu'ils aperçoivent de l'autre côté et s'ils ont trouvé comment on fait pour traverser. Voilà, c'est tout. »

La Porte de l'Ouest

Le 1er juin, ils arrivèrent à Saint Louis.
75 Il était midi, le temps était lourd et très humide et ils ne savaient pas où aller. Comment faire pour retrouver un homme dans une ville de 800 000 âmes ? Devaient-ils aller au poste de police ? Entreprendre des recherches dans les musées ou les sociétés historiques ? Faire passer une annonce à la radio ou dans les journaux ? Et par quoi fallait-il commencer ? Ils se posaient ces questions et
80 plusieurs autres tout en déambulant le long de la 4e Rue. Ils avaient laissé le Volks au bord du Mississippi, dans un parking extérieur, à quelques pas seulement de l'arc métallique appelé Gateway Arch. [...]

Après avoir marché quelque temps dans le secteur avoisinant le vieux Palais de Justice et le Bush Memorial Stadium, ils revinrent au parking. Ils n'avaient pas
85 trouvé de réponses à leurs questions, mais au moins ils avaient pris une décision : [...] ils allaient demeurer dans le parking au lieu de prendre une chambre d'hôtel ou de chercher un camping [...].

Le lendemain, [...] ils visitèrent, sous l'arc métallique, un musée souterrain consacré à la conquête de l'Ouest : le Museum of Westward Expansion. Chacun
90 à sa façon, l'homme et la fille étaient des maniaques des musées et ils en avaient vu de toutes sortes, mais le Museum of Westward Expansion était certes le plus passionnant et le plus étonnant qu'ils eussent jamais vu[7]. Dans les années 1840,

---

[7] de tous les musées qu'ils avaient visités

Gateway Arch, Saint Louis

la ville de Saint Louis avait été un lieu de rassemblement pour des gens qui avaient entendu dire que dans l'Ouest, au bord du Pacifique, les terres étaient
95   plus vastes et plus fertiles ; ils avaient vendu toutes leurs possessions, s'étaient procuré des bœufs, des wagons recouverts d'une bâche et des provisions pour six mois et s'étaient joints à une caravane qui allait traverser des déserts, franchir des rivières, escalader des montagnes, lutter contre les intempéries, la maladie et parfois les Indiens pour atteindre finalement, après un voyage de 5 000
100   kilomètres, la Terre Promise. Le trajet suivi par les caravanes de wagons était appelé « Piste de l'Oregon » et l'un des points de départ de cette piste était Saint Louis ; l'arc métallique illustrait d'ailleurs le fait que la ville, au milieu du 19e siècle, avait été la porte de l'Ouest.

Jacques Poulin, *Volkswagen Blues*, Montréal, Leméac, 1998,
p. 123-125.

Expressions à retenir

faire l'envie (de) / faire envie (à) (l. 13)
prendre part à (l. 19)
se dérouler (l. 29)
droit au sud (l. 63)
le poste de police (l. 77)
faire passer une annonce (l. 78)
poser des questions (l. 79)
prendre une décision (l. 85)
entendre dire (l. 94)
se procurer (l. 95-96)

COMPRÉHENSION

[handwritten annotation: originé quand les Outaouais ont encerclé les Illinois sur le grand rocher. Les Illinois sont affamés et sont morts sur le rocher.]

1. Expliquez l'origine du nom : le Rocher de la Famine.
2. Pourquoi les Illinois étaient-ils souvent en guerre ? *[handwritten: ils étaient souvent en guerre parce qu'ils avaient un avantage avec leur région avec le rocher et nature]*
3. Pourquoi le chef Pontiac a-t-il fait la guerre aux Illinois ? *[handwritten: autre tribu sont jaloux.]*
   [handwritten left margin: il voulait d'unir toutes les tribus du Midwest afin de chasser les Blancs hors du pays, mais les Illinois refusaient de prendre part à l'alliance.]
4. Pour quelle raison les Indiens ont-ils évité le Rocher pendant longtemps ? *[handwritten: c'était un endroit habité par la mort et les esprits.]*
5. Qu'est-ce qui a révélé la présence du Mississippi aux voyageurs ? *[handwritten: l'odeur.]*
6. Selon Jack, à quoi pensent les vieux lorsqu'ils contemplent un cours d'eau ? *[handwritten: leur propre mort]*
7. Quels moyens Jack et la Grande Sauterelle considéraient-ils pour trouver Theo, frère du protagoniste ?
8. Que commémorait le musée visité par les deux personnages à Saint Louis ?
9. Qu'est-ce qui a poussé les premiers colons à voyager vers l'Ouest ?
10. Comment voyageaient-ils ?
11. Quels obstacles devaient-ils surmonter ?

INTERPRÉTATION

1. À votre avis, pourquoi est-ce que le Mississippi « se confondait avec l'âme de l'Amérique » (l. 46) ?
2. Expliquez le sens du mot « traverser » (l. 73).
3. Expliquez pourquoi Saint Louis est appelé « la porte de l'Ouest ».
4. Expliquez dans le contexte :
   a) sa situation avantageuse (l. 13-14) ;
   b) leur caractère pacifique (l. 14) ;
   c) le Père des Eaux (l. 42) ;
   d) le fleuve mythique et légendaire (l. 45-46).

MAÎTRISONS LA LANGUE

A.

1. Dans la légende du Rocher de la Famine (l. 1-33) relevez :

   a) tous les termes associés au combat ;

   b) tous les noms d'arbres ;

   c) tous les noms ayant trait à des groupes ethniques ;

   d) tous les noms d'animaux sauvages.

2. Complétez les phrases suivantes en utilisant un des mots de la liste. Faites tous les changements nécessaires.

accablante	boueuse	mousse	se réfugier
épaisse	écureuils	se venger	bayous
marécageux	aboutir	mélange	déambuler

   a) Pierre qui roule n'amasse pas _____. (Proverbe)

   b) Tu l'as insulté. Maintenant, il va _____ en t'humiliant devant tes amis.

   c) Il faisait une chaleur _____ ; je ne pouvais même pas respirer.

   d) Les alligators des _____ vivent dans les terrains _____ de la Louisiane.

   e) En suivant cette route, ils vont _____ à un parking souterrain.

3. Trouvez dans le texte « Le Vieil Homme et le Mississippi » le verbe qui convient. Utilisez l'infinitif.

   a) _____ une odeur   d) _____ les mots justes

   b) _____ une route   e) _____ une rivière

   c) _____ quelques mots   f) _____ une question

B

1. Employez chacun des mots suivants dans une phrase qui en illustre le sens :
   a) histoire (deux sens - 2 phrases) ; b) légende ; c) mythe ; d) roman.

2. Faites deux phrases qui illustrent la différence entre vaseuse (l. 36) et boueuse (l. 38).

3. Donnez deux mots de la même famille que : a) faim ; b) vivaient.

4. Donnez quatre mots de la même famille que : a) pacifique ; b) rassemblement ; c) terre.

5. Utilisez chacune des expressions idiomatiques ci-dessous dans une phrase qui en illustre le sens :

   a) avoir l'eau à la bouche ;

   b) mettre de l'eau dans son vin ;

   c) suer sang et eau ;

   d) être tout en eau ;

   e) être comme l'eau et le feu.

GRAMMAIRE

L'ARTICLE DÉFINI

Forme

masculin singulier		féminin singulier	
le fleuve	(+ consonne)	la ville	(+ consonne)
l'arc	(+ voyelle)	l'eau	(+ voyelle)
l'homme	(+ h muet)	l'heure	(+ h muet)
le héros	(+ h aspiré)	la haine	(+ h aspiré)
masculin pluriel		**féminin pluriel**	
les fleuves		les villes	
les arcs	(liaison)	les eaux	(liaison)
les hommes	(liaison)	les heures	(liaison)
les héros	(pas de liaison)	les haines	(pas de liaison)

L'article contracté

Le et **les** se contractent avec les prépositions **à** et **de** :

singulier	pluriel
à + le = **au**	à + les = **aux**
de + le = **du**	de + les = **des**

Il n'y a pas de contraction avec **l'** et **la** :

à l', à la, de l', de la

Devaient-ils aller **au** poste de police ou faire passer une annonce **à la** radio ?
Ils sont arrivés **aux** bayous **à l'**eau boueuse.
Le Mississippi est le Père **des** Eaux, le fleuve **du** coton, **de la** musique jazz et l'âme **de l'**Amérique.

Emplois

En général, le français emploie plus souvent l'article que l'anglais. On emploie l'article défini :

1. Quand on parle d'une personne ou d'une chose bien déterminée.

   Le vieil homme qui regardait **le** fleuve avait l'air très âgé.
   Ils ont pris **la** route 80.

2. Devant les noms abstraits.

   Les vieux pensent à **la** mort.
   Les premiers colons luttaient contre **la** solitude et **la** maladie.

3. Devant les noms utilisés dans un sens général.

> Pour comprendre le présent, **l'**homme a besoin de se pencher sur le passé.
> **Les** Blancs et **les** Indiens n'ont pas toujours vécu en harmonie.
> Au bord du Pacifique, **les** terres étaient plus vastes et fertiles.

Remarque 1

Il est employé en particulier avec les verbes **aimer, adorer, préférer, détester.**

> L'homme et la fille **adoraient les** musées et **aimaient les** livres d'histoire.
> Ils **préféraient les** chansons western au rock.

---

4. Devant les noms de pays, de régions, de fleuves.

> Si vous visitez **les** États-Unis, ne manquez pas **la** Californie et **le** Nevada.
> **Le** Mississippi séparait **l'**Amérique en deux.

Remarque 2

Il n'y a pas d'article devant les noms de pays féminins précédés de **en** ou **de.**

> Durant son séjour **en** France, il a visité la maison de Hemingway.
> Vient-il **de** Californie ou **de** Géorgie ?

---

5. Devant les noms de saisons.

> Il fait chaud et humide parce que c'est **l'**été.
> La Grande Sauterelle préfère **l'**automne et **l'**hiver **au** printemps.

Remarque 3

Au (à + le) printemps, mais **en** été, **en** automne, **en** hiver.

---

6. Devant les dates.

> **Le** 1er juin, ils sont arrivés à Saint Louis.
> Ils sont partis de Gaspé **le** 13 mai et ils sont arrivés à San Francisco **le** 15 août.

7. Devant les jours de la semaine, devant **le matin, le soir, l'après-midi,** pour indiquer une habitude.

> Le musée est fermé **le** dimanche ; **le** mercredi il ouvre à 14h.
> Ils préfèrent conduire **le** matin et **le** soir et se reposer **l'**après-midi.

> ### Remarque 4
>
> Lorsqu'il s'agit d'un jour particulier, il n'y a pas d'article.
>
> > **Samedi**, ils sont arrivés à Saint Louis et **jeudi** ils sont partis pour Kansas City.

8. Devant les noms de langues.

> Jack sait **le** français, il comprend **l'**allemand et il a étudié **le** latin.

> ### Remarque 5
>
> Avec le verbe **parler,** on omet l'article si le nom de la langue n'est pas modifié.
>
> > De nombreux Américains **parlent espagnol.**
> > Il **parle l'anglais** <u>du Texas</u>.

9. Devant les titres suivis d'un nom propre, sauf devant monsieur, madame, mademoiselle.

> **Le** capitaine Edwards les a emmenés faire une excursion sur le Mississippi.
> **Le** général Custer a gagné la bataille contre les Cheyennes.
> **Monsieur** Waterman est le nom de plume de cet écrivain.

L'omission de l'article

L'article n'est généralement pas employé :

1. Dans les énumérations.

> Au musée ils ont admiré différents objets : outils, vêtements, armes, véhicules, cartes et affiches.

2. Devant les noms en apposition.

> Le protagoniste, Québécois en visite aux États-Unis, est fasciné par l'histoire américaine.

3. Après certaines expressions comme : **avoir faim, avoir soif, avoir envie, avoir peur, avoir raison, faire attention, faire mal, prendre congé, manquer de,** etc.

> Au sommet du Rocher, ils **avaient faim** et ils **avaient soif** parce qu'ils **manquaient d'**eau.
> Jack regardait la carte et ne **faisait** pas **attention** aux autres voitures.

> *Remarque*
>
> Si le nom est qualifié, on emploie **du, de la, de l'**.
>
> Les Illinois manquaient **de la** nourriture <u>nécessaire</u>.
> Ils avaient besoin **du** plan <u>qui était dans le coffre</u>.

APPLICATION

1. Insérez l'article défini qui manque, s'il y a lieu. Faites les contractions voulues.

a) _les_ Volks était stationné à _au_ coin de _la_ rue.

b) À _au_ printemps, on fait souvent face à _aux_ inondations dans _les_ États de _du_ Sud.

c) Ils se sont arrêtés à _au_ garage pour vérifier _les_ pneus et faire _la_ plein ; _les_ prix de _l'_ essence montait tous _les_ jours.

d) Même si on parle _le_ français, on ne comprend pas toujours _la_ créole.

e) À _au_ sommet de _la_ falaise, _les_ visiteurs avaient une belle vue sur _la_ vallée.

f) Jack et _la_ fille s'intéressaient à _au_ villages qui se trouvaient à _au_ pied de _la_ montagne.

g) Sitting Bull, _le_ chef des Sioux, a été tué _le_ 29 décembre 1890 au cours de _la_ bataille de Wounded Knee.

h) _le_ président Lincoln, _le_ général Grant et _le_ monsieur John Wilkes Booth ont vécu à _une_ époque de _la_ guerre civile.

i) _les_ terrains de _du_ Nord-Est de _des_ Rocheuses appartenaient à _aux_ Indiens. Quand _les_ explorateurs et _les_ colons sont arrivés, _la_ situation a changé.

j) _la_ constitution américaine est fondée sur _l'_ égalité et _la_ liberté de _des_ citoyens.

k) Daniel Boone est un colon qui a traversé _les_ Appalaches et qui s'est établi dans _les_ forêts de _au_ Kentucky.

L'ARTICLE INDÉFINI

Forme

masculin singulier	féminin singulier	pluriel
un	une	des

Emplois

1. L'article indéfini désigne un (ou des) objet(s) indéterminé(s), une (ou des) personne(s) indéterminée(s).

> Les pionniers s'étaient procuré **des** wagons et s'étaient joints à **une** caravane. Ensuite, ils ont entrepris **un** voyage de 5 000 kilomètres.

Remarque 1

Un, une peuvent aussi être des adjectifs numéraux : un(e), deux, trois, etc.

> **Un** des points de départ était Saint Louis.

---

2. Après certains verbes comme **être, devenir, rester, sembler,** l'article indéfini ne s'emploie pas devant un nom désignant la nationalité, la religion, la profession, le parti politique, si ce nom n'est pas qualifié.

> Ils sont Américains.
> À cause de l'influence du missionnaire, elle est devenue catholique.
> Jack Waterman est écrivain et la Grande Sauterelle est mécanicienne.
> **Mais :** Il est **un** écrivain <u>médiocre</u>. Elle est **une** <u>bonne</u> mécanicienne.

3. On omet généralement l'article devant les noms en apposition.

> Louis Jolliet et le père Marquette, explorateurs intrépides, ont découvert le Mississippi.
> Buffalo Bill, héros américain, a créé le *Wild West Show*, cirque ambulant.

4. Après un verbe au négatif, sauf **être, devenir, sembler, paraître,** l'article indéfini devient **de** ou **d'** (devant une voyelle ou un **h** muet).

> Ils **n'**avaient **pas** trouvé **de** réponses.
> Il **n'**y a **pas de** parking extérieur.
> **Mais :** Il n'est pas **un** clochard.

5. Quand un adjectif précède un nom pluriel, **des** devient **de** ou **d'** devant une voyelle ou un **h** muet.

> Pendant **de** <u>nombreuses</u> années, les Indiens ont évité le Rocher.
> Au Nebraska, ils ont vu **de** <u>grandes</u> prairies et **de** <u>beaux</u> couchers de soleil.
> Ils ont visité **d'**<u>autres</u> musées au Wyoming.

Remarque 2

Quand l'adjectif fait partie d'un nom composé (**jeunes hommes, jeunes filles, grands-parents, petits pois, petits pains, grands magasins,** etc.) on utilise **des**.

> Le Pony Express recrutait **des** jeunes gens pour livrer le courrier.
> Quand ils voyageaient, ils mangeaient souvent **des** petits pains et du fromage.

APPLICATION

1. Insérez l'article défini ou indéfini qui manque, s'il y a lieu. Faites les contractions voulues.

   a) Jack est parti à __la__ recherche de son frère. Avec __l'__ aide de __la__ jeune Métisse, il a cherché dans __les__ musées et __les__ postes de police. Il a mis __des__ annonces dans __les__ journaux.

   b) Ils s'intéressaient beaucoup à __l'__ histoire américaine, surtout à __aux__ aventures ~~de~~ __des__ explorateurs.

   c) Ils étaient aussi fascinés par __les__ légendes qui parlaient de __la__ vie de ~~le~~ __des__ Indiens, qui racontaient __l'__ arrivée de __l'__ homme blanc et décrivaient __les__ exploits ~~de~~ __des__ premiers colons.

   d) En s'approchant ~~de~~ __du__ Mississippi, ils ont senti __l'__ odeur particulière.

   e) Quand ils sont arrivés ~~à~~ __au__ pont, ils ont vu ~~les~~ __de__ nombreux touristes qui prenaient ~~et~~ __les__ photos ~~de~~ __du__ fleuve célèbre.

   f) __Le__ monsieur s'est adressé ~~à~~ __au__ vieil homme ~~à~~ __au__ bord de __la__ rivière. Il voulait savoir si __les__ vieux pensait à __la__ mort.

   g) À Saint Louis, ils ont visité __la__ musée consacré à __la__ conquête de __l'__ Ouest. Là, ils ont admiré _____ cartes, _____ textes, __et__ instruments de navigation. ↳ nothing b/c is a list.

   h) ~~À~~ __Au__ XIXᵉ siècle, __la__ ville de Saint Louis avait été ~~une~~ __le__ point de départ pour __les__ pionniers qui voulaient se rendre en _____ Californie. Ceux-ci devaient faire face à __aux__ intempéries, à __la__ maladie et ~~à~~ __aux__ Indiens.

   i) __Le__ voyage n'était pas facile. __Les__ caravanes traversaient __les__ déserts et __les__ prairies. __Les__ premiers colonisateurs étaient motivés par __un__ seul espoir d'arriver ~~à~~ __au__ paradis terrestre.

   j) Pour ne pas s'endormir pendant qu'il conduisait, Jack allumait ~~la~~ __une__ radio. Il préférait écouter __les__ nouvelles. Il a appris que __la__ chômage avait augmenté, qu'il y avait __des__ tempêtes en _____ Floride et que __la__ prix ~~de~~ __d'__ or avait baissé.

   k) __Un__ fois, ils ont pris __la__ route qui était fermée et ils sont arrivés à __au__ grand parc où il y avait __des__ jeunes gens qui jouaient ~~à~~ __au__ golf.

   l) À __la__ fin ~~de~~ __du__ voyage, Jack et la Grande Sauterelle se sont séparés. Ils avaient partagé __des__ beaux moments et __des__ aventures inoubliables.

2. Ajoutez les articles et les prépositions qui conviennent pour faire des phrases complètes.

   a) États-Unis / prononciation / anglais / varie selon / régions / accent / Texas / ne ressemble pas / accent / Géorgie

   b) Comme ils n'ont pas visité / bayous / ils n'ont pas vu / alligators

   c) conducteurs / doivent faire / attention / feux rouges / et piétons

d) cours / voyage / profonde amitié / est née entre / deux protagonistes

e) Ils aimaient / découvrir / nouvelles régions / essayer / plats américains typiques / visiter / musées historiques / et lire / livres de voyage

f) voyage / a commencé / printemps et s'est terminé / été

g) Ils ont visité / Vermont / et Caroline / Sud / où / ils ont mangé / petits pois / délicieux

h) Ils ne se couchaient pas toujours / mêmes heures, mais / soir / après / dîner / ils aimaient / souvent/ jouer / cartes

i) solidarité / fraternité / et charité / voilà ce que doit nous apprendre / vie

j) il / veut faire / appel / mais il n'a pas / argent / il ne sait pas / numéro / et il ne trouve pas / cabine téléphonique

k) vins / France / sont célèbres / mais / Californie / produit aussi / bons vins

l) Est-il / écrivain ? Non, c'est / traducteur doué / qui parle bien / anglais / et français. Il connaît aussi / russe / et / portugais

L'ARTICLE PARTITIF

Forme

L'article partitif est formé de la préposition **de** + l'article défini.

> de + le = **du**
> de + la = **de la**
> de + l' = **de l'**

masculin singulier	féminin singulier	pluriel
du	de la	(des)
de l'	de l'	

Emplois

1. L'article partitif est employé pour désigner une partie ou une quantité indéterminée d'un tout.

> La rivière leur fournissait **du** poisson et **de l'**eau fraîche.
> La terre fertile leur donnait **de la** nourriture.
> Ils ont attendu trois semaines ; ils avaient **de la** patience.
> Les premiers colons ont montré **du** courage.

Remarque 1

Ne confondez pas l'article partitif **du, de la** et l'article indéfini **des** avec les formes contractées de l'article défini et la préposition **de** : **du, de la, des.**

> Le Mississippi est le fleuve sacré **des** Indiens. (**de + les**)
> Il y avait **des** pins blancs, **des** érables et **des** chênes. (pluriel de **un**)
> Elle raconte l'histoire **du** Rocher de la Famine. (**de + le**)
> Ils mangeaient **du** maïs et **de la** viande de bison. (article partitif)

2. L'article partitif devient **de** ou **d'** (devant une voyelle ou un **h** muet) après un verbe au négatif, excepté **être, sembler,** etc.

> Ils sont morts de faim, car ils **n'**avaient **pas de** nourriture et ils sont morts de soif, car ils **n'**avaient **pas d'**eau.
> Est-ce qu'il y a eu **des** survivants ? Non, ils **n'**y a **pas** eu **de** survivants.
> **Mais** : Ce **ne** sont pas **des** voyageurs.

De (d') après les expressions de quantité

Après les expressions de quantité, on n'utilise pas l'article partitif, on emploie **de** ou **d'** (devant une voyelle ou un **h** muet) :

Adverbes : beaucoup de, trop de, assez de, un peu de, peu de, combien de, etc.
Noms : une tasse de, un verre de, une bouteille de, une boîte de, une douzaine de, un litre de, un kilo de, un tas de, etc.
Adjectifs : plein de, couvert de, entouré de, etc.

> Il y avait **une grande quantité de** fruits sauvages et **beaucoup d'**oiseaux.
> Au sommet du Rocher, il ne restait plus qu'**un petit nombre de** guerriers, **de** femmes et **d'**enfants.

Remarque 2

a) Lorsque le nom qui suit l'expression de quantité est qualifié, **du, de la, de l'** sont employés.

> Les Indiens ont perdu **beaucoup du** courage qu'ils avaient.
> Le Volks était **couvert de la** poussière de la route.

b) **La plupart, la majorité, bien** sont suivis de **du, de la, des.**

> **La plupart des** Illinois ont été tués.
> **La majorité de la** tribu a disparu.
> Leurs ennemis leur ont donné **bien du** souci.

c) **La plupart,** qui a toujours un sens pluriel, est suivi de **des,** sauf dans l'expression **la plupart du temps.**

APPLICATION

1. Complétez par la forme de l'article qui convient : défini, indéfini, partitif quand celui-ci est nécessaire. Faites les contractions voulues.

Une Amérindienne raconte comment les choses se passaient dans l'Ouest américain quand elle était petite.

a) Avec mes parents, en __l'__ automne, je quittais __le__ bord de __la__ rivière où nous avions passé __l'__ été à pêcher. Nous allions dans __le__ Nord pour y chasser et trapper durant __l'__ hiver, comme le faisaient __les__ autres familles de __de la__ tribu. __Les__ femmes préparaient __des__ peaux que __les__ chasseurs rapportaient à __la__ cabane en revenant de __des__ expéditions et parfois elles participaient à __la__ chasse. __Les__ enfants étaient libres de faire ce qu'ils voulaient et ils n'étaient pas punis lorsqu'ils commettaient __d'__ erreurs de jugement. __Les__ Indiens mangeaient __le__ maïs, __la__ soupe à __aux__ champignons sauvages et buvaient __l'__ eau de source. Quand __la__ tempête de neige durait plusieurs jours et empêchait __les__ chasseurs de rapporter __la__ viande fraîche, ils mangeaient __le__ poisson séché et fumé qu'ils avaient pris dans __le__ Sud. __Le__ vieux chef disait : « __Les__ jeunes gens ne travailleront jamais. __Les__ hommes qui travaillent ne peuvent pas rêver et __la__ sagesse nous vient de __des__ rêves. »

b) __Un__ jour, il y a eu __une__ rumeur lointaine. Nous étions installés dans __la__ plaine à côté de __la__ fleuve quand tout à coup nous avons entendu __un__ bruit sourd qui grandissait. Nous avons pensé que c'était __un__ orage, mais dans __le__ ciel, il n'y avait pas __de__ nuages. Nous avons grimpé sur __la__ colline et nous avons vu __la__ poussière et une multitude de __de__ points noirs en mouvement. D'habitude, nous respirions __l'__ air pur, mais ce jour-là, __l'__ atmosphère était étouffante. Nous avons compris que c'étaient __de__ nombreux bisons qui fuyaient devant une menace.

En ce temps-là, __les__ Indiens de __des__ plaines chassaient __le__ bison de __d'une__ manière honorable. Ils utilisaient toutes __les__ parties de __la__ bête. __Le__ bison fournissait à __aux__ Indiens tout ce dont ils avaient besoin. __Les__ Indiens se servaient de __des__ peaux pour confectionner _____ tentes, _____ vêtements, _____ couvertures ; _____ cornes et _____ sabots pour fabriquer _____ colle, _____ couteaux, _____ ustensiles. Tout ce qui restait dans l'herbe de __l'__ énorme bête __un__ fois __le__ travail terminé, c'était un peu de __du__ sang séché et __les__ poils.

C'est pour cette raison que __l'__ extermination de __des__ bisons a signifié __la__ disparition de __des__ Indiens qui vivaient dans __les__ plaines.

(adapté de *Volkswagen Blues* de Jacques Poulin)

2. Connaissez-vous les Américains / les États-Unis ?

   a) Qu'est-ce que les Américains aiment manger / boire ?
   b) Quels sports aiment-ils pratiquer ?
   c) Quelles sortes d'émissions préférent-ils ?
   d) Qu'est-ce qu'ils mettent sur leur hamburger ?
   e) Aux États-Unis, où se trouvent les meilleures stations de ski / les meilleures plages ?
   f) Quelles qualités caractérisent les Américains ?
   g) Dans quel État se trouvent les villes suivantes :
      i) Dallas ; ii) San Francisco ; iii) La Nouvelle-Orléans ; iv) Boston ;
      v) Chicago ?
   h) Indiquez quelle est la profession de chacun de ces Américains célèbres et dites à quel domaine chacun appartient : i) George W. Bush ; ii) Julia Roberts ; iii) Britney Spears ; iv) Tiger Woods ; v) Michelle Kwan.
   i) Comment est-ce que les Américains célèbrent : i) Noël ; ii) la Fête nationale ; iii) l'Halloween ?
   j) Nommez trois Américain(e)s qui ont eu un impact sur l'histoire et dites quel a été leur apport.

3. À vous la parole

   a) Qu'est-ce que vous prenez d'habitude au petit déjeuner / déjeuner / dîner ?
   b) Quels fruits et quels légumes préférez-vous ?
   c) Quels ingrédients sont nécessaires pour préparer votre plat favori ?
   d) Qu'est-ce que vous ne mangez jamais ?
   e) Quelle musique n'aimez-vous pas ?
   f) Indiquez vos préférences dans chaque domaine en employant les verbes **aimer, détester, préférer, adorer** : i) les sports ; ii) les cours ; iii) les vêtements ; iv) la musique.
   g) Quelle est votre saison préférée ? Pourquoi ?
   h) Quelles langues parlez-vous / comprenez-vous / étudiez-vous ?
   i) Quelle est la date de votre anniversaire / de l'anniversaire de votre meilleur(e) ami(e) ?
   j) Qu'y a-t-il dans votre sac / dans votre placard ?

DEVOIRS ÉCRITS / TRAVAIL ORAL

A. COMPOSITION GUIDÉE

Les voyages forment la jeunesse. Dites ce que les voyages vous ont appris.

1. Avec quelles cultures avez-vous été en contact ?

2. Quels aspects de ces cultures vous ont particulièrement impressionné(e) / surpris(e) ?

3. Avez-vous découvert un style de vie, un climat, des habitudes auxquels vous n'étiez pas habitué(e) ?

4. Avez-vous pu utiliser la langue de la région ?

5. Êtes-vous devenu(e) plus indépendant(e), plus débrouillard(e), plus confiant(e) ou plus tolérant(e) grâce aux voyages ?

6. Qu'est-ce qui a changé chez vous (attitude, connaissances, etc.) après avoir voyagé ?

B. COMPOSITION LIBRE / TRAVAIL ORAL

1. Les États-Unis sont un « melting pot ». Dans ce creuset magique, des immigrants venus du monde entier se trouvent fondus en une masse plus ou moins uniforme. Par contre, le Canada demeure une mosaïque de langues et de cultures. Quel est, à votre avis, le meilleur système ?

2. Afin de comprendre le présent, il est important de connaître le passé. Partagez-vous ce point de vue ?

DIALOGUES

1. **Partir ou ne pas partir.** Pierre Sédentaire désire rester chez lui. Jeanne Nomade a envie de connaître des régions étrangères. Inventez leur dialogue.

Quelques expressions utiles

on est bien chez soi	one is comfortable at home
l'inconnu	the unknown
l'esprit d'aventure	the spirit of adventure
attraper un microbe	to catch a germ
attraper une maladie incurable	to get an incurable disease
se faire vacciner	to get vaccinated
une nourriture épicée, indigeste	spicy, indigestible food
de l'eau potable	drinking water
se faire comprendre	to make oneself understood
approfondir / enrichir ses connaissances	to broaden / enhance one's knowledge
faire de nouvelles expériences	to have new experiences
coûter les yeux de la tête	to cost an arm and a leg
courir un danger	to be in danger
s'épanouir	to blossom
élargir ses horizons	to widen one's horizons

2. **La meilleure époque.** Une personne âgée a une discussion animée avec une jeune personne. La personne âgée maintient que le passé, le bon vieux temps, était préférable au présent. L'autre soutient que l'époque moderne offre de nombreux avantages.

Quelques expressions utiles

un baladeur, un walkman	a walkman
un disque laser / un disque compact	a compact disk
un ordinateur	a computer
une imprimante	a printer
faire des achats sur Internet	to shop on line
un magnétophone	a tape recorder
un magnétoscope	VCR
se déplacer en voiture / en avion	to get around by car / plane
s'entraider	to help one another
la vie était moins compliquée	life was less complicated
des mœurs sévères	strict moral standards
des familles nombreuses	large families
être en bonne santé	to be healthy
une nourriture naturelle / saine	natural / wholesome food
des produits chimiques	chemicals

MATIÈRE À RÉFLEXION

QUELQUES OBSERVATIONS

- « Les Américains (et les Anglais) sont depuis longtemps convaincus que la voiture va moins vite que l'avion. Les Français (et la plupart des Latins) semblent vouloir prouver le contraire. »

    Pierre Daninos

- « Je réponds ordinairement à ceux qui me demandent raison de mes voyages que je sais bien ce que je fuis, mais non pas ce que je cherche. »

    Montaigne

- « La vie est un voyage. »

    Marcel Proust

- « Christophe Colomb est parti sans savoir où il allait. Il est arrivé sans savoir où il était, et ce sont les autres qui ont payé son voyage. »

    Winston Churchill

Chapitre 7

L'Amérique du Sud
Le Brésil

Récapitulation des chapitres 1-6

- Le présent de l'indicatif
- Quelques constructions :
    être en train de + infinitif
    venir de + infinitif (passé récent)
    aller + infinitif (futur proche)
- L'impératif
- Le passé :
    le passé composé
    l'imparfait
    le plus-que-parfait
- Les expressions avec **avoir**
- Les prépositions devant les
  noms géographiques
- La négation
- L'article :
    défini
    indéfini
    partitif

Manaus

Brasilia

Porto Seguro

Rio de Janeiro

São Paulo

Système politique : République
Population : 169 000 000
Capitale : Brasilia
Langue officielle : Portugais
Monnaie : Cruzeiro

NEL

Les plages et le carnaval attirent un grand nombre de touristes au Brésil. Ce pays, le plus grand de l'Amérique du Sud, a été colonisé par les Portugais. Malgré ses richesses minières (fer, or) et agricoles (café, cacao, canne à sucre), une grande partie de sa population vit dans la pauvreté.

Le 22 avril 2000, le Brésil a fêté son 500ᵉ anniversaire. Cet article, tiré de *L'Express*, nous permet de découvrir ce vaste pays de l'Amérique du Sud et de mieux connaître ses habitants.

PRÉ-LECTURE

1. Qu'est-ce que le mot Brésil évoque pour vous ?

2. Si vous y allez un jour, quelle sera votre destination et pourquoi ?

Le Brésil : conquis ou découvert ?

L'Indien Siridiwê Xavante est dans la ville. Ce qui l'ennuie un peu. « Ici, dit-il, on ne se promène pas sans préoccupation. » Pour chasser ses soucis, il boit ce soir une bière dans un restaurant à la mode de São Paulo. Il a une petite tige de

Le Brésil fête ses 500 ans.

bambou fichée dans chaque oreille, les cheveux rasés sur les tempes, des bracelets
5   aux poignets et feint de ne pas trop comprendre ce que signifie cet anniversaire
des 500 ans du Brésil. « Une découverte ? Non. Avant les Portugais, il y avait des
gens ici. C'est une invasion. » Mais maintenant, après que Pedro Alvares Cabral
eut débarqué dans la baie de Porto Seguro, le 22 avril 1500, ne se sent-il pas,
tout de même, brésilien ? « Non, répond-il. Je suis d'ici. » Siridiwê est membre
10   d'une tribu [...] dont le premier contact avec l'homme blanc ne date que de
cinquante ans. Lui-même a 32 ans et sa vie ne sera plus jamais celle qu'ont
connue ses ancêtres. Il porte un jean et un tee-shirt, une paire de chaussures de
sport et passe la soirée dans ce restaurant chic en compagnie de ses copains [...].
Siridiwê, en compagnie de cette joyeuse assemblée, est comme un poisson dans
15   l'eau, tout en tenant un discours militant sur l'homme blanc, ce conquérant,
venu, avec « sa soif de tout dévaster », briser l'intimité des indigènes avec la
nature. Il prône le respect des coutumes, puis vous donne sa carte de visite, avec
son téléphone, son fax, et son bip, et vous promet de vous envoyer un e-mail.
[...] « Je suis à São Paulo l'ambassadeur de mon peuple », dit-il. Mais, pour lui,
20   même s'il ne l'admet pas, c'est fini. Il vit dans la plus grande ville du Brésil, il y a
épousé une Japonaise — São Paulo compte une forte communauté nipponne,
installée ici depuis des générations. De son mariage est né un fils, qui n'aura plus
qu'une relation lointaine avec la forêt des A'uwé Uptabi. Siridiwê <u>se fond petit à
petit dans</u>[1] cette « énigme » qu'est l'identité brésilienne [...].

25   Car c'est bien de cela qu'il s'agit. « Le Brésil n'a pas été conquis, il a été
découvert, estime l'ambassadeur du Brésil en France, Marcos de Azambuja. Il est
une invention. » Celle-ci <u>fait peu de cas des</u>[2] premiers occupants. « Avant les
Portugais, il n'y avait rien, ici, déclare Ribeiro, auteur brésilien [...]. Pas de
civilisation. Juste quelques tribus vivant de façon primitive. L'idée du Brésil
30   n'existait pas. Nous l'avons inventée. » Et le résultat en est ce pays de 168
millions d'habitants, une masse continentale — 8,5 millions de kilomètres
carrés, soit 47,3 % de l'Amérique du Sud — unifiée malgré sa diversité. Il y a
d'abord cet infini littoral, 7 367 kilomètres de côtes ponctuées de villes
magiques, Natal, Olinda, Salvador, Rio, puis ce que les Brésiliens nomment
35   l'« intérieur », qu'ont conquis, dès la fin du XVIIᵉ siècle, les pionniers de São
Paulo, les *bandeirantes*, derrière leur drapeau, la *bandeira*, à la recherche d'or et de
diamants. Ce sont les villes du <u>Minas Gerais</u>[3], où à la porte des églises baroques
demeurent les piloris, ornés du glaive et de la balance, où l'on fouettait les
esclaves, ou bien les marécages du Pantanal[4], ses buffles et ses millions d'oiseaux.
40   La conquête de l'intérieur s'est poursuivie jusque tard dans le siècle, avec
l'édification, au milieu de nulle part, de la *novacap*, la nouvelle capitale, Brasilia,
construite en un temps record, de 1957 à 1960. [...] Enfin, le mystère de
l'Amazonie, cet immobilisme sans limite que Charles Vanhecke, ancien

---

[1] se joint à ; disparaît dans
[2] accorde peu d'importance aux
[3] État dans le Sud-Est du Brésil
[4] région située aux frontières du Brésil, de la Bolivie et du Paraguay

correspondant du *Monde* à Rio, appelait une « Sibérie tropicale », 3,5 millions de
45   kilomètres carrés où ne vit presque personne, 67 milliards de mètres cubes de
bois, 3 000 espèces de plantes, avec, en son cœur, une ville, Manaus, qui abrite
une <u>zone franche</u>[5] et un Opéra à l'italienne.

Et ce pays immense ne s'est pas morcelé, ses habitants parlent toujours la
même langue, regardent à la télévision les mêmes feuilletons [...]. Ils travaillent,
50   rêvent de football et dansent sur les mêmes musiques. Ils prient, enfin, avec des
variantes parfois exotiques, le même dieu. L'alliance de la beauté tropicale et du
gigantisme engendre l'optimisme : le Brésil, apprend-on dans les écoles, est le
pays du futur. L'ironie, aussi, car l'on ajoute aussitôt que ce futur n'est pas pour
demain. Et la sagesse, enfin : « Patience, dit un dicton local, le Brésil est grand. »
55   Ce pays fut une colonie singulière, que convoitèrent un temps les Hollandais
et les Français. [...] Terre portugaise, elle abrita, de 1807 à 1821, la capitale de
l'empire, à Rio de Janeiro, où s'était réfugié le futur roi dom João VI, chassé de
Lisbonne par les troupes de Napoléon. [...] Son histoire est assez indolente,
puisque son indépendance, en 1822, l'abolition de l'esclavage, en 1888, la
60   république, en 1889, la démocratie, enfin, de 1946 à 1964, puis son retour en
1984, y sont apparues plus tardivement qu'ailleurs. Elle s'est accomplie sans
drames, et ses héros sont rares. [...]

Un peuple aimable, tolérant, ouvert, cosmopolite, musical, sensuel, souvent
misérable et parfois violent. Un peuple métissé, aussi, et qui <u>n'en fait pas une</u>
65   <u>histoire</u>[6]. [...] Le métissage[7], dès lors, n'est pas idéalisé, mais vécu comme un fait
naturel, le résultat accidentel des amours et des passions humaines qui, au fil des
siècles, ont uni Indiens, immigrants européens et esclaves africains. [...]

Cependant, l'idée d'une société harmonieuse, plurielle, <u>ne résiste pas à</u>
<u>l'épreuve de la réalité</u>[8]. Au Brésil, <u>la frontière entre</u>[9] le confort et la misère passe
70   souvent par la couleur de la peau. [...] Il existe au Brésil deux mondes. Celui de
l'« asphalte », où s'épanouit une classe moyenne qui singe parfois jusqu'à la
caricature l'Amérique du Nord [...], Au-delà de l'asphalte, c'est la favela, où
règnent solidarité et violence, trafics, drogues et protections médiévales. Un
monde où l'on meurt souvent jeune, et où, [...] « la république n'est pas encore
75   arrivée ». [...]

La misère, au Brésil, n'est pas seulement urbaine. Le Mouvement des paysans
sans terre (MST), qui occupe des propriétés, notamment dans le Nordeste, le
montre. Et elle affecte particulièrement les enfants. Ainsi la petite Maria Rosa de
Jesus, qui casse des pierres dans une carrière d'un village de l'État de Bahia[10],
80   Conceição do Coité. Elle a 15 ans, a pleuré, dit-elle, quand elle a dû quitter
l'école. Elle gagne aujourd'hui 88 centavos[11] par jour. Bien que le Congrès

---

5 région de libre-échange, où on ne paie pas de taxes
6 n'y accorde pas beaucoup d'importance
7 mélange de races
8 est fausse, face à la réalité
9 ce qui sépare
10 État dans le Nord-Est du Brésil
11 à peu près 0,60 $

brésilien ait ratifié les conventions de l'Organisation internationale du travail interdisant l'emploi des mineurs de moins de 16 ans, il reste, dans le seul État de Bahia, selon Iria Farias, représentante locale de l'Unicef, quelque 840 000 enfants
85 au travail. Un nouvel esclavage.

« Reportage — Le Brésil », *L'Express,* 02-03-2000, p. 65-68.

Expressions à retenir

à la mode (l. 3)
des chaussures de sport (l. 12-13)
épouser (l. 21)
se fondre (dans) (l. 23-24)
faire peu de cas (de) (l. 27)
nulle part (l. 41)
la zone franche (l. 47)
le feuilleton (l. 49)
l'esclavage (m.) (l. 59)
au fil des siècles (l. 66-67)

COMPRÉHENSION

1. Qui est Siridiwê Xavante ?
2. Qu'est-ce qui a mené à la découverte de l'« intérieur » du Brésil ?
3. Où trouve-t-on des vestiges de l'esclavage qui a autrefois existé au Brésil ?
4. Qu'est-ce qui unit les habitants de cet immense pays ?
5. Citez quelques qualités que l'auteur attribue au peuple brésilien.
6. Qu'est-ce qui détermine souvent si un Brésilien vit dans le confort ou dans la pauvreté ?
7. Quels sont les deux mondes qui existent au Brésil ?

INTERPRÉTATION

1. Qu'est-ce que l'apparence de Siridiwê Xavante révèle en ce qui concerne son caractère ?
2. Pourquoi déclare-t-il qu'il est question d' une « invasion » plutôt que d'une « découverte » ?
3. Pourquoi Siridiwê Xavante est-il un paradoxe ? Justifiez votre réponse.
4. Pourquoi l'Amazonie a-t-elle été surnommée « une Sibérie tropicale » (l. 44) ?
5. Pourquoi parle-t-on de « métissage » au Brésil ?
6. Comparez brièvement la vie qu'on mène dans les deux mondes qui existent au Brésil.
7. Qu'est-ce que le « nouvel esclavage » (l. 85) ?

MAÎTRISONS LA LANGUE

A

1. Trouvez dans le premier paragraphe les expressions équivalentes aux expressions suivantes :

   a) souci ;   e) souliers ;
   b) fait semblant ;   f) élégant ;
   c) veut dire ;   g) camarades.
   d) fait partie ;

2. Trouvez dans le dernier paragraphe le contraire des expressions suivantes :

   a) richesse ;   d) a ri ;
   b) rurale ;   e) liberté.
   c) citadins ;

3. Donnez des mots de la même famille que :

   a) préoccupation ;   d) comprendre ;
   b) découverte ;   e) construite ;
   c) conquête ;   f) immobilisme.

B

1. En tenant compte du contexte de l'article, exprimez autrement les expressions soulignées.

   a) Pour <u>chasser ses soucis</u>, il boit une bière. (l. 2-3)
   b) Il va dans un restaurant <u>à la mode</u>. (l. 3)
   c) À Manaus, il y a un Opéra <u>à l'italienne</u>. (l. 47)
   d) <u>Au fil des siècles</u>, les amours et les passions ont uni différentes races. (l. 66-67)
   e) Une classe moyenne <u>singe parfois jusqu'à la caricature</u> l'Amérique du Nord. (l. 71-72)

2. Remplacez le mot souligné par une expression équivalente.

   a) São Paulo comporte une forte communauté <u>nipponne</u>. (l. 21)
   b) C'est un pays unifié <u>malgré</u> sa diversité. (l. 32)
   c) <u>L'édification</u> de la nouvelle capitale a commencé en 1957. (l. 41)
   d) Et ce pays immense ne s'est pas <u>morcelé</u>. (l. 48)
   e) Les Brésiliens sont un peuple ouvert et <u>cosmopolite</u>. (l. 63)

3. Dans le style familier, il est souvent fait allusion aux animaux dans des comparaisons. Utilisez les expressions ci-dessous dans une phrase qui en illustre le sens :

   a) comme un poisson dans l'eau ;
   b) comme l'oiseau sur la branche ;
   c) recevoir quelqu'un comme un chien ;
   d) arriver / venir / être reçu comme un chien dans un jeu de quilles ;
   e) malin comme un singe.

GRAMMAIRE

RÉCAPITULATION DES CHAPITRES 1-6

Le présent de l'indicatif

1. Mettez les verbes entre parenthèses au présent.

   a) Le Brésil (offrir) au monde ses desserts, car il (produire) du sucre et du cacao.

   b) Dans les favelas, les habitants (mener) une vie de misère et (ne pas se sentir) toujours en sécurité.

   c) Lors du carnaval à Rio de Janeiro, les gens (dormir) peu ; ils (sortir) avec leurs amis et (danser) la samba dans les rues.

   d) Les Brésiliens (ne pas s'ennuyer). Ils (être) des fanatiques du football et ils (appuyer) chaleureusement leur équipe.

   e) Les feuilletons télévisés, doublés en différentes langues, (faire) le tour du monde et (répandre) la culture brésilienne à l'étranger.

   f) Le portugais est une langue que je (ne pas connaître), mais je (savoir) qu'il est parlé par les habitants du Brésil.

   g) Siridiwê (se promener) dans São Paulo, (boire) une bière avec des amis et (tenir) un discours militant sur l'homme blanc.

   h) Chaque année, le Brésil (accueillir) de nombreux touristes qui (découvrir) les beautés du pays et (acheter) des souvenirs.

   i) Il (falloir) beaucoup de temps pour remédier aux injustices sociales dans un pays parce qu'on ne (pouvoir) apporter que des changements graduels.

   j) Quand nous (voyager) au Brésil, nous (commencer) par une visite à Belém, ville située dans le Nord, et nous (finir) notre périple à Rio de Janeiro dans le Sud-Est.

   k) Beaucoup de Brésiliens (prendre) leurs vacances d'hiver au mois de juillet et ils (aller) à la plage.

   l) Le Brésil (se vouloir) une démocratie raciale où (se fondre) Noirs, Indiens et Portugais.

2. Mettez le passage au présent.

   Environ 800 000 habitants de Rio de Janeiro (vivre) dans les favelas. La grande majorité (gagner) un salaire minime. Dans ce milieu urbain, de nombreux enfants mal nourris, (ne pas atteindre) un an. Ceux qui (ne pas mourir) en bas âge (devenir) presque tous des enfants de la rue. C'est là qu'ils (dormir), qu'ils (souffrir), qu'ils (faire) des rencontres, généralement mauvaises ! Pour survivre, les jeunes (se battre) entre eux, (former) des groupes qui (voler), qui (se livrer) au trafic de la drogue, qui (tuer) parfois. Mais ils (devoir) prendre garde car ils (courir) constamment le risque d'être assassinés par des bandes rivales. En général, malheureusement, on ne (se préoccuper) guère de ces enfants perdus. Toutefois, certaines organisations (essayer) de les aider. Elles (prendre) des mesures pour améliorer les services de santé. Le maire de Rio a affirmé : « Nous (vouloir) combattre la pauvreté. Nous (espérer) que, grâce à nos efforts, l'avenir sera meilleur. »

Quelques constructions à retenir

Traduisez les phrases suivantes :

a) This history book deals with the origins of the nation.

b) We have just taken a trip to South America. Next year, we are going to visit Asia.

c) Don't bother me ! I am in the midst of sending an e-mail.

d) Since this little girl began to work, she doesn't go to school.

e) They have been living in Manaus for twenty years, but next week they will move to Bolovia.

f) You had just arrived in Chili when there was an earthquake.

L'impératif

Pub d'une agence de voyages. Mettez les verbes : a) à la deuxième personne du singulier (**tu**) ; b) à la deuxième personne du pluriel (**vous**) de l'impératif.

(Venir) au Brésil ! Si possible, (se rendre) dans ce pays à la fin février pendant la période du carnaval. (Se munir) de vêtements tropicaux et (prévoir) un parapluie ! (Se promener) sur des plages magnifiques et (jouir) du soleil. (S'asseoir) dans un café et (boire) un *cafezinho* (petit café) ou, en compagnie d'amis, (goûter) une *batida,* boisson agréable à base d'alcool de canne. (Ne pas manquer) d'aller voir un match au Maracana de Rio de Janeiro, le plus grand stade du monde, mais (ne pas apporter) d'appareil photo. À l'arrivée au Brésil, (acheter) un journal, (ouvrir)-le à la page « télévision » et (lire) le résumé de la *télénovela* (feuilleton) du moment. (Faire) des excursions à la campagne, (découvrir) les merveilles des îles et (profiter) de la fraîcheur des montagnes. (Aller) dans la région amazonienne, (contempler) les plus beaux oiseaux du monde. (Ne pas tarder) à visiter le plus grand pays d'Amérique du Sud et (s'amuser) à l'explorer.

Le passé (le passé composé, l'imparfait, le plus-que-parfait)

1. Mettez les verbes aux temps du passé qui conviennent.

En 1500, quand le navigateur Pedro Alvares Cabral (chercher) la route des Indes, il (découvrir) une région où depuis longtemps déjà (vivre) des Indiens. Il (prendre) possession de ce territoire au nom du roi du Portugal. Au début, le futur Brésil (ne pas intéresser) les Portugais, car il (ne pas offrir) les richesses dont ils (rêver). Plus tard, Amerigo Vespucci qui (partir) à la recherche d'épices et d'or (se rendre) sur cette nouvelle terre et la (parcourir). Un arbre très rouge qui (pousser) là, (attirer) l'attention des explorateurs. Il (produire) une teinture rouge et c'est cet arbre qui (donner) son nom au nouveau pays : *a Terra de Brazil,* la terre de Braise. Ensuite, les premiers Portugais (s'installer) dans cette nouvelle colonie et (se marier) avec des Indiennes. Ils (réussir) à s'accoutumer à leur nouvelle vie et ils (parvenir) à trouver une source de revenus qui (devenir) très importante pour le Brésil : la canne à sucre.

2. Mettez le passage au passé.

Siridiwê Xavante (naître) au Brésil. Il (grandir) dans une tribu et (vivre) surtout dans l'État du Mato Grosso. Il (mener) là-bas une vie tranquille. Un jour, il (apprendre) l'histoire de ses origines. Il (savoir) que les Blancs (ne pas découvrir) le Brésil, qu'ils l'(envahir). Pour les Indiens, la colonisation (amener) beaucoup de changements. Comme il (falloir) de la main-d'œuvre pour la culture de la canne à sucre, les Portugais (entreprendre) de véritables chasses à l'homme. Ils (vouloir) transformer les Indiens en esclaves, mais ils (ne pas réussir) à le faire ; ces nomades (se révéler) de mauvais travailleurs, car ils (ne pas pouvoir) supporter les occupations sédentaires. Beaucoup d'entre eux (mourir) et d'autres (s'enfuir).

Même si Siridiwê (se méfier) des Blancs, il (quitter) la tribu et il (emménager) à São Paulo. Il (tenir) beaucoup à ses origines et (dire) qu'il (vouloir) être l'ambassadeur de son peuple. Il (apprendre) le portugais et il (se servir) constamment de la technologie moderne pour faire connaître sa tribu. Il (ne pas oublier) la promesse qu'il (faire) à son père le jour où il (partir). Cependant, quand il (rencontrer) une belle Japonaise, il la (épouser). Ils (avoir) un fils qui (se fondre) dans cette énigme qu'est l'identité brésilienne.

Les expressions avec *avoir*

Complétez en utilisant une expression avec **avoir.** N'employez pas deux fois la même expression.

Siridiwê Xavante _____ dire qu'il est l'ambassadeur de son peuple. Comme tous les Brésiliens, il _____ de voir le carnaval.

Quand le carnaval _____ à Rio, tout le monde _____ de danser, de s'amuser. Les pauvres surtout _____ de cette distraction pour oublier leur misère. Pendant quelques jours, ils ne se souviennent plus qu'ils _____. Ils _____ de profiter des rares plaisirs que la vie leur offre.

C'est l'été et les danseurs, souvent vêtus de lourds costumes, _____, mais ils ne se plaignent pas. Les enfants _____, sans aucun doute, mais ils ne veulent pas aller dormir. Ils _____ de manquer une partie du spectacle.

Les prépositions devant les noms géographiques

1. Complétez les phrases par les prépositions ou les articles qui conviennent.

   a) Les premiers explorateurs qui ont colonisé le plus grand pays __d'__ Amérique __du__ Sud venaient __du__ Portugal.

   b) Quand on avait besoin de travailleurs pour les plantations de sucre, on importait des esclaves __en__ Afrique, en particulier __au__ Guinée, __au__ Mozambique et __au__ Soudan.

   c) Mon grand-père est venu __de__ Sicile et il a passé du temps __en__ Argentine. Ensuite, il est allé __à__ Cuba et, quelques années plus tard, il s'est installé __en__ Italie.

   d) En mars 1941, un bateau venant __de__ Panama a fait escale quelques heures __à__ Rio de Janeiro. À bord se trouvait le géographe Francis

Ruellan. En attendant le départ pour ___l'___ Espagne et ___la___ France, il a visité la ville. Séduit, au lieu de rentrer ___en l'___ Europe, il a décidé de rester ___au___ Brésil où il a étudié la géographie brésilienne, surtout ___en l'___ Amazonie.

e) Le proverbe dit : ___À___ São Paulo, on travaille, ___à___ Rio, on s'amuse.

f) Lors du Sommet des Amériques, qui a eu lieu ___au___ Québec, les leaders ___d'___ Argentine, ___des___ États-Unis, ___de___ Canada ___du___ Paraguay et ___au___ Chili ont discuté longuement du libre échange.

g) L'avion a fait escale _____ Surinam et _____ Guyane avant d'atterrir ___au___ Venezuela.

h) Il a acheté des pierres précieuses ___au___ Mexique et il les a vendues ___en___ Bolivie et ___à l'___ Équateur.

i) Des immigrants venant ___du___ Japon se sont installés dans ce pays sud-américain.

j) Le Gange se trouve-t-il ___en___ Inde ou ___au___ Egypte ? Et les Andes se trouvent-elles ___au___ Pérou ou ___en___ Uruguay ?

2. À notre époque, les gens voyagent. Les personnages ci-dessous ne travaillent pas dans le pays où ils sont nés. Dites d'où ils viennent et où ils travaillent.

> **Modèle :** Jacqueline (France / Belgique)
> Jacqueline vient de France et travaille en Belgique.

a) João (Portugal / Angleterre)
b) Jesse (États-Unis / Luxembourg)
c) Béatrice (Canada / Iran)
d) Terry (Nouvelle-Zélande / Australie)
e) Birte (Danemark / Pays-Bas)
f) Irena (Russie / Paraguay)
g) Hans (Allemagne / Corée)
h) Pablo (Espagne / Mexique)
i) Yoshi (Japon / Bermudes)
j) Kim (Vietnam / Chine)

La négation

1. Mettez au négatif.

a) Beaucoup d'Indiens vivent encore dans leurs tribus.
b) Avant les Portugais, y avait-il beaucoup d'habitants au Brésil ?
c) Il y a cinquante ans, ils avaient déjà eu des contacts avec l'homme blanc.
d) Sa vie sera toujours la même.
e) Il fait toujours des discours militants.
f) Il voulait épouser une Européenne ou une Brésilienne.
g) Ils ont trouvé de l'or, des diamants, des pierres précieuses.
h) Indiens, immigrants européens, descendants d'esclaves africains veulent créer une société égalitaire.

i) La démocratie existe déjà dans cette région.

j) Révélez-leur le secret.

k) Boire du café après le dîner ? Quelle horreur !

l) La petite Maria Rosa a déjà quitté l'école.

m) On parle partout des beautés de ce pays.

n) Ils boivent de la bière et du café.

o) Partout, les habitants parlent la même langue.

Les articles : défini, indéfini, partitif

1. Complétez, s'il y a lieu, par la forme de l'article qui convient : défini, indéfini, partitif. Faites les contractions voulues.

a) À _____ début de _____ XVIe siècle, _____ Indiens de _____ Brésil vivaient de _____ pêche, de _____ chasse, de _____ agriculture.

b) En _____ Amazonie, _____ explorateurs ont dû affronter _____ chaleur, _____ solitude, _____ peur de _____ inconnu.

c) Ce pays produit _____ énormes quantités de _____ sucre et _____ quantités inestimables de _____ café, mais il ne produit pas _____ sel.

d) _____ café a amené _____ richesse ; _____ industrie l'a conservée.

e) _____ Brésil a été _____ colonie portugaise jusqu'à _____ proclamation de _____ Indépendance, _____ 7 septembre 1822.

f) La plupart de _____ immigrants sont venus de _____ Europe. Beaucoup de _____ immigrants qui sont arrivés à _____ XIXe siècle étaient d'origine italienne.

g) Dans _____ grande forêt de _____ Amazonie on trouve _____ cacao, _____ cannelle, _____ vanille.

h) Dans ce pays, _____ Blancs, _____ Indiens et _____ Noirs vivent en harmonie.

i) Dans cette région, il fait très chaud en _____ été. Il est préférable d'y voyager à _____ printemps. Organisez _____ sorties _____ matin ou _____ soir et reposez-vous _____ après-midi.

j) À _____ Brésil, on parle _____ portugais, mais ce n'est pas tout à fait _____ portugais qu'on parle à _____ Portugal.

k) _____ président Fernando Henrique Cardoso, a prononcé _____ discours à _____ Chambre de _____ députés.

l) Ils sont _____ Japonais mais ils vivent à São Paulo.

m) Nel Monteiro est _____ chanteur ; c'est _____ chanteur brésilien très connu.

n) Siridiwê est _____ ambassadeur de son peuple, mais il ne ressemble pas à _____ Indiens de sa tribu.

o) Il y a _____ jeunes hommes et _____ jeunes filles qui apprennent que _____ Brésil est _____ pays de _____ avenir.

p) _____ nouvelle République n'a pas apporté _____ changements sociaux espérés. En fait, elle n'a pas trouvé _____ solutions à _____ graves problèmes économiques.

q) Les visiteurs qui voyagent en _____ Colombie aiment _____ climat mais détestent _____ violence qui y règne.

r) _____ problèmes économiques, _____ déséquilibres sociaux, _____ immensité urbaine, voilà ce qui caractérise ce grand pays sud-américain.

s) _____ croissance de _____ villes s'est faite de façon trop brutale.

t) _____ métissage a joué _____ rôle important dans _____ formation de _____ identité brésilienne.

2. Employez le mot qui convient (article, préposition).

J'aime voyager parce que j'aime manger. J'adore _____ cuisine régionale. Je préfère _____ mets épicés mais je déteste _____ légumes et je ne prends jamais _____ boissons gazeuses. En Normandie, je commande toujours _____ agneau, _____ crêpes et _____ eau minérale, mais je ne prends jamais _____ cuisses de grenouilles. En Italie, je mange _____ pâtes, _____ salade, je bois _____ vin rouge et je prends souvent _____ cappuccino. En Allemagne, je mange un peu _____ choucroute et je bois _____ bière. Pour _____ bon dessert, je vais en Belgique où je prends _____ mousse _____ chocolat ou _____ tarte _____ fruits. Quand je vais _____ Québec, je commande _____ soupe _____ pois et _____ tourtière. À Terre-Neuve je mange _____ morue fraîche et en Colombie-Britannique, j'achète _____ saumon. Quand je prends _____ petit déjeuner dans _____ restaurant américain, je commande _____ jambon, _____ bacon, _____ saucisses, beaucoup _____ ketchup et _____ frites. Au Brésil, je mange _____ haricots et _____ bœuf et je bois _____ jus de fruits. L'année dernière, _____ Japon, j'ai goûté _____ poisson cru, mais j'ai eu mal à _____ estomac. La semaine prochaine je vais aller en Chine. _____ mets chinois sont délicieux. J'ai hâte de manger _____ riz, _____ nouilles, et _____ canard préparés _____ chinoise.

DEVOIRS ÉCRITS / TRAVAIL ORAL

A. COMPOSITION GUIDÉE

Imaginez les sentiments qu'un(e) immigrant(e) a éprouvés quand il/elle s'est établi(e) dans son nouveau pays.

1. Comment a-t-il/elle voyagé ?

2. Où a-t-il/elle débarqué / atterri ?

3 Quels sentiments a-t-il/elle éprouvés au moment où il/elle a mis le pied dans son nouveau pays ?

4. Quel a été l'accueil à la douane (*customs*) ?

5. Décrivez les nouvelles découvertes qui l'ont fasciné(e).

6. A-t-il/elle eu des difficultés à communiquer à cause de la langue ?

7. A-t-il/elle pu s'habituer au climat, à la nourriture ?

8. Est-ce que les habitants du nouveau pays ont été accueillants ?

9. Est-ce que le nouveau pays lui a offert un meilleur niveau de vie ?

B. COMPOSITION LIBRE / TRAVAIL ORAL

1. Voici le début d'un récit. Complétez-le en donnant libre cours à votre imagination.

   La journée était chaude et ensoleillée. L'événement longtemps attendu était enfin arrivé. En un instant, le sentiment d'aventure qui avait dominé jusque-là a fait place à la panique.

2. Racontez une aventure agréable, drôle ou effrayante qui vous est arrivée au cours d'un voyage.

DIALOGUES

1. **La ville ou la campagne.** Imaginez un dialogue entre un(e) campagnard(e) et un(e) de ses ami(e)s qui habite en ville. Chacun(e) loue son mode de vie.

Quelques expressions utiles

communier avec la nature	commune with nature
respirer le grand air/ un air vicié	to breath the fresh air / foul air
avoir une vie paisible / mouvementée	to lead a peaceful / hectic life
faire partie d'une communauté	to belong to a community
élever une famille	to raise a family
des spectacles de tout genre	entertainment of all kinds
faire les magasins	to go shopping
faire du lèche-vitrines	to window shop (literally: to lick the windows)
le centre commercial	the mall, the shopping centre
le loyer	the rent
coûter cher	to be expensive
le stationnement	parking
un embouteillage	a traffic jam
faire la navette	to commute

2. **L'argent : source de bien ou de mal ?** On ne peut pas vivre sans argent.
L'argent ne fait pas le bonheur. Laquelle de ces affirmations exprime le mieux
votre point de vue ?

Quelques expressions utiles

vivre dans l'aisance	to live comfortably
avoir les moyens	to have means
payer son hypothèque	to pay off one's mortgage
manger à sa faim	to eat one's fill
les biens	goods, possessions
faire fortune, s'enrichir	to become rich
être sans le sou	to be penniless
être fauché	to be broke
avoir beaucoup de mal à joindre les deux bouts	to struggle to make ends meet
se priver du nécessaire / du luxe	to do without the necessities / luxury
avoir des dettes / être endetté	to be in debt
payer comptant	to pay cash
payer à tempérament	to pay by installments

UNE POINTE D'HUMOUR

Et Dieu a créé le Brésil

Les Brésiliens, qui ont le sens de l'humour, racontent parfois cette histoire.

Au premier jour de la création, Dieu a dit : « Je vais créer un pays immense, où des
fleuves colossaux couleront au milieu de la plus grande forêt, où l'on trouvera de l'or,
du fer et des diamants, où l'on pourra cultiver la canne à sucre, le café et le soja, et
on l'appellera Brésil. » Entendant cela, les anges et les archanges ont fait observer
respectueusement qu'il n'était pas juste envers les autres nations de tant privilégier
celle-là. « Peut-être, a dit Dieu, mais attendez seulement de voir les gens que je vais y
mettre... »

Adaptation de Hervé Théry, *Le Brésil*, Paris, Masson, 1985, p. 226.

Chapitre 8

L'Amérique du Sud
Le Chili

Aspects grammaticaux étudiés :

- Les pronoms personnels
    les pronoms sujets
    les pronoms objets directs
    les pronoms objets indirects
    les pronoms toniques
    les pronoms **y** et **en**
    les pronoms après l'impératif

Système politique : République
Population : 16 000 000
Capitale : Santiago
Langue officielle : Espagnol
Monnaie : Peso chilien

La Serena

Santiago

Le Chili a été conquis par les Espagnols qui se sont désintéressés du pays parce qu'ils n'y ont pas trouvé de métaux précieux. Il est indépendant depuis 1818. Au cours des années, et en particulier au XIXe siècle, le Chili a connu de nombreux bouleversements politiques et sociaux. Malgré un essor économique récent et d'importantes ressources agricoles (vins), minières (premier exportateur mondial de cuivre) et industrielles, les difficultés subsistent : inflation, dette extérieure, pauvreté.

Marilú Mallet est née au Chili, à Santiago, en 1945 et a fait ses études en France et au Chili. Après le putsch de 1973[1], elle s'est installée au Canada où elle se consacre à l'écriture et au cinéma.

La nouvelle ci-dessous, abrégée, s'intitule « Les Compagnons de l'horloge-pointeuse » et est tirée du volume qui porte le même nom. La plupart des nouvelles sont inspirées par les souvenirs, souvent tragiques, du Chili.

PRÉ-LECTURE

Azucena → lazy

Saviez-vous que Chile est un mot indien signifiant « la fin de la terre » ? En effet, le cap Horn, où tant de bateaux ont fait naufrage, est le point du continent le plus proche du pôle Sud. Si l'on veut aller au pôle voir les pingouins, il faut partir du Chili ou de l'Argentine.

Est-ce là un voyage qui vous intéresse ? Comment vous imaginez-vous ce pays, tout en longueur, couché au flanc de la cordillère des Andes ?

Une histoire de lama

vie n'est pas très active.

Oui, je le sais que je suis gros, que je suis ennuyeux ; je le sais bien, je m'en rends compte tous les jours quand j'arrive au bureau et que je commence à bouger le pied sur la latte du parquet qui est décollée. Comme ça, sans y penser : c'est une manie que j'ai depuis qu'on est installé ici, dans l'édifice central de l'avenue
5 Alameda et ça fait dix ans qu'on y est. Je ne vois pas ce que je pourrais bien faire de ma journée ; ce n'est pas l'imagination qui me manque mais j'ai pas tellement envie de me lever. […] Monsieur Julián, c'est justement son énergie que j'admire le plus. Monsieur Julián, c'est mon chef. Notre travail à nous, c'est l'horloge-pointeuse[2]. Moi, j'attends que tout le monde ait poinçonné, je retire les cartes et
10 je calcule les minutes de retard. […]

il admire son chef

Le chef est très affairé. Il est toujours en train d'assembler de curieux petits tubes de verre. Bien sûr, maintenant je sais qu'il fait des télescopes parce que,

---

[1] C'est-à-dire le coup d'État du général Augusto Pinochet, qui a exercé ensuite un pouvoir dictatorial pendant son mandat de président de la République (1974-1990)
[2] horloge qui contrôle les entrées et les sorties des employés

petit à petit, il a apporté la lime et les autres outils [...]. Moi, je le regarde des heures durant, le temps que ça lui prend pour placer une vis avec ses petites pinces ! C'est moi qui réponds au téléphone. C'est presque toujours pour lui [...]. Monsieur Julián est tout maigre et nerveux. Sa femme aussi. Ça fait vingt ans qu'ils sont mariés. [...] De le voir, ça me donne envie de me marier ou de déplacer mon bureau mais tout ce qui se passe, c'est que je suis maintenant à la deuxième section du journal et que je me balance encore la jambe, le pied sur la latte décollée. Le journal, je le lis toujours en entier. Je ne saute même pas les décès. C'est drôle, les décès… enfin, pas tant que ça. En fait, je m'ennuie tout le temps. Peut-être parce que je vis tout seul. Encore que j'aie eu de la chance de trouver pension si près de mon travail. [...] En plus, la maison est antisismique[3] ! C'est le principal. Antisismique et avec l'eau chaude.

— Alors, ça va mon gros Azucenas ?

C'est Guzmán qui vient échanger le journal. Lui, il en achète un autre. À dix heures, on fait le premier échange. À onze heures, le deuxième avec les gars du bureau. Mais c'est toujours les mêmes nouvelles. À une heure, on va dîner[4] tous ensemble dans le quartier Mapocho en passant par la rue Bandera. [...] À propos de nouvelles, j'en ai appris une bien surprenante aujourd'hui. J'en parlais avec Guzmán en mangeant au *Pescado Frito*. Incroyable que ça se passe au Chili et en plein vingtième siècle encore ! Pauvres gens ! Vivre si loin ! On ne savait même pas où c'était… Tout à l'heure, j'ai regardé une carte et le village n'était pas loin de la Serena[5]. [...] Guzmán a demandé par l'interphone si je pouvais lui apporter la carte et, avec ceux du bureau 714, on se met à regarder le village où il y a eu l'inondation. Tout le monde a quelque chose à dire, surtout Lucy Varela et l'autre secrétaire qui organisent souvent des réunions, des manifestations et des tas d'activités. Elles disent qu'on ne peut pas rester là, à ne rien faire. Et moi, maintenant, je pense que j'ai parlé un peu trop vite. Je voulais faire quelque chose de spécial, quelque chose qui leur montre que moi aussi, je suis quelqu'un. Alors, malgré que je ne parle pas trop bien, me voilà en train d'organiser une collecte. [...] Il faut voir ce que les gens ont apporté ! Ça ne rentre déjà plus dans mon armoire [...]. Le chef m'a regardé de travers[6] mais j'ai continué quand même. Quelqu'un m'a dit d'aller demander de l'aide à un autre ministère. C'est une bonne idée !

C'est le troisième jour de collecte. Tout est dans le couloir. Et je suis en retard dans mes vérifications.

— Qu'est-ce que vous voulez que j'y fasse, monsieur Julián ? [...] Mais pensez-y, monsieur Julián, c'est un désastre ! Vingt jours sans manger ! Coupés de tout ! La solidarité, c'est quelque chose… Vous comprenez, monsieur Julián ? Il faut les aider !

---

[3] Les tremblements de terre (séismes) sont fréquents au Chili à cause du caractère volcanique du pays. La maison où habite Azucenas est construite de façon à résister aux tremblements de terre.

[4] L'auteur écrit au Québec où on « dîne » à midi et où on « soupe » le soir.

[5] ville importante sur la côte ouest du Chili

[6] d'un air mécontent

goes with Guzman, films, troupe de ballet, infirmiers.

uses camion to transport the provisions.

Je suis allé au ministère des Affaires culturelles avec Guzmán. Quand on va aller porter les dons, on aura avec nous une troupe de ballet et un film. Ça, c'est de la coopération ! Ils me disent :

55   — Bravo, le gros Azucenas ! T'as bien fait de laisser tomber l'horloge !

Je n'avais jamais remarqué que le monde n'aimait pas poinçonner. On va aussi avoir des couvertures militaires de la Défense nationale et on va tout apporter dans leurs camions. […]

La collecte va se terminer le vendredi treize. Pas parce qu'on le veut, mais
60   parce que le secrétaire du ministre est venu et a dit que la cause était juste mais que ça retardait le travail. C'est vrai que les fonctionnaires restent à parler dans les couloirs. […] Mais il n'y a plus d'espace pour travailler, il y a des boîtes dans tous les coins, des vêtements, des souliers, de la nourriture. […] Nous partons samedi pour le village avec les trois camions de l'armée et un autobus pour le
65   ballet.

— Eh bien, si vous ne me donnez pas l'autorisation d'y aller, monsieur Julián, je prends mes six jours de congé de maladie. Vous comprenez qu'une tâche pareille, ça ne se laisse pas au premier venu, c'est trop de responsabilité ! Et les laisser y aller tout seuls, ce n'est pas une solution non plus ! C'est comme si
70   vous donniez à vos clients des télescopes en pièces détachées !

Là, il a compris. Et Guzmán et moi, on est en camion, en route pour le village. Et par chance, moi, je suis dans le camion des infirmières. [*nurse*] […] Elles travaillent au Service national de la santé et viennent pour soigner les blessés. Le journal dit qu'il y en a, et beaucoup. […]

75   On a jasé de mon travail et aussi du voyage parce que j'ai vu un homme avec un grand manteau noir et un chat noir. Je crois à ces choses-là, moi. Et on l'a revu dans le coin de Tongoy[7] et le voir deux fois dans la même journée, ça m'a fait froid dans le dos. […]

On était en pleine cordillère[8], on approchait du village. Ce n'était pas
80   possible ! Il n'y avait rien. Pas d'inondation. Rien. Rien du tout. Personne. On a fini par dénicher un vieux qui nous a dit que tout le monde était aux champs jusqu'au coucher du soleil. On est tous descendus. C'était un drôle d'endroit : il n'y avait pas de place publique, pas d'arbres, juste une espèce d'épicerie sur un coin et la rue principale. […] Le soir, quand les gens sont arrivés, ils nous ont
85   regardés curieusement. Le vieux s'est mis à jouer de la trompette et, le choc, ç'a été de voir encore l'homme au grand manteau noir se promener dans le village avec le chat sur les épaules et un violon sous le bras. Une vraie histoire d'ensorcelés que je me disais.

On a commencé par un discours sur les inondations et les catastrophes au
90   Chili. Je l'avais préparé et, même s'il n'y avait rien, il fallait bien le dire. Soupçonneux, les paysans écoutaient. Le pire, ç'a été le cinéma. Quant à moi, c'était un bon film mais eux, ils se sauvaient avec leurs enfants qui pleuraient. Le ballet a débuté pour les calmer. Les gens nous ont préparé des petits lamas

inondation flood

paysans offer him a llama.

---

7 sur la côte ouest
8 importante chaîne de montagnes de l'Amérique du Sud

Un lama

wants to take lama to a zoo.
↳ *needs official*

braisés à s'en lécher les doigts ! Nous avons distribué les couvertures, les aliments,
95 les vêtements. Le propriétaire de l'épicerie s'est fâché. Il disait qu'on allait le
ruiner. Mais les paysans étaient si contents ! Je ne sais pas d'où ils sortaient. Il en
arrivait toujours... De la montagne, je suppose. [...] Un groupe de paysans m'a
approché pour offrir un cadeau de remerciement au ministre. Hé, oui ! Vrai de
vrai, Guzmán ! Rien de moins qu'un lama. Un lama au bout d'une corde.
100 Comme un chien. [...]

    Ils en ont fait une tête[9] quand je suis arrivé au Ministère, mardi ! monsieur
Julián... Il s'est fâché parce que j'ai amené le lama au bureau. [...] Le grand
patron m'a convoqué.

    — Écoute, un animal au bureau, c'est trop !

105   — Je ne peux tout de même pas l'amener à la pension, monsieur ! que je lui
ai répondu.

    Je suis allé au zoo avec l'idée de leur donner le lama. Ils en voulaient mais ils
m'ont dit qu'il fallait « un acte de donation » du propriétaire.

    Bon, je suis retourné au bureau, j'ai expliqué le problème au grand patron
110 qui m'a écrit la lettre de donation. [...] Et puis, ils sont venus me sommer. C'est
pas croyable ! Une sommation du Contrôleur de la République, c'était la
première fois que j'entendais ça, une sommation... c'était « grave, très très
grave ». J'étais en train de donner une propriété du ministre non enregistrée à
l'inventaire. Ce n'était toujours pas de ma faute !

---

[9] Leur expression montrait leur surprise.

115   Je ne vais plus dîner au *Pescado Frito* avec Guzmán. On a beau essayer de
faire quelque chose pour son pays… Ils disent que j'ai encore maigri. Je ne dîne
plus ; ça fait dix jours que je suis revenu avec le lama. Le bureau est tout sale.
J'essaie de le nettoyer mais il faut bien qu'il crache, le pauvre petit…

Tu vas être au zoo bientôt, que je lui dis doucement…

120   J'y suis allé, ils m'avaient dit que j'étais cité à comparaître à la section
« Mesures disciplinaires de la République ». Il fallait que je demande Monsieur
Cyrillo. Je me demande pourquoi j'y suis allé. Car ce n'était pas vrai. C'était une
plaisanterie. Il n'y avait pas de charges contre moi. Je suis rentré au bureau vers
deux heures et il n'y avait plus personne. J'ai entendu du bruit, de la musique

125   dans la salle de réception. Je suis allé jeter un coup d'œil. Ils en ont ri un coup[10]
quand je suis entré. Ils mangeaient le lama. […]
— Ils me haïssent à cause de l'horloge. Ils vont toujours me haïr. Je suis rentré
chez moi et j'ai rencontré Pepe Lazo. Ça faisait des années que je ne l'avais pas
vu. Il est du Sud, de Chillán, comme moi. Il m'a proposé de me lancer en

130   affaires avec lui. Des petits sapins de Noël en plastique. On a pris un café, et
puis on est allé chez lui. Les petits arbres étaient sur son lit. Et faciles à faire ! Il
n'y a qu'à enrouler les rubans de plastique autour des bâtons, c'est tout. Ça vaut
la peine…

Maintenant, je fais la même chose que monsieur Julián. Je poinçonne et je

135   me mets tout de suite à l'ouvrage. C'est de l'argent en surplus. Je me suis acheté
un nouveau complet. La vie est tellement chère ces temps-ci. […]

On raconte tellement de choses de ce temps-là. Qu'il y a des prisonniers…
Des fonctionnaires qui ont disparu… Des tortures … Moi, je ne parle plus à
personne. Juste aux clients qui me téléphonent. […] Le lama ? Aider les gens ? Je

140   ne lis même plus le journal. Je m'arrange bien à l'aise dans ma chaise[11]… Oui, je
m'arrange… Je passe mes journées à faire des petits sapins en plastique pour les
vendre en décembre.

Marilú Mallet, « Les Compagnons de l'horloge-pointeuse », *Les Compagnons de l'horloge-
pointeuse*, Montréal, Québec/Amérique, 1981, p. 9-18.

---

[10] Ils ont beaucoup ri (familier)
[11] On dit généralement **sur** une chaise.

Expressions à retenir

manquer à (l'imagination manque à cet auteur / le temps me manque) (l. 6)
en entier (l. 20)
regarder de travers (l. 43)
être en retard (l. 46-47)
un congé de maladie (l. 67)
les pièces détachées (l. 70)
ça fait froid dans le dos (l. 77-78)
le coucher de soleil (l. 82)
se lécher les doigts (l. 94)
se fâcher (l. 95)
jeter un coup d'œil (l. 125)
ça vaut la peine (valoir la peine) (l. 132-133)

COMPRÉHENSION

il a de pouvoir
il est marié
n'arrête pas de travailler

1. Pourquoi le narrateur admire-t-il monsieur Julián ?

Ranges ces choses! Va les mettre ailleurs! Vous ne prenniez pas trouver un autre lieu pour ces provisions.

2. Dans plusieurs cas, le narrateur répond à un commentaire qu'il nous laisse deviner. Inventez le commentaire auquel répondent les phrases suivantes :
   a) « Qu'est-ce que vous voulez que j'y fasse, monsieur Julián ? » (l. 48)
   b) « Eh bien, si vous ne me donnez pas l'autorisation d'y aller, monsieur Julián, je prends mes six jours de congé de maladie. » (l. 66-67) *Je ne sais pas si je peux me passer.*
3. Pourquoi y a-t-il tant de paysans qui arrivent au village ?
4. De quoi vivent les gens du village ? 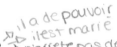 *agriculture*
5. Qu'est-ce qui montre que le narrateur s'est attaché au lama ? *sees it as a dog, domestic animal.*
6. Pourquoi les collègues du narrateur ne l'aiment-ils pas ? *his job is to find out who is late. (126)*

INTERPRÉTATION

1. Relevez des exemples de couleur locale dans la nouvelle.
2. Relevez trois remarques qui font ressortir la monotonie de la vie du narrateur.
3. Pourquoi le narrateur se consacre-t-il avec autant d'enthousiasme à la collecte ?
4. Expliquez ce que signifie la rencontre de l'homme au manteau noir. Y a-t-il, dans le texte, une autre allusion qu'on pourrait associer à cette rencontre ?
5. Qu'y a-t-il d'ironique dans le fait qu'on serve aux bienfaiteurs de petits lamas braisés ?
6. Quelle transformation s'est opérée chez le narrateur ? Qu'est-ce qui explique cette transformation ?
7. Lequel des adjectifs ci-dessous décrit le mieux le style de ce passage : éloquent, poétique, soigné, simple, familier ? Trouvez-vous que ce style convienne ici ? Pour quelles raisons ?

MAÎTRISONS LA LANGUE

A

1. « Ça fait dix ans qu'on y est. »
   Exprimez cette phrase de trois autres façons en utilisant **depuis, il y a, voilà.**

2. Relevez, dans le texte, des mots de la même famille que : a) ennui ; b) faire ;
   c) don ; d) changer ; e) ranger.

3. Remplacez les expressions suivantes par des expressions équivalentes dans le
   contexte :
   a) je n'ai pas envie (l. 6-7) ;
   b) mon chef (l. 8) ;
   c) en entier (l. 20) ;
   d) la solidarité (l. 50) ;
   e) des souliers (l. 63) ;
   f) Quant à moi (l. 91) ;
   g) a débuté (l. 93) ;
   h) on a beau essayer (l. 125) ;
   i) une plaisanterie (l. 133) ;
   j) à l'aise (l. 150).

B

1. Faites trois phrases qui illustrent la différence entre : a) l'horloge ; b) la pendule ;
   c) la montre.

2. « coup d'œil » (l. 135). Donnez cinq autres expressions formées à l'aide du mot
   coup. Utilisez chacune dans une phrase qui en démontre clairement le sens.

3. « tellement chère » (l. 146) ; « tellement de choses » (l. 147).
   Faites deux phrases de votre cru qui illustrent ces deux emplois de **tellement.**

4. Il est souvent question de l'heure dans ce passage — pour une bonne raison.
   Voici quelques expressions avec le nom **heure.** Utilisez chacune d'elles dans une
   phrase qui en illustre le sens. Servez-vous du dictionnaire s'il y a lieu.
   a) tout à l'heure ;
   b) de bonne heure ;
   c) à la bonne heure ;
   d) l'heure d'affluence, de pointe ;
   e) heures creuses.

GRAMMAIRE

LES PRONOMS PERSONNELS

Un pronom est un mot qui remplace un nom ; il a donc le même genre et le même
nombre que le nom qu'il remplace.

Tableau des pronoms personnels

personnes	sujets	objets directs	objets indirects	réfléchis	toniques
1re singulier	je / j'	me / m'	me / m'	me / m'	moi
2e singulier	tu	te / t'	te / t'	te / t'	toi
3e singulier	il / elle	le / la / l'	lui	se / s'	lui / elle / soi
1re pluriel	nous	nous	nous	nous	nous
2e pluriel	vous	vous	vous	vous	vous
3e pluriel	ils / elles	les	leur	se / s'	eux / elles

Les pronoms sujets

Le pronom sujet est normalement placé devant le verbe. Cependant, l'inversion (verbe-sujet) est obligatoire dans les situations suivantes :

a) dans une interrogation quand on m'emploie pas **est-ce que** ;
Comprenez-vous, monsieur Julián ?

b) avec les verbes de déclaration quand ils sont placés au milieu ou à la fin d'une phrase citée en discours direct.
« Il faut avouer, **dit-il,** que tu as bien fait de laisser tomber l'horloge. »

Les pronoms objets directs ou indirects

1. Le pronom personnel, objet direct ou indirect, précède immédiatement le verbe. On utilise la forme atone, c'est-à-dire qui n'est pas accentuée.

Je regarde monsieur Julián. — Je **le** regarde. **(objet direct)**
On ne paie jamais les heures supplémentaires. — On ne **les** paie jamais. **(objet direct)**
Je montre aux collègues que je suis quelqu'un. — Je **leur** montre que je suis quelqu'un. **(objet indirect)**
J'ai donné le journal à Guzmán. — Je **le lui** ai donné **(objet direct + objet indirect)**

Remarque

Aux temps composés, le participe passé s'accorde avec le complément d'objet direct qui précède le verbe (voir chapitre 2).

J'ai retiré les cartes et j'ai calculé les minutes de retard.
Je **les** ai retir**ées** et je **les** ai calcul**ées.**

---

2. Devant une voyelle ou un **h** muet, **me, te, le, la, se** deviennent **m', t', l', l', s'.**

Je **l'**avais préparé.
Je **m'**arrange sur ma chaise.

3. Le pronom **le** peut remplacer un adjectif, masculin ou féminin, ou une proposition.

> Semblent-elles fatiguées ? — Elles **le** semblent.
> Aider les gens ? — Il ne **le** veut pas.
> Je suis gros et ennuyeux, je **le** sais bien.

Ordre des pronoms

me (m') te (t') se (s') nous vous	devant	le (l') la (l') les	devant	lui leur	devant	le verbe

Les pronoms toniques

On emploie la forme tonique du pronom personnel dans les cas suivants :

1. Pour renforcer le pronom sujet ou objet.

> Et **moi,** je pense que j'ai parlé trop vite.
> **Eux,** ils me haïssent et **moi,** je les hais, **eux.**

2. Quand le pronom sujet ou objet est employé sans verbe.

> Qui a fait la collecte ? — **Moi.**   Qui avez-vous vu ? — **Eux.**

3. Après **que** dans une comparaison. (Il s'agit ici d'un pronom sujet employé sans verbe.)

> Monsieur Julián est plus calme que **toi.**

4. Quand le verbe a plusieurs sujets ou objets.

> Guzmán et **moi,** on est en camion.   J'ai vu monsieur Julián et **elle.**

5. Après une préposition.

> On est allé chez **lui.**
> C'est pour **moi** que je travaille.

6. Après **c'est, ce sont.**

> C'est **moi** qui réponds au téléphone.
> Ce sont **elles** qui aident monsieur Julián.

7. Devant **même** auquel il est relié par un trait d'union.

> Il va **lui-même** au village.

APPLICATION

1. Remplacez les expressions soulignées par le pronom qui convient. Faites l'accord du participe, s'il y a lieu.

a) Je calcule <u>les heures de retard</u>. *Je les calcules*

b) Ce n'est pas <u>monsieur Julián</u> qui répond au téléphone. *Ce n'est pas lui qui...*

c) Est-il maigre ? — Il est <u>maigre</u>. *Il l'est*

d) Nous ne lisons pas <u>le journal</u> en entier. *Nous ne le lisons.*

e) Il a apporté <u>les journaux</u> à Azucenas. *Il les lui a apportés*

f) Il s'est cassé <u>la jambe</u>. *Il se l'est cassée*

g) Je voulais annoncer <u>la nouvelle</u> <u>aux collègues</u>. *Je voulais la leur annoncer*

h) <u>Mes amis</u> et moi essayons de trouver <u>le village</u>. *Eux et moi essayons de le trouver*

i) <u>Guzmán et la secrétaire</u> organisent des réunions. *Ils organisent des réunions*

j) Je crois <u>qu'il va demander de l'aide</u>. *Je le crois*

k) Je n'ai pas pris <u>mes jours de congé</u>. *Je ne les ai pas pris*

l) Ça a fait froid dans le dos <u>à Azucenas</u>. *Ça lui a fait froid dans le dos.*

m) Il s'est dit <u>qu'on le haïssait</u>. *Il se l'est dit*

n) Il va se lancer en affaires avec <u>Lazo</u>. *... avec lui*

o) Pour <u>les paysans</u>, ce n'était pas un bon film. *Pour eux, ce n'était...*

2. Répondez aux questions en remplaçant les expressions soulignées par le pronom personnel qui convient. Respectez le sens de la nouvelle et faites accorder le participe, s'il y a lieu.

a) Azucenas lit-il <u>le journal</u> en entier ? *Oui, il le lit.*

b) Est-ce que c'est <u>monsieur Julián</u> qui répond généralement au téléphone ? *Oui, c'est lui*

c) Une latte du parquet est-elle <u>décollée</u> ? *Oui, elle l'est*

Oui, Azucenas voulait le leur montrer ← d) Ont-ils regardé <u>la carte</u> avec <u>leurs collègues</u> ? *Oui, ils l'ont regardée avec eux*

e) Est-ce qu'Azucenas voulait montrer <u>à ses collègues</u> <u>qu'il était quelqu'un</u> ?

f) Est-ce qu'il a organisé <u>la collecte</u> ? *Oui, il l'a organisée*

g) Est-il allé au ministère des Affaires culturelles avec <u>Guzmán</u> ? *... avec lui*

h) Est-ce que monsieur Julián a donné <u>à Azucenas</u> <u>l'autorisation d'aller au village</u> ? *Oui, M. Julián la lui a donnée*

i) Est-ce que les sapins en plastique sont <u>difficiles à faire</u> ? *Oui, les sapins le sont*

j) Est-ce qu'Azucenas fait la même chose que <u>monsieur Julián</u> maintenant ? *Oui, Azucenas fait la même chose que lui.*

3. Indiquez ce que le pronom **le** (ou **l'**) représente dans les phrases suivantes.

a) A-t-il lu le <u>journal</u> ? — Oui, il l'a lu.

b) Je suis <u>ennuyeux</u> : je le sais bien.

c) Le chef est-il <u>affairé</u> ? — Oui, il l'est.

d) Monsieur Julián vous le dit : vous <u>n'irez pas au village</u>.

e) Quelqu'un m'a dit de <u>demander de l'aide à un autre ministère</u>. Je l'ai fait.

f) La collecte va se <u>terminer un vendredi 13</u>. Pas parce qu'on le veut.

g) Je suis revenu avec le <u>lama</u>. J'essaie de le donner au zoo.

h) <u>Lazo</u> ! Ça fait des années que je ne l'avais pas vu.

i) Il admire <u>monsieur Julián</u>. Il le regarde des heures durant.

j) Ils <u>se sont moqués de lui</u>. Il le sait maintenant.

Les pronoms *y* et *en*

Y

1. **Y** s'emploie comme objet indirect pour remplacer un nom de chose précédé de **à.** On ne l'emploie pas pour les personnes.

   > Cette inondation, pensez-**y**. (à l'inondation)
   > As-tu répondu à la lettre ? — Oui, j'**y** ai répondu. (à la lettre)
   > **Mais :** As-tu répondu à Guzmán ? — Oui, je **lui** ai répondu. (à Guzmán)

2. **Y** remplace une idée lorsque le verbe dont il dépend est normalement suivi de **à + nom** ou **pronom.**

   > Il bouge le pied sur la latte décollée sans **y** penser. (sans penser qu'il bouge le pied)
   > Avez-vous remarqué que le lama crachait ? — Non, je n'**y** ai pas fait attention. (au fait que le lama crachait)

3. **Y** est un adverbe pronominal qui indique le lieu ou la direction. Il remplace une **préposition** (autre que **de**) + **nom de lieu.**

   > Dans l'édifice central ? — Ça fait dix ans qu'on **y** est.
   > Je pars pour le village, mais je n'ai pas l'autorisation d'**y** aller.

Remarque 1

Devant le futur et le conditionnel du verbe **aller,** on omet le **y** par euphonie (pour le son).

> Irez-vous au village ? — Oui, j'irai.

EN

1. **En** s'emploie pour remplacer **du, de la, des, de l' (articles partitifs** ou **indéfinis) + nom de chose.**

   > Ont-ils donné de la nourriture ? — Oui, ils **en** ont donné.
   > Va-t-il demander de l'aide ? — Oui, il va **en** demander.

2. **En** remplace la préposition **de + nom de chose.** Pour les personnes, on conserve **de** suivi du pronom tonique.

   > Vous a-t-elle parlé de l'inondation ? — Oui, elle nous **en** a parlé.
   > Vous a-t-elle parlé de Guzmán ? Oui, elle nous a parlé **de lui.**

Remarque 2

Lorsque **de + nom de personne** a un sens indéfini, on utilise **en.**

A-t-il besoin de clients ? — Oui, il **en** a besoin.
Ont-ils vu des paysans ? — Non, ils n'**en** ont pas vu.

3. **En** s'emploie avec les expressions de quantité qui ne sont pas suivies d'un nom.

Y a-t-il des blessés ? — Le journal dit qu'il y **en** a beaucoup.
J'achète un journal, Guzmán **en** achète un autre.

4. **En** remplace une idée lorsque le verbe dont il dépend est normalement suivi de **de.**

Je suis ennuyeux ; je m'**en** rends compte. (du fait que je suis ennuyeux)
Ils n'ont rien à manger, j'**en** suis sûr. (du fait qu'ils n'ont rien à manger)

5. **En**, adverbe pronominal, remplace **de + nom de lieu.**

Le village ? Il **en** vient. (du village)
Arrivent-ils du restaurant ? — Oui, ils **en** arrivent à l'instant. (du restaurant)

Remarque 3

En est toujours le dernier des pronoms. Il suit **y.**

Donnez-**lui-en.**
Il **y en** a deux.

Remarque 4

En n'étant pas un objet direct, le participe passé qui le suit reste invariable.

Ont-ils mangé des lamas braisés ? — Oui, ils **en** ont mangé.
Est-ce qu'il y a eu des inondations ? — Non, il n'y **en** a pas eu.

Remarque 5

Les pronoms **y** et **en** sont toujours placés après les pronoms objets directs et indirects.

Il **les y** a apportés.
Elle ne **lui en** a pas donné.

Ordre des pronoms personnels—Tableau récapitulatif

me (m') te (t') se (s') nous vous	devant	le (l') la (l') les	devant	lui leur	devant	y	devant	en	devant le verbe

APPLICATION

1. Remplacez l'expression soulignée par **y** ou **en,** selon le cas.

   a) Il arrivait toujours <u>des paysans</u>.
   b) Il arrivait toujours des paysans <u>des montagnes</u>.
   c) Ils ne voulaient pas <u>du lama.</u>
   d) Il va tous les jours <u>au bureau</u>.
   e) Je ne peux pas amener le lama <u>à la pension</u>.
   f) Monsieur Julián n'a pas pensé <u>à aider les victimes</u>.
   g) Il n'a pas donné l'autorisation <u>de partir</u> aux infirmières.
   h) Elles ont apporté <u>des dons</u> <u>au village</u>.
   i) Ils ont vu <u>de bons films</u>.
   j) Il ne se rend pas compte <u>qu'il y a beaucoup de blessés</u>.

2. Remplacez l'expression soulignée par le pronom personnel qui convient.

   a) Il a amené un <u>lama</u> <u>au bureau</u>.
   b) Il fallait <u>des vêtements</u> <u>aux victimes</u>.
   c) On demandait une <u>lettre de donation</u> <u>à Azucenas</u>.
   d) Le propriétaire de l'épicerie n'était pas content <u>de voir distribuer les aliments</u>.
   e) Avez-vous pensé <u>à vous acheter un nouveau complet</u> ?
   f) Quand il entre <u>au bureau</u>, il se met tout de suite <u>à l'ouvrage</u>.
   g) On va aller porter <u>les dons</u> <u>au village</u>.
   h) Je suis allé demander <u>de l'aide</u> <u>à un autre ministère</u>.
   i) J'ai appris une autre <u>nouvelle surprenante</u>.
   j) J'ai parlé de <u>l'infirmière</u> <u>à Guzmán</u>.

Les pronoms après l'impératif
Ordre des pronoms

le la les l'	devant	moi (m') toi (t') lui nous vous leur	devant	y	devant	en

Après un impératif affirmatif :

1. La forme tonique du pronom est utilisée à la première (**je**) et à la deuxième personnes (**tu**) du singulier.

> Comprenez-**moi,** monsieur Julián.
> Aide-**toi,** le Ciel t'aidera.

Remarque 1

Devant les pronoms **y** et **en,** les verbes de la première conjugaison (**-er**) conservent le **s** (prononcé **z**) de la terminaison de la deuxième personne du singulier.

> Vas-y. Donne**s**-en à Pierre.
> **Mais :** Donne-lui-en.

Remarque 2

Les pronoms toniques **moi, toi** deviennent **m', t',** devant le pronom **en.**

> Donne-**m'en** (des nouvelles). Va-**t'en.** Sers-**t'en.**

---

2. Le pronom objet direct précède le pronom objet indirect.

> Donnez-**la-nous.**
> Expliquez-**le-lui.**

3. Le pronom qui suit le verbe est toujours lié à ce verbe par un trait d'union. Voir les exemples ci-dessus.

Après un impératif négatif, le pronom suit la règle générale.

> **Ne nous la donnez pas.**
> **Ne le leur expliquez pas.**

APPLICATION

1. Donnez à vos voisin(e)s les ordres suivants :

   a) de se lever ; *Lèvez-vous!*

   b) de ne pas se balancer ; *Ne vous balancez pas*

   c) de s'asseoir ; *Asseyiez-vous*

   d) de se mettre à l'ouvrage ; *Mettez-vous*

   e) de s'en aller ; *Allez vous en*

   f) de ne pas se fâcher ; *Ne vous fâchez pas*

   g) de se coucher tôt ; *Couchez vous tôt*

   h) de se faire une omelette. *Faites-vous*

2. Faites l'exercice ci-dessus en vous adressant à un(e) ami(e).

3. Mettez les phrases à l'affirmatif.

   a) Ne te lève pas. *Lève-toi*

   b) Ne les aidons pas.

   c) Ne les leur distribuez pas.

   d) Cette nouvelle ! Ne la leur téléphone pas.

   e) Ne les leur donnons pas.

   f) Ne te mets pas à l'ouvrage tout de suite.

   g) Ne nous les préparez pas.

   h) Ne me l'écris pas.

   i) Ne nous la dites pas.

   j) Ne le fais pas toi-même.

4. Remplacez l'expression soulignée par le pronom qui convient.

   a) Ne bouge pas la jambe.

   b) Amène le lama au zoo.

   c) Apportons les outils pour le patron aujourd'hui.

   d) Demandez la réponse aux collègues par l'interphone.

   e) N'écris pas la lettre à Guzmán.

   f) Attention ! Ne te casse pas la jambe.

   g) Ne m'apprenez pas la nouvelle.

   h) Termine les arbres en plastique pour Noël.

   i) N'explique pas le problème aux collègues.

   j) Réponds immédiatement aux clients qui téléphonent.

5. Remplacez les mots soulignés par les pronoms qui conviennent. Faites les accords voulus.

   a) Elle paraît ennuyeuse.

   b) Savez-vous s'il a fait la collecte ?

   c) Notre travail, à moi et au chef, c'est l'horloge-pointeuse.

   d) Le chef et moi, nous nous occupons de nos affaires.

   e) Le téléphone sonne toujours pour mes collègues.

   f) Quand il lit le journal, est-ce qu'il saute toujours les décès ?

g) A-t-il organisé <u>la collecte</u> pour <u>les victimes de l'inondation</u> ?

h) On ne voulait pas <u>que la collecte se termine un vendredi 13</u>.

i) Comprenez <u>que c'est une responsabilité</u>.

j) J'ai vu <u>la femme</u> se promener avec <u>son chat</u>.

k) N'avez-vous pas rencontré <u>Pepe Lazo</u> ?

l) Il trouve <u>les arbres en plastique</u> faciles à faire.

DEVOIRS ÉCRITS / TRAVAIL ORAL

A. COMPOSITION GUIDÉE

Vous êtes journaliste. Faites le reportage d'un accident ou d'une catastrophe dont vous avez été témoin.

1. De quel accident ou de quelle catastrophe s'agit-il ?

2. Où a-t-il/elle eu lieu ?

3. À quel moment ? (la date, le jour, l'heure)

4. Décrivez l'accident / la catastrophe.

5. Y a-t-il eu des victimes ?

6. Quelle a été la cause de l'accident ?

7. Décrivez les conséquences de cet événement.

B. COMPOSITION LIBRE / TRAVAIL ORAL

1. Vous interrogez les survivants d'une inondation. Imaginez une dizaine de questions et les réponses à ces questions.

2. La journée d'un fonctionnaire chilien selon Marilú Mallet.

3. Vous vous documenterez sur l'histoire du Chili ces vingt dernières années et vous en parlerez à la classe.

DIALOGUES

1. Un animateur/Une animatrice questionne ses camarades sur les superstitions qu'ils/elles ont rencontrées dans leur entourage.

Quelques expressions utiles

le chiffre 13	number 13
le sorcier, la sorcière	seer, witch
le manche à balai	broomstick

le revenant, le fantôme	ghost, phantom
croire aux revenants	to believe in ghosts
une diseuse de bonne aventure	a fortune teller
une cartomancienne	a fortune teller (with cards)
un porte-bonheur	a lucky charm
un trèfle à quatre feuilles	a four leaf clover
un fer à cheval	a horseshoe

2. Un(e) végétarien(ne) et un(e) mangeur (mangeuse) de viande discutent des mérites de leurs régimes respectifs.

Quelques expressions utiles

la cruauté envers les animaux	cruelty to animals
les droits des animaux	animal rights
la maladie de la vache folle	mad cow disease
la fièvre aphteuse	foot and mouth disease
le bétail	cattle
frais, fraîche	fresh
un régime sain	a healthy diet
un régime équilibré	a balanced diet
faire grossir	to be fattening
des matières grasses	fat
faible en gras	low in fat
bon pour la santé	good for one's health

UNE POINTE D'HUMOUR

Le lama, trop lointain sans doute, n'a pas inspiré d'images en français ; mais d'autres animaux ont fourni à la langue des locutions familières. Voici quelques-unes de ces pittoresques expressions.

être connu comme le loup blanc	être très connu
entre chien et loup	à la tombée de la nuit
un temps de chien	un très mauvais temps
un temps à ne pas mettre un chien dehors	un très mauvais temps
s'entendre comme chien et chat	ne pas s'entendre du tout
donner sa langue au chat	renoncer à trouver la réponse à une devinette
il n'y a pas un chat	il n'y a personne
ménager la chèvre et le chou	essayer de plaire à tous
poser un lapin	ne pas venir à un rendez-vous
avaler des couleuvres	subir des affronts sans protester

Chapitre 9

Les Antilles
La Martinique

Aspects grammaticaux étudiés :

- L'interrogation
- Les mots interrogatifs invariables
    - Les adverbes
    - Les pronoms
- Les mots interrogatifs variables
    - Les adjectifs
    - Les pronoms

Système politique : Département français
Population : 411 000
Chef-lieu : Fort-de-France
Langue officielle : Français
Monnaie : Euro (le franc jusqu' à janvier 2002)

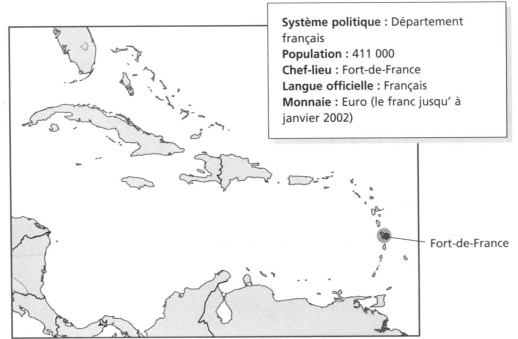

Fort-de-France

Découverte par Christophe Colomb en 1502, la Martinique est colonisée au XVIIᵉ siècle par la France qui utilise une main-d'œuvre d'esclaves africains. En 1946, l'île devient un Département français d'outre-mer. La population de la Martinique est composée, en grande partie, de mulâtres. Joséphine de Beauharnais, épouse de Napoléon Iᵉʳ, était née à la Martinique.

Joseph Zobel est né à Rivière-Salée, dans le sud de la Martinique, en 1915. Son roman autobiographique, *La Rue Cases-Nègres* (1950), a été porté au cinéma en 1983. Il a vécu pendant plus de vingt ans au Sénégal, en Afrique, occupant divers postes administratifs dans le domaine de l'enseignement.

La nouvelle «Mapiam» dont le titre signifie *plaie*, est tirée du recueil de nouvelles : *Laghia¹ de la mort* (1946).

PRÉ-LECTURE

Nous, qui mangeons à notre faim et qui portons des vêtements dont nous n'avons pas honte, sommes privilégiés. Les trois quarts des êtres qui peuplent notre planète n'ont pas notre chance. Il y a des jeunes qui n'ont pas la possibilité d'étudier et d'autres qui vont en classe mal vêtus et l'estomac vide.

Que pouvons-nous faire pour venir en aide aux enfants pauvres dans notre pays et ailleurs ?

Mapiam : les pieds nus

Casimir Mbafo de son vrai nom. [...]

Mapiam, c'est à cause de deux pansements, l'un à la cheville, l'autre au cou-de-pied², et qui trahissent apparemment de³ ces plaies ulcéreuses imputables au mauvais sort, et qui ne suscitent que dégoût et mépris. Pourtant Casimir est un
5 des meilleurs élèves de sa classe et, de surcroît⁴, un garçon bien tranquille. Oui, mais il est [...] laid. [...] D'une telle laideur, [...] qu'il semble même avoir été privé en naissant de l'expression de toute joie.

À neuf ans, sous le coup des appellations malveillantes et des quolibets, cet enfant s'est retranché dans une méfiance toujours en éveil⁵ sous une inébranlable
10 placidité.

Rares sont les fois où il s'abandonne à l'entraînement d'un jeu. Aussi, ses joies les plus vraies lui viennent-elles de tout ce qu'il découvre dans ses livres

---

¹ mot martiniquais signifiant danse
² partie supérieure du pied
³ qui révèlent probablement
⁴ de plus
⁵ se méfie constamment de tous, n'a confiance en personne

Un champ de cannes à sucre

[…]. Et sa revanche et son bonheur sont d'être presque invariablement le premier de sa classe.

15   Ce que les autres ne lui pardonnent guère.

    Et c'est qu'il est robuste, en plus !

    Des moqueries, tant qu'on voudra, mais personne n'oserait même esquisser une menace <u>à son endroit</u>[6] dans une dispute. Certes, on a essayé par d'autres moyens d'amoindrir ses mérites, le déprécier, lui rendre la vie pesante et amère.

20   C'est ainsi que certains ont fait remarquer que Mbafo n'a que deux vieux petits costumes de drill[7], qu'il porte alternativement, une semaine sur deux, et qui commencent l'un et l'autre à craquer sur ses épaules qui s'épaississent de jour en jour. […]

    Et quant à ses souliers !…

    […]

25   Des souliers qui <u>n'ont pas d'âge</u>, et dont personne ne saurait affirmer qu'ils ont été étrennés par Casimir. Le plus touchant, c'est que malgré tout le soin qu'en prend Casimir, les souliers se soient usés à ce point. Au début, la maman de Casimir payait les petites réparations chez le cordonnier […]. Mais comme le cordonnier gardait les souliers trop longtemps et lui faisait manquer parfois

30   l'école, Casimir se mit à faire lui-même les petites réparations. Et il s'y employait

---

[6] envers lui
[7] genre de tissu solide

avec une ingéniosité certaine, puisque pour en finir avec les lacets qui cassaient chaque matin et auxquels il fallait toujours faire des nœuds [...], il eut un jour la bonne fortune de trouver un bout de fil électrique souple dont il fit une paire de lacets inusables. [...]

35　L'année dernière, Léonie, sa maman, s'était dit : « À la récolte prochaine, j'achète une paire de souliers pour Casimir. De toutes manières[8] ! »

Cette année, elle y[9] est revenue, et plus d'une fois déjà elle en a fait part à Popo, son homme — qui n'est pas le père de Casimir. Elle eût[10] aimé que Popo lui dît : « Il le faut ! » Cela lui aurait donné du courage, à elle. Mais Popo, chaque
40　fois, doute si l'on pourra mettre l'argent de côté, si le cordonnier acceptera de faire crédit. Popo, c'est le nègre dont on dit qu'il ne sait ni couper ni hacher[11]...

Un jour Léonie a demandé au directeur de l'école qui l'avait fait venir pour lui dire de veiller à ce que Mbafo ne manque jamais la classe : « Est-ce qu'il arrivera au certificat d'études[12], Monsieur le Directeur ? »

45　Le directeur avait répondu, non sans conviction :

— Et bien plus loin, peut-être ! À condition qu'il ne manque pas.

Cette parole était entrée en elle, s'était mélangée avec tout son sang ; elle ne pouvait plus l'oublier, elle l'avait constamment dans son corps, dans sa tête, dans son cœur, dans ses boyaux.

50　On sait que Casimir ne rentre pas chez sa maman le midi, parce qu'elle habite trop loin. Si loin, qu'il lui faut partir pour l'école dès avant le lever du soleil – et après avoir été ramasser du bois mort et donné à manger au cochon.

Desrivails[13]. Et c'est si loin que, comme il n'arrive le soir que juste à l'heure d'aller puiser deux calebasses d'eau à la source et mettre le manger-cochon[14] au
55　feu, il aime mieux parfois apprendre ses leçons sur le bord des « traces »[15] qui coupent les champs de canne à sucre.

Quand il fait beau, Casimir déjeune dans un petit bois, à l'entrée du village. Déjeune de quoi ? De farine de manioc humectée d'un peu d'eau, d'un fragment de morue desséchée et rôtie. De plus, à la bonne saison, il n'a qu'à lancer une ou
60　deux pierres à l'arbre, dans le bois ou à la lisière d'un champ, pour faire choir une abondance de mangues ou de prunes de Cythère[16], lesquelles, mieux qu'un dessert, le remplissent jusqu'à lui tendre la peau du ventre comme un tambour bien accordé.

D'ailleurs, Casimir n'a-t-il pas toujours des fruits qui mûrissent, juteux et
65　parfumés, au milieu d'un champ de canne, bien cachés dans la paille ?

Ensuite, pour faire la sieste, Casimir grimpe à un arbre, se cale dans une branche fourchue et peut, à son gré, jouir de la brise qui semble le porter dans l'espace, ou dormir comme un félin jusqu'à l'appel de la cloche de l'école.

---

[8] C'est certain !
[9] à la question des souliers
[10] aurait
[11] ne sait rien faire
[12] diplôme qu'on obtient à la fin des études élémentaires
[13] l'endroit où habite Casimir
[14] le manger pour le cochon
[15] sentiers dans les champs de cannes
[16] prunes juteuses de la grosseur d'un œuf

Et quand il pleut ? Eh bien, quand il pleut, Casimir reste dans la cour de
l'école, sous la véranda. Ainsi, il a tout le temps de revoir sa leçon de grammaire
ou d'histoire pour l'après-midi. Et de faire quelques retouches à ses souliers. [...]

Mapiam…

On ne sait pas qui, le premier, a lancé le sobriquet ; en tout cas, depuis, il
n'y a plus que le maître qui dise Mbafo : les élèves, eux, l'appellent Mapiam.
Depuis une semaine qu'il s'est amené à l'école avec ses deux pieds nus sans
vergogne et largement galonnés de pansements affreux, l'un à la cheville et l'autre
au cou-de-pied. Deux pansements pareils à ceux qui recouvrent les ulcères qui
rendent certaines vieilles personnes plus dégoûtantes que pitoyables […].

Personne, par conséquent, n'a demandé à Casimir ce qui lui est arrivé aux
pieds. Le maître n'y a peut-être pas pensé. C'est que, un gosse de la campagne, ça
a toujours de ces bobos[17] mal soignés qui lui collent à la peau assez longtemps
parfois. Avait-il seulement remarqué que c'était par « Mapiam » que les élèves
interpellaient Mbafo maintenant ?

Et qu'est-ce qu'il aurait fait s'il avait entendu celui qui avait dit, presque à
haute voix, le samedi où le dernier classement avait été proclamé : « Cette classe
n'a pas de chance : avoir pour premier cette espèce de nègre marron[18] ? »
Casimir, lui, cela lui semble bien égal. Ce qui l'affecte réellement, c'est de ne pas
pouvoir courir comme il veut. […]

Et Casimir ne se doutait même pas par quelles épreuves il pourrait encore
passer, lorsqu'un matin, comme cela se produisait de loin en loin, visite de
l'assistance médicale. Une véritable révolution dans la journée. Les emplois du
temps abolis, à la joie secrète de ceux qui ne savent pas leur leçon. Devant
l'école, l'auto du médecin, irrésistible attraction. La cloche sonne comme à
l'accoutumée, mais toutes les classes n'entrent pas en même temps. Une table a
été placée dans le préau, avec une nappe blanche dessus ; et sur la nappe des
objets qui brillent comme s'ils n'avaient jamais servi. Le médecin, qui a des
lunettes, est derrière la table. Il a une blouse blanche. À côté de lui, l'infirmier,
en blouse blanche pareillement.

Le directeur appelle les classes une à une. [...]

Les élèves arrivent en bon ordre, les bras croisés pour être polis et plus
disciplinés. L'infirmier les détache un à un du rang. Le médecin dit : « Ouvre la
bouche… Tire la langue… Fais : ha ! » Il appuie sur la joue en la tirant vers le
bas pour voir l'envers des paupières. Il colle son oreille sur une serviette que
l'infirmier pose sur le dos, et puis sur la poitrine, et dit : « Tousse. »

Alors, quand ce fut le tour de Mbafo, il regarda les pieds et dit à l'infirmier
en montrant les pansements : « Défaites-moi ça ! »

Le maître dut user de sa grosse voix pour maintenir dans le rang les curieux
qui déjà se précipitaient pour ne pas manquer le spectacle des repoussants bobos
— pendant que l'infirmier, avec ses ciseaux et ses pinces, commençait à dénouer
le chiffon qui ligaturait la cheville.

---

[17] petites plaies (langage enfantin)
[18] expression antillaise : esclave qui s'est enfui

— Mais qu'est-ce que c'est que ça ! fait le médecin en regardant le maître, aussi perplexe que lui-même.

Pas une écorchure. Pas la moindre égratignure, non plus, à l'autre pied que l'infirmier a libéré encore plus vite de son pansement sale.

115　　Comme s'il y allait[19] de l'opinion que le médecin pût avoir de la classe, de toute l'école, le directeur dut le prier d'excuser ce qu'il considérait pour sa part comme un regrettable et burlesque incident.

Mais une aussi mauvaise plaisanterie ne pouvait pas rester impunie. Se moquer ainsi du monde !

120　　Une semaine de retenue ! Tous les soirs, une heure après la classe !

Il a fallu que la maman de Mbafo, Léonie, descende de Desrivails, toute fatiguée après son travail, pour aller trouver le maître d'école et savoir le motif de cette punition qui empêchait Casimir d'arriver avant la nuit pour aller puiser de l'eau et faire cuire les épluchures et les racines pour la nourriture du cochon.

125　　— Pourquoi as-tu fait ça ? Pourquoi ?

Il a fallu que le maître et Léonie, l'un et l'autre, le pressent de plus en plus de questions et de menaces pour que son mutisme éclate en sanglots et qu'il avoue lamentablement :

— C'est parce que je n'ai plus de souliers !

130　　Et les simulacres de pansements, c'était pour faire pardonner les pieds nus.

Joseph Zobel, « Mapiam », *Laghia la mort*, Paris, Présence Africaine, 1978, p. 101-111.

Expressions à retenir

à son endroit (l. 18) vers lui
quant à (l. 24) whereas, in relation to
faire part (de quelque chose à quelqu'un) (l. 37) invitation, informer
mettre de l'argent de côté (l. 40)
faire crédit (l. 41) obtenir
à condition que (l. 46)
le lever du soleil (l. 51-52)
faire la sieste (l. 66) se reposer
faire des retouches (l. 71) touch-ups, alterations
le sobriquet (l. 73) nickname
ça lui semble (est) bien égal (l. 87) différent
l'emploi du temps (l. 91-92) l'horraire, time table
une égratignure (l. 113) scratch
une écorchure (l. 113) scratch
éclater en sanglots (l. 127) sob

---

[19] s'il s'agissait, s'il était question

COMPRÉHENSION

1. Expliquez l'origine du sobriquet de Casimir.
2. Par quoi pensait-on que les plaies étaient causées ?
3. Pourquoi Mapiam s'est-il retranché dans la méfiance ?
4. Comment Mapiam se venge-t-il de ceux qui se moquent de lui ?
5. Pourquoi les costumes de Mapiam commencent-ils à craquer ?
6. Pourquoi a-t-il essayé de réparer ses chaussures lui-même ?
7. Que doit-il faire chaque jour avant son départ et à son retour de l'école ?
8. En quoi consiste le déjeuner de Mapiam ?
9. Comment l'infirmier a-t-il défait le pansement ?
10. Qu'est-ce que les élèves s'attendaient à voir quand on a défait les pansements ?

INTERPRÉTATION

1. Qu'est-ce qui montre que, d'abord, la mère de Casimir est tout à fait décidée à lui acheter des chaussures ? — Pourquoi change-t-elle d'avis ?
2. Quels sentiments poussent les condisciples de Casimir à se moquer de lui ?
3. À votre avis, le directeur a-t-il à cœur la réussite de ses élèves ? — Justifiez votre réponse.
4. Pourquoi Casimir ne souffre-t-il pas de la faim ?
5. La nappe est blanche, les blouses sont blanches, les objets brillent. À votre avis, qui observe ici ?
6. « Il colle son oreille sur une serviette ». (l. 103) Qu'est-ce que cette précaution révèle en ce qui concerne l'attitude du médecin ?
7. Pensez-vous que Casimir mène une vie heureuse à la maison ? — Justifiez votre réponse.

MAÎTRISONS LA LANGUE

A

1. Relevez les expressions qui ont trait :
   a) à l'éducation des enfants ;
   b) à des parties du visage et du corps ;
   c) à des blessures.

2. Casimir dort « comme un félin » (l. 68). Nommez quelques félins.

3. Trouvez, dans le texte, un synonyme des expressions suivantes (l. 4-14) :
   a) provoquent ; b) insultes ; c) moqueries ; d) sa vengeance ; e) toujours.

4. Trouvez, dans le texte, quatre mots où le préfixe **dé** a le même sens que dans **dé**goût (l. 4). Faites deux phrases de votre cru avec deux de ces mots.

5. Donnez quatre mots de la même famille que : a) pied (l. 75) ; b) école (l. 75) ; c) sang (l. 47).

B

1. Donnez deux homonymes de : a) cour (l. 69) ; b) paire (l. 33). Utilisez chacun de ces mots dans une phrase qui en illustre le sens.

2. Remplacez les expressions soulignées par une expression équivalente dans le contexte :

   a) ces plaies ulcéreuses imputables au mauvais sort (l. 3) ;
   b) Et c'est qu'il est robuste, en plus ! (l. 16) ;
   c) on a essayé, par d'autres moyens, d'amoindrir ses mérites (l. 19) ;
   d) il eut un jour la bonne fortune de trouver un bout de fil électrique (l. 33) ;
   e) pour faire choir une abondance de mangues (l. 60-61) ;
   f) et peut, à son gré, jouir de la brise (l. 67) ;
   g) il a tout le temps de revoir sa leçon (l. 70).

3. Donnez le contraire des expressions soulignées :

   a) Rares sont les fois (l. 11) ;
   b) la vie pesante et amère (l. 19) ;
   c) deux vieux petits costumes (l. 20-21) ;
   d) il eut la bonne fortune (l. 32) ;
   e) L'année dernière (l. 35) ;
   f) le lever du soleil (l. 51-52) ;
   g) à l'entrée du village (l. 57) ;
   h) son pansement sale (l. 114).

4. Le verbe **manger** figure dans beaucoup d'expressions au sens figuré. Utilisez chacune des expressions ci-après dans une phrase qui en illustre le sens :

   a) manger comme un oiseau ;
   b) manger comme quatre ;
   c) il ne vous mangera pas ;
   d) manger quelqu'un des yeux ;
   e) se manger le nez.

GRAMMAIRE

L'INTERROGATION

1. Il y a deux façons de marquer l'interrogation sans changer l'ordre des mots :

   a) par le ton de la voix ;

      Il a un bobo à la cheville ?

      « J'achète une paire de chaussures à Casimir ? » demande Léonie à Popo.

   b) en utilisant **est-ce que.**

      Est-ce qu'il arrivera au certificat d'études ?

      Est-ce qu'il part dès le lever du soleil ?

2. Quand le sujet du verbe est un pronom, on inverse le pronom et le verbe.

Comprenez-vous Léonie ?   **Prend-il** soin de ses souliers ?

Remarque 1

Quand le sujet est un pronom à la première personne, on emploie toujours **est-ce que,** sauf avec quelques verbes (**ai-je, suis-je, dois-je, vais-je, puis-je** — mais : **est-ce que** je peux).

Est-ce que je tousse ?   **Dois-je** défaire le pansement ?

Remarque 2

Avec un verbe au futur ou au conditionnel, on peut utiliser l'inversion.

Mangerai-je ?   **Pourrai-je** courir comme je veux ?
Devrais-je mettre de l'argent de côté ?

---

3. Avec un verbe négatif, **pas** suit le pronom sujet.

Ne fait-il pas la sieste ?   **N'est-ce pas** là qu'il habite ?

4. Avec un temps composé, le sujet se place après l'auxiliaire.

N'**avait-il** pas défait le pansement ?
Ont-ils remarqué Mapiam ?

5. Quand le sujet est un nom, on inverse le verbe et le pronom qui remplace le nom.

Le directeur comprend-il Casimir ?
Léonie n'avait-elle pas questionné le directeur ?
Casimir s'est-il reposé ?

6. Quand le sujet n'est ni un pronom personnel, ni **on,** ni **ce,** on inverse le verbe et le pronom personnel qui remplace le pronom sujet.

Cela est-**il** possible ?   **Les autres** ne **se moquent-ils** pas de Casimir ?

7. À la troisième personne du singulier, un **t** euphonique (pour le son) est placé entre le verbe et le pronom si le verbe se termine par une voyelle.

N'a-t-il pas des fruits qui mûrissent ?
Grimpe-t-il à un arbre pour faire la sieste ?

APPLICATION

1. Mettez les phrases à la forme interrogative en utilisant **est-ce que.**

   a) Ces plaies suscitent du dégoût.
   b) Il est un des meilleurs élèves de sa classe.
   c) Il s'est retranché dans une grande méfiance.

   d) Les autres ne lui pardonnent pas.

   e) On a essayé d'amoindrir ses mérites.

   f) J'ai découvert des joies dans les livres.

   g) Il porte ses costumes alternativement.

   h) Ses costumes ont commencé à craquer.

   i) Casimir n'a pas étrenné les souliers.

   j) Je paie les petites réparations.

   k) Le cordonnier lui faisait manquer l'école.

   l) Il ne lui faut pas partir après le lever du soleil.

2. Faites le même exercice sans utiliser **est-ce que** quand c'est possible.

3. Posez la question à laquelle répondent les phrases ci-dessous. Utilisez la forme avec **est-ce que** et la forme sans **est-ce que**.

   a) Elle y était revenue.

   b) J'achète une paire de chaussures.

   c) Le directeur l'a fait venir.

   d) Il arrivera au certificat d'études.

   e) Vous nous faites ramasser du bois mort.

   f) Nous n'allons pas puiser d'eau ce soir.

   g) Tu as lancé le sobriquet.

   h) Il s'est amené à l'école avec des pansements.

   i) Les pansements recouvrent des ulcères.

   j) Le maître n'y a pas pensé.

LES MOTS INTERROGATIFS INVARIABLES

Les adverbes

Les adverbes interrogatifs sont : **combien, comment, où, pourquoi, quand.**

1. Avec les adverbes interrogatifs, on peut utiliser **est-ce que,** sans changer l'ordre des mots, ou faire l'inversion du verbe et du sujet en respectant les règles (voir p. 149-150).

   Quand est-ce qu'il pleut ?   **Quand** pleut-il ?

   Pourquoi est-ce que tu as fait ça ? **Pourquoi** as-tu fait ça ?

   Où est-ce que Casimir habite ?   **Où** Casimir habite-t-il ?

Remarque 1

L'inversion est plus élégante que la forme avec **est-ce que**, plus souvent employée dans la langue parlée. Dans la langue écrite, il est préférable d'utiliser l'inversion.

2. Si le verbe est simple et n'a pas d'objet, on peut faire l'inversion du verbe et du sujet, même quand ce sujet est un nom, excepté avec **pourquoi**.

Où habite Casimir ? **Quand** arrive le médecin ?

Combien coûtent les chaussures ?

Remarque 2

Lorsque **peut-être** ou **sans doute** sont placés en début de phrase, il faut faire l'inversion du verbe et du sujet. Dans la conversation, on peut les faire suivre de **que** (conjonction) et éviter l'inversion.

Peut-être vient-il de loin. **Peut-être qu'il** vient de loin.

APPLICATION

Posez la question (ou les questions) à laquelle (auxquelles) répond chaque phrase. Servez-vous d'un adverbe interrogatif. Évitez d'employer **est-ce que.**

a) Les souliers coûtent cinquante francs.

b) Les autres n'habitent pas loin de l'école.

c) Nous avons quitté la maison dès le lever du soleil.

d) Il portait des pansements parce qu'il n'avait pas de souliers.

e) Casimir faisait la sieste dans un arbre.

f) Quand il pleut, il reste dans la cour de l'école.

g) Casimir va à l'école à pied.

h) Quand c'est le tour de Casimir, le médecin dit de défaire les pansements.

i) Il y a vingt élèves qui attendent le médecin.

j) Les élèves arrivent en bon ordre.

k) Il appuie sur la joue pour voir l'envers des paupières.

l) Le directeur punit Mapiam parce qu'à son avis l'élève s'est moqué du monde.

m) Casimir ne peut pas arriver chez lui avant la nuit.

Les pronoms

	Personnes		Choses	
	formes courtes	formes longues	formes courtes	formes longues
Sujet	qui	qui est-ce qui		qu'est-ce qui
Objet direct	qui (+ inversion)	qui est-ce que	que (qu') (+ inversion)	qu'est-ce que
Objet d'une préposition	qui (+ inversion)	qui est-ce que	quoi (+ inversion)	quoi est-ce que

1. **Qui, qui est-ce qui** sont employés comme **sujets** pour les **personnes.**

    Qui a appelé Casimir Mapiam ?   **Qui est-ce qui** a appelé Casimir
                                             Mapiam ?

2. **Qu'est-ce qui** est employé comme **sujet** pour les **choses.**

    Qu'est-ce qui arrivera à Mapiam ?   **Qu'est-ce qui** se passe ?

Remarque 1

Qui et **qu'est-ce qui** sont suivis d'un verbe au singulier, même quand la réponse est au pluriel.

    Qui a insulté Casimir ? — Tous les élèves ont insulté Casimir.
    Qu'est-ce qui cause la jalousie des autres élèves ? — Les succès de
    Casimir causent leur jalousie.

Remarque 2

Le verbe **être** est au pluriel après **qui** s'il est suivi d'un mot pluriel. **Qui** est alors attribut et non sujet.

    Qui sont ces gens ? — Ce sont des infirmiers et des médecins.

---

3. **Qui** + inversion, **qui est-ce que** (**qu'** + voyelle ou **h** muet), sans inversion, sont employés comme **objets** pour les **personnes.**

    Qui Léonie va-t-elle voir ?   **Qui est-ce que** le médecin impressionne ?

4. **Que** (**qu'** + voyelle ou **h** muet), + inversion, **qu'est-ce que,** sans inversion, sont employés comme **objets** pour les **choses** et les **idées.**

    Que fait Casimir dans l'arbre ?   **Qu'est-il** arrivé à Casimir ?
    Qu'est-ce que Léonie a demandé au directeur ?

5. Après une **préposition, qui** + inversion, **qui est-ce que** (**qu'** + voyelle ou
    h muet), sans inversion, sont employés pour les **personnes.**

    Avec qui Léonie habite-t-elle ?   **De qui** est-ce que les élèves ont peur ?

6. Après une **préposition, quoi** + inversion, **quoi est-ce que** (**qu'** + voyelle ou
    h muet), sans inversion, sont employés pour les **choses** et les **idées.**

    À quoi va mener l'école ?   **De quoi** est-ce que Casimir déjeune ?

7. Pour demander une définition, on pose la question **qu'est-ce que** (**qu'** + voyelle
    ou **h** muet) ou **qu'est-ce que c'est que** (**qu'** + voyelle ou **h** muet).

    Qu'est-ce qu'un bobo ?   **Qu'est-ce que c'est qu'**un bobo ?
    Qu'est-ce que c'est que ça ?

APPLICATION

Posez la question à laquelle répond chacune des expressions soulignées en employant un pronom interrogatif. Donnez la forme avec **est-ce que** et la forme sans **est-ce que.**

a) <u>Casimir</u> était le meilleur élève.

b) Il ne parlait pas <u>aux autres élèves</u>.

c) Il déjeune <u>de farine de manioc</u>.

d) Il a réparé ses chaussures <u>avec du fil électrique</u>.

e) <u>Les autres</u> se moquent de lui.

f) Vous rêvez <u>d'une nouvelle paire de chaussures</u>.

g) Elle a honte <u>de ses pieds nus</u>.

h) Elle veut cacher <u>ses pieds nus</u>.

i) Notre envie est causée <u>par ses succès</u>.

j) <u>Les objets</u> brillent sur la nappe.

k) <u>Une mangue</u> est un fruit délicieux.

l) Nous mangeons <u>beaucoup de fruits</u>.

m) <u>Les progrès de Casimir</u> font plaisir à sa mère.

n) <u>Un enfant de la campagne</u> a toujours des bobos mal soignés.

o) Le médecin ordonne <u>d'ouvrir la bouche</u>.

p) Casimir ne préparait plus <u>le manger du cochon</u>.

q) <u>Les curieux</u> croyaient voir une vilaine plaie.

r) L'infirmier a dénoué le chiffon <u>avec des ciseaux et des pinces</u>.

LES MOTS INTERROGATIFS VARIABLES

Les adjectifs

masculin singulier	féminin singulier	masculin pluriel	féminin pluriel
quel	quelle	quels	quelles

L'adjectif interrogatif s'accorde en genre et en nombre avec le nom qu'il qualifie.

Quel est le vrai nom de Mapiam ?

Quels fruits a-t-il mangés à midi ?

Pour **quelle** raison a-t-il une retenue ?

Quelles chaussures a-t-il mises ?

NEL
LES ANTILLES, LA MARTINIQUE **155**

Les pronoms

Les pronoms interrogatifs sont composés de l'article **le, la, les + quel, quelle, quels, quelles.**

	SINGULIER		PLURIEL	
	masculin	féminin	masculin	féminin
	lequel	laquelle	lesquels	lesquelles
+ à	auquel	à laquelle	auxquels	auxquelles
+ de	duquel	de laquelle	desquels	desquelles

L'article se contracte :

a) avec **à** : **auquel, auxquels, auxquelles ;**
b) avec **de** : **duquel, desquels, desquelles.**

Emplois

Lequel remplace un nom et est du genre et du nombre de ce nom. Il indique un choix et est placé au début de la phrase.

> **Lequel** des élèves est le premier de la classe ?
> **À laquelle** de ces femmes est-ce que le directeur parle ?
> **Duquel** des maîtres ont-ils peur ?

APPLICATION

1. Complétez par la forme de **quel** ou de **lequel** qui convient.

   a) _____ des élèves se moquent de Casimir ?
   b) _____ des enfants le médecin parle-t-il ?
   c) _____ question le directeur a-t-il posée ?
   d) Dans _____ village habite Casimir ?
   e) _____ de ces fruits étaient mûrs ?
   f) Dans _____ classe se trouve-t-il ?
   g) _____ de ces hommes est Popo ?
   h) _____ est la raison de sa retenue ?
   i) _____ de ces réparations Léonie a-t-elle payée ?
   j) À _____ heure Casimir quittait-il la maison ?

2. Changez les questions en utilisant l'inversion au lieu de **est-ce que.**

   a) Combien de pansements est-ce que Casimir a aux pieds ?
   b) Duquel des animaux est-ce qu'il s'occupe avant de partir pour l'école ?
   c) Comment est-ce que les autres élèves appellent Casimir ?
   d) Où est-ce que Casimir peut faire la sieste ?
   e) À quoi est-ce qu'il rêve dans l'arbre ?

f) Qu'est-ce que Casimir fait quand il rentre ?

g) Quand est-ce que Casimir obtiendra son certificat d'études ?

h) Pourquoi est-ce que Léonie est allée voir le directeur ?

i) Laquelle de ses leçons est-ce que l'élève revoit ?

j) Quelle faute est-ce que Casimir a commise ?

3. En vous servant d'un mot interrogatif, posez la question à laquelle répondent les mots soulignés.

a) Sur la nappe, des objets brillent.

b) On a placé une table dans le préau.

c) Les emplois du temps sont abolis.

d) L'infirmier porte une blouse blanche.

e) Il a pris les objets qui étaient sur la table.

f) Casimir est parti avant le lever du soleil.

g) Il doit rentrer pour donner à manger au cochon.

h) Le médecin va examiner les élèves de cette classe.

i) Cela semble égal à Casimir.

j) L'infirmier enlève les pansements.

4. Posez la question (ou les questions) à laquelle (auxquelles) répond la phrase. Évitez d'employer **est-ce que**.

a) Mapiam s'appelait Casimir, de son vrai nom.

b) On l'appelait Mapiam à cause de deux pansements.

c) On se moque de lui parce qu'il est laid.

d) La méfiance est toujours en éveil chez lui.

e) Ses joies le plus vraies lui viennent de ses livres.

f) Sa revanche est d'être le premier de sa classe.

g) Les autres n'osent pas le menacer parce qu'il est robuste.

h) Il a seulement deux vieux costumes de drill.

i) Les costumes craquent parce que les épaules de Mapiam s'épaississent.

j) Maintenant, il n'a plus de chaussures.

5. Posez à un(e) ami(e) les questions auxquelles répondent les phrases ci-dessous. Évitez d'employer **est-ce que**.

a) Je me lève à six heures.

b) Je bois une tasse de café pour m'éveiller.

c) Je me prépare en vingt minutes.

d) Je me rends à l'université à bicyclette.

e) Je rencontre souvent mon amie Lucie au coin de la rue.

f) Elle habite près de chez moi.

g) Non, nous n'allons pas toujours directement à l'université.

h) Quelquefois, nous nous arrêtons au petit restaurant près du campus.

i) Nous y commandons des crêpes au sirop d'érable.

j) Elles sont délicieuses.

k) Nous arrivons quand même à l'université avant le premier cours.

DEVOIRS ÉCRITS / TRAVAIL ORAL

A. COMPOSITION GUIDÉE

Vous devez interviewer une de ces deux personnes, ci-dessous à votre choix :

a) le premier ministre du Canada ;

b) le président des États-Unis.

Préparez une douzaine de questions pour cette entrevue et inventez les réponses.

(Vous lui parlez de ses projets, de ce qui lui paraît la plus importante de ses tâches, de ce que son gouvernement a fait pour le pays, de ce qu'il a trouvé le plus difficile, de la situation internationale et de la façon d'améliorer les relations entre les peuples, des prochaines élections, etc.)

B. COMPOSITION LIBRE / TRAVAIL ORAL

1. Vous êtes chargé(e) de faire un sondage sur la façon dont les gens de 20 à 40 ans passent leurs loisirs. Préparez une quinzaine de questions.

2. Vous interviewez votre professeur(e) ou un(e) de vos camarades de classe.

3. Il y a plusieurs personnages brièvement mentionnés dans cette nouvelle. Écrivez trois phrases sur le caractère de chacun des personnages suivants, tels qu'ils se révèlent dans le texte :

   a) Léonie ;
   b) Popo ;
   c) le directeur ;
   d) le médecin ;
   e) le maître.

DIALOGUES

1. Casimir est pauvre ; pourtant, il est le premier de sa classe. À votre avis, les privations peuvent-elles servir à former le caractère ? — Le pour et le contre.

Quelques expressions utiles

vouloir améliorer son sort	to want to improve one's lot
manquer du nécessaire	to lack the necessities
avoir l'estomac vide	to have an empty stomach
n'avoir aucune énergie	to have no energy
trouver une consolation dans….	to find solace in….
être né sous une bonne étoile	to be born under a lucky star
être né fortuné	to be born with a silver spoon in one's mouth

être trop gâté	to be spoilt
tenir tout pour acquis	to take everything for granted
ne faire aucun effort	to make no effort

2. Casimir n'a pas d'amis parce qu'il est pauvre et laid. Qu'est-ce que l'amitié ? La classe en parle et tente d'en donner une définition.

Quelques expressions utiles

donner son temps, son argent	to give one's time, one's money
prêter de l'argent	to lend money
se rappeler les anniversaires	to remember birthdays
partager les chagrins, les ennuis	to share sorrows, problems
la fidélité, l'infidélité	faithfulness, unfaithfulness
rester toujours fidèle	to remain always faithful
une fidélité à toute épreuve	staunch faithfulness
la sincérité	honesty
dire toute la vérité	to tell the whole truth
donner de bons conseils	to give good advice
subir de rudes épreuves	to suffer great hardships
connaître à fond	to be well acquainted with
faire confiance à	to trust

UNE POINTE D'HUMOUR
À L'ÉCOLE

- En classe, un petit garçon questionne :
  — Madame, *bon* c'est bien un adjectif masculin ?
  — Oui.
  — Et *bonne,* c'est bien un adjectif féminin ?
  — En effet. Mais qu'est-ce qui te fait hésiter ainsi ?
  — Je ne sais pas comment analyser le mot « bonbonne[20] ».

- Le maître explique à ses élèves :
  — Vous connaissez le mot « elle ». Il peut se lire de la même façon, à l'endroit ou à l'envers. Toi, Christine, peux-tu me citer un autre mot ayant cette caractéristique ?

  Après avoir longuement cherché, elle a répondu :
  — Non.

---

[20] très grosse bouteille

• — Qu'est-ce que le pluriel ? interroge l'instituteur.

    Un gamin lève la main :

— C'est la même chose que le singulier, sauf qu'il y en a plus.

• Un enfant de six ans rentre de l'école.

— Alors, questionne son père, qu'avez-vous appris, aujourd'hui ?

— L'alphabet.

— Parfait. Tu le sais ?

— Oui.

— Bon. Quelle est la première lettre ?

— A.

— Très bien. Et qu'est-ce qui vient ensuite ?

— Toutes les autres.

Mina et André Guillois, *Les Enseignants ont de l'humour*, Paris, Le cherche midi éditeur, 1982, p. 50, 60, 61.

Chapitre 10

L'Afrique
La Côte-d'Ivoire

Aspects grammaticaux étudiés :

- Les adjectifs et les pronoms indéfinis
    On (pronom)
    Tout (adjectif, pronom)
    L'un, l'autre, autrui (pronoms)
    Autre (adjectif)
    Quelque (adjectif)
    Quelqu'un (pronom)
    Plusieurs (adjectif, pronom)
    Certain (adjectif, pronom)
    Tel (adjectif)
    Tel (pronom)
- La forme négative des adjectifs indéfinis
- La forme négative des pronoms indéfinis
- La négation multiple

Yamoussoukro

Système politique : République
Population : 15 300 000
Capitale : Yamoussoukro
Langue officielle : Français
Monnaie : Franc CFA

NEL

Ancienne colonie française, la Côte-d'Ivoire a obtenu son indépendance en 1960. Le français est resté la langue officielle du pays, mais on y parle plus de soixante dialectes. Cette région, dont l'économie est fondée surtout sur l'agriculture (cacao, café), est une des plus prospères d'Afrique.

Comme tous les pays africains, la Côte-d'Ivoire possède une mine de récits qui ont été transmis de génération en génération. Les contes et légendes étaient racontés aux veillées par les vieux aux villageois souvent réunis autour d'un feu. C'est une de ces légendes que met ici, par écrit, l'écrivain Bernard Dadié.

Bernard Dadié est né à Assinie (Côte-d'Ivoire) en 1916. Homme politique et écrivain prolifique, il a pratiqué tous les genres, du journalisme au théâtre, en passant par la poésie et la chronique. Ce conte, « La Lueur du soleil couchant », tiré du recueil, *Légendes africaines*, décrit la grande amitié partagée par deux hommes et les conséquences néfastes d'une passion plus forte que cette amitié.

PRÉ-LECTURE

1. Quelles qualités considérez-vous indispensables chez un(e) ami(e) ?

2. Quels films avez-vous vus portant sur l'Afrique ? Quelle idée vous faites-vous de ce continent ?

La Lueur du soleil couchant

« La lueur du soleil couchant sera notre seul témoin. »

Il y a longtemps de cela. Dans un village étaient deux amis, deux amis inséparables. On ne voyait jamais l'un sans l'autre et l'on disait d'eux qu'ils étaient l'ombre l'un de l'autre.

Tout chez eux se faisait en commun. Aussi les citait-on en exemple dans le
5   village. Riches tous les deux, aucun d'eux ne vivait aux crochets de l'autre[1]. Ils portaient des pagnes de même nuance, des sandales de même teint. On les aurait pris pour des jumeaux. Tous deux étaient mariés. Et ils s'appelaient Amantchi et Kouame.

L'existence pour eux s'écoulait paisible. Ils partaient ensemble pour les
10 voyages d'affaires et ensemble encore, revenaient. Jamais on ne voyait l'un sans l'autre. Pour une amitié, c'en était véritablement une.

Chaque soir, ils partaient se promener dans la plantation de l'un ou de l'autre, et jamais n'ergotaient sur le sens de tel ou tel mot prononcé par l'un d'eux... Ils étaient, pour tout dire, heureux. Mais qui aurait jamais cru que sous

---

[1] ne dépendait financièrement de l'autre

15 les dehors d'une amitié aussi tendre et chaude, aussi sûre et constante, il y avait
une ombre ? Qui aurait cru qu'Amantchi avait un faible pour la femme de
Kouame ? Qui aurait cherché un dessous aux nombreux cadeaux qu'il venait tout
le temps faire à cette femme ?

Au début, le village avait jasé. Puis las de jaser, il s'était tu puisqu'il n'était
20 pas arrivé à jeter le trouble dans l'esprit de Kouame, puisqu'il n'était point
parvenu à brouiller les deux amis. Et il s'était tu, le village. Et les choses avaient
continué à aller du même train qu'avant.

La vie était belle. L'on vieillissait avec le temps et jamais avant le temps. On
dormait bien et s'amusait bien. On n'avait pas à courir après les aiguilles d'un
25 cadran quelconque, encore moins à tout le temps sursauter <u>à un coup de sirène</u>[2].
On prenait son temps pour jouir de tout : on ne se pressait point. La vie était là,
devant soi, riche, généreuse. On avait une philosophie qui permettait de se
comporter de la sorte. On se savait membre d'une communauté qui jamais ne
devait s'éteindre... Pour voyager, on pouvait bien mettre des jours et des jours,
30 voire[3] des mois. On était sûr d'arriver <u>sans encombre</u>[4], sans accident aucun... On
partait au chant du coq, on se reposait lorsque le soleil se faisait trop chaud, on
repartait dès qu'il avait franchi la cime des arbres et on s'arrêtait le soir dans le
premier village venu pour se coucher. [...]

Et le village après avoir vainement jasé, s'était tu.

35 Les deux amis en dépit des rumeurs du village restaient amis.

Un soir, comme d'habitude, ils partirent en promenade. Mais ce soir-là, seul
Amantchi en revint, au grand étonnement de tout le village.

Ils rentraient de promenade, Kouame marchait en tête. Amantchi suivait
avec d'étranges idées qui lui trottaient par la tête, poursuivi par l'image de cette
40 femme que depuis fort longtemps il cherchait. Il avait toujours réussi à dominer
cette hantise, mais aujourd'hui, c'était plus fort que lui. Il était dompté. Son ami
allait de son pas le plus tranquille, bavardant, et lui suivait, répondant
machinalement à toutes les questions de l'autre. Il voyait la femme, elle lui
parlait. Il sentait son parfum, quelque chose de très grisant. Ils s'en allaient tous
45 deux, l'un précédant l'autre.

Les oiseaux en groupes rejoignaient leur nid. La brise chargée de tous les
parfums cueillis en route passait, odoriférante, légère, douce, caressante. Les
palmiers agitaient paisiblement leurs branches. Les manguiers et deux orangers
en fleurs étaient pleins d'abeilles en quête de nectar. Des libellules allaient çà et
50 là... montant, descendant. Des papillons prenaient le frais, posés sur des feuilles.
Partout, dans les feuillages comme dans les herbes, il y avait concert. Des toucans
passaient, bruyants, tandis que des colibris et des tisserins bavardaient dans les
orangers. Les bananiers, de leurs feuilles s'éventaient les uns les autres. Partout
régnait le calme, la paix... Tout concourait à l'amour : les pigeons sur les
55 branches se chatouillaient du bec... Kouame allait toujours. Amantchi suivait... Il
suivait fiévreux, toujours prêt à frapper, les yeux rivés sur la nuque de son ami...

---

[2] au son de la sirène d'une usine annonçant la reprise ou la cessation du travail
[3] même
[4] sans difficulté ; sans rencontrer d'obstacle

Il se rapprochait de lui. Deux fois il s'était rapproché de lui. Trois fois...

Que vient-il de faire ? Est-ce possible ? Son ami, son seul ami ?

Le soleil se couchait. Il projetait des lueurs rouges, des lueurs de flammes,
60 des lueurs de sang par le ciel.

Kouame ouvrant une dernière fois les yeux, fixa terriblement son assassin
d'ami et lui dit :

« Tu m'as tué ? Il n'y a pas eu de témoins ? Eh bien ! la lueur du soleil
couchant seule sera notre témoin. »

65 Amantchi traîna le mort jusqu'au fleuve qui coulait près de là et l'y jeta.
D'abord il lui avait paru que l'eau lui opposait de la résistance, que l'eau refusait
d'accepter ce corps de mort, qu'elle ne voulait pas de cette horrible et criminelle
paternité. Elle finit cependant par céder. Elle s'ouvrit, puis ses lèvres se
rapprochèrent, se soulevèrent et ensevelirent Kouame sous leur dalle d'eau[5]. [...]

70 Sur les pêcheries, des mouettes qui somnolaient se levèrent avec un ensemble
parfait et sur un seul cri, s'en allèrent. Un martin-pêcheur qui cherchait sa
pitance, lui aussi prit le large. Le crime leur paraissait monstrueux et c'était leur
façon à eux de protester. Le soleil, lui, jetait toujours des lueurs de sang, et le ciel
était rouge, rouge, dirait-on du sang de Kouame. Les oiseaux plongeaient leur
75 tête dans l'eau, en révérence au corps que le courant emportait. Les arbres
s'ébrouèrent[6] sous le vent brusque qui passa. Les margouillats appuyés sur leur
train avant tournèrent la tête à droite, à gauche, comme pour dire :

« Quoi, c'est ça l'amitié des hommes ? »

Le soleil qui jetait des lueurs de sang, lorsque disparut le corps de Kouame
80 se voila la face derrière un rideau de nuages noirs. Le ciel prenait le deuil.

Au village des vieillards eurent des pressentiments et se dirent que des faits
anormaux se passaient.

Amantchi rentra chez lui, se déshabilla, cacha ses habits tachés de sang sous
son lit, en prit d'autres et courut chez la femme de son ami.

85 — Où est ton mari ?

— Mon mari ? Mais c'est à moi de te poser cette question !

— Comment, il n'est pas encore rentré ?

— Où l'as-tu laissé ?

— En route.

90 — En route ?

— Oui.

— C'est étrange...

La nouvelle vola de case en case et en quelques minutes eut fini de courir le
village qui sortit tous ses tam-tams et les battit longtemps pour appeler Kouame
95 que l'on croyait égaré. Pendant des jours et pendant des nuits, les tam-tams
battirent. Pendant des jours et pendant des nuits les hommes parcoururent la
brousse à la recherche de Kouame, de Kouame dont le corps s'en était allé au fil
de l'eau maintenant rendue boueuse par une crue subite, étrange, insolite. Au

---

[5] c'est-à-dire que le fleuve est devenu la tombe de Kouame
[6] s'agitèrent

Un coucher de soleil

bout de trente jours de cette vaine recherche, la conviction se fit totale, de la
100 mort de Kouame. Ses funérailles furent grandioses.

Avec le temps, et quelque entorse à la coutume[7], Amantchi épousa la veuve.
Ils vécurent heureux.

Seulement voilà. Ce qui devait arriver arriva. Kouame avant de mourir le lui
avait dit, à son ami.

105 Un jour, debout devant sa glace, Amantchi s'apprêtait à sortir, lorsque d'une
fenêtre brusquement ouverte par sa femme, un rayon de flamme, une lueur de
sang traversa la chambre. Le soleil encore se couchait, il se couchait comme
l'autre jour. Et tout le ciel était rouge, aussi rouge que l'autre jour, le jour où se
commit le crime. Ce rayon passant devant la glace effraya Amantchi. Il était là,
110 hagard devant la glace. Et il tremblait, tremblait, tremblait, plus qu'il n'avait
tremblé le jour du crime... La lueur de sang était toujours là, persistante, plus
rouge de seconde en seconde. Et Amantchi tremblait... Il revivait toute la scène.
Il monologuait, oubliant que sa femme était près de lui...

— C'est la même lueur, exactement qui passa au moment où il fermait les
115 yeux, la même lueur du même soleil couchant. Et il me l'avait dit : « Tu m'as
tué ? Il n'y a pas eu de témoins ? Eh bien ! la lueur du soleil couchant seule sera
notre témoin ».

Et la lueur était là... Et le soleil cette fois refusait de se coucher, envoyant
partout des rayons couleur de sang...
120 Et le village, ameuté par la femme, accourut. Amantchi était toujours devant
la glace et toujours divaguait.

Et le soleil s'entêtait à ne pas se coucher, inondant le monde de rayons
couleur de sang.

---

[7] sans strictement respecter la coutume (Amantchi était déjà marié.)

Ce fut ainsi que l'on sut le crime que commit Amantchi un soir, le crime
125 dont le seul témoin fut la lueur du soleil couchant.

Bernard Dadié, « La Lueur du soleil couchant », *Légendes et poèmes*, Paris, Seghers, 1966,
p. 86-89.

Expressions à retenir

vivre aux crochets de quelqu'un (l. 5)
avoir un faible (pour) (l. 16)
chercher un dessous (l. 17)
brouiller (l. 21)
se comporter (l. 27-28)
s'éteindre (l. 29)
l'étonnement (l. 37)
bavarder (l. 42)
l'abeille (l. 49)
en quête de (l. 49)
prendre le frais (l. 50)
le papillon (l. 50)
prendre le deuil (l. 80)
les funérailles (l. 100)
le témoin (l. 117)

COMPRÉHENSION

1. Comment les deux amis passaient-ils leur temps ?
2. Quelle était l'ombre qui menaçait l'amitié des hommes ?
3. Pourquoi le village s'était-il tu ?
4. Quel a été l'avertissement de Kouame mourant ?
5. Comment Amantchi s'est-il débarrassé du corps de son ami ?
6. Pourquoi est-ce que les villageois ont battu les tam-tams ?
7. Commentez le titre. Quelle est la signification de l'image ?

INTERPRÉTATION

1. Comment le narrateur montre-t-il la grande amitié des deux hommes ?
2. Décrivez la vie dans le village. Dans le contexte du récit, pourquoi cette
   description est-elle significative ?
3. Quel est l'état d'esprit d'Amantchi au moment où il tue Kouame ?
4. Selon vous, comment Amantchi a-t-il tué Kouame ?
5. Analysez le rôle joué par la nature avant et après le crime.
6. À votre avis, qu'est devenu Amantchi après avoir révélé son crime ?
7. Quels sont les thèmes principaux de ce conte africain ?
8. Certaines expressions reviennent plusieurs fois dans le texte. Trouvez-en deux.
   Quel est le rôle de la répétition ?

MAÎTRISONS LA LANGUE

A

1. Remplacez les mots soulignés par une expression équivalente.

   a) Ils n'<u>ergotaient</u> jamais sur le sens de tel ou tel mot. (l. 13)

   b) Le village avait <u>jasé</u>. (l. 19)

   c) On se savait membre d'une communauté qui jamais ne devait <u>s'éteindre</u>. (l. 28-29)

   d) Les deux amis <u>en dépit des</u> rumeurs du village restaient amis. (l. 35)

   e) Seul Amantchi en revint <u>au grand étonnement</u> de tout le village. (l. 36-37)

   f) Il avait toujours réussi à dominer cette <u>hantise</u>. (l. 40-41)

   g) Il sentait son parfum, quelque chose de très <u>grisant</u>. (l. 44)

   h) Tout <u>concourait</u> à l'amour. (l. 54)

   i) Il suivait, les yeux <u>rivés</u> sur la nuque de son ami. (l. 56)

   j) Le village sortit les tam-tams pour appeler Kouame que l'on croyait <u>égaré</u>. (l. 94-95)

   k) Le corps s'en était allé au fil de l'eau maintenant rendue boueuse par une crue subite, étrange, <u>insolite</u>. (l. 97-98)

2. Remplacez les expressions soulignées par des antonymes.

   a) Les deux amis étaient <u>riches</u>.

   b) Ils menaient une existence <u>paisible</u>.

   c) Ils étaient <u>heureux</u>.

   d) L'on <u>vieillissait</u>.

   e) Le village <u>avait jasé</u>.

   f) <u>La femme</u> va <u>éteindre</u> le feu.

   g) Le panier était <u>plein</u>.

   h) Les libellules <u>montaient</u>.

   i) Amantchi <u>marchait en tête</u>.

   j) Il <u>se rapprochait</u> de lui.

   k) Le fleuve <u>a accepté</u> le corps.

   l) La recherche était <u>vaine</u>.

B

1. Expliquez, en vos propres mots, les expressions soulignées.

   a) Ils <u>étaient l'ombre l'un de l'autre</u>. (l. 2-3)

   b) Aucun d'eux ne <u>vivait aux crochets de</u> l'autre. (l. 5)

   c) Qui aurait cru que <u>sous les dehors</u> d'une amitié tendre il y avait une ombre ? (l. 14-15)

   d) Amantchi <u>avait un faible pour</u> la femme de Kouame. (l. 16-17)

   e) Qui aurait <u>cherché un dessous</u> aux nombreux cadeaux ? (l. 17)

   f) Le village <u>n'était point parvenu à brouiller les deux amis</u>. (l. 20-21)

   g) Et les choses avaient continué à <u>aller du même train</u> qu'avant. (l. 21-22)

   h) Amantchi suivait avec d'étranges idées <u>qui lui trottaient par la tête</u>. (l. 38-39)

   i) Un martin-pêcheur lui aussi <u>a pris le large</u>. (l. 71-72)

   j) Avec le temps, et <u>quelque entorse à la coutume</u>, Amantchi épousa la veuve. (l. 101)

GRAMMAIRE

LES ADJECTIFS ET LES PRONOMS INDÉFINIS

Les mots indéfinis marquent, en général, une idée plus ou moins vague de quantité ou de qualité.

Voici les adjectifs et pronoms indéfinis les plus courants.

Adjectif		Pronom	
autre, autres	Le soleil se couchait comme l'**autre** jour.	l'autre, un autre, les autres	Il cacha ses habits tachés de sang et en prit d'**autres**.
		l'un .... l'autre, autrui	Ils étaient l'ombre **l'un** de l'**autre**.
certain, certaine, certains, certaines	Il y a **certaines** actions qui choquent.	certains, certaines	**Certains** pensent qu'il est coupable.
chaque	**Chaque** soir, ils partaient se promener.	chacun, chacune	**Chacun** des amis portait des pagnes de même nuance.
même, mêmes	C'est la **même** lueur du **même** soleil couchant.	le / la même, les mêmes	Le soleil est toujours **le même.**
plusieurs	**Plusieurs** mouettes somnolaient.	plusieurs	**Plusieurs** se levèrent.
quelque, quelques	Avec **quelque** entorse à la coutume, il épousa la veuve. La nouvelle vola de case en case en **quelques** minutes.	quelqu'un, quelqu'une, quelques-uns, quelques-unes	**Quelqu'un** a sorti les tam-tams. **Quelques-uns** ont parcouru la brousse.
		quelque chose	Ont-ils trouvé **quelque chose** dans la brousse ?
tel(s), telle(s)	Il n'avait jamais aimé une **telle** femme.	tel(s), telle(s)	**Tel** qui tue, sera puni.
tout, toute, tous, toutes	**Tous** les deux étaient riches. Il répondait à **toutes** les questions.	tout, tous, toutes	**Tout** chez eux se faisait en commun. **Tous** ont découvert son secret.

1. **On (pronom)**

   a) s'emploie uniquement comme sujet, généralement pour désigner une personne indéterminée, un groupe de personnes indéterminées (quelqu'un, certains, les gens) ou l'être humain en général ;

      On les citait en exemple dans le village.
      On disait qu'ils étaient heureux.

   b) est suivi du verbe à la troisième personne du singulier ;

      On dormait bien et **on s'amusait** bien.

   c) peut remplacer certains pronoms personnels sujets tels **nous** ou **ils.**

      On lit les contes avec grand plaisir chez nous.

   ### Remarque 1

   L'on peut être utilisé pour l'euphonie.

   L'on vieillissait avec le temps et jamais avant le temps.

   ---

2. **Tout (adjectif)**

   a) **Tout, toute, tous, toutes,** suivis de l'article ou de l'adjectif démonstratif ou possessif, s'accordent en genre et en nombre avec le nom qu'ils qualifient. Ils signifient l'ensemble, la totalité.

      Tout le village a assisté aux funérailles.
      Que signifient **tous** ces cadeaux offerts à la femme d'un autre homme ?
      Toutes leurs tentatives pour trouver le corps étaient inutiles.

   b) **Tout, toute,** au singulier, peuvent être suivis directement du nom. Ils signifient alors **chaque.**

      Tout crime se paye.
      Toute amitié est précieuse.

   c) **Tous, toutes,** suivis d'un nombre ou d'un nom désignant une mesure ou le temps, indiquent la répétition.

      Tous les trois mois, les deux amis faisaient un voyage.
      Quand ils se promenaient, ils s'arrêtaient **toutes les vingt minutes.**

   ### Remarque 2

   L'expression **tout le monde,** toujours au singulier, a le sens de toutes les personnes.

   Tout le monde a besoin d'un ami.

   ---

3. **Tout (pronom)**

    a) Les pronoms **tous** (le **s** se prononce), **toutes**, employés comme sujets, peuvent précéder ou suivre le verbe ou l'auxiliaire.

        Tous ont cherché le corps.   **Toutes** portaient le deuil.
        ou   ou
        Ils ont **tous** cherché le corps.   Elles portaient **toutes** le deuil.

    b) Quand **tout, toute, tous, toutes** sont objets du verbe, on les place généralement entre l'auxiliaire et le participe passé.

        Amantchi les a **tous** dupés.
        Il a murmuré des phrases, mais sa femme ne les a pas **toutes** saisies.

    c) **Tout,** invariable, a le sens de toutes les choses.

        La femme de Kouame n'a pas **tout** compris.

Remarque 3

Tout, adverbe, est invariable, sauf devant un adjectif féminin commençant par une consonne ou un **h** aspiré.

        Ils ont été **tout** surpris quand Amantchi est revenu seul.
        Sa femme est **tout** hébétée de douleur en apprenant sa mort.
        Les femmes du village sont **tout** étonnées de sa disparition.
        Elles sont **toutes h**onteuses de son comportement violent.
        Elles sont **toutes** surprises du crime.

---

4. **L'un(e), l'autre, autrui (pronoms)**

    a) **(L)'un(e)** est déterminé par **de** + nom ou pronom.

        (L') une des femmes est jalouse.   **(L') un** d'eux est un assassin.

    b) **Autre(s),** pronom, est précédé de l'article.

        L'autre allait de son pas le plus tranquille.
        Racontez la nouvelle **aux autres.**

Remarque 4

Le pluriel de l'article indéfini + **autres** est **d'.**

        Il a rendu visite à **un autre.**
        Il a rendu visite à **d'autres.**

Autres est en réalité un adjectif employé comme pronom :

        Il a rendu visite à **d'autres** (personnes).

c) Lorsque **d'autres** est objet direct, le verbe est précédé de **en.**

> Il **en** a vu **d'autres.**

d) **L'un(e)** s'emploie avec **l'autre** comme sujet ou objet. Au pluriel, **les un(e)s** a le sens de **quelques-uns(e)s, certain(e)s.**

> **L'un** était le mari de la femme, **l'autre** lui faisait des cadeaux.
> Elle n'aimait **ni l'un ni l'autre.**
> **Les unes** bavardaient, **les autres** étaient plus discrètes.

Remarque 5

L'un(e) et l'autre signifie **les deux** ; **les un(e)s et les autres** signifie **tous, toutes.**

> Chaque soir, **l'un et l'autre** se promenaient.
> **Le uns et les autres** jasent beaucoup.

---

e) **L'un(e) l'autre, les un(e)s les autres,** après le verbe, ont le sens de **mutuellement.**

> Les deux amis s'observaient **l'un l'autre.**
> **Les uns les autres** s'entendaient bien dans le village.

f) **L'un(e) l'autre, les un(e)s les autres** peuvent être utilisés avec une préposition placée entre les deux éléments.

> Ils s'en allaient **l'un derrière l'autre.**
> Ils vivaient **l'un pour l'autre.**

g) **Autrui** (= les autres) est invariable et souvent utilisé après une préposition.

> Il faut respecter le bien d'**autrui.**

5. **Autre(s) (adjectif)**
Précède le nom et s'emploie comme tout autre adjectif.

> Le ciel était rouge comme l'**autre** jour.
> D'**autres** oiseaux rejoignent leur nid.

6. **Quelque(s) (adjectif)**

a) Au pluriel, indique un petit nombre ou une petite quantité. Il est parfois précédé de l'article défini.

> Ils ont ergoté **quelques** heures.
> **Les quelques** palmiers agitaient leurs branches.

b) Au singuler, **quelque** a le sens de un(e) certain(e), un peu de.

> A-t-il **quelque** idée du danger ?
> Il a eu **quelque** peine à épouser la veuve.

7. **Quelqu'un (pronom)**
S'applique à une personne indéterminée et s'emploie pour les deux genres.
(La forme féminine **quelqu'une** est rarement employée.)

Quelqu'un a brusquement ouvert la fenêtre.

8. **Quelques-uns, quelques-unes (pronoms)**
Désignent un petit nombre de choses ou de personnes. Lorsqu'ils sont objets directs, sans complément, le verbe est précédé de **en.**

Quelques-uns sont obligés de courir après les aiguilles du cadran.
A-t-il de bonnes idées ? — Oui, il **en** a **quelques-unes.**
Mais : A-t-il de bonnes idées ? — Oui, il a **quelques-unes** des idées de son ami.

9. Quand les pronoms indéfinis **quelqu'un** et **quelque chose** sont suivis d'un adjectif, celui-ci est toujours précédé de la préposition **de** et est toujours au masculin singulier.

Seul **quelqu'un de** très **méchant** peut commettre un acte aussi cruel.
Son crime était **quelque chose de choquant.**

Remarque 6

Il ne faut pas confondre le pronom indéfini **quelque chose** (masculin) avec le nom **chose** (féminin).

J'ai mangé **quelque chose de bon.**
Le chocolat est **une bonne chose.**

---

10. **Plusieurs (adjectif, pronom)**
Toujours invariable. Si **plusieurs, pronom,** est un objet direct, sans complément, le verbe est précédé de **en.**

Plusieurs margouillats se chauffaient au soleil.
Il **en** a vu **plusieurs.**

11. **Certain(s), certaine(s) (adjectifs)**
Précèdent le nom. Au pluriel, ils sont employés sans article.

Il y avait dans ce village un **certain** nombre de gens.
Certaines actions ne se pardonnent pas.

12. **Certains, certaines (pronoms)**
S'emploient uniquement au pluriel.

Certains étaient surpris du mariage d'Amantchi et de la femme de Kouame.

Remarque 7

Ne pas confondre avec certain(e), (= sûr/sûre), adjectif qualificatif, qui suit le nom ou est employé avec des verbes tels que **être, sembler,** etc.

Je suis **certain** qu'il est coupable.
Il sera puni. C'est une chose **certaine.**

13. **Tel(s), telle(s) (adjectifs)**

Précèdent le nom et signifient **pareil/pareille, semblable.** Ils peuvent être précédés de l'article indéfini. Ils peuvent aussi marquer l'intensité.

> Je n'ai jamais connu de **tels** hommes.
> Le soleil était **tel** qu'il jetait des lueurs de sang.
> Une **telle** richesse leur permettait de mener une vie aisée.

14. **Tel, telle (pronom singulier)**

Désigne une personne indéterminée. Il a le sens de **quelqu'un** et est souvent employé dans les proverbes.

> **Tel** est pris qui croyait prendre.

15. Aux pronoms indéfinis (**on, chacun, tel, tout le monde**) correspond le pronom réfléchi tonique **soi. Soi** n'est utilisé que pour remplacer un pronom indéfini.

> **Chacun** pour **soi** et Dieu pour tous.
> **On** travaille pour **soi.**

Remarque 8

Tel, telle précédé de l'article indéfini, est employé pour éviter de nommer une personne.

> J'ai entendu parler **d'un tel** (de **Monsieur Un Tel**) qui a tué son ami et d'**une telle** (de **Madame Une Telle**) qui a épousé l'assassin de son mari.

APPLICATION

1. Complétez les phrases par la forme voulue de **tout.**

   a) _____ les êtres humains sont vulnérables.

   b) _____ individu doit respecter son prochain.

   c) _____ les femmes aiment porter des bijoux.

   d) Amantchi marchait _____ droit devant son ami.

   e) Elles l'ont _____ regardé comme s'il était fou.

   f) Elle n'avait pas demandé _____ ces cadeaux.

   g) _____ peut nous arriver dans la vie !

   h) Elle était _____ étonnée d'entendre son mari monologuer et elle était _____ honteuse des mots qu'il prononçait.

2. Employez la forme voulue de **l'un(e) l'autre** avec la préposition qui convient, s'il y a lieu.

   a) On ne peut pas croire les bruits du village : _____ disent ceci, _____ disent cela.

  b) Pendant leur promenade ils ont vu des voisines. _____ plantaient des fleurs, _____ bavardaient. Les deux amis se sont arrêtés et ont parlé à _____ et _____ .

  c) Ils marchaient _____ derrière _____ .

  d) Les femmes d'Amantchi et de Kouame ont préparé le repas. _____ l'ont servi à leurs maris.

  e) Les hommes du village continuent à chercher partout. _____ vont à droite, _____ vont à gauche.

3. Complétez les phrases par l'adjectif ou le pronom indéfini qui convient. Ajoutez l'article s'il le faut.

  a) Les deux amis étaient ensemble à _____ instant, mais _____ habitait chez soi.

  b) Ils n'avaient pas d' _____ amis.

  c) _____ prenait son temps pour jouir de la vie.

  d) Ces amis se respectent _____ _____.

  e) A-t-il _____ raison pour tuer son meilleur ami ?

  f) Les deux amis étaient assis _____ à côté de _____.

  g) _____ envie toujours le bonheur d' _____

  h) _____ est la jalousie, hélas !

  i) _____ humain est mortel.

  j) Auparavant, il n'avait jamais commis un _____ crime.

  k) A-t-il apporté _____ arme pour le tuer ?

  l) L'un répondait à _____ questions de _____.

  m) On dit qu'il y a des animaux dans le bois. — Oui, j'en ai vu _____. En fait, _____ bêtes sont couchées sur l'herbe.

  n) Il y a _____ manguiers et _____ orangers en fleurs.

  o) Avant de mourir, il l'a regardé _____ instants.

  p) _____ ont accouru quand ils ont entendu les tam-tams.

  q) _____ hommes ont cherché Kouame. _____ ont parcouru la brousse, _____ ont dragué le fleuve.

  r) Les femmes sont _____ attristées par la disparition de Kouame.

  s) _____ semble aller bien maintenant. _____ a enfin identifié le coupable.

  t) Connaissez-vous _____ de la Côte-d'Ivoire ? — Non, mais je connais un _____ garçon du Sénégal.

  u) Avez-vous lu _____ d'intéressant sur l'Afrique ?

LA FORME NÉGATIVE DES ADJECTIFS INDÉFINIS

adjectif	fonction grammaticale du mot qualifié	forme affirmative	forme négative
aucun(e) ... ne	sujet	**Quelques / plusieurs / tous** les / oiseaux ont pris le large.	**Aucun** oiseau **n**'a pris le large.
ne ... aucun(e)	objet	Il répondait à **plusieurs / toutes** les / questions.	Il **ne** répondait à **aucune** question.
nul(le) ... ne	sujet	**Toute** / action violente est punissable.	**Nulle** action violente **n**'est justifiable.
ne ... nul(le)	objet	Il avait besoin de l'argent de son ami.	Il **n**'avait **nul** besoin de l'argent de son ami.
pas un(e) ... ne	sujet	**Tous** les membres du village ont pardonné à Amantchi.	**Pas un** membre du village **n**'a pardonné à Amantchi.
ne ... pas un(e)	objet	Il y avait **un** témoin.	Il **n**'y avait **pas un** seul témoin.

1. Les adjectifs négatifs peuvent qualifier le sujet ou l'objet du verbe. Ils s'accordent avec le nom qu'ils qualifient et ils sont généralement employés au singulier.

    Nul homme **n**'a le droit de tuer.
    Kouame **n**'avait **aucune** idée des intentions de son ami.

2. **Nul** a le même sens que **aucun (= pas un)** mais appartient à la langue littéraire.

    Il **n**'aura **nulle** paix, **nul** repos.

3. **Pas un** est plus fort que **nul** et **aucun** et est souvent accompagné de **seul.** Avec un passé composé **pas** et **un** sont séparés et entourent le participe passé.

    Pas un seul témoin **n**'a vu le crime.
    Il **n**'a **pas** fait **un seul** effort.
    Il **n**'a **pas un** seul ami.

> ### Remarque
>
> Dans une phrase négative, l'adjectif indéfini **pas un** n'est jamais remplacé par **de** comme c'est le cas pour les articles indéfinis **un, une, des.**
>
>   Il **n**'y avait **pas un** seul témoin. (adjectif indéfini)
>   Il n'y avait pas **de** témoin(s). (article indéfini)

APPLICATION

1. Mettez les phrases suivantes au négatif en employant l'adjectif qui convient. Faites les changements voulus et variez vos réponses.

   a) Il a toutes les raisons d'être fâché contre son ami.
   b) Plusieurs habitants du village ont trouvé Kouame.
   c) Toutes les mouettes se sont envolées.
   d) Quelques oiseaux ont plongé la tête dans l'eau.
   e) Amantchi a eu des difficultés à tuer son ami.
   f) Un cri est sorti de sa bouche.
   g) Le village a sorti tous les tam-tams pour annoncer la mort.
   h) La brise était chargée de tous les parfums.
   i) Je connais un homme plus méchant que lui.
   j) Il a des soucis.

2. Répondez négativement aux questions suivantes.

   a) Est-ce que la femme de Kouame avait quelques soupçons ?
   b) Y avait-il des conflits entre les deux amis ?
   c) Est-ce que le village avait découvert quelque scandale ?
   d) Kouame avait-il une raison de se méfier d'Amantchi ?
   e) Est-ce que tous les voisins ont vu le crime ?

LA FORME NÉGATIVE DES PRONOMS INDÉFINIS

pronom	fonction grammaticale du mot qualifié	forme affirmative	forme négative
aucun(e) ne	sujet	**Tous** étaient mariés.	**Aucun** n'était marié.
ne ... aucun(e)	objet	Ont-ils des soucis ? Oui, ils en ont **quelques-uns.**	Ont-ils des soucis ? Non, ils n'en ont **aucun.**
nul ne	sujet	**Tout le monde** connaît la vérité.	**Nul**, sauf lui, **ne** connaît la vérité.
personne ne	sujet	**Quelqu'un** a été témoin du crime.	**Personne** n'a été témoin du crime.
ne ... personne	objet	Amantchi a vu **quelqu'un** quand il a tué son ami.	Amantchi **n'**a vu **personne** quand il a tué son ami.
rien ne	sujet	**Tout** condamne cette action.	**Rien ne** condamne cette action.
ne ... rien	objet	Il a **tout** avoué à la femme de Kouame.	Il **n'**a **rien** avoué à la femme de Kouame.
ne ... pas grand-chose	objet	Ils ont **beaucoup de choses** à faire.	Ils **n'**ont **pas grand-chose** à faire.

1. **Ne ... aucun(e), aucun(e) ne ; ne ... personne, personne ne ; ne ... rien, rien ne**

   a) Quand il est sujet du verbe, le pronom négatif précède **ne.** Il est généralement employé au singulier.

   > **Aucun** des deux **ne** vivait aux crochets de l'autre.
   > **Personne ne** comprend la raison de ce meurtre.
   > **Rien ne** peut l'empêcher de trembler devant la lueur du soleil.

   b) Le pronom négatif peut être objet direct ou complément d'une préposition.

   > Il **n'**appelle **personne.** (objet direct)
   > Il **ne** se promène **avec personne.** (complément de la préposition **avec**)
   > Il **ne** dit **rien.** (objet direct)
   > Il **ne** pense **à rien.** (complément de la préposition **à**)

   c) Quand le pronom est objet du verbe, les deux éléments entourent le verbe aux temps simples.

   > Il **ne** voit **personne.**
   > Les hommes parcourent la brousse, mais ils **ne** trouvent **rien.**

   Remarque 1

   Aucun est accompagné de **en,** lorsqu'il est objet du verbe.

   > Kouame avait-il des doutes quant à son ami ? — Il **n'en** avait **aucun.**
   > A-t-il des regrets ? — Il **n'en** a **aucun.**

   ---

   d) **Aucun** et **personne** sont placés après le participe des temps composés.

   > Lui a-t-elle offert des cadeaux ? Non, elle **ne** lui en a offert **aucun.**
   > Quand il monologuait, il **n'**a entendu **personne.**

   e) **Ne ... rien** entourent l'auxiliaire des temps composés.

   > Le village avait jasé, mais il **n'**avait **rien** prouvé.

   f) **Ne** précède l'infinitif et **personne** le suit.

   > Il est content de **ne** rencontrer **personne.**

   g) **Ne ... rien** précèdent l'infinitif.

   > Il s'est promis de **ne rien** dire.

   h) Quand **personne** ou **rien** sont suivis d'un adjectif, il faut ajouter la préposition **de** et l'adjectif est toujours au masculin singulier.

   > **Personne de loyal** ne trahit un ami.
   > **Rien de bon** ne peut venir d'un crime.

> ### *Remarque 2*
>
> Ne confondez pas les noms **personne** et **chose** avec les pronoms indéfinis,
> toujours masculins (**personne, quelque chose**). Quand **personne** et **chose** sont
> des noms, ils ne sont pas suivis de **de** devant l'adjectif, qui est au féminin.
>
> > Voilà **une personne** jalouse qui a fait **une chose** monstrueuse.
> > **Personne** n'a fait **quelque chose** d'aussi méchant.

2. **Nul(le) ... ne** est toujours sujet et il est plus littéraire que **aucun(e)**.

   > **Nul ne** soupçonnait Amantchi d'avoir tué Kouame.
   > **Nul n**'est prophète en son pays.

3. **Ne ... pas grand-chose**

   a) Aux temps composés, **grand-chose** est placé après le participe.

      > Il **n'a pas** dit **grand-chose**.

   b) Il est construit avec **de** + adjectif invariable et avec **à** + infinitif.

      > Il n'a pas dit **grand-chose d'intelligent**.
      > Il n'avait pas **grand-chose à faire**.

LA RÉPONSE NÉGATIVE ELLIPTIQUE

Pour éviter de répondre négativement par une phrase complète, on peut utiliser la
négation sans **ne**. (**Pas** n'est jamais employé seul comme réponse elliptique.)

> Quelqu'un l'a-t-il vu ? — Non, **personne**.
> Est-il déjà parti ? — Non, **pas encore**.
> Qu'a-t-il dit ? — **Rien**.
> A-t-il eu des problèmes à faire disparaître le corps ? — **Aucun**.

APPLICATION

1. Récrivez les phrases suivantes en employant le pronom négatif indiqué. Faites
   tous les changements nécessaires.

   a) Le meurtre sert à quelque chose. (ne ... pas grand-chose)
   b) Il a avoué son crime à tous les voisins. (ne ... personne)
   c) Nous avons tout vu. (ne ... rien)
   d) Quelques-uns de ses amis l'ont défendu. (aucun ... ne)
   e) Tout le monde a compris pourquoi il avait tué son meilleur ami.
      (personne ... ne)
   f) Je vous conseille de tout dire. (ne ... rien)
   g) Je connais quelqu'un de très cruel. (ne ... personne)
   h) J'ai lu des nouvelles africaines. (ne ... aucun)

2. Mettez les phrases suivantes à la forme négative en utilisant le pronom convenable.

 a) Quelqu'un a découvert le corps.
 b) Tout chez eux se faisait en commun.
 c) Tous se sont étonnés quand Amantchi est rentré seul.
 d) Des problèmes ? — Il en a eu quelques-uns.
 e) Il sort avec quelqu'un.
 f) Tous les deux étaient riches.
 g) Tout le monde a entendu les cris de la victime.
 h) A-t-il raconté quelque chose de vrai ?
 i) Il est soulagé de voir quelqu'un.
 j) Il pense à tout.

LA NÉGATION MULTIPLE

En français, il est possible de combiner plusieurs expressions négatives (excepté **pas**) (voir le chapitre 5).

> Il **n**'a **plus jamais** revu son ami.
> **Plus personne ne** remplacera **jamais** son mari.
> Leurs amis les ont abandonnés. Ils **n**'en ont **plus aucun.**
> Ils **ne** vont **plus jamais nulle part.**
> **Plus rien ne** soulage son remords.

Remarque 1

Pour l'expression **ne ... pas encore,** il faut omettre le **pas** dans une négation multiple.

> Il **n**'a **encore rien** dit à personne.

Remarque 2

On dit **jamais plus** aussi bien que **plus jamais.**

APPLICATION

1. Un agent de police arrive au village pour faire une enquête sur la disparition de Kouame. Combinez les deux phrases négatives pour en former une seule à négation multiple.

> **Modèle** : Un homme du village a disparu. Il n'est jamais revenu. Il n'est plus revenu.
> Il n'est plus jamais revenu. / Il n'est jamais plus revenu.

 a) Un homme a disparu. On n'a toujours pas trouvé son corps. On ne l'a trouvé nulle part.
 b) L'inspecteur a interrogé les voisins. Il n'a pas encore de suspect. Il n'a aucun suspect.

c) Il a demandé à la femme de Kouame si elle avait revu son mari. Elle a dit que personne ne l'avait revu. On ne l'avait pas encore revu.

d) L'inspecteur remarque un homme à l'air triste. Personne ne lui rend visite. On ne lui rend plus visite.

e) Son ami a disparu. Il ne va plus dans les bois. Il ne va jamais dans les bois.

f) Il est toujours triste. Il n'a guère d'énergie. Il n'a plus d'énergie.

g) Il mène une vie solitaire. Il ne sort jamais. Il ne sort nulle part.

h) L'inspecteur n'a rien découvert. Il ne pose plus de questions. Il ne pose aucune question.

2. Mettez au négatif le passage suivant qui raconte l'histoire de Khary et Koumba, deux sœurs qui habitent au Tchad.

Ces deux filles ont beaucoup de raisons d'être heureuses. Elle sont belles et riches ; elles habitent dans une grande maison. Khary a envie de se marier et Koumba aussi. Elles ont déjà quelques prétendants. En fait, il y a toujours quelqu'un qui les demande en mariage. Les deux rêvent du prince charmant. Selon elles, le mari parfait existe quelque part. Elles ont encore de la patience et attendent toujours son arrivée.

Tout le monde les admire. Elles ont de nombreux amis et elles invitent souvent des gens chez elles. Les jeunes hommes du village viennent quelquefois leur rendre visite. De temps en temps, elles se promènent dans les bois et parfois elles vont quelque part le soir. Elles ont toujours quelque chose de passionnant à faire.

Depuis leur querelle à cause d'un homme, leurs rapports sont toujours les mêmes. Elles sont encore de bonne humeur et elles se parlent tout le temps. Elle se sont déjà pardonné. Tout les amuse. Elle reçoivent souvent des nouvelles de leurs voisins et de leurs amis. Pour l'une et pour l'autre, la vie est belle.

3. Répondez négativement aux questions suivantes.

a) Avez-vous jamais visité l'Afrique ?

b) Avez-vous déjà fait des projets pour les prochaines vacances ?

c) Avez-vous jamais lu des romans où l'action se passe en Côte-d'Ivoire ?

d) Est-ce que quelqu'un vous lisait souvent des contes quand vous étiez petit(e) ?

e) Est-ce que la conclusion du conte a surpris quelques lecteurs ?

f) Est-il poussé par la jalousie ou par l'amour ?

g) Avez-vous beaucoup réfléchi au thème de l'amitié ?

h) Avez-vous déjà trouvé l'ami(e) idéal(e) quelque part ?

i) Faites-vous parfois quelque chose de stupide ?

j) Regardez-vous encore certains dessins animés ?

4. Traduisez les phrases ci-dessous.

a) All looked for the body, but they did not find it anywhere.

b) No form of betrayal can be tolerated.

c) Up to now, I never said anything, but if I ever see you flirting again with my wife, I shall kill you!

d) One of them is a murderer.

e) I shall never say anything to anyone again.

f) You have nothing to do. Then you can help someone.

g) She hardly ever goes out. She is afraid of everything.

DEVOIRS ÉCRITS / TRAVAIL ORAL

A. COMPOSITION GUIDÉE

Un(e) ami(e) fidèle est un trésor, mais un(e) ami(e) transformé(e) en ennemi(e) est le pire fléau. Êtes-vous d'accord ou non ? Pourquoi ?

1. Quelles qualités sont indispensables chez un(e) vrai(e) ami(e) ?

2. Comment se comporte un(e) ami(e) fidèle ?

3. Quels défauts ne tolérez-vous pas chez un(e) ami(e) ?

4. Avez-vous déjà fait l'expérience de voir un(e) ami(e) se transformer en ennemi(e) ? Qu'est-ce qui a changé ? Qu'est-ce qui a causé la transformation ?

5. Qu'avez-vous ressenti à la suite de cette transformation ?

B. COMPOSITION LIBRE / TRAVAIL ORAL

1. Chez tout être humain, il y a un bon et un mauvais côtés qui sont constamment en conflit. Qu'en pensez-vous ?

2. Le comportement de votre petit(e) ami(e) a beaucoup changé dernièrement. Il/Elle manque d'égards envers vous. Aussi décidez-vous de lui demander des explications. Jouez la scène.

DIALOGUES

1. **Je t'aime. Je ne t'aime pas.** Quelques jours avant son mariage, une jeune fille décide de rompre. Imaginez le dialogue entre elle et son fiancé lorsqu'elle lui déclare qu'elle est tombée amoureuse du meilleur ami de celui-ci.

Quelques expressions utiles

se marier	to get married
avoir confiance en	to trust
tromper	to betray
le coup de foudre	love at first sight
fou d'amour	madly in love
changer d'avis	to change one's mind

la bague de fiançailles	the engagement ring
les projets d'avenir	plans for the future
être faits l'un pour l'autre	to be made for each other
se remettre (de)	to get over (it)
vivre d'amour et d'eau fraîche	to live on love alone
vivre dans le mensonge	to live a lie
aveuglé par la passion	blinded by passion
une liaison amoureuse	a love affair
un billet doux	a love letter
un mariage d'amour	a love match

2. Votre ami(e) est partisan(e) de la peine de mort, surtout pour les meurtres, tandis que vous vous y opposez. Imaginez le dialogue.

Quelques expressions utiles

la réclusion criminelle	solitary confinement
les travaux forcés	hard labour
un récidiviste	a second offender
passer en justice	to stand trial
la condamnation à perpétuité	life imprisonment
condamner à mort	to sentence to death
prévenir la délinquance	to prevent criminality
subvenir aux besoins de	to support
un bourreau d'enfants	child batterer
la peur des sanctions	fear of punishment
la liberté conditionnelle	parole
morte la bête, mort le venin	dead, he is no longer a threat

MATIÈRE À RÉFLEXION

QUELQUES MAXIMES AU SUJET DE L'AMOUR

- « Si l'on juge de l'amour par ses effets, il ressemble plus à la haine qu'à l'amitié. »
  La Rochefoucauld

- « Amour ! amour ! quand tu nous tiens,
  On peut bien dire : Adieu prudence ! »
  La Fontaine

- « Il n'y a pas d'amour heureux. »
  Louis Aragon

- L'amour fait passer le temps et le temps fait passer l'amour. (adage)

- « On obéit facilement à la personne qu'on aime. »
  Madame Montmarson

- Cœur qui soupire n'a pas ce qu'il désire. (proverbe)

- « Le cœur a ses raisons que la raison ne connaît point. »
  Blaise Pascal

Chapitre 11

L'Afrique
La République centrafricaine

Aspects grammaticaux étudiés :

- La forme et les emplois du futur simple
    Le futur dans les propositions subordonnées de temps
    Les propositions subordonnées de condition avec le futur simple
- La forme et les emplois du futur antérieur
- Les adjectifs possessifs
    L'adjectif possessif et l'article défini avec les parties du corps
- Les pronoms possessifs

Système politique : République
Population : 3 500 000
Capitale : Bangui
Langue officielle : Français
Monnaie : Franc CFA

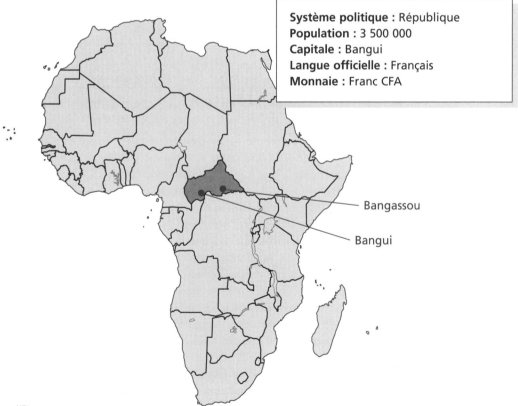

Bangassou

Bangui

En français,
les pronoms
possessifs
ne changent
pas avec
le sens du
personne.

> Ancienne colonie française, l'Oubangui-Chari, créée en 1905, est devenue indépendante en 1960 sous le nom de République centrafricaine. En 1966, le général Jean-Bédel Bokassa s'est emparé du pouvoir, se proclamant président à vie, maréchal puis empereur. Il a instauré un régime violent, torturant et massacrant ses compatriotes. Quand il a été renversé en 1979, l'État est redevenu une république où la langue nationale est le sango.
>
> Pierre Sammy Macfoy est né à Bangassou en 1935. Après avoir occupé différents postes politiques et administratifs, il est devenu inspecteur général de l'Éducation nationale. Son premier roman, *L'Odyssée de Mongou* (1977), situé à l'époque coloniale, retrace l'arrivée d'un Blanc, nommé Danjou, dans le pays bandia. La présence de l'étranger marque, chez les Bandias, l'ouverture sur l'extérieur. Quant à Mongou, jeune chef avec qui Danjou se lie d'amitié, il se transforme sous l'influence du Français. Le passage ci-dessous, sur lequel s'ouvre le roman, met en scène un Danjou vieilli et malade, mais qui continue à avoir à cœur le bien-être du peuple bandia, et le jeune chef qui partage son rêve.

PRÉ-LECTURE

1. Comment imaginez-vous la vie dans un village africain ?

2. À votre avis, si un Blanc s'installe dans un village africain, à quels obstacles devra-t-il faire face ?

Le Rêve de monsieur Danjou

Monsieur Danjou n'était plus que l'ombre de lui-même [...].

Les Bandias l'avaient surnommé Toroh, c'est-à-dire le diable, à cause de son acharnement au travail, en dépit de sa santé apparemment si fragile. Il se levait avec le soleil et ne rentrait au logis que pour se coucher, exténué. Quelquefois, en
5   compagnie de Mongou, son meilleur ami, mais très souvent seul, il sillonnait les hautes herbes de Limanguiagna, plié sur sa canne.

« Tout est à créer dans ce pays du Bon Dieu » psalmodiait-il inlassablement, pour lui-même, comme pour répondre aux questions muettes de son entourage. C'était devenu une rengaine à laquelle plus personne ne prêtait attention. De
10 temps en temps, il s'arrêtait, et d'un mouvement circulaire de sa canne, il montrait à des témoins invisibles l'immense contrée sauvage qui l'environnait. « Tout est à créer, n'est-ce pas ? Ces forêts, ces buissons, cette terre qui n'attendent que des bras pour se transformer en un jardin d'Éden. J'y arriverai, moi, j'y arriverai. Je ferai de cette contrée hostile un paradis, un pays où il fera
15 bon vivre et du monde viendra à nous ! »

Mongou avait les oreilles rebattues par ce refrain. Il en avait la tête pleine. Dès que les deux hommes s'engageaient comme à l'accoutumée, de grand matin,

Un village africain

sur les pistes de la brousse, Danjou <u>remettait sa musique</u>[1] tout en écartant de <u>sa</u> canne les herbes ployées sous le poids de la rosée.

20   « Tu ne me crois pas, toi, hein, tu ne me crois pas, je le sais, parce que tu me prends pour un fou, hein ! »

Mongou ne disait rien, ou bien approuvait de la tête quand l'autre le fixait de ses yeux éteints pour requérir une approbation. Mais dès qu'ils se remettaient à marcher, Danjou se perdait dans <u>ses</u> rêves et reprenait son monologue.

25   « Je sais que tu ne me crois pas, tu as peut-être raison, <u>mon vieux</u>[2] ! Tu ne peux pas comprendre ce que je veux te faire saisir. Tu ne peux pas imaginer le monde que je <u>te</u> présente. Mais attends seulement, tu verras... Il y <u>aura</u> ici des routes, des maisons autrement plus grandes que vos huttes, des hôpitaux, des écoles, des services, que sais-je encore ! Il viendra ici des hommes comme moi, à
30   la peau blanche, avec beaucoup de richesses et des machines. Tu m'entends, Mongou ? Tu <u>seras</u> un grand chef. » [...]

<u>Au demeurant</u>[3], Danjou était sourd aux interventions de Mongou qui, vainement, lui conseillait de prendre du repos et de ménager <u>sa</u> santé. Il <u>s'était fait</u>[4] à l'idée qu'un être de l'espèce de Mongou était incapable de raisonnement et
35   de logique. Que pouvait-il comprendre à ce qui se passe dans la tête d'un homme supérieur à lui à tous points de vue ?

---

[1] répétait la même idée
[2] terme d'amitié même pour s'adresser à un jeune
[3] Tout bien considéré
[4] s'était habitué

Danjou le considérait comme un élément non-pensant du décor à la fois sauvage et féerique qu'il voulait transformer à sa manière. [...]

40 Jouant sur la crainte qu'il ne cessait d'inspirer, bien qu'il soit devenu familier, Danjou avait réussi à faire acquérir quelques attitudes nouvelles aux Bandias. Ainsi l'habitat se trouvait quelque peu modifié, les différents groupements reliés par des pistes plus nettes qu'auparavant, la vie de communauté mieux structurée avec un début d'échange de produits complémentaires. Mais <u>son</u> souci majeur était d'élargir le cadre de Limanguiagna, d'en faire le centre d'une région où les

45 gens se <u>connaîtraient</u> davantage, où les tribus <u>pourraient</u> rompre leur isolement, et c'était pour cette raison qu'il semblait <u>avoir le diable au corps</u>[5], menant volontairement une vie de paria, ne connaissant pas de repos, ne mangeant jamais à sa faim.

Mais hélas, bientôt, le surmenage, les privations, le paludisme, le soleil et les

50 pluies <u>eurent raison de sa volonté</u>[6]. Vainement il s'efforça de dissimuler son exténuation et le mal qui le rongeait. Ses jambes flageolantes ne le menaient plus bien loin. Il déclinait visiblement. Finalement, au début de la mauvaise saison, une forte fièvre le terrassa. Il ne devait plus quitter son lit.

« Ce n'est rien, disait-il dans un souffle à Mongou qui se morfondait à son

55 chevet. Ce n'est qu'un malaise passager. Demain nous <u>reprendrons</u> le tracé des pistes, le regroupement des villages... Tu m'entends ? Demain... »

L'autre hochait tristement la tête, le cœur serré. Il ne quittait pas le malade des yeux.

« Pourquoi fais-tu cette tête-là, mon petit ? reprenait la voix lointaine de

60 Danjou. Ne me fais-tu plus confiance ? Crois-tu que je vais mourir ? Non ! je me remettrai très vite de ce mal. En attendant, poursuis ce que nous avons entrepris ensemble, je compte sur toi, hein, demain, tu verras, tout <u>ira</u> bien, demain, demain... »

Il <u>délirait</u>, disait des choses incohérentes. Parfois, au fort de la fièvre, il

65 tentait de se lever de sa couche pour sortir. Mais Mongou, qui s'était transformé en garde-malade, le recouchait doucement ou bien lui faisait boire une infusion de racines médicinales bandia. [...]

La science bandia <u>s'avérait</u> inopérante contre cette maladie tenace. Tous les sorciers du pays avaient été convoqués pour conjurer le mal, mais en vain. Tout

70 espoir semblait définitivement perdu. Mongou était au comble du désespoir. Il décida un matin de réunir le conseil des Anciens. Le moment était grave. Il fallait <u>arrêter une ligne de conduite</u>[7] avant le pire. Le conseil <u>délibéra</u> une journée entière sous l'arbre où se prenaient les grandes décisions. [...] Une fraction de l'auguste assemblée conseillait une fatale résignation, l'acceptation

75 passive de la volonté du destin.

« Que faire d'autre qu'on n'<u>eût</u>[8] déjà fait ? disait Kourakoumba, du groupe des fatalistes. Cet homme est un démon. Il est réfractaire à notre médecine, car il

---

[5] être doué (avoir) d'une énergie surhumaine
[6] ont été plus forts que sa volonté
[7] déterminer la façon d'agir
[8] avait

n'est pas de notre monde. Maintenant son heure est venue pour rejoindre les siens dans l'au-delà. Tout ce que nous tentons pour le sauver est vain. Lui, ne

80   mourra pas comme nous, je vous donne ma parole. Il va disparaître comme un esprit, volatilisé dans le néant.

— Tu n'es qu'un vieux sanglier aux facultés émoussées, coupa Mongou. Tu divagues et dis des sottises. Le « bawé[9] » Danjou est un homme comme nous. Il l'a prouvé tout au long de son existence parmi nous. C'est un esprit par son

85   intelligence sans doute supérieure à la nôtre, mais c'est un être humain, sensible à la douleur comme nous. Il faut que nous le sauvions coûte que coûte[10] !

— Comment vois-tu cela ? demanda une voix anonyme dans l'assemblée.

— Je ne vois qu'une seule issue, c'est d'emmener le bawé dans l'ouest, en pays Yakoma, répondit Mongou. Là-bas nous trouverons du secours auprès de

90   nos cousins Dendis. Et puis, c'est de ce côté que le bawé est venu, du côté du soleil couchant. Il me disait souvent qu'il avait laissé là-bas une grande pirogue dans laquelle il avait remonté le fleuve des Mbala, jusqu'aux rapides de Ngbazégui. Peut-être qu'elle y est encore, et en redescendant le fleuve, sans doute arriverons-nous à le sauver !

95   — Ton idée est bonne, approuva Damongomboli, le plus ancien des Anciens. J'ai ouï dire[11] ces derniers temps que des hommes semblables au bawé Danjou étaient arrivés dans le pays Yakoma et y faisaient des merveilles. Ils sauveront leur frère si nous le portons à eux. Leur médecine est certainement plus forte que la nôtre. Qu'en pensent mes pairs ? »

100   Ainsi, au terme d'un long palabre, qui se prolongea fort tard dans la nuit, il fut décidé que Danjou referait en sens inverse le chemin par lequel il était venu, à quelque chose près[12]. Une expédition devait s'organiser le lendemain même car chaque jour perdu serait fatal au patient.

[Toutefois, quelques Anciens se sont opposés au départ de Mongou, car ils
105   *pensaient le voyage trop dangereux pour leur jeune chef. Mongou a essayé de les convaincre.]*

« Si je ne l'accompagne pas moi-même, qui d'autre veillera sur lui pendant ses crises ? Prévoyez-vous au moins l'accueil des populations des régions qu'ils vont traverser si je ne suis pas là pour dissiper les méfiances ? Non ! Je ne peux

110   pas abandonner Danjou au moment même où il a le plus besoin de moi. Je sais que les Vou-Kpatas, les Vou-Lizians et les Vou-Gbelous sont nos frères. Nous n'avons rien à craindre d'eux. Mais n'oubliez pas que les Digos sont de fins renards. Quand il s'agira de passer les rivières, ils peuvent jouer des tours à nos hommes et précipiter la fin de notre ami. Or, si je suis de la partie[13], tout se

115   passera bien. À mon seul nom, nos cousins Dendis allégeront nos fardeaux, nos alliés de sang les Gbodos, les Goumbas, les Ngbérés nous porteront aide... Non,

---

[9] Terme pour désigner l'homme blanc et qui, selon Pierre Sammy Macfoy, signifie littéralement « l'homme qui maîtrise le feu ».
[10] à tout prix, peu importent les efforts
[11] entendu dire
[12] plus ou moins
[13] je fais partie de l'expédition

n'insistez pas. Je dois accomplir jusqu'au bout mon devoir de chef. Ce que vous avez de mieux à faire, c'est de veiller sur le village. <u>Ne vous faites pas de mauvais sang pour moi</u>[14]. »

120   *[Les Anciens ont fini par accepter la décision de Mongou.]*

Mongou transmit la décision du conseil à Danjou, avec beaucoup de ménagements.

« Le Grand Sorcier m'ordonne de te conduire chez nos frères qui habitent la région du grand fleuve. Là-bas se trouve un esprit puissant qui te guérira. [...] Je

125   crois que c'est là le salut, aussi bien pour toi que pour nous. Tu ne seras pas seul. Je serai avec toi, et ensemble nous reviendrons à Limanguiagna quand tu seras guéri. »

Quand Mongou se tut, il s'établit un lourd silence. Danjou avait fermé les yeux et respirait lentement. [...]

130   « Si tel est l'avis du Sorcier, j'accepte de partir. Mais ce ne sera pas pour longtemps. Dès que j'aurai repris un peu de force, je reviendrai... » [...]

Une foule s'était assemblée près de la case où dormait Danjou [...]. Bientôt Danjou apparut, soutenu par Mongou. [...]

Tout le monde voulait revoir pour la dernière fois le bon bawé qui s'en allait.

135   [...]

Malgré son extrême faiblesse, Danjou sortit un bras de dessous sa couverture et agita la main en signe d'adieu à la foule qui se pressait autour de lui. Des larmes d'émotion serpentaient dans les sillons de ses rides. Il réalisait en cet instant poignant combien ces pauvres créatures l'aimaient, combien elles étaient

140   capables d'affection véritable. [...] Comment croire que dans ces corps d'ébène puisse habiter une âme pure, égale à la sienne ?

Danjou sentit jaillir en lui une lumière divine, radieuse, qui auréola le petit monde noir qui l'escortait dans un élan calme d'amour et de fraternité. Un changement total s'opéra en lui, et il comprit, pour la première fois, que tous les

145   hommes de la terre n'étaient qu'une seule et même chair.

Pierre Sammy Macfoy, *L'Odyssée de Mongou,* Paris, Hatier, 1983, p. 5-13.

---

[14] Ne vous inquiétez pas pour moi.

Expressions à retenir

l'acharnement au travail (l. 3)
prêter attention (l. 9)
de grand matin (l. 17)
se faire à (l. 33-34)
auparavant (l. 42)
hocher la tête (l. 57)
faire confiance à (l. 60)
au comble de (l. 70)
donner sa parole (l. 80)
coûte que coûte / à tout prix (l. 86)
jouer des tours (l. 113)
se faire du mauvais sang (l. 118-119)

COMPRÉHENSION

1. Pourquoi les Bandias avaient-ils surnommé monsieur Danjou, Toroh ?
2. Quel était le rêve de monsieur Danjou ?
3. Quels sont les changements que le bawé avait apportés chez les Bandias ?
4. Quelles étaient les causes de sa maladie ?
5. Que suggéraient quelques membres du conseil des Anciens ?
6. Quelle solution Mongou a-t-il proposée ?
7. Comment Danjou a-t-il réagi face à la décision du conseil ?
8. Quelles difficultés pouvaient se présenter pendant le voyage ?

INTERPRÉTATION

1. Comment Danjou envisageait-il l'avenir à Limanguiagna ?
2. Comment considérait-il Mongou ?
3. Quel était le souci principal de monsieur Danjou ?
4. Comment le tact de Mongou se manifeste-t-il ?
5. Quelle opinion les Bandias se faisaient-ils de monsieur Danjou ?
6. Quelle leçon les Bandias ont-ils apprise à l'étranger qui a vécu dans leur village ?

MAÎTRISONS LA LANGUE

A

1. Repérez, dans le texte, les expressions qui impliquent l'effort.

2. Trouvez deux expressions qui signifient *répéter toujours la même chose*.

3. Donnez un synonyme de l'expression soulignée.

   a) Il ne rentrait <u>au logis</u> que pour se coucher. (l. 4)
   b) Il écartait les herbes <u>ployées</u> sous le poids de la rosée. (l. 19)

c) Il voulait le transformer à sa <u>manière</u>. (l. 38)

d) Vainement il s'efforça de <u>dissimuler</u> le mal qui le rongeait. (l. 50)

e) Tu dis des <u>sottises</u>. (l. 83)

f) Je ne vois qu'une seule <u>issue</u>. (l. 88)

g) Je dois accomplir jusqu'<u>au bout</u> mon devoir de chef. (l. 117)

h) Si tel est <u>l'avis</u> du Sorcier, j'accepte de partir. (l. 130)

B

1. Quel est le sens du verbe dans l'expression *veiller sur le village* (l. 118) ? Faites une phrase qui illustre un autre sens de ce verbe.

2. Expliquez le sens de *renards* dans la phrase « les Digos sont de fins renards » (l. 112-113) et de *sanglier* dans la phrase « Tu n'es qu'un vieux sanglier » (l. 82).

3. Dites autrement :

   a) Monsieur Danjou n'était plus que l'ombre de lui-même. (l. 1)

   b) Il menait une vie de paria. (l. 46-47)

   c) Mongou était au comble du désespoir. (l. 70)

   d) Le bawé est venu du côté du soleil couchant. (l. 90-91)

   e) Ils peuvent jouer des tours à nos hommes. (l. 113-114)

4. Certaines expressions idiomatiques sont formées avec le verbe **faire.** Inventez des phrases qui illustrent le sens de ces expressions tirées du texte :

   a) faire bon vivre (l. 14-15) ;

   b) se faire à l'idée (l. 33-34) ;

   c) faire cette tête (l. 59) ;

   d) faire confiance à (l. 60) ;

   e) se faire (du) mauvais sang (l. 118-119).

GRAMMAIRE

<u>LE FUTUR</u>

Le futur simple

Forme

1. Le futur simple est formé en ajoutant à l'infinitif les terminaisons **-ai, -as, -a, -ons, -ez, -ont** (qui ressemblent au présent du verbe **avoir**).

   Pour les verbes en **-re**, le **e** final de l'infinitif disparaît.
   Notons que le futur a toujours un **r** devant les terminaisons.

travailler	réussir	perdre
je travailler-**ai**	je réussir-**ai**	je perdr-**ai**
tu travailler-**as**	tu réussir-**as**	tu perdr-**as**
il/elle/on travailler-a	il/elle/on réussir-a	il/elle/on perdr-a
nous travailler-**ons**	nous réussir-**ons**	nous perdr-**ons**
vous travailler-**ez**	vous réussir-**ez**	vous perdr-**ez**
ils/elles travailler-**ont**	ils/elles réussir-**ont**	ils/elles perdr-**ont**

2. Des verbes du premier groupe (**-er**) subissent des changements orthographiques au futur.

a) Pour les verbes ayant un **e** muet à l'avant-dernière syllabe de l'infinitif, il faut transformer cet **e** en **è** ou doubler la consonne qui suit.

acheter

j'achèterai	nous achèterons
tu achèteras	vous achèterez
il/elle achètera	ils/elles achèteront

appeler   **jeter**

j'appe**ll**erai	nous appe**ll**erons	je je**tt**erai	nous je**tt**erons
tu appe**ll**eras	vous appe**ll**erez	tu je**tt**eras	vous je**tt**erez
il/elle appe**ll**era	ils/elles appe**ll**eront	il/elle je**tt**era	ils/elles je**tt**eront

b) Les verbes en **-yer (employer, essuyer, payer)** changent le **y** en **i** à toutes les personnes du futur (voir l'appendice).

j'emplo**i**erai	nous emplo**i**erons
tu emplo**i**eras	vous emplo**i**erez
il/elle emplo**i**era	ils/elles emplo**i**eront

> ## Remarque
>
> Pour les verbes en **-ayer (payer)**, on peut aussi garder le **y.**
>
> | | |
> |---|---|
> | je pa**i**erai / payerai | nous pa**i**erons / nous payerons |
> | tu pa**i**eras / payeras | vous pa**i**erez / vous payerez |
> | il/elle pa**i**era / payera | ils/elles pa**i**eront / payeront |

3. Certains verbes ont un radical irrégulier au futur (voir l'appendice).

Emplois

1. Comme son nom l'indique, le futur s'emploie pour exprimer un fait ou une action à venir.

Demain, tu **verras**, tout **ira** bien.
Nos alliés de sang nous **aideront.**
Je me **remettrai** très vite de ce mal.

2. Le verbe **aller**, suivi de l'infinitif (**futur proche**), peut généralement remplacer le futur.

> Crois-tu que je **vais mourir** ?
> Il **va disparaître** comme un esprit.
> Quel sera l'accueil des populations des régions qu'ils **vont traverser** ?

3. Le futur est souvent utilisé, au lieu de l'impératif, pour donner un ordre.

> Vous **élargirez** le cadre de Limanguiagna.
> Tu lui **donneras** une infusion de racines médicinales.

Le futur dans les propositions subordonnées de temps

Après les conjonctions de temps **quand, lorsque, dès que, aussitôt que, pendant que,** si le verbe de la proposition principale est au futur ou à l'impératif, le futur est employé dans les deux propositions.

> **Quand** nous **emmènerons** le bawé dans l'ouest, nous **trouverons** du secours auprès de nos cousins.
> **Pendant qu**'ils **voyageront,** Mongou **veillera** sur monsieur Danjou.
> **Embarquez** le malade dans la pirogue **dès que** vous **arriverez** à destination.

Remarque

Attention ! L'anglais n'utilise pas le futur dans la proposition temporelle.

> Lorsque tu **seras** un grand chef, tu **transformeras** le village.
> *When you **are** a great leader, you will transform the village.*

Les propositions conditionnelles

1. Quand la proposition conditionnelle et la proposition principale décrivent des actions simultanées ou des généralités, **l'indicatif présent** est utilisé.

Si tel **est** l'avis du Sorcier,	j'**accepte** maintenant de partir.
proposition conditionnelle	proposition principale
si + présent	**présent**
Si (= quand) Danjou **parle,**	tout le monde l'**écoute.**
proposition conditionnelle	proposition principale
si + présent	**présent**

2. Quand la proposition conditionnelle décrit une action antérieure à celle de la proposition principale, **l'indicatif présent** est utilisé dans **la proposition conditionnelle** et **le futur ou l'impératif** dans **la proposition principale.** Il ne faut jamais employer le futur après un **si** de condition.

Ils **sauveront** leur frère	**si** nous le **portons** à eux.
proposition principale	proposition conditionnelle
futur	**si + présent**

Si je **suis** de la partie, proposition conditionnelle	tout **se passera** bien. proposition principale
si + présent	**futur**
Si vous **devez** prendre une décision, proposition conditionnelle	**réunissez** le conseil des Anciens. proposition principale
si + présent	**impératif**

Remarque

Le futur est employé après **si** (*whether*) qui introduit une interrogation indirecte, c'est-à-dire une question posée indirectement, si la proposition objet (qui répond à la question **quoi ?** posée après le verbe principal) exprime une idée future.

> Mongou se demande **si** le malade **tiendra** le coup jusqu'au bout du voyage.
> (Mongou se demande : « Est-ce que le malade tiendra le coup jusqu'au bout du voyage ? »)
> Il ne sait pas **si** Danjou **pourra** retourner au village.
> (Danjou pourra-t-il retourner au village ?)

APPLICATION

1. Mettez les phrases : a) au futur simple ; b) au futur proche.

   a) Vous suspendez la discussion quand le chef prend la parole.
   b) Quand un ami a besoin d'aide, nous ne l'abandonnons pas.
   c) Pendant que les Anciens discutent, les jeunes organisent l'expédition.
   d) Lorsque le Grand Sorcier lance un cri lugubre, les mauvais esprits disparaissent.
   e) Des jeunes gens armés se présentent pour escorter le malade aussitôt que le chef les appelle.
   f) Dès qu'ils quittent la case de Danjou, une foule les suit.
   g) Lorsque les femmes commencent à pleurer, Danjou est ému.
   h) Aussitôt qu'ils arrivent chez les Dendis, ils trouvent du secours.

2. Avant de partir, Mongou fait des recommandations aux Anciens et à son remplaçant.

   Transformez les ordres ci-après en utilisant le futur.

   a) Ne vous opposez pas à mon départ.
   b) Veillez sur le village.
   c) Prenez soin des femmes et des enfants.
   d) Si un étranger arrive, logez-le dans la case des étrangers et tenez-le à l'œil.
   e) Ne laissez personne s'approcher de la maison de Danjou.
   f) Ne descendez pas l'emblème qui flotte devant ma case.

g) Ne vous faites pas de mauvais sang pour nous.

h) Kpiomboli, remplace-moi pendant mon absence et assure l'intérim.

i) Ne cours pas de risques inutiles.

j) Nourris ma famille et protège-la.

3. Mettez le paragraphe ci-dessous au futur.

Demain, Mongou et Danjou (se lever) de bonne heure et (partir) ensemble. Ils (se promener) dans la brousse où ils (sillonner) les hautes herbes. Danjou (remettre) sa musique et (dire) « Tout est à créer ici ». Il (s'arrêter) et (montrer) à des témoins invisibles l'immense contrée sauvage. Il (s'exclamer) : « Les hommes blancs (venir) ; ils (ouvrir) cette région et ils (construire) de grandes maisons. Tu (être) un chef puissant. Toi et ton peuple, vous (avoir) une meilleure vie. Vous (connaître) un autre monde et vous (pouvoir) sortir de votre isolement. »

Fatigué, Danjou (s'essuyer) le front, (se laisser) tomber au pied d'un arbre et (s'endormir). Résigné, Mongou (attendre), assis sous un autre arbre, et, de temps en temps, il (jeter) un coup d'œil sur son mystérieux compagnon. Il (aller) partout avec lui. Il (permettre) à son ami de faire à sa guise. Il (se plier) à tous ses caprices, persuadé qu'un jour, tout cela (finir) bien.

4. Qu'est-ce que vous ferez dans les situations suivantes ? Utilisez les termes indiqués entre parenthèses.

a) Vous faites du camping ; votre ami a un accident dans les bois. (si)

b) On vous offre un billet d'avion gratuit. (dès que)

c) Vos parents partent en voyage. (quand)

d) Votre voiture tombe en panne. (si)

e) Un ami manque un rendez-vous. (lorsque)

f) Vous apprenez que votre camarade de chambre a obtenu une bourse. (aussitôt que)

g) Vous êtes seul(e) à la maison et vous entendez un bruit insolite. (dès que)

h) Une personne âgée vous donne des conseils. (quand)

Le futur antérieur

Forme

Le futur antérieur est formé du futur de l'auxiliaire **avoir** ou **être** et du participe passé du verbe.

chercher	partir	se rendre
j'aurai cherché	je serai parti(e)	je me serai rendu(e)
tu auras cherché	tu seras parti(e)	tu te seras rendu(e)
il/elle/on aura cherché	il/elle/on sera parti(e)	il/elle/on se sera rendu(e)
nous aurons cherché	nous serons parti(e)s	nous nous serons rendu(e)s
vous aurez cherché	vous serez parti(e)(s)	vous vous serez rendu(e)(s)
ils/elles auront cherché	ils/elles seront parti(e)s	ils/elles se seront rendu(e)s

Comme dans les cas du passé composé ou du plus-que-parfait, le participe passé s'accorde :

a) avec l'objet direct qui précède si le verbe est conjugué avec **avoir** ou s'il s'agit d'un verbe pronominal ;

> Après qu'ils **auront fait** les préparatifs de voyage, **ils partiront.**
> Quand il les **aura saluées**, les femmes du village **pleureront.**
> Dès que vous **vous serez rendus** dans l'Ouest, vous **rencontrerez** vos alliés.

b) avec le sujet si le verbe est conjugué avec **être.**

> Lorsque **nous serons arrivés** dans le territoire des Digos, nous devrons prendre garde.

Emplois

Le futur antérieur est employé :

1. Pour indiquer

   a) qu'une action future sera terminée avant qu'une autre action future ne commence ;

   b) que l'action sera terminée à un certain moment dans l'avenir.

   > Après qu'ils **se seront reposés** un peu, ils **traverseront** la rivière.
   > **L'année prochaine**, Danjou **aura vécu** vingt ans dans ce village.

2. Pour exprimer une supposition ou une probabilité.

   > Les Anciens ont discuté longuement. Ils **auront pris** une décision.
   > Ils ne sont pas revenus de leur voyage : les Digos **se seront cachés** dans la brousse et les **auront attaqués.**

   by this time I will have done this... (handwritten note)

3. Après un **si** d'interrogation indirecte.

   > Mongou se demande **s'**ils **seront arrivés** au fleuve avant le coucher du soleil.
   > Les Anciens ne savent pas **si** la médecine des Blancs **aura sauvé** Danjou.

Remarque 1

On n'emploie pas le futur antérieur après le **si** de condition. Pour marquer l'antériorité, on utilise le passé composé.

> **Si** Danjou n'**a** pas encore **accepté** de partir, Mongou le **convaincra.**

---

4. Après les conjonctions de temps **quand, lorsque, dès que, aussitôt que, pendant que, après que,** si le verbe de la proposition principale est au futur et que l'action de la proposition subordonnée précède l'action de la principale.

   > **Dès que** j'**aurai repris** un peu de force, je **reviendrai.**
   > Nous **reviendrons** à Limanguiagna **quand** tu **seras guéri.**

> *Remarque 2*
>
> Si l'action de la proposition subordonnée est complètement terminée avant que l'action de la principale ne commence, l'auxiliaire de la proposition subordonnée est au même temps que le verbe de la principale.
>
> | | |
> |---|---|
> | Quand il **a** repris des forces, il **mange.** | (présent) |
> | Quand il **avait** repris des forces, il **mangeait.** | (imparfait) |
> | Quand il **aura** repris des forces, il **mangera.** | (futur) |
> | Quand il **aurait** repris des forces, il **mangerait.** | (conditionnel) |

APPLICATION

1. Imaginez Limanguiagna après l'arrivée des Blancs. Mettez le passage au futur.

   Un jour, d'autres Blancs (arriver) à Limanguiagna. Mongou, le chef, (accueillir) chaleureusement les nouveaux arrivés et les Anciens leur (souhaiter) la bienvenue. Aussitôt que les Blancs (s'installer) dans le village, ils (offrir) des cadeaux aux habitants. Mongou et Bobichon, chef des Bawé, (entreprendre) de longs palabres, au cours desquels ils (projeter) l'extension du territoire. Le rêve de Danjou (se réaliser) quand les Blancs (ouvrir) une brèche dans l'isolement des Bandias. Quand ils (créer) un service de santé, ils (construire) un hôpital. Après que les Blancs (ouvrir) une école, ils (contraindre) tous les jeunes garçons du village à la fréquenter. Les écoliers (apprendre) à lire et à écrire et ils (découvrir) la langue française. Certains (refuser) d'aller à l'école et, dès que le soleil (se lever), ils (se cacher) dans la forêt.

   Si l'horizon autour de Limanguiagna (s'élargir), ce village (se trouver) au centre d'une mosaïque de tribus. En fait, il (être) le modèle que les autres groupes (suivre). Quand ils (accepter) l'influence des Blancs, les habitants de Limanguiagna (établir) des contacts avec d'autres civilisations, mais ils (subir) un grand choc.

2. Vous allez faire un safari au Kenya.

   A. Quels conseils vos parents vous donnent-ils avant le départ ? Complétez les phrases suivantes :

   a) Après que tu auras atterri...
   b) Écris-nous aussitôt que...
   c) Si nous n'avons pas de tes nouvelles...
   d) Si tu as besoin de quelque chose...
   e) Lorsqu'il fera trop chaud...
   f) Quand tu verras un lion...
   g) Pendant que tu prendras des photos....
   h) Quand le guide donnera des explications...
   i) Ne sors plus dès que...
   j) Si tu es malade...

B. Les préparatifs de voyage. Reliez les deux actions futures par une conjonction.

> **Modèle :** décider de partir / commencer à faire les préparatifs
> Quand / Dès que / Aussitôt que / j'aurai décidé / je déciderai / de partir, je commencerai à faire les préparatifs.

a) choisir la date du départ / réserver ma place dans l'avion
b) remplir le formulaire / pouvoir renouveler mon passeport
c) consulter le médecin / me faire vacciner contre le paludisme
d) aller au centre commercial / acheter des vêtements légers
e) sortir les valises / faire les bagages
f) annoncer la nouvelle à mes amis / ils / me fêter / et m'offrir un cadeau
g) me rendre à l'aéroport / faire mes adieux à ma famille
h) partir / mon père / être triste / et ma mère / pleurer

3. Dites : a) ce que vous ferez et b) ce que vous aurez déjà fait aux moments indiqués.

> **Modèle :** Dans 2 ans...
> Je ferai un voyage en Europe / j'aurai fini mes études.

a) Dans 5 ans…
b) Dans 10 ans…
c) Dans 20 ans…
d) Dans 30 ans…
e) Dans 50 ans…

4. Comment sera la vie en l'an 3000 ? Faites des phrases où vous commenterez trois des sujets suivants au choix :

a) l'écologie ;
b) les moyens de transport ;
c) le système de santé ;
d) les ordinateurs ;
e) le clonage ;
f) les robots ;
g) les écoles ;
h) les moyens de communication.

LES ADJECTIFS POSSESSIFS

Forme

Adjectifs possessifs

| possesseur | singulier | | pluriel |
	masculin	féminin	masculin et féminin
je	mon	ma	mes
tu	ton	ta	tes
il/elle/on	son	sa	ses
nous	notre	notre	nos
vous	votre	votre	vos
ils/elles	leur	leur	leurs

Devant un nom féminin ou un adjectif qui commencent par une voyelle ou un **h** muet, **mon, ton, son** sont employés.

> **Mon** arrivée dans le village a étonné tous les habitants.
> **Ton** hésitation sera fatale au malade.
> Malgré **son** extrême faiblesse, Danjou a salué la foule.

> ### Remarque
> **Ma, ta, sa** sont employés devant les mots féminins commençant par un **h** aspiré ainsi que devant **onzième** et **huitième.**
>
> > J'ai besoin de **ma h**ache.
> > Le chef de la tribu en est à **sa onzième** expédition et à **sa huitième** bataille.

Emplois

1. L'adjectif possessif s'accorde avec le nom qui le suit et non pas avec le possesseur.

   > Danjou s'appuyait sur **sa canne.**
   > La maladie a suivi **son cours.**

2. Comme l'article, l'adjectif possessif doit être répété devant chaque nom.

   > Les voyageurs ont apporté **leur** nourriture, **leurs** flèches et **leurs** couteaux.
   > Chaque membre de la petite troupe a abandonné **son** village, **sa** famille et **ses** enfants.

3. Avec les pronoms indéfinis **on, chacun, tout le monde,** on emploie **son, sa, ses.**

   > **On** veut toujours faire à **sa** manière.
   > Pendant la réunion du conseil, **chacun** a exprimé **son** opinion.

L'adjectif possessif et l'article défini avec les parties du corps

1. L'article défini est utilisé devant les parties du corps quand le possesseur est évident.

> **Le** cœur serré, Mongou hochait tristement **la** tête.
> Danjou avait fermé **les** yeux et respirait lentement.
> Il avait mal **aux** jambes.

Remarque 1

Les articles définis **le** et **les** se contractent avec les prépositions **à** et **de.**

à + le = au	à + les = aux
de + le = du	de + les = des

> Il avait mal **aux** jambes.
> Il avait une forte douleur **au** dos.

Remarque 2

Certains noms qui ne désignent pas des parties du corps, mais qui ont trait à la vie humaine (tels **vie, mémoire, air,** etc.), suivent la même règle.

> Il commence à perdre **la** mémoire et **la** vue.

---

2. L'adjectif possessif est utilisé si la partie du corps est qualifiée par un adjectif (autre que **droit/droite** ou **gauche**) ou par un groupe de mots ayant une fonction adjectivale.

> Il le fixait de **ses** yeux **éteints.**
> **Ses** jambes **flageolantes** ne le menaient plus loin.
> **Ses** cheveux, **qui étaient devenus gris,** révélaient son âge.
> Danjou a salué la petite foule en agitant **la** main **droite.**

3. L'article défini est employé quand le verbe est accompagné d'un objet indirect indiquant le possesseur, en particulier avec les verbes pronominaux.

> Il **s'**est fait mal **au** dos et il **s'**est coupé **le** pied.
> Au fort de la fièvre, Mongou essuyait **le** visage **de Danjou.**
> On espère que le médecin **lui** sauvera **la** vie.

4. L'article défini est utilisé devant un vêtement ou une partie du corps dans des locutions exprimant la manière (répondant à la question « comment »).

> Il est rentré, **les** habits sales et **la** canne au bras.
> Danjou psalmodiait, **l'**œil fixé sur son ami.
> **Le** visage peint, **les** mains en l'air, le Grand Sorcier chassait les mauvais esprits.

APPLICATION

1. Employez l'adjectif possessif qui convient.

Danjou dit à Mongou : « Tu es _____ meilleur ami. Tu passes tout _____ temps avec moi. Tu partages _____ rêves et _____ fatigue. C'est déjà _____ onzième année dans ce pays et il y a encore beaucoup à faire. Je t'avoue que _____ souci majeur est d'élargir le cadre de Limanguiagna. _____ autre préoccupation est de construire une école. Si les enfants apprennent à lire et à écrire, _____ avenir sera meilleur et _____ enfants auront une vie beaucoup plus facile. Je me souviens qu'au début, toi et tous les Bandias aviez peur de moi. Vous avez quitté _____ maisons et amené _____ enfants dans les bois. La couleur de _____ peau a provoqué la panique. Vous épiiez _____ mouvements de loin et certains sont venus écouter à _____ porte. Vous n'êtes sortis de _____ cachettes que deux jours plus tard. »

Mongou sourit et prend la parole : « Nous avons été stupides. Nous voulions protéger _____ village contre l'étranger. Même _____ guerriers et _____ conseil se méfiaient de toi. Mais, maintenant nous admirons _____ énorme générosité et _____ acharnement au travail malgré _____ santé fragile. _____ intelligence supérieure est respectée de tous. Chacun a _____ propres rêves pour ces contrées, mais _____ projets pour _____ tribu nous fascinent. Grâce à _____ emplacement, à _____ forêt et à _____ terres fertiles, cette région pourrait se transformer en un jardin d'Éden. Avec _____ aide, nous y arriverons. »

2. Complétez les phrases par l'article défini ou par l'adjectif possessif.

a) Il travaillait dans les champs, _____ dos courbé et _____ tête baissée.

b) Quand il est très fatigué, _____ mains tremblent et _____ jambes flageolent.

c) Le vieillard à _____ yeux vifs regarde l'immense contrée et prend une poignée de terre dans _____ mains sales.

d) Il a toujours un sourire à _____ lèvres et _____ vieux habits sont toujours propres.

e) Danjou a _____ cheveux courts et _____ barbe blanche ; _____ grands yeux perçants inspirent la crainte.

f) Il continue à travailler fort, même s'il a _____ cœur malade.

g) On lui a lavé _____ pieds et on a pansé _____ jambe blessée.

h) Il a élevé _____ voix faible et tremblante et a donné _____ main à _____ ami.

i) Quand il a quitté le village, les femmes le suivaient et le fixaient de _____ yeux tristes.

j) Quelques enfants s'accrochaient à _____ bras de _____ maman et pleuraient.

3. Complétez en employant l'adjectif possessif ou l'article défini.

Danjou a —— yeux bleus et —— cheveux gris. Il a souvent _____ air fatigué, mais il essaie toujours de cacher _____ exténuation. Quand une chose ne lui plaît pas, _____ visage change de couleur, il fronce _____ sourcils et secoue _____ tête blanche. Plié sur _____ canne, il se promène dans la brousse, _____ main gauche sur _____ hanche. Il regarde la contrée de _____ yeux fatigués et il répète _____ monologue habituel. Tout le monde connaît _____ honnêteté ; jamais un mensonge n'est sorti de _____ bouche. _____ grande détermination ainsi que _____ zèle pour aider les Bandias, est célèbre dans la région.

LES PRONOMS POSSESSIFS

Le pronom possessif remplace **un adjectif possessif** + **un nom.**

Forme

Pronoms possessifs

possesseur	masculin singulier	masculin pluriel	féminin singulier	féminin pluriel
je	le mien	les miens	la mienne	les miennes
tu	le tien	les tiens	la tienne	les tiennes
il/elle/on	le sien	les siens	la sienne	les siennes
nous	le nôtre	les nôtres	la nôtre	les nôtres
vous	le vôtre	les vôtres	la vôtre	les vôtres
ils/elles	le leur	les leurs	la leur	les leurs

1. Le pronom possessif est composé de deux mots, le premier mot étant l'article défini : **le mien, la tienne, les nôtres.**

   Le et **les** se contractent avec les prépositions **à** et **de** :
   singulier : **au** mien, **au** tien, **du** sien, **du** vôtre ;
   pluriel : **aux** siens, **aux** tiennes, **des** leurs, **des** nôtres.

2. L'accent circonflexe sur le **o** des pronoms **le/la nôtre, le/la vôtre, les nôtres, les vôtres,** indique que la prononciation est différente de celle de l'adjectif possessif **notre, votre.** Le **o** est fermé, alors que dans l'adjectif possessif, il est ouvert.

Emplois

1. Comme l'adjectif possessif, le pronom possessif s'accorde en genre et en nombre avec le nom qu'il remplace, c'est-à-dire avec l'objet possédé et non avec le possesseur.

   Leur médecine est certainement plus forte que **la nôtre.**
   Danjou se rend compte que dans ces corps d'ébène habite une âme égale **à la sienne.**

2. Le pronom possessif est utilisé dans le sens de **parents,** de **famille** ou d'un **groupe** dont on fait partie.

> Maintenant son heure est venue pour rejoindre **les siens** dans l'au-delà.
> Danjou a été **des nôtres** pendant de nombreuses années.

Remarque

La possession peut aussi s'exprimer avec :

a) la préposition **de + nom** ;

> C'est le village **de Mongou.**
> Ce sont les lunettes **de Danjou.**

b) le verbe **appartenir à** ;

> Cette terre **appartient aux** Bandias.
> Ces plumes **appartiennent au** Grand Sorcier.

c) le verbe **être** et la préposition **à** suivie de la forme tonique du pronom personnel.

> Ce territoire **est à eux.**
> Est-ce que la maison où habite Danjou **est à lui** ? — Non, elle **est à moi.**

APPLICATION

1. Remplacez l'adjectif possessif + nom par le pronom possessif correspondant :

a) notre devoir ;
b) tes sottises ;
c) leur courage ;
d) mes responsabilités ;
e) ma volonté ;
f) mon problème ;
g) son dévouement ;
h) sa décision ;
i) nos difficultés ;
j) ton opinion ;
k) votre école ;
l) leurs alliés.

2. Complétez les phrases par les pronoms possessifs qui conviennent. Faites les changements nécessaires.

a) Je prépare mes provisions pendant que tu prépares _____.

b) Il est plus intelligent que nous. Oui, son intelligence est supérieure à _____.

c) Elle se plaint toujours de sa santé, mais Danjou ne se plaint jamais de _____.

d) Les Bawé peuvent sauver le malade. Notre médecine est moins forte que _____.

e) Tu te méfies de tes voisins. Est-ce qu'elle se méfie de _____ ?

    f) Les Bandias retournent à leur village et les Dendis retournent à _____ .

    g) Nous nous battons contre nos ennemis. Vous battez-vous contre _____ ?

    h) Je fais confiance à mes alliés et tu fais confiance à _____ .

    i) Tu portes ton panier et je porte _____ .

    j) Parlez-nous de votre voyage et nous vous parlerons de _____ .

3. Complétez les phrases en employant les adjectifs possessifs et les pronoms possessifs qui conviennent. Faites attention aux contractions !

    a) Danjou remettait _____ musique. Est-ce que Mongou remettait _____ ?

    b) Ils cultivent _____ terres. Cultivez-vous _____ ?

    c) Nous nous plaisons en _____ compagnie et vous vous plaisez en _____ .

    d) Il est retourné à _____ village et je suis retourné à _____ .

    e) Je m'occupe de _____ affaires et tu t'occupes de _____ .

    f) Danjou et moi avons planté des fleurs. Celles de Danjou sont plus belles que _____ .

    g) Vous respectez _____ traditions et nous respectons _____ .

    h) Je mange à _____ faim et tu manges à _____ .

    i) Tout le monde a _____ opinions ; tu as _____ et elle a _____ ; même les enfants ont _____ .

    j) Tu te souviens de _____ passé et ils se souviennent de _____ .

4. Exprimez la possession de deux autres façons.

    a) Ce lit est à moi.

    b) Ce sont leurs flèches.

    c) Cette contrée nous appartient.

    d) Est-ce que cette arme est à toi ?

    e) Ce sont vos richesses.

DEVOIRS ÉCRITS / TRAVAIL ORAL

A. COMPOSITION GUIDÉE

Si vous avez soudain le pouvoir de réaliser tous vos rêves, que ferez-vous ?

1. Changerez-vous votre apparence ? votre mode de vie ?

2. Comment passerez-vous le temps ?

3. Où voyagerez-vous (dans un pays exotique, sur des plages désertes, dans une grande ville peuplée...) ?

4. Quels passe-temps / sports pratiquerez-vous ?

5. Quelle contribution apporterez-vous à la société ?

6. Dites de quelle façon votre nouvelle vie sera différente de l'ancienne.

B. COMPOSITION LIBRE / TRAVAIL ORAL

1. Vous écrivez le scénario d'un film de science-fiction. Le personnage principal se trouvera transporté dans une région inconnue et extraordinaire. Décrivez, au futur, son expérience.

2. Quelques étudiant(e)s se transforment en diseuses de bonne aventure et révèlent l'avenir à leurs camarades de classe. Ils/Elles leur dévoilent des secrets étonnants concernant leur carrière, leurs amours, leur situation économique, etc. Les révélations provoquent des surprises, des joies, des colères. Jouez la scène.

DIALOGUES

1. Vous entamez une discussion avec un(e) ami(e) à propos de l'avenir. Vous voyez la vie en rose et vous maintenez que la vie future sera meilleure. Votre ami(e) voyant la vie en noir, est convaincu(e) que l'avenir ne nous réserve que des malheurs.

Quelques expressions utiles

les produits chimiques	chemicals
les déchets chimiques	chemical waste
les espèces en voie de disparition	endangered species
le réchauffement du globe	global warming
la manipulation génétique	genetic engineering
une incursion dans la vie privée	an invasion of privacy
donner du fil à retordre	to make life difficult
une découverte capitale	a breakthrough
l'accroissement de la longévité	an increase in life expectancy
les greffes d'organes	organ transplants
le loisir / les loisirs	spare time / spare time activities
se déplacer facilement	to move about / to travel effortlessly
les appareils ménagers robotisés	automated domestic appliances

2. Votre ami(e) est persuadé(e) que les possessions sont des entraves à la liberté. Il/Elle décide de donner tous ses biens. Vous essayez d'empêcher ce que vous considérez insensé.

Quelques expressions utiles

perdre la boussole (familier)	to go crazy
au pis aller	at the worst
ce n'est qu'un caprice	it's only a whim
tenir pour acquis	to take for granted
pour rien au monde	for anything

soupirer après	to long for
prendre une chose pour une autre	to mistake one thing for another
se bercer d'illusions	to harbour illusions, to delude oneself
caresser l'espoir	to entertain the hope
chercher / trouver sa voie	to look for / to find one's way in life
être sur la bonne / mauvaise voie	to be on the right / wrong track
voué à l'échec	bound to fail, doomed to failure
en question	at issue
sous la main	at hand (handy)

MATIÈRE À RÉFLEXION

QUI VIVRA VERRA

RÉFLEXIONS SUR L'AVENIR

- « Tel qui rit vendredi, dimanche pleurera. »

  Jean Racine

- « Je me trouve dans un engagement qui m'embarrasse : je suis embarquée dans la vie sans mon consentement ; il faut que j'en sorte, cela m'assomme ; et comment en sortirai-je ? Par où ? Par quelle porte ? Quand sera-ce ? En quelle disposition ? Souffrirai-je mille et mille douleurs, qui me feront mourir désespérée ? Aurai-je un transport au cerveau ? Mourrai-je d'un accident ? Comment serai-je avec Dieu ? Qu'aurai-je à lui présenter ? »

  Madame de Sévigné

Chapitre 12

Le Moyen-Orient
L'Iran

Aspects grammaticaux étudiés :

- Le conditionnel présent : forme et emplois
- Le conditionnel passé : forme et emplois
- Le nom
  Le genre des noms
  La formation du féminin
  Le pluriel des noms, des noms composés, des nom propres

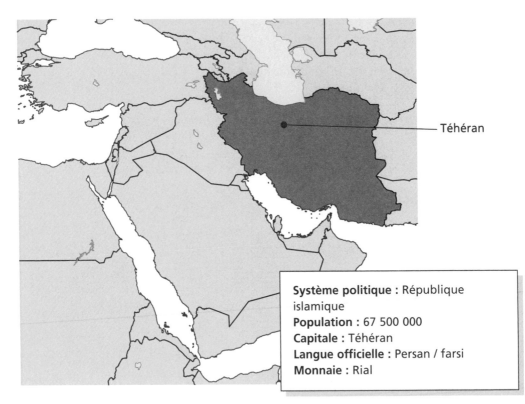

— Téhéran

Système politique : République islamique
Population : 67 500 000
Capitale : Téhéran
Langue officielle : Persan / farsi
Monnaie : Rial

L'Iran, appelé la Perse jusqu'à 1935, est, par excellence, le pays des contes. N'est-ce pas celui de Schéhérazade et des *Mille et une nuits* ?

Le roi Shahryar, convaincu de l'infidélité de sa femme, a décidé de la faire étrangler et d'épouser chaque nuit une nouvelle femme qu'il fera tuer le matin. Schéhérazade vient s'offrir au roi. Chaque nuit, elle lui raconte une histoire si captivante (Sinbad, Ali Baba, Aladin) — histoire qu'elle ne finit pas — qu'il remet constamment ses projets au lendemain : il veut entendre la fin du conte. Et cela dure pendant mille et une nuits. Alors, enchanté du savoir de Schéhérazade, le roi renonce à ses projets.

Shodja Ziaïan, né à Téhéran en 1944, est écrivain, journaliste, traducteur et universitaire. Activiste politique, il est, depuis 1977, fondateur-coordinateur de *Iranpeace*, qui vise à promouvoir la paix, la liberté et la prospérité en Iran et en Asie.

Dans *Contes iraniens islamisés : contes à dormir debout pour enfants pas si méchants que ça*, adaptation française d'une adaptation persane, Ziaïan a réuni de vieux contes iraniens. Dans le premier conte, tiré de la première partie du livre : « Les Animaux-Hommes », les personnages principaux sont des animaux. Le second, pris dans la deuxième partie : « Les Hommes-Animaux », met en scène des humains.

PRÉ-LECTURE

1. En vous basant uniquement sur les titres des deux contes à l'étude, imaginez ce que les contes vont prouver.

2. D'après vous, quelles sont les qualités indispensables pour être un bon juge ?

La punition du singe

Un soir, une caravane <u>fit halte</u>[1] à un caravansérail[2] pour y passer la nuit. Les chameliers déchargèrent les chameaux et les étrillèrent ; ils attachèrent les chevaux dans les écuries du caravansérail et mirent de l'avoine dans leurs stalles. Les gardiens s'installèrent autour des bâtiments et les commerçants se couchèrent
5   pour prendre quelque repos, décidés à reprendre chemin dès l'aube.

---

[1] s'est arrêtée
[2] Dans la langue persane, *sérail* signifie *maison, demeure*. Le caravansérail consistait en une grande cour, entourée de bâtiments où les caravanes et les commerçants de toute origine s'arrêtaient au cours de longs voyages.

Un étrange cheval

Non loin de là, un voleur <u>de grand chemin</u>[3] attendait le moment propice pour venir voler dans le caravansérail. Dès que tout le monde fut endormi, il sortit de derrière les collines et se dirigea vers l'auberge. C'était un homme d'une corpulence effrayante, un guerrier solide, au visage terrifiant avec de longues
10   moustaches : il faisait vraiment peur à voir.

Vers minuit, il s'avança près de la caravane mais les gardiens étaient éveillés et il n'osa pas s'approcher. Une heure plus tard, il pensa que bientôt il ferait clair et que tous allaient se réveiller ; une si bonne occasion ne se présenterait plus <u>de sitôt</u>[4], il devait en profiter. Il se dit que s'il ne pouvait dérober aucune
15   marchandise, il pouvait au moins se glisser dans les écuries et voler un cheval, <u>ce serait toujours ça de gagné</u>[5] ! Un cheval lui rendrait bien des services. D'ailleurs, si on l'entendait, ce cheval l'aiderait à fuir et il serait loin avant même que les gardiens commencent à le poursuivre.

---

[3] qui opérait sur les grandes routes
[4] dans un proche avenir
[5] il aurait au moins quelque chose

20 Il entra dans l'écurie mais comme il y faisait très noir, il décida de prendre le premier cheval qui se présenterait sous sa main et de se sauver aussitôt.

Or, le hasard avait fait que, ce soir-là, un lion féroce avait quitté la forêt pour chasser et, attiré par l'odeur des bêtes de la caravane, s'était glissé dans l'écurie. Il s'apprêtait à sauter sur un cheval pour le dévorer quand le voleur entra sans bruit et arriva près de lui.

25 Le voleur avait dégainé son épée pour se défendre au cas où quelqu'un arriverait. Le lion vit l'épée qui l'effraya mais il se rassura car il savait que les hommes ne pouvaient voir dans l'obscurité. Il pensa que cet homme était un palefrenier et préféra ne pas broncher. Ainsi cet homme le prendrait pour un cheval et ne chercherait pas à le tuer ; tandis que s'il se doutait qu'un lion était

30 près de lui, il l'attaquerait et donnerait l'alerte... Le voleur avançait peu à peu et se trouva tout près du lion qu'il prit pour un poulain ; l'épée toujours en main, il enfourcha l'animal et le dirigea vers la sortie. Le lion, par crainte de l'épée, se précipita à l'extérieur au galop.

Le voleur, sûr de chevaucher un poulain, secouait son épée comme un fouet

35 pour obliger sa monture à courir toujours plus vite. Le lion, que l'épée rendait obéissant, fila comme le vent, et en quelques instants, ils furent loin de l'auberge.

Avec les premières lueurs de l'aube, le voleur s'aperçut avec effroi qu'il chevauchait un lion grand et fort. Il n'osait descendre de peur d'être <u>mis en pièces</u>[6] par le fauve ; il continua donc d'agiter son épée pour faire courir sa

40 monture en attendant de trouver un moyen pour sauver sa vie.

Il faisait maintenant de plus en plus clair et le voleur pouvait mieux voir les alentours. Arrivé près d'un arbre, le voleur en saisit une branche et grimpa rapidement en haut.

Le voleur et le lion se sentirent tous deux soulagés : le voleur d'être séparé du

45 lion et le lion de ne plus voir l'épée du voleur. Le lion fit, tout d'abord, comme si <u>de rien n'était</u>[7] et continua son chemin ; puis il se retourna et jeta un coup d'œil vers l'arbre. Quand il vit le voleur tenant toujours l'épée à la main, il <u>fila sans demander son reste</u>[8].

Il arriva bientôt près d'un arbre sur lequel jonglait[9] un singe. Celui-ci qui

50 n'avait jamais vu de lion si effroyable et si agité, le salua poliment et lui demanda quel malheur lui était arrivé. Le lion le remercia et l'assura que tout allait bien pour lui. Il lui raconta comment il était entré dans une écurie et comment un homme l'avait chevauché. Il ne cacha pas que lorsque l'homme s'était accroché à l'arbre, lui, le lion, avait été heureux d'échapper à son épée.

55 Le singe s'en indigna. « Mais c'est inadmissible, s'exclama-t-il ! Un homme a eu l'audace de chevaucher un lion ! C'est une honte pour tous les animaux ! Cet homme va aller raconter partout qu'il est monté sur le dos du roi des animaux qui a eu peur de son épée et qui n'a rien osé faire. Quand un homme a l'outrecuidance de manquer de respect au lion, il peut se permettre de

---

[6] déchiqueté *(torn to pieces)*
[7] rien ne s'était passé
[8] est parti à toute vitesse
[9] rêvait, réfléchissait

60   faire n'importe quoi aux autres animaux. Notre honneur à tous est en danger.
      Nous devons punir cet insolent. »

      Le lion l'approuva entièrement mais ajouta que la sagesse dictait de ne pas
risquer sa peau pour une question d'honneur. De toute façon, en se réfugiant en
haut d'un arbre, l'homme avait montré que c'était lui qui avait eu peur, c'était
65   suffisant pour les animaux. Pour l'instant, il n'y avait rien d'autre à faire, d'autant
plus que l'homme était armé !

      Le singe s'écria : « Oh ! je ne voudrais pas vous contredire mais on voit bien
que vous ne connaissez pas les hommes ! Ils sont insolents et ne veulent jamais
accepter d'avoir eu tort. Maintenant que l'un d'eux a pu monter sur un lion, les
70   autres <u>se croiront tout permis</u>[10] ! Nous devons les remettre à leur place et leur
montrer qu'ils n'ont pas tous les droits et qu'on n'en est pas encore arrivé au
point où ils puissent monter à dos de lion comme on monte à dos de chameau. »

      — Je ne sais rien de tout cela, dit le lion, <u>je n'ai pas eu souvent à faire</u>[11] avec
les êtres humains ; vous, les singes, vous devez savoir mieux que moi.
75   — Eh bien ! sachez que quand l'homme a peur, il agite son épée mais si l'on
n'est pas effrayé, c'est lui qui prend peur et se sauve. S'il voit qu'on le craint,
alors il n'hésite pas à se servir de son épée, expliqua le singe.

      — Eh bien, à ton avis, que devons-nous faire, demanda le lion ?

      — À mon avis, répondit le singe, nous devrions appeler un tigre, un loup et
80   un renard pour faire nombre et attaquer l'arbre sur lequel cet homme s'est réfugié.

      — D'accord, approuva le lion, mais qui grimpera à l'arbre ? Le renard
pourrait le faire mais il ne sait pas se battre, il ne sait que parler.

      — Ce n'est pas important, répliqua le singe, pour l'instant allons-y
ensemble, je grimperai sur l'arbre, je ferai tomber cet homme, vous pourrez alors
85   <u>lui régler son compte</u>[12].

      Le lion accepta le projet mais préféra surtout appeler d'autres animaux
<u>à la rescousse</u>[13]. Il poussa un rugissement retentissant et aussitôt un loup, un
tigre, une panthère et un renard accoururent. Le roi des animaux leur exposa la
situation et leur donna son avis, <u>à savoir</u>[14] qu'un animal intelligent ne devait pas
90   chercher la guerre. « Toutefois, ajouta-t-il, le singe pense que notre honneur est
en danger. Allons donc voir ce qui se passe. »

      Ils partirent donc, le singe en tête, vers l'arbre sur lequel l'homme se trouvait
encore perché. Celui-ci voyant tous ces animaux féroces au pied de l'arbre, se
cacha dans un trou qui se trouvait au milieu du tronc.
95   Le singe l'interpella : « Ô homme de grande taille, aux yeux clairs et aux
cheveux noirs ! Descends et excuse-toi auprès du lion, sinon nous monterons et
nous t'écorcherons vif ! »

      L'homme, à moitié mort de peur, <u>ne souffla mot</u>[15]. « Bon, dit le lion, il est
évident qu'il est effrayé ; il n'a même plus la force de répondre ; ne nous

---

[10] croiront qu'ils peuvent tout faire
[11] je n'ai pas eu beaucoup de contacts
[12] vous venger de lui ; le punir
[13] à l'aide
[14] c'est-à-dire
[15] n'a rien dit

100 occupons plus de lui et partons. » Mais le singe <u>ne se tint pas satisfait pour autant</u>[16], il escalada l'arbre d'un bond et arrivé près du trou, il se pencha vers l'homme pour le menacer : « Vas-tu sortir, oui ou non ? »

Le voleur crut sa dernière heure venue et enfonça son épée dans la gorge du singe qui tomba, mort, au pied de l'arbre.

105 Le loup, le tigre et la panthère qui, depuis qu'ils avaient répondu à l'appel du lion, n'avaient pas soufflé mot, se regardèrent et la panthère résuma leurs pensées : « Que ce singe était donc bête ! Nous qui avons des griffes acérées et des dents solides, nous n'attaquons jamais sans raison. Nous nous en servons pour apaiser notre faim seulement. Il a vraiment cherché ce qui lui est arrivé ! »

110 — C'est exactement ce que je lui avais dit, fit remarquer le lion. Il a eu ce qu'il méritait. Les disputes et les guerres sont créées par les animaux qui se mêlent de ce qui ne les regarde pas. Parfois, ils y laissent leur vie. Moi qui suis le lion, le plus fort de tous les animaux, je ne fais jamais la guerre sans raison, je chasse pour manger, pas pour le plaisir. L'orgueil est la cause de bien

115 des malheurs ; un animal sage tue pour se nourrir ou pour se défendre, il ne met jamais inutilement sa vie en danger.

Expressions à retenir

se glisser (l. 15)
rendre des services (l. 16)
se sauver (l. 20)
filer comme le vent (l. 36)
mettre en pièces (l. 38-39)
comme si de rien n'était (l. 45-46)
faire n'importe quoi (l. 60)
d'autant plus (l. 65-66)
se croire tout permis (l. 70)
remettre (quelqu'un) à sa place (l. 70)
ne pas souffler mot (l. 98)
se mêler de (l. 112)

COMPRÉHENSION

1. Le soir au caravansérail, que font les chameliers, les gardiens et les commerçants ?
2. Quelle était l'intention du voleur ?
3. Pourquoi le lion n'a-t-il pas attaqué le voleur ?
4. Qu'est-ce que le voleur a fait quand il s'est rendu compte qu'il chevauchait un lion ?

---

[16] n'a pas été satisfait de cette réponse

INTERPRÉTATION

1. Qu'est-ce que le comportement du voleur révèle en ce qui concerne son caractère ?
2. Expliquez l'indignation du singe.
3. Comment l'homme est-il perçu par le singe ?
4. Pourquoi, d'après vous, le singe est-il puni ?
5. Qu'est-ce que le lion et le singe symbolisent ?
6. Quelles leçons peut-on tirer de ce conte ?

Les qualités qu'il faut avoir pour devenir juge

[Un] juge choisit quatre de ses élèves, leur annonça qu'il les ferait assister le lendemain à une séance très importante au tribunal et qu'ensuite il les soumettrait à une sorte d'examen. Celui qui pourrait le mieux répondre serait présenté au roi et deviendrait juge. [...]

5   Après cette séance à laquelle ses élèves avaient assisté, le juge voulut savoir ce que ceux-ci avaient retenu de la façon de mener un procès. Il les réunit et leur dit : « Écoutez-moi bien ; je vais vous exposer un problème, vous allez y réfléchir et donner votre avis.

Un jour, quelqu'un avait des invités et envoya son domestique acheter du
10   lait. Celui-ci obéit à son maître et revint à la maison, le pot plein bien en équilibre sur la tête. Or, une cigogne qui tenait un serpent dans son bec passa au-dessus de lui ; quelques gouttes de venin tombèrent dans le lait. Les invités mangèrent un entremets préparé avec ce lait et moururent. À votre avis, qui est coupable ? Qui doit être condamné ? Que chacun de vous écrive sa réponse sur
15   une feuille et me la donne. »

Quand la chose fut faite, le juge prit les feuilles et lut les réponses.

Le premier élève avait écrit : « Si j'avais dû juger cette affaire, j'aurais condamné à mort le domestique pour sa négligence, car s'il avait couvert son pot à lait, le venin n'y serait pas tombé et rien ne serait arrivé. »

20   Le juge rejeta cette sentence, car s'il est vrai qu'un récipient qui contient de la nourriture doit toujours être couvert, la probabilité que du venin y tombe est vraiment minime. D'ailleurs, il n'existait aucune loi stipulant qu'un tel récipient devait toujours être couvert.

Il prit ensuite la feuille écrite par son deuxième élève et lut : « Dans un tel
25   cas, je n'aurais condamné personne, car la cigogne qui volait avec un serpent vivant dans son bec, est seule coupable. Si les invités ont été empoisonnés, c'est que c'était leur destin de mourir par le venin de serpent. »

Le juge n'accepta pas non plus ce jugement, car rejeter la faute sur le destin était, à son avis, trop facile et indigne d'un juge qui doit davantage rechercher la
30   raison de tout ce qui arrive.

Le troisième élève, lui, avait écrit : « Moi, j'aurais condamné l'hôte, car c'est lui qui a été la cause de la mort des invités. Il aurait dû auparavant goûter cet entremets pour savoir si ce repas n'avait pas été empoisonné par quelqu'un d'autre. »

35   — Pourquoi l'hôte aurait-il
dû avoir des soupçons au point
de goûter tous les repas ? »
objecta le juge, en ajoutant
qu'aucune loi n'obligeait un hôte
40   à goûter les repas qu'il offrait à
ses invités pour s'assurer qu'ils
n'étaient pas empoisonnés.

Le quatrième élève s'était
contenté d'écrire : « J'aurais
45   besoin de nombreux renseignements supplémentaires. »

Le juge lui demanda de
s'expliquer. « À mon avis,
répondit-il, l'exposé de ce
50   problème est incomplet. Tout
d'abord, vous nous avez dit que
quelques gouttes de venin d'un
serpent tenu dans le bec d'une
cigogne étaient tombées dans un
55   récipient contenant du lait,
récipient lui-même posé sur la
tête d'un domestique. Mais d'où
tenons-nous cette information,
puisque le domestique lui-même
60   ne s'en était pas aperçu ? Si
quelqu'un avait vu le venin
tomber dans le pot à lait et qu'il
n'en avait averti personne, alors

Une cigogne

oui, il serait coupable. Ou s'il avait averti l'hôte et que celui-ci ait donné le lait
65   aux invités, l'hôte aurait été coupable. Il faudrait, d'après moi, savoir qui a parlé
en premier de cigogne et de serpent, et s'il n'a pas tout inventé. Si j'avais eu cette
affaire à étudier, j'aurais convoqué l'hôte, le domestique, le vendeur de lait et le
cuisinier. J'aurais aussi interrogé séparément tous les gens vivant dans cette
maison, j'aurais pu alors peser leurs réponses. J'aurais interrogé plus spécialement
70   la personne qui a parlé de la cigogne pour savoir si elle n'aurait pas inventé cette
histoire. Et si tel était le cas, j'aurais cherché à comprendre les raisons de ce
mensonge. Il est possible aussi que le lait ait été gâté et que le laitier ait inventé
cette histoire. Le domestique, le cuisinier ou l'hôte haïssaient peut-être les invités
et auraient fait exprès de les empoisonner... Le coupable aurait alors imaginé
75   l'histoire du serpent. Il se peut aussi que cette histoire soit juste ; de toute façon,
avant de juger, il m'aurait fallu des informations supplémentaires. Un juge ne
doit jamais rendre un jugement hâtif ; il doit peser le pour et le contre de tout ;
il doit procéder à des investigations poussées avant de rendre sa sentence.

— Bravo, dit le juge, tu as su mettre à profit ce que tu as vu lors du procès
80   auquel tu as assisté. Tu as compris qu'il fallait interroger les témoins et peser le

pour et le contre en obtenant toutes les informations nécessaires. Tu es digne d'être juge ; demain je te présenterai au roi. »

Shodja Ziaïan, *Contes iraniens islamisés : contes à dormir debout pour enfants pas si méchants que ça,* Toronto, Transmedia, 2001, p. 26-29, 75-78.

Expressions à retenir

assister à (une séance, une réunion) (l. 1-2)
soumettre quelqu'un à (un examen, une épreuve) (l. 3)
exposer un problème (l. 7)
condamner à mort (l. 18)
avoir des soupçons (l. 36)
se contenter de (l. 43-44)
à (mon, ton, son, etc.) avis (l. 48)
faire exprès (l. 74)
peser le pour et le contre (l. 77)
mettre à profit (l. 79)

COMPRÉHENSION

présent les circumstances
les élèves doivent

1. En quoi consiste l'examen que le juge donne à ses élèves ? *choisir un solution.*
2. Quelle devait être la récompense du gagnant ?
3. Qui est le coupable selon : a) le premier candidat ; b) le deuxième candidat ; c) le troisième candidat ?
4. Pourquoi la réponse du quatrième élève est-elle applaudie par le juge ?

offre la plus de possibilités.

INTERPRÉTATION

1. Laquelle des trois condamnations vous semble la moins convaincante ? Justifiez votre réponse. *3 ieme*
2. Selon le texte, quelles sont les qualités nécessaires pour être juge ?

questionner les questions, interroger

MAÎTRISONS LA LANGUE

A

1. Remplacez l'expression qui ne convient pas par une expression qui reflète le contexte.

La punition du singe

a) Il ne pouvait rien voir parce qu'il faisait clair.
b) Maintenant qu'il est monté sur un lion, le voleur pensera que tout lui est interdit.
c) Selon les autres animaux, le singe était rusé.
d) La plupart des animaux attaquent pour stimuler leur appétit.

Les qualités qu'il faut avoir pour devenir juge

    e) Les invités ont été guéris par le venin.

    f) Peut-être que le coupable aimait les invités.

2. Complétez les phrases à l'aide du nom qui correspond au verbe entre parenthèses. Faites les changements voulus.

    a) (honorer) Défends-toi ! C'est une question de _____.

    b) (juger) L'accusé n'accepte pas la décision de _____et veut faire appel de _____.

    c) (négliger) Le domestique a manqué à son devoir et par conséquent son patron l'accuse de _____.

    d) (monter / sortir) Il a enfourché _____ et l'a menée vers _____.

    e) (rugir) Le lion et le tigre ont poussé _____ qui ont fait peur à tous les animaux.

3. Dans « La punition du singe », trouvez :

    a) le synonyme de : voler, s'enfuir, escalader ;

    b) l'antonyme de : s'endormir, la clarté.

B

1. Expliquez le sens des expressions suivantes :

La punition du singe

    a) filer comme le vent (l. 36) ;

    b) faire comme si de rien n'était (l. 45-46) ;

    c) jeter un coup d'œil (l. 46-47) ;

Les qualités qu'il faut avoir pour devenir juge

    d) faire exprès (l. 74) ;

    e) peser le pour et le contre (l. 77).

2. Faites deux phrases pour illustrer la différence entre les mots suivants : **se glisser** (l. 15) / **se précipiter** (l. 33). (« La punition du singe »).

3. Employez chacune des expressions ci-dessous dans une phrase qui en montre le sens :

    a) mettre en pièces (« La punition du singe », l. 38-39) ; remettre à sa place (« La punition du singe », l. 70) ; mettre à profit (« Les qualités qu'il faut avoir pour devenir juge », l. 79) ;

    b) rendre service (« La punition du singe », l. 16) ; rendre une sentence (« Les qualités qu'il faut avoir pour devenir juge », l. 78) ;

    c) prendre du repos (« La punition du singe », l. 5) ; prendre pour (« La punition du singe », l. 28).

GRAMMAIRE

LE CONDITIONNEL

Le conditionnel présent

Forme

1. Le conditionnel présent est formé du même radical que le futur simple + terminaisons de l'imparfait (**-ais, -ais, -ait, -ions, -iez, -aient**).

   Pour les verbes en **-re**, le **e** final de l'infinitif disparaît.

   Comme pour le futur, il y a toujours un **r** devant les terminaisons.

travailler	réussir	perdre
je travailler-**ais**	je réussir-**ais**	je perdr-**ais**
tu travailler-**ais**	tu réussir-**ais**	tu perdr-**ais**
il/elle/on travailler-**ait**	il/elle/on réussir-**ait**	il/elle/on perdr-**ait**
nous travailler-**ions**	nous réussir-**ions**	nous perdr-**ions**
vous travailler-**iez**	vous réussir-**iez**	vous perdr-**iez**
ils/elles travailler-**aient**	ils/elles réussir-**aient**	ils/elles perdr-**aient**

2. Les verbes du premier groupe (**-er**) qui subissent des changements orthographiques au futur les subissent également au conditionnel présent (voir le chapitre 1).

3. Les verbes qui ont un radical irrégulier au futur ont le même radical irrégulier au conditionnel. Pour le conditionnel des verbes irréguliers, voir l'appendice.

Emplois

1. Le conditionnel présent est employé pour exprimer une action future par rapport au passé.

   > Il a pensé que bientôt il **ferait** clair.
   > Le juge leur a annoncé qu'ils **assisteraient** le lendemain à une séance très importante.

2. Pour exprimer le **futur proche dans le passé**, on emploie l'imparfait du verbe **aller** + l'infinitif du verbe.

   > Tous **allaient** se réveiller à l'aube.
   > Le juge **allait** les soumettre à un examen.

3. Le conditionnel présent exprime l'éventualité, la possibilité (l'anglais *should, would*).

   > Un cheval lui **rendrait** bien des services.
   > J'**aurais** besoin de nombreux renseignements supplémentaires.

> *Remarque 1*
>
> La conjonction **au cas où,** qui introduit une éventualité, est toujours suivie du conditionnel.
>
> > Le voleur avait dégainé son épée pour se défendre **au cas où** quelqu'un **arriverait.**

4. Le conditionnel présent peut exprimer un événement dont on n'est pas certain.

   > On pense que le lion n'**attaquerait** pas le voleur.
   > Selon un des élèves, le domestique **serait** coupable.

5. Il est employé pour diminuer la force d'une demande ou pour exprimer un ordre poliment (surtout avec le verbe **vouloir**).

   > Je ne **voudrais** pas vous contredire.

> *Remarque 2*
>
> Les verbes au conditionnel se traduisent généralement en anglais par *would.* Cependant, les verbes **pouvoir** et **devoir** se traduisent respectivement par *could, should, ought to.*
>
> > **Pourriez**-vous nous accompagner ?
> > Nous **devrions** attaquer l'arbre où l'homme s'est réfugié.

6. Le conditionnel présent est employé après **si** (*whether*) qui signale l'interrogation indirecte, c'est-à-dire une question posée indirectement.

   > Le lion **se demandait** si le voleur le **tuerait.**
   > Les élèves **ne savaient pas** s'ils **pourraient** rendre un jugement.

7. L'imparfait, et non le conditionnel, est employé après le **si** de condition. Dans une phrase conditionnelle, il y a deux propositions : **la proposition conditionnelle** qui commence par **si** et qui exprime la condition et **la proposition principale** qui exprime le résultat ou la conséquence. Il ne faut jamais employer le conditionnel après un **si** de condition.

Si on l'**entendait,**	ce cheval l'**aiderait** à fuir.
proposition conditionnelle	proposition principale
si + imparfait	**conditionnel**

S'il **se doutait** qu'un lion était près de lui	il l'**attaquerait** et **donnerait** l'alerte.
proposition conditionnelle	proposition principale
si + imparfait	**conditionnels**

APPLICATION

1. Un loup, un renard et un chameau se rencontrent. Le chameau parle de la vie qu'il mène.

   Mettez les verbes entre parenthèses à la forme qui convient pour faire des phrases conditionnelles.

   On ne donne jamais de repas gratuit à personne ! Si les hommes (donner) gratuitement du pain, ils (commencer) par en donner à leurs semblables. Je ne mange jamais à ma faim. Si mes maîtres me (nourrir), je (faire) n'importe quoi pour eux. Avec des maîtres justes et raisonnables, je (être) calme et patient. Si j'(appartenir) à une petite souris, je la (suivre) sans hésitation. Je (travailler) jour et nuit, je (supporter) la faim et la soif. Si elle (être) juste, je (traverser) les déserts arides, je (transporter) des fardeaux et je (manger) des épines sans me plaindre. Cependant, si mon maître me (battre) injustement, je (avoir) envie de m'enfuir. Je ne tolère pas l'injustice.

   Adaptation de « Une question de taille », *Contes iraniens...*

2. Mettez les phrases au passé.

   Modèle :   Je pense que vous aimerez ce conte.
   Je pensais que vous aimeriez ce conte.

   a) Le singe croit que le voleur s'excusera.
   b) Tu es sûr que les animaux suivront leur roi.
   c) Je pense que le lion lui réglera son compte.
   d) Je suis certain que la panthère prendra la parole.
   e) Nous espérons que justice sera faite.
   f) Vous pensez qu'ils vont découvrir le coupable.

3. **À vous la parole** ! Comment réagiriez-vous dans les situations suivantes ?

   a) Vous êtes membre du comité de pétitions de votre université. Une pétition est présentée par votre meilleur(e) ami(e).
   b) Un(e) de vos amis a été insulté(e) par un(e) camarade de classe.
   c) Il est tard et votre voiture tombe en panne dans une rue déserte.
   d) On vous accuse injustement d'avoir triché à un examen.
   e) Un gros chien au milieu du chemin vous empêche de passer.
   f) Vous avez été invité(e) à un dîner et le lendemain vous êtes très malade.

Le conditionnel passé

Forme

Le conditionnel passé est un temps composé qui est formé du conditionnel présent de l'auxiliaire **avoir** ou **être** et du participe passé du verbe.

chercher	partir	se rendre
j'aurais cherché	je serais parti(e)	je me serais rendu(e)
tu aurais cherché	tu serais parti(e)	tu te serais rendu(e)
il/elle/on aurait cherché	il/elle/on serait parti(e)	il/elle/on se serait rendu(e)
nous aurions cherché	nous serions parti(e)s	nous nous serions rendu(e)s
vous auriez cherché	vous seriez parti(e)(s)	vous vous seriez rendu(e)(s)
ils/elles auraient cherché	ils/elles seraient parti(e)s	ils/elles se seraient rendu(e)s

Le participe passé suit les mêmes règles d'accord que lorsqu'il est employé au passé composé, au plus-que-parfait ou au futur antérieur.

> Il paraît que le voleur et le lion **se seraient précipités** vers la sortie.
> Le voleur était prêt à se défendre au cas où les gardiens **seraient arrivés.**
> Si le domestique avait su la vérité, il **l'aurait racontée.**

Emplois

Le conditionnel passé est employé :

1. Pour exprimer une action future par rapport à un fait passé. Cette action future a déjà eu lieu ou ne doit plus avoir lieu.

   > Le singe pensait que le voleur **se serait excusé** auprès du lion. (Il ne s'est pas excusé.)
   > Je savais que le juge **n'aurait pas accepté** l'explication du deuxième élève. (Il ne l'a pas acceptée.)

2. Pour exprimer une éventualité qui ne s'est pas réalisée.

   > Il **aurait** bien **voulu** voler un cheval. (Il ne pouvait pas le voler.)
   > Tu **aurais pu** mieux réfléchir avant de rendre ta sentence. (Tu n'as pas réfléchi.)

Remarque

La locution conjonctive **au cas où** qui introduit une éventualité antérieure à l'action de la proposition principale est toujours suivie du conditionnel passé.

> **Au cas où** le domestique **aurait vu** le venin tomber dans le lait, il aurait averti son patron.

---

3. Pour exprimer un événement passé dont on n'est pas certain.

   > Ils haïssaient peut-être les invités et **auraient fait** exprès de les empoisonner.
   > Le coupable **aurait imaginé** l'histoire du serpent.

4. Pour s'exprimer de façon polie.

   > J'**aurais voulu** avoir des renseignements supplémentaires.

5. Après le **si** d'interrogation indirecte.

> On se demandait **si** l'hôte n'**aurait** pas **empoisonné** le lait.
>
> J'aurais interrogé cette personne pour savoir **si** elle n'**aurait** pas **inventé** cette histoire.

6. Dans la proposition principale d'une phrase conditionnelle, après un **si** de condition, on emploie le **plus-que-parfait**, et non pas le conditionnel passé. Il ne faut jamais employer le conditionnel passé après un **si** de condition.

S'il avait couvert son pot à lait,	le venin n'y **serait** pas **tombé.**
proposition conditionnelle	proposition principale
si + plus-que-parfait	**conditionnel passé**
Si j'**avais dû** juger cette affaire,	j'**aurais condamné** à mort le domestique.
proposition conditionnelle	proposition principale
si + plus-que-parfait	**conditionnel passé**

APPLICATION

1. Remplacez le présent de la proposition principale par un imparfait et faites les changements voulus.

> **Modèle :**   Je pense qu'il aura vu le lion.
> Je pensais qu'il aurait vu le lion.

a) Je sais que les trois élèves auront assisté à une séance importante.
b) Vous croyez qu'il aura tué le singe.
c) On affirme qu'ils seront devenus juges.
d) Nous espérons qu'il n'aura pas chevauché le lion.
e) Il pense qu'ils se seront arrêtés près d'un arbre.
f) Ils disent qu'un malheur sera arrivé aux invités.

2. Complétez la phrase.

a) Si le voleur n'était pas entré dans l'écurie...
b) Si le cheval avait bronché...
c) Si le singe ne s'était pas mêlé de la situation...
d) On se demandait lequel des élèves...
e) Celui qui pourrait le mieux répondre...
f) Le venin n'aurait pas empoisonné le lait si...

3. Composez des phrases où vous utiliserez le conditionnel.

a) Les élèves / ne pas se tromper / s'ils avaient réfléchi
b) Il / a pris / son épée / au cas où / quelqu'un / venir
c) Si / le singe / avait été / plus prudent / il / pouvoir / éviter / cette tragédie
d) Si / vous / aviez vu / le venin / tomber / dans le pot / vous / devoir / avertir / l'hôte
e) Je / me demandais / si / la cigogne / et le serpent / savoir / jamais / qu'ils / se trouver / impliqués dans un crime

f) Je / pensais qu'il / interroger / les gens / qui / vivre / dans cette maison

g) Il / a expliqué / qu'il vouloir / convoquer / les témoins et qu'il / peser / leurs réponses

h) Il / lui / fallait / des renseignements supplémentaires / au cas où / des méchants / inventer / cette histoire

4. Mettez l'infinitif au temps qui convient.

Parfois on fait des <u>châteaux en Espagne</u>[17]. En arrivant au caravansérail, le voleur a pensé qu'il (falloir) agir avec prudence. Si les gardiens l'(entendre), ce (être) la catastrophe. Il a raisonné ainsi : « Si je (s'approcher) de la caravane, je (pouvoir) voler de la marchandise. Au cas où je ne (arriver) à dérober aucune marchandise, j'(entrer) dans les écuries et je (voler) un cheval. Un cheval me (permettre) de fuir si les gardiens me (découvrir) et me (poursuivre). Si je (réussir) à m'en sortir, je (vendre) le cheval et j'(acheter) un chameau. Grâce au chameau, je (devenir) un riche commerçant et je (satisfaire) tous mes désirs. »

Malheureusement, son rêve s'est transformé en cauchemar. Quand il s'est rendu compte que sa monture était un lion, il a regretté d'avoir agi sans réfléchir. « Je (ne pas se tromper) de monture si seulement je (faire) attention ! Je (ne pas devoir) choisir le premier cheval. Si j'(être) plus prudent, je (ne pas prendre) un lion pour un cheval. Si je (prévoir) ce malheur, je (ne pas s'approcher) des caravanes. Je (vouloir) sortir de cette situation, mais si je (descendre), le fauve me (mettre) en pièces. Si seulement je (voir) un arbre, je (saisir) une branche, j'y (grimper) et je (être) sauvé. »

LE NOM

Le genre des noms

Chaque nom est du genre masculin ou féminin. Voici quelques moyens qui permettent d'identifier le genre des noms, bien qu'il y ait toujours des exceptions.

1. **Les noms masculins**

    A. Selon le sens

    a) la plupart des noms de personnes ou d'animaux du sexe masculin ;

    le fils, le mari, le père, le roi, le cheval, le coq, le lion

    b) les noms géographiques (pays, provinces, fleuves) qui ne se terminent pas par **e** ;

    le Canada, le Brésil, l'Iran, le Manitoba, le Rhin, le Saint-Laurent

    c) les langues ;

    l'allemand, le français, l'iranien, le russe

---

[17] rêves irréalisables

d) les couleurs ;

> le blanc, le bleu, le noir, le rouge, le vert

e) les métaux ;

> l'argent, le bronze, le fer, l'or, le plomb

f) les jours de la semaine et les saisons ;

> le lundi, le samedi, le dimanche, le printemps, l'été, l'automne, l'hiver

g) les arbres ;

> le cerisier, le chêne, l'érable, le pommier

B. Selon les terminaisons

a) **-age**

> le gar**age**, le nu**age**, l'or**age**, le vis**age**
> Exceptions : la cage, une image, la page

b) **-al**

> l'anim**al**, le b**al**, le can**al**, le journ**al**, le m**al**

c) **-ème**

> le probl**ème**, le syst**ème**, le th**ème**

d) **-et**

> le ball**et**, le fou**et**, l'obj**et**, le paqu**et**, le secr**et**, le suj**et**

e) **-euil**

> le d**euil**, le faut**euil**, le s**euil**

f) **-eur**

> le bonh**eur**, l'extéri**eur**, l'honn**eur**, le malh**eur**, l'ordinat**eur**

g) **-ier**

> l'atel**ier**, le cah**ier**, le courr**ier**, le pap**ier**

h) **-isme** et **-asme**

> l'alcool**isme**, le commun**isme**, le romant**isme**, le tour**isme**
> l'enthousi**asme**, le fant**asme**, le sarc**asme**

i) **-ment**

> l'apparte**ment**, le départe**ment**, le gouverne**ment**, le juge**ment**,
> le renseigne**ment**, le rugisse**ment**

j) **consonne finale**

> l'a**n**, le ban**c**, le galo**p**, le ne**z**, le pie**d**, le plaisi**r**, le proje**t**, le ri**z**

k) **voyelle finale** (autre que **e**)

> le ciném**a**, le com**a**, l'opér**a**,
> l'am**i**, le mar**i**, le tax**i**
> le numér**o**, le pian**o**, le styl**o**,
> le burea**u**, le cadea**u**, le chapea**u**, le châtea**u**
> Exception : une eau

2. **Les noms féminins**

A. **Selon le sens**

a) la plupart des noms de personnes ou d'animaux du sexe féminin ;

la femme, la fille, la mère, la reine, la jument, la lionne, la poule

b) les noms géographiques (pays, provinces, fleuves) qui se terminent par **e** ;

l'Afrique, la Belgique, la France, la Nouvelle-Écosse, la Seine
Exceptions : le Mexique, le Mozambique, le Cambodge, le Zimbabwe

c) les sciences

l'astronomie, la biologie, la chimie, la physique

B. **Selon les terminaisons**

a) **voyelle + e**

l'arrivé**e**, la duré**e**, l'épé**e**, l'idé**e**, la journé**e**, la pensé**e**
Exceptions : le musée, le lycée
la bou**e**, la joi**e**, la plui**e**, la ru**e**, la sorti**e**, la vi**e**

b) **double consonne + e**

l'adre**sse**, la feui**lle**, la gou**tte**, la gri**ffe**, la gue**rre**, la sag**esse**

c) **-ence** ou **-ance**

l'abs**ence**, la corpul**ence**, la néglig**ence**, la sent**ence**, la sci**ence**
la connaiss**ance**, la croy**ance**, l'enf**ance**

d) **-eur** (noms désignant une qualité abstraite)

la coul**eur**, l'épaiss**eur**, la chal**eur**, la longu**eur**, l'od**eur**, la p**eur**,
la profond**eur**

e) **-se**

la ceri**se**, la chai**se**, la chemi**se**, la dan**se**, l'excu**se**

f) **-son** ou **-çon**

la mai**son**, la rai**son**, la sai**son**
la fa**çon**, la le**çon**, la ran**çon**
Exception : le soupçon

g) **-té**, **-tié**

l'autori**té**, la beau**té**, la clar**té**, la liber**té**, la nationali**té**, la véri**té**
l'ami**tié**, la pi**tié**
Exceptions : l'été, le comité, le côté

h) **-tion** ou **-sion** ou **-gion**

l'ac**tion**, la défini**tion**, la généra**tion**, l'informa**tion**, l'investiga**tion**,
la ques**tion**
la dimen**sion**, la pas**sion**, la ten**sion**
la lé**gion**, la ré**gion**, la reli**gion**

i) **-tude** ou -**ade**

la certi**tude,** l'é**tude,** l'habi**tude**

la ball**ade,** la limon**ade,** la par**ade**

3. **Mots toujours féminins**

Certains noms de personnes sont toujours féminins même quand il s'agit d'un homme.

une connaissance, une personne, une sentinelle, une vedette, une victime

4. **Mots toujours masculins**

Certains noms sont toujours masculins même quand il s'agit d'une femme ou d'une fille.

un ange, un bébé, un chef, un être, un génie, un mannequin

Remarque

Beaucoup de noms désignant les professions qui étaient autrefois utilisés uniquement au masculin ont maintenant une forme féminine, particulièrement au Canada.

une auteure, une écrivaine, la juge, la ministre, la professeure

---

5. **Certains noms sont les mêmes au masculin et au féminin ; c'est le déterminant qui en désigne le genre.**

un artiste, une artiste ; un camarade, une camarade ; un collègue, une collègue ; un élève, une élève ; un enfant, une enfant ; un journaliste, une journaliste ; un pianiste, une pianiste ; un secrétaire, une secrétaire ; un touriste, une touriste

6. **Noms à double genre**

Ces noms ont un sens différent au masculin et au féminin.

le critique (*critic*)	la critique (*criticism*)
le livre (*book*)	la livre (*pound, pound sterling*)
le manche (*handle*)	la manche (*sleeve*)
le mémoire (*dissertation, memoirs*)	la mémoire (*memory*)
le mode (*manner*)	la mode (*fashion*)
le poste (*job*)	la poste (*post office*)
le tour (*turn, trip*)	la tour (*tower*)
le vase (*vase*)	la vase (*mud*)
le voile (*veil*)	la voile (*sail*)

La formation du féminin

1. On peut ajouter un **e** à certains noms masculins pour former un nom féminin.

   un ami > une ami**e**, un assistant > une assistant**e**, un avocat >
   une avocat**e**, un cousin > une cousin**e**, un fiancé > une fiancé**e**,
   un marié > une marié**e**

2. Parfois il y a des changements de terminaisons.

   a) **-er** > **-ère**

   un cuisini**er** > une cuisini**ère**, un étrang**er** > une étrang**ère**, un laiti**er** >
   une laiti**ère**, un ouvri**er** > une ouvri**ère**, un romanci**er** > une romanci**ère**

   b) **-eur** > **-euse**

   un coiff**eur** > une coiff**euse**, un serv**eur** > une serv**euse**, un vend**eur** >
   une vend**euse**, un vol**eur** > une vol**euse**

   c) **-teur** > **-trice**

   un ac**teur** > une ac**trice**, un direc**teur** > une direc**trice**, un inspec**teur** >
   une inspec**trice**
   Exceptions : un chanteur > une chanteuse, un menteur > une menteuse

   d) **-ien** > **-ienne**

   un gard**ien** > une gard**ienne**, un mécanic**ien** > une mécanic**ienne**,
   un music**ien** > une music**ienne**

   e) **-on** > **-onne**

   un bar**on** > une bar**onne**, un li**on** > une li**onne**, un patr**on** >
   une patr**onne**

   f) **-f** > **-ve**

   un Jui**f** > une Jui**ve**, un veu**f** > une veu**ve**

   g) Certains noms se terminant par **e** au masculin ont un féminin en **-esse**.

   un comt**e** > une comt**esse**, un hôt**e** >une hôt**esse**, un maîtr**e** >
   une maîtr**esse**, un princ**e** > une princ**esse**, un tigr**e** > une tigr**esse**

   h) Certains noms ont un féminin irrégulier.

   un compagnon > une compagne, un copain > une copine, un dieu >
   une déesse, un héros > une héroïne, un loup > une louve, un neveu >
   une nièce, un roi > une reine, un serviteur > une servante, un vieux >
   une vieille

APPLICATION

1. Ajoutez l'article pour indiquer le genre des noms suivants. Si le nom commence par une voyelle, employez l'article indéfini :

   a) supériorité ;   f) étage ;   k) rouge ;
   b) oiseau ;   g) magnitude ;   l) géologie ;
   c) acier ;   h) aristocratie ;   m) mannequin ;
   d) vitesse ;   i) communisme ;   n) contagion ;
   e) investigation ;   j) vedette ;   o) génie.

2. Donnez le féminin des mots suivants :

   a) un chanteur ;   f) un chien ;   k) un dieu ;
   b) un hôte ;   g) un menteur ;   l) un comte ;
   c) un artiste ;   h) un directeur ;   m) un vieux ;
   d) un cuisinier ;   i) un acteur ;   n) un mécanicien ;
   e) un tigre ;   j) un veuf ;   o) un lion.

3. Donnez le masculin des mots suivants :

   a) une voleuse ;   f) une gardienne ;   k) la laitière ;
   b) une chatte ;   g) une journaliste ; l) la poule ;
   c) la danseuse ;   h) la maîtresse ;   m) la fille ;
   d) l'héroïne ;   i) la nièce ;   n) la reine ;
   e) une copine ;   j) la déesse ;   o) la patronne.

4. Dans les phrases suivantes, indiquez le genre qui convient dans le contexte.

   a) Mon voisin a eu (un/une) poste (au/à la) poste.
   b) Quand il a fait (le/la) tour du Canada, il a visité (le/la) Tour CN.
   c) J'ai acheté (un/une) livre de cerises.
   d) La mariée portait (un/une) voile.
   e) Il oublie tout. Il commence à perdre (le/la) mémoire.
   f) Ma sœur aime acheter des vêtements. Elle s'intéresse beaucoup à (le/la) mode.
   g) Ce journaliste est (un/une) critique de films.

5. Remplacez les mots en caractères gras par les mots entre parenthèses et faites tous les changements voulus.

   a) **Nicole** est la sœur de Paul, la fille de monsieur Fortin et la nièce de madame Gilles. (Nicolas)
   b) **Jean,** mon copain, travaille comme serveur dans un restaurant français. (Jeanne)
   c) La fiancée de **Paul** est avocate. C'est une personne charmante. (Paulette)
   d) **Daniel,** le mari de ma cousine, est mécanicien. (Danielle)
   e) Ma tante, **Pierrette,** est musicienne ; c'est une chanteuse qui a beaucoup de talent. En fait, dans notre famille, c'est une vedette. (Pierre)
   f) **Françoise,** ma belle-sœur, est coiffeuse et rêve de devenir propriétaire d'un salon de coiffure. (François)

Le pluriel des noms

1. Certains noms sont toujours au pluriel.

> les environs, les fiançailles, les gens, les mathématiques, les mœurs,
> les ténèbres

Remarque 1

On n'emploie jamais **gens** avec un nombre. Il faut employer **personne.**

> Vingt **personnes** étaient dans la salle.

---

2. Certains noms ont un sens différent au singulier et au pluriel.

> une vacance (*vacancy*)   des vacances (*vacation*)

3. On forme généralement le pluriel des noms en ajoutant **s** au singulier.

> la colline > les colline**s**, l'écurie > les écurie**s**, le renseignement >
> les renseignement**s**, le roi > les roi**s**, le soir > les soir**s**

4. Les noms qui se terminent par **s, x, z** ne changent pas au pluriel.

> le ca**s** > les ca**s**, le héro**s** > les héro**s**, le ne**z** > les ne**z**, le repa**s** > les repa**s**,
> la voi**x** > les voi**x**

5. Les noms qui se terminent par **-au, -eau, -eu** prennent un **x** au pluriel.

> le tuy**au** > les tuy**aux**
> le cham**eau** > les cham**eaux**, la p**eau** > les p**eaux**
> le chev**eu** > les chev**eux**

Remarque 2

Certains noms en **-eu** prennent un **s** au pluriel.

> un pn**eu** > des pneus   un bl**eu** > des bleus

---

6. La plupart des noms en **-al** forment leur pluriel en **-aux.**

> un anim**al** > des anim**aux**, un chev**al** > des chev**aux**,
> le tribun**al** > les tribun**aux**

Remarque 3

Bal, carnaval, chacal, festival, récital, régal, prennent un **s** au pluriel.

> un récit**al** > des récit**als**   le carnav**al** > les carnav**als**

7. Certains noms en **-ail** forment leur pluriel en **-aux.**

l'ém**ail** > les ém**aux,** un trav**ail** > des trav**aux,** le vitr**ail** > les vitr**aux**

> ### Remarque 4
>
> Quelques noms en **-ail** forment leur pluriel en **s.**
>
> un dét**ail** > des détail**s,** un caravansérail > des caravansérail**s,**
> un chand**ail** > des chandail**s**

8. Sept noms en **-ou** prennent un **x** au pluriel. Ce sont : **bijou, caillou, chou, genou, hibou, joujou, pou.**

un bij**ou** > des bijou**x,** le gen**ou** > les genou**x,** le hib**ou** > les hib**oux**

9. Certains noms ont un pluriel irrégulier.

un œil > des yeux
un aïeul > des aïeuls (= grands-parents)
              des aïeux (= ancêtres)
un jeune homme > des jeunes gens (généralement)

10. Certains noms forment leur pluriel selon les règles, mais la prononciation diffère.

un bœuf > des bœufs   un œuf > des œufs
Le **f** ne se prononce pas au pluriel. La voyelle est fermée.
un os > des os
Le **s** ne se prononce pas au pluriel. La voyelle est fermée.

11. Dans certains mots formés de deux éléments, mais maintenant écrits en un seul mot, chacun de ces deux éléments prend la marque du pluriel.

madame > mesdames   mademoiselle > mesdemoiselles
monsieur > messieurs   un gentilhomme > des gentilshommes
un bonhomme > des bonshommes

12. **Amour, délice** et **orgue** sont masculins au singulier et féminins au pluriel.

le premier amour   les premi**ères** amours
un vrai délice   de vrai**es** délices
un grand orgue   de grand**es** orgues

Le pluriel des noms composés

1. Dans les noms composés d'un nom et d'un adjectif, les deux éléments prennent généralement la marque du pluriel.

un coffre-fort > des coffre**s**-fort**s**
une grand-mère > des grand**s**-mère**s**
un grand-père > des grand**s**-père**s**
Mais : un nouveau-né > des nouveau-né**s** (**nouveau** a ici un sens adverbial)

2. Quand un nom composé est formé de deux noms dont l'un dépend de l'autre, le nom dépendant reste invariable.

> un timbre-poste > des timbre**s**-post**e** (pour la poste)
> un arc-en-ciel > des arc**s**-en-cie**l** (dans le ciel)
> un chef-d'œuvre > des chef**s**-d'œuvr**e** (de l'œuvre)

3. Dans les noms composés d'un verbe et d'un nom, le verbe reste invariable. Le nom varie ou ne varie pas selon le sens.

> un abat-jour > des abat-jour
> un gratte-ciel > des gratte-ciel
> un couvre-lit > des couvre-lit**s**

Le pluriel des noms propres

1. En général, les noms de famille ne prennent pas de **s** au pluriel.

> les Leblanc   les Faubert

2. Les noms propres prennent un **s** au pluriel quand ils désignent un peuple, des familles royales, des dynasties.

> les Canadiens, les Windsors, les Bourbons

APPLICATION

1. Mettez les noms en caractères gras au pluriel. Faites les changements voulus.

    a) Le **voleur** a sauté sur le **cheval**.
    b) Le **général** a appelé le **colonel**.
    c) Le **chasseur** est attiré par l'odeur de la **bête**.
    d) Le **gardien** avait l'**œil** sur l'**écurie**.
    e) Il est sorti pour acheter un **journal** et est revenu avec un **chapeau**.
    f) **Madame, mademoiselle, monsieur**, je vous invite à un **bal**.
    g) Ce **gratte-ciel** ne me plaît pas.
    h) Le **touriste** admire le **vitrail** de l'**église**.
    i) Je ne connais pas le **détail** du vol du **bijou**.
    j) Au jardin zoologique, j'ai vu un **lion**, un **hibou**, un **chameau**.
    k) Dans un conte de fées, le **roi** habite dans un **château**.
    l) Elle a vécu un grand **amour** avec un **monsieur** célèbre.
    m) Ce **héros** est un vrai **dieu** dans son pays.
    n) La **souris** se cache dans un **trou**.
    o) Le **prix** du **pneu** est très élevé.
    p) Le **procès** a eu lieu au **tribunal**.
    q) Le **fils** du **villageois** n'a pas fini le **travail**.
    r) Le **fou** est entré dans le **caravansérail** et a allumé un **feu**.

2. Mettez au pluriel les noms composés suivants :

a) un timbre-poste ;   f)   un arc-en-ciel ;
b) un chef-d'œuvre ;   g)   un coffre-fort ;
c) une grand-mère ;   h)   le grand-parent ;
d) un nouveau-né ;   i)   un pique-nique ;
e) un couvre-lit ;   j)   un gratte-ciel.

3. Répondez aux questions en mettant les noms au pluriel.

a) Avez-vous un tableau dans votre chambre ?
b) Avez-vous déjà voyagé dans un bateau ?
c) Avez-vous envie de manger un chou à la crème ?
d) Sortez-vous avec un jeune homme ?
e) Avez-vous jamais dû faire un choix difficile ?
f) Est-ce que le festival vous intéresse ? et le carnaval ?
g) Portez-vous d'habitude un chandail ?
i) Est-ce qu'un locataire a toujours un bail ?

4. Traduisez les phrases suivantes :

a) There were ten people in the classroom.
b) She just announced her engagement. The wedding will take place in June.
c) We spent our vacation in Amsterdam and we admired the canals.
d) I am afraid of the darkness of the surroundings.
e) People who study Math have to work hard.

DEVOIRS ÉCRITS / TRAVAIL ORAL

A. COMPOSITION GUIDÉE

Racontez une aventure désagréable que vous avez eue — un peu par votre faute.
Réflexion faite, auriez-vous dû agir différemment ?

1. Où vous trouviez-vous ?

2. Qu'aviez-vous l'intention de faire ?

3. Pourquoi n'avez-vous pas pu réaliser vos projets ?

4. Qui avez-vous rencontré ?

5. Que s'est-il passé ? Qu'avez-vous fait ?

6. Qu'est-ce que vous auriez dû faire différemment ?

B. COMPOSITION LIBRE / TRAVAIL ORAL

1. Si vous aviez des pouvoirs magiques, que feriez-vous pour améliorer à la fois le
   monde et votre vie personnelle ?

2. Inventez un conte dont les protagonistes sont des animaux.

3. Un homme a été trouvé mort dans son appartement. L'autopsie révèle qu'il a été empoisonné par du chocolat. Il y a trois suspects : sa femme, un ami de la famille et le chocolatier. Faites la mise en scène du procès. (Personnages : juge, avocats de la défense, procureur, témoins, jury.)

DIALOGUES

1. Un(e) ami(e) a tendance à se mêler de ce qui ne le/la regarde pas. Vous lui reprochez ce penchant et il/elle essaie de se justifier.

Quelques expressions utiles

ce n'est pas ton affaire	it's none of your business
se mêler de ses affaires	mind one's own business
mettre ou fourrer son nez partout	to be nosey
un fouinard	a Nosey Parker
faire la mouche du coche	to be a busybody
faire des commérages sur	to gossip about
le bavardage, les cancans, les potins (péjoratif)	gossip
se donner à	to devote oneself to
se soucier de	to care about
je me fiche pas mal de ce que les gens peuvent dire (langue familière)	I couldn't care less what people say
être d'un grand secours	to be extremely helpful
les conseils	advice
demander conseil à quelqu'un	to seek advice from someone

2. Vous êtes membre d'un jury. Lors des délibérations, tous les autres membres déclarent l'accusé coupable, mais vous êtes convaincu(e) de son innocence. Jouez la scène avec vos camarades de classe.

Quelques expressions utiles

il n'y a pas de fumée sans feu	there's no smoke without a fire
se disculper	to exonerate oneself
faire preuve d'indulgence	to show leniency
rendre le verdict	to give / return a verdict
un verdict de culpabilité / d'acquittement	a verdict of guilty / not guilty
faire appel	to appeal
éviter la récidive	to prevent a second offence
faire pression sur	to put pressure on
dormir du sommeil du juste	to sleep the sleep of the just
avoir la conscience tranquille / chargée	to have a clear / guilty conscience
une preuve indirecte	circumstantial evidence

| des circonstances atténuantes | mitigating / extenuating circumstances |
| des circonstances mal définies | circumstances still unclear |

UNE POINTE D'HUMOUR

AIDE-MÉMOIRE

(Pour se rappeler les noms en **-ou** qui prennent un **x** au pluriel.)

Viens mon chou,
Mon bijou,
Viens sur mes genoux.
Prends tes joujoux
Et des cailloux
Pour chasser ce vilain hibou
Qui est plein de poux.

Une exception à la règle

J'écris **pneux** et non **pneus** ainsi que
le font la plupart des bécanographes[18].
Les mots en **-eu** prennent un **x** au
pluriel. Je ne vois pas pourquoi on
ferait exception pour **pneu.**

Alphonse Allais, *Les Pensées*, Paris, Librairie Fayard, 1973, p. 703 (2359, 2361).

---

[18] mot inventé par Allais. Les bécanographes sont des personnes qui écrivent sur les bicyclettes (= bécanes
– mot familier).

Chapitre 13

L'Océanie
Tahiti

Aspects grammaticaux étudiés :

- Les adjectifs qualificatifs
    La forme de l'adjectif
    Le pluriel de l'adjectif
    La place de l'adjectif
    Le changement de sens de l'adjectif
- Les adverbes
    La classification des adverbes
    Les adverbes de manière
    La place de l'adverbe

Système politique : Territoire d'outre-mer
Population : 131 400
Capitale : Papeete
Langues officielles : Français / tahitien
Monnaie : Franc CFP

Tahiti est une des îles du Vent. C'est la plus grande île de la Polynésie française formée de deux volcans éteints, et entourée d'un récif de corail. Elle a été immortalisée par Paul Gauguin (1848-1903) dans ses nombreux tableaux. Le peintre français a fait, à Tahiti, deux séjours qui ont profondément marqué son œuvre. Il nous a aussi laissé la description de ses contacts avec les habitants de l'île.

PRÉ-LECTURE

Tahiti ! Voilà un nom qui évoque une végétation luxuriante, des femmes et des hommes au corps sain, jouissant d'un climat paradisiaque.

Quand vous pensez à une île tropicale, qu'est-ce que vous imaginez ? Aimeriez-vous vivre dans une de ces îles, loin du bruit et du stress des grandes villes ? N'y a-t-il pas aussi des désavantages à être coupé du reste du monde ?

Noa Noa[1]

Depuis quelque temps je m'étais assombri. Mon travail s'en ressentait, je manquais de beaucoup de documents. […] Je résolus de partir quelque temps en voyage autour de l'île.

5 Tandis que je faisais quelques paquets légers pour le besoin de ma route et que je mettais de l'ordre dans toutes mes études, mon voisin, l'ami Anani, me regardait inquiet. Il se décida enfin à me demander si je voulais partir. Je lui répondis que non, que j'allais seulement me promener quelque temps, que je reviendrais. Il ne me croyait pas et pleura. Sa femme vint le rejoindre et me dit qu'elle m'aimait, que je n'avais pas besoin d'argent pour vivre là, que je pourrais

10 un jour reposer là et elle me montrait dans son terrain près de sa case une place ornée d'un arbrisseau. J'eus le désir d'y reposer toujours, certain que dans l'éternité personne ne viendrait plus me déranger :

— Vous autres Européens, vous promettez toujours de rester et, quand enfin on vous aime, vous partez pour revenir, dites-vous, mais vous ne revenez jamais.

15 Je n'osai mentir.

— Mais enfin je reviendrai dans quelques jours je le promets. Plus tard je verrai. Enfin je partis.

Voyage autour de l'île

M'écartant du chemin qui borde la mer, je m'enfonce dans un fourré qui va assez loin dans la montagne. Arrive dans une petite vallée. Là quelques habitants qui

20 veulent vivre encore comme autrefois. Tableaux *Matamua* « Autrefois » et de *Hina maruru*[2].

---

[1] Noa Noa = parfum
[2] *Matamua* (Autrefois) et *Hina maruru* (Merci à Hina) sont les titres de deux tableaux de Gauguin.

« Arearea »

…Je continue ma route. Arrivé à Taravao (extrémité de l'île), le gendarme me prête son cheval. Je file sur la côte est, peu fréquentée par les Européens. Arrivé à Faaone petit district qui annonce celui d'Hitia, un indigène
25   m'interpelle :

— Eh ! l'homme qui fait des hommes (il sait que je suis peintre), viens manger avec nous ! (*Haere mai ta maha*), la phrase hospitalière.

Je ne me fais pas prier, son visage est si doux. Je descends de cheval ; il le prend et l'attache à une branche, sans aucune servilité, simplement et avec
30   adresse.

J'entre dans une maison où plusieurs hommes, femmes et enfants sont réunis, assis par terre, causant et fumant.

— Où vas-tu ? me dit une belle Maorie d'une quarantaine d'années.

— Je vais à Hitia.
35   — Pour quoi faire ?

Je ne sais pas quelle idée me traversa la cervelle. Je lui répondis :

— Pour chercher une femme. Hitia en a beaucoup et de jolies.

— Tu en veux une ?

— Oui.
40   — Si tu veux je vais t'en donner une. C'est ma fille.

— Est-elle jeune ?

— *Eha* (oui).

— Est-elle jolie ?

— *Eha*.

45 — Est-elle bien portante ?

— *Eha*.

— C'est bien, va me la chercher.

Elle sortit un quart d'heure et tandis qu'on apportait le repas — des *maioré*[3], des bananes sauvages et quelques crevettes — la vieille rentra suivie d'une grande
50 jeune fille, un petit paquet à la main.

À travers la robe de mousseline rose excessivement transparente, on voyait la peau dorée des épaules et des bras […]. Son visage charmant me parut différent de celui des autres que j'avais vus dans l'île jusqu'à présent et ses cheveux poussés comme la brousse, légèrement crépus. Au soleil une orgie de chromes. Je sus
55 qu'elle était originaire des Tonga[4].

Quand elle fut assise près de moi, je lui fis quelques questions :

— Tu n'as pas peur de moi ?

— *Aita* (non).

— Veux-tu toujours habiter ma case ?

60 — *Eha*.

— Tu n'as jamais été malade ?

— *Aita*.

Ce fut tout. Et le cœur me battait tandis qu'elle, impassible, rangeait devant moi par terre sur une grande feuille de bananier les aliments qui m'étaient
65 offerts. Je mangeais, quoique de bon appétit, timidement. Cette jeune fille, une enfant d'environ treize ans, me charmait et m'épouvantait : que se passait-il dans son âme ? et dans ce contrat si hâtivement conçu et signé j'avais la pudeur hésitante de la signature, moi presque un vieillard[5].

Peut-être[6] la mère avait ordonné, débattant chez elle le marché. Et pourtant
70 chez la grande enfant, la fierté indépendante de toute cette race, la sérénité d'une chose louable. La lèvre moqueuse quoique tendre indiquait bien que le danger était pour moi, non pour elle. Je ne dirai pas [que] sans peur je sortis de la case. Je pris mon cheval et je montai.

La jeune fille suivit derrière ; la mère, un homme, deux jeunes femmes, ses
75 tantes disait-elle, suivirent aussi. Nous revenions à Taravao, à neuf kilomètres de Faaone.

Un kilomètre plus loin, on me dit :

— *Parahi teie* (Réside ici.)

Je descendis et j'entrai dans une grande case proprement tenue, et surtout
80 presque l'opulence. L'opulence des biens de la terre, de jolies nattes par terre, sur

---

[3] Fruit de l'arbre à pain que l'on consomme après l'avoir fait cuire et qui a une consistance farineuse, un goût plutôt fade (note de l'éditeur).
[4] archipel de l'océan Pacifique, en Polynésie, colonisé par l'Angleterre (note de l'éditeur)
[5] Gauguin a une quarantaine d'années à cette époque.
[6] généralement suivi de **que** ou de l'inversion

du foin… Un ménage assez jeune, gracieux au possible, y demeurait et la jeune fille s'assit près de sa mère qu'elle me présenta. Un silence. De l'eau fraîche que nous bûmes à la ronde comme une offrande, et la jeune mère l'œil ému et humide me dit :

85 — Tu es bon ?

Mon examen de conscience fait, je répondis avec trouble :

— Oui.

— Tu rendras ma fille heureuse ?

— Oui.

90 Dans huit jours, qu'elle revienne. Si elle n'est pas heureuse elle te quittera.

Un long silence. Nous sortîmes et de nouveau à cheval je repartis. Elles suivaient derrière. Nous rencontrâmes sur la route plusieurs personnes :

— Et quoi, tu es maintenant la *vahiné*[7] d'un Français ? Sois heureuse.

— Bonne chance.

95 Cette question des deux mères m'inquiétait. Je demandai à la vieille qui m'avait offert sa fille :

— Pourquoi as-tu menti ?

La mère de Tehamana (ainsi ma femme se nommait) me répondit :

— L'autre aussi est sa mère, sa mère nourricière.

100 Nous arrivâmes à Taravao. Je rendis le cheval au gendarme. […]

Nous prîmes tous deux, ma fiancée et moi, la voiture publique qui nous menait à vingt-cinq kilomètres de là, à Mataiea, chez moi.

Ma nouvelle femme était peu bavarde, mélancolique et moqueuse. Tous deux nous nous observions : elle était impénétrable, je fus vite vaincu dans cette

105 lutte. Malgré toutes mes promesses intérieures, mes nerfs prenaient vite le dessus et je fus en peu de temps pour elle un livre ouvert.

Paul Gauguin, « Noa Noa », *Oviri, écrits d'un sauvage,* choisis et présentés par Daniel Guérin, Paris, Gallimard, 1974, p. 31-35.

Expressions à retenir

manquer de (l. 2)
partir en voyage (l. 2-3)
mettre de l'ordre (l. 5)
dans quelques jours (l. 16)
peu fréquenté(e) (l. 23)
un indigène (l. 24)
hospitalier / hospitalière (l. 27)
se faire prier (l. 28)
assis par terre (l. 32)
être bien portant(e) (l. 45)
être bavard(e) (l. 103)
prendre le dessus (l. 105)

---

[7] femme

COMPRÉHENSION

1. Pourquoi le narrateur a-t-il décidé de faire un voyage autour de l'île ?
2. Qu'est-ce qui révèle le caractère émotif du voisin ?
3. Quelle phrase montre que, lorsque Gauguin était à Tahiti, le mode de vie avait déjà changé ?
4. Qu'est-ce qui prouve que les Tahitiens sont hospitaliers ?
5. Quelle question le narrateur pose-t-il, en termes différents, à la fois à la mère et à la jeune fille ?
6. Quelle phrase indique que la confiance ne régnait guère entre les deux « époux » ?

INTERPRÉTATION

1. Que signifie « reposer » ici (l. 11) ?
2. Qu'est-ce qui montre que le narrateur n'est pas le premier Européen que les voisins ont connu ?
3. Dans sa description de la jeune fiancée, le narrateur révèle ses dons de peintre. Quels adjectifs sont particulièrement significatifs ?
4. Qu'est-ce qui explique « la pudeur hésitante » de la signature (l. 67-68) ? S'agit-il vraiment de « signer » ?
5. Pourquoi le narrateur répond-il « avec trouble » à la question « Tu es bon ? » (l. 85-86).
6. Expliquez l'énigme des deux mères.

MAÎTRISONS LA LANGUE

A

1. Relevez, dans le texte, un autre mot de la même famille que :

    a) légers ; b) vieille ; c) ordre ; d) offerts.

2. Relevez, dans le texte, des expressions ayant le même sens que :

    a) attristé ; b) je décidai ; c) un endroit ; d) je vais voir ; e) habilement ; f) l'esprit ; g) en bonne santé.

3. Elle est rentrée, un petit paquet à la main.
   Faites deux phrases sur ce modèle en utilisant les mots donnés :

    a) panier ; b) chapeau ; c) bras ; d) tête.

4. Relevez les expressions ayant trait au paysage.

5. Le bananier donne des bananes. Comment s'appellent les arbres qui donnent :

    a) les pommes ; b) les poires ; c) les cerises ; d) les prunes ; e) les pêches ?
    Comment s'appellent les plantes qui donnent : a) les fraises ; b) le raisin ?

B

1. Trouvez autant de mots que possible de la même famille que :

    a) hospitalier ; b) nourricière ; c) timidement ; d) proprement.

2. Utilisez chacun des noms ci-après dans une phrase de votre cru, de façon à en illustrer la différence de sens :

a) la maison ; b) la case ; c) la résidence ; d) le domicile.

3. Qu'est-ce que huit jours ? — Quelle est une autre façon de dire deux semaines ?

4. Gauguin est un peintre, non un écrivain. Il ne respecte pas toujours la syntaxe. Corrigez deux de ses fautes.

5. La jeune fille a une mère (biologique) et une mère nourricière. Utilisez chacune des expressions suivantes, qui comportent le nom **mère,** dans une phrase qui en montre le sens.

a) la maison mère ; b) la mère adoptive ; c) la reine mère ; d) la mère patrie ; e) la fête des Mères.

6. Voici quelques expressions relatives au **mariage**. Utilisez chacune d'elles dans une phrase qui en illustre le sens ou inventez un petit texte de votre cru où vous emploierez ces expressions :

a) une demande en mariage ; b) un mariage d'amour (de convenance) ; c) être invité(e) à la noce (aux noces) ; d) la lune de miel ; e) fêter ses noces d'argent.

GRAMMAIRE

LES ADJECTIFS QUALIFICATIFS

Un adjectif qualificatif qualifie un nom ou un pronom. Sa forme varie selon le mot qu'il qualifie.

Forme

Le masculin

1. Certains adjectifs ont une forme différente s'ils sont suivis d'une voyelle ou d'un **h** muet.

beau, bel	fou, fol
nouveau, nouvel	mou, mol
vieux, vieil	

      un **vieux** monsieur   un **vieil h**omme
      un homme **fou**   un **fol a**mour

Le féminin

2. En général, on forme le féminin en ajoutant **-e** au masculin.

      un **grand** garçon   une **grande** fille
      un **petit** district   une **petite** vallée

3. Quand l'adjectif se termine par **e**, il ne change pas au féminin.

un homme **jeune**	une fille **jeune**
un visage **impénétrable**	une figure **impénétrable**
le monsieur **mélancolique**	la dame **mélancolique**

4. Certaines consonnes changent au féminin.

f devient **v**	un enfant **vif**	une femme **vive**
x devient **s**	un homme **amoureux**	une femme **amoureuse**
c devient **que**	un spectacle **public**	la voiture **publique**

5. La terminaison **-er** devient **-ère.**

un paquet **léger**	une robe **légère**
un voisin **hospitalier**	une voisine **hospitalière**
le père n**ourricier**	la mère **nourricière**

6. La terminaison **-eur** devient **-euse.**

un garçon **moqueur**	une fille **moqueuse**
un homme **voleur**	une fille **voleuse**

Mais quelques adjectifs en **-eur** prennent un **e** : **meilleur, intérieur, supérieur,** etc.

un **meilleur** destin	une **meilleure** idée

7. La terminaison **-teur** devient généralement **-trice.**

un esprit **créateur**	l'impulsion **créatrice**
Mais : un garçon **menteur**	une fillette **menteuse**

8. Quand l'adjectif se termine par une consonne, elle est souvent doublée au féminin.

un **gros** paquet	une **gross**e branche
un **bon** appétit	**bonne** chance
un **cruel** destin	une punition **cruelle**
un **ancien** ami	une **ancienne** amie
un **gentil** garçon	une **gentille** fille

Mais il y a de nombreuses **exceptions** :

un ciel **gris**	une robe **grise**
un **mauvais** garçon	une **mauvaise** nouvelle
un dîner **fin**	une peau **fine**
un monsieur **discret**	une dame **discrète**

9. Le féminin des adjectifs qui ont deux formes au masculin est dérivé de la forme qui précède une voyelle ou un **h** muet.

un **beau** cheval	un **bel** enfant	une **belle** Maorie
un **nouveau** mari	un **nouvel** homme	une **nouvelle** femme
un **vieux** monsieur	un **vieil** homme	une **vieille** femme
un rêve **fou**	un **fol** espoir	une **folle** entreprise

10. Quelques adjectifs ont des **féminins irréguliers.**

blanc	blanche	franc	franche
long	longue	frais	fraîche
sec	sèche	favori	favorite
faux	fausse	roux	rousse
doux	douce	malin	maligne
		bénin	bénigne

11. Quand un adjectif de couleur est qualifié par un autre adjectif, les deux sont invariables.

    une robe **verte**   une robe **vert foncé**

12. Les noms employés pour désigner une couleur sont invariables.

    une veste **marron**   une chemise **lilas**

Le pluriel de l'adjectif

1. Règle générale : On forme le pluriel en ajoutant un **s** au singulier.

    les **jolies** nattes   des habitants **hospitaliers**

2. Lorsque l'adjectif se termine par **s** ou **x** au singulier, il ne change pas au pluriel.

    des visages **doux**   les **mauvais** rêves

3. La terminaison -**al** devient généralement -**aux** au pluriel.

    le texte **principal**   les textes **principaux**
    Exceptions : **banal, final, natal, naval**
    un pays **natal**   des pays **natals**
    un film **banal**   des films **banals**

4. -**eau** prend **x** au pluriel.

    le **beau** voyage   les **beaux** voyages

5. Un adjectif qualifiant plusieurs noms se met au pluriel. Il est au masculin pluriel si un des noms est masculin.

    Paul et Marie sont **jeunes** et **heureux.**

6. Les noms employés pour désigner une couleur sont invariables.

    des robes **orange**   des yeux **marron**
    Mais : des robes **roses**

7. Quand l'adjectif de couleur est qualifié par un autre adjectif, il reste invariable.

    des robes **roses**   des robes **rose vif**

8. Lorsque l'adjectif précède le nom, **de** et non **des,** est utilisé.

    des bras dorés   **Mais : de** grands yeux noirs

Remarque 1

Quand **demi** et **nu** précèdent le nom, ils sont invariables :

> Il est une heure et **demie**.   **Mais :** Il viendra dans une **demi**-heure.
>
> Il va pieds **nus**.   **Mais :** Il va **nu**-pieds

Remarque 2

Quand l'adjectif est employé adverbialement, il est invariable.

> Les femmes travaillent **dur**.   Cette robe coûte **cher**.

APPLICATION

1. Substituez les mots donnés aux mots soulignés et faites les changements voulus.

   a) Il prend <u>des paquets</u> légers. (une nourriture, des voitures)

   b) Connaissez-vous <u>sa</u> nouvelle <u>femme</u> bavarde et moqueuse. (son mari, ses voisins, son amie)

   c) Voilà <u>un homme</u> doux et hospitalier, mais ennuyeux. (une femme, des personnes)

   d) Il a <u>un ami</u> tahitien très gentil. (une camarade, des connaissances)

   e) Regardez <u>la</u> belle grande <u>fille</u>. (ce garçon, ces chevaux, ces nattes)

   f) Il a rencontré <u>un</u> vieux <u>monsieur</u> discret. (une dame, des demoiselles)

2. Faites accorder l'adjectif.

   a) Elle boit beaucoup d'eau <u>frais</u>.

   b) Cette <u>jeune</u> femme a de <u>grand</u> yeux <u>bleu pâle</u>.

   c) Son amie n'est ni <u>intelligent</u> ni <u>franc</u>.

   d) Elle a de <u>bon</u> voisines, des personnes <u>généreux</u>.

   e) On lui a apporté des bananes <u>sauvage</u> et des crevettes <u>rose</u>.

   f) Quand il fait beau, je sors tête <u>nu</u> et <u>nu</u>-pieds.

   g) Ce <u>vieux</u> homme a de <u>beau</u> cheveux.

La place de l'adjectif

La place de l'adjectif est une question complexe ; toutefois, il suit plus souvent le nom qu'il ne le précède.

1. Les adjectifs indiquant la **nationalité,** la **religion,** la **couleur,** la **forme** suivent le nom.

   > un ami **français**   la religion **protestante**
   >
   > une robe **rose**   un visage **rond**

2. Le participe passé ou présent employé comme adjectif suit généralement le nom.

   > un visage **charmant**   une maison **occupée**

3. L'adjectif suivi d'un complément ou précédé d'un long adverbe suit le nom.

   > une fille **charmante à voir**   un enfant **beau comme le jour**
   >
   > un garçon **extrêmement jeune**

4. L'adjectif précède le nom quand il est court et souvent utilisé. Tels sont :

> vieux, jeune, nouveau   court, long
> joli, beau   grand, petit, gros
> mauvais, bon

> un **jeune** enfant   un **joli** visage
> une **longue** route   un **court** chemin

5. L'adjectif précède toujours un nom propre.

> le **célèbre Gauguin**   le **grand Molière**

6. L'adjectif précède le nom quand il forme avec lui un nom composé ou quand il est fréquemment associé à ce nom.

> une **jeune** fille   **Mais :** un monsieur **jeune**
> une **violente** tempête   **Mais :** un homme **violent**

7. Quand deux adjectifs qualifient un même nom, ils gardent leur place habituelle.

> de **jolies** nattes   des nattes **jaunes**
> de **jolies** nattes **jaunes**

8. Quand plusieurs adjectifs qualifiant un nom se suivent, le dernier est généralement relié aux autres par **et.**

> l'œil **étonné**   l'œil **ému**   l'œil **humide**
> l'œil étonné, ému **et** humide

Changement de sens de l'adjectif

1. Certains adjectifs changent de sens selon qu'ils précèdent ou suivent le nom. En général, lorsqu'ils suivent le nom, ils sont utilisés au sens propre ; lorsqu'ils le précèdent, ils sont utilisés au sens figuré.

SENS PROPRE		SENS FIGURÉ	
un texte **ancien**	**very old**	les **anciens** habitants	**former**
un soldat **brave**	**courageous**	une **brave** femme	**good, nice**
un succès **certain**	**sure, definite**	un **certain** charme	**of a particular kind**
une voiture **chère**	**expensive**	une **chère** amie	**dear**
le **dernier** examen[8]	**last (of a series)**	la semaine **dernière**	**last (just past)**
une question **différente**	**different**	**différentes** personnes	**various**
une phrase **drôle**	**funny, amusing**	une **drôle** de phrase	**strange**
un homme **grand**	**tall**	un **grand** peintre	**great, important**
les **mêmes** choses[8]	**same, identical**	les parents **mêmes**	**themselves**
une famille **pauvre**	**poor, not rich**	un **pauvre** malade	**unfortunate**
les mains **propres**	**clean**	sa **propre** fille	**own**
les mains **sales**	**dirty**	une **sale** histoire	**nasty, foul**

---

[8] Ici, au sens propre l'adjectif précède le nom.

> ### Remarque 1
>
> **Drôle,** au sens propre, = amusant, suit directement le nom. Au sens figuré, = étrange, bizarre, il est suivi de **de.**
>
> > C'est une histoire **drôle** qu'il a racontée. Nous avons beaucoup ri.
> > C'est une **drôle d'**histoire qu'il a racontée. Elle est incroyable.
>
> ### Remarque 2
>
> Pour des raisons stylistiques, par souci du rythme de la phrase, on peut parfois changer la place de l'adjectif, surtout dans les textes poétiques. Placé avant le nom, il a généralement plus de force.
>
> > une fille **charmante**   une **charmante** fille
> > une expérience **inoubliable**   une **inoubliable** expérience

APPLICATION

1. Mettez l'adjectif à la place voulue, selon le sens.

   a) Est-ce la jeune fille ? Non, c'est une autre. (même)

   b) C'est un jeune homme. (beau, grand)

   c) C'est une femme. (bavarde, mélancolique, moqueuse)

   d) Voilà cette personne. (jeune, gracieuse)

   e) Connaissez-vous cette jeune fille ? (grande, fière, indépendante)

   f) Ce sont les parents qui ont trouvé un mari pour leur fille. (mêmes)

   g) Cette femme n'a pas d'argent pour nourrir ses enfants. (pauvre, jeunes)

   h) Il regardait la côte. (drôle, peu fréquentée)

   i) Le gendarme lui a prêté son cheval. (propre, noir)

   j) On lui a servi des bananes et des crevettes. (sauvages, roses)

2. Complétez le texte en choisissant dans la liste donnée l'adjectif qui convient le mieux au sens. Faites les accords voulus.

court	appétissant	grand	tenu
triste	nouveau	public	compréhensible
sauvage	humide	vieux	propre
beau	léger	généreux	mélancolique
doux	joli	imprudent	

   Parce qu'il se sentait _____, Gauguin a décidé de faire un _____ voyage autour de son île. Tandis qu'il faisait ses _____ paquets, ses voisins sont arrivés, les yeux _____, pour lui faire leurs adieux. Le peintre a promis de revenir, mais le couple était _____ de le voir partir.

   Gauguin a emprunté le _____ cheval du gendarme et s'est mis en route. Invité par une Tahitienne au visage _____, il est entré dans une _____ case _____ et bien _____. Là, sur une _____ feuille de bananier, on lui a servi des crevettes _____ et des fruits _____. Ensuite, on lui a proposé une très _____ jeune fille comme épouse. Le peintre a accepté avec une joie _____, mais _____, lui qui avait déjà quarante ans. Avec sa _____ femme, il est parti pour sa case dans la voiture _____ après avoir rendu le cheval au _____ gendarme.

3. En respectant le sens du texte, trouvez trois adjectifs de votre cru qui peuvent s'appliquer aux personnages suivants :

   a) la jeune fille ;
   b) le narrateur ;
   c) la mère ;
   d) les voisins ;
   e) les Tahitiens en général.

LES ADVERBES

L'adverbe est un mot invariable qui modifie **un verbe, un adjectif** ou **un autre adverbe.**

Le fourré **va loin** dans la montagne.	(modifie le verbe)
Sa robe est **extrêmement transparente.**	(modifie l'adjectif)
Le fourré va **assez loin** dans la montagne.	(modifie l'adverbe)

La classification des adverbes

a) **de manière** (répondant à la question *comment*) : **bien, mal, excessivement, extrêmement, proprement, timidement,** etc. ;

b) **de lieu** (répondant à la question *où*) : **devant, derrière, près, loin, ici, là,** etc. ;

c) **de temps** (répondant à la question *quand*) : **aujourd'hui, hier, demain, maintenant, autrefois, toujours, jamais, tôt, tard, enfin,** etc. ;

d) **de quantité** (répondant à la question *combien*) : **beaucoup, trop, peu, assez,** etc. ;

e) **d'affirmation** ou **de doute** : **oui, si, naturellement, peut-être,** etc. ;

f) les **locutions adverbiales** formées de plusieurs mots et jouant le même rôle que les autres adverbes : **tout de suite, par hasard, bien sûr, sans doute, à la longue,** etc. ;

g) pour les **adverbes d'interrogation,** voir le chapitre 11 et pour les **adverbes de négation,** voir le chapitre 5.

Les adverbes de manière

Forme

1. La plupart des adverbes de manière sont formés en ajoutant **-ment** au féminin de l'adjectif.

léger	légère	légère**ment**
timide	timide	timide**ment**
excessif	excessive	excessive**ment**
fou	folle	folle**ment**

2. Quand l'adjectif se termine par **é, i, u**, on ajoute **-ment** au masculin.

aisé	aisé**ment**
vrai	vrai**ment**
assidu	assidû**ment**
Exception : gai	gaî**ment** ou gaie**ment**

3 Le **e** du féminin devient parfois **é**.

énorme	énorm**ément**
aveugle	aveugl**ément**

4. Les terminaisons **-ant** et **-ent** deviennent respectivement **-amment** et **-emment**. La prononciation des deux terminaisons est identique (**amant**).

indépendant	indépend**amment**	savant	sav**amment**
différent	différ**emment**	prudent	prud**emment**

5. Certains adverbes ont des **formes irrégulières.**

gentil	**gentiment**	bref	**brièvement**
bon	**bien**	mauvais	**mal**
meilleur	**mieux**	pire	**pis**

La place de l'adverbe

1. Quand un adverbe modifie un adjectif ou un adverbe, il précède le mot.

une robe **excessivement transparente**   ses cheveux **légèrement crépus**
un fourré qui va **assez loin** dans la montagne

2. Quand un adverbe modifie un verbe, sa place peut varier beaucoup. Toutefois, il ne se place pas devant le verbe qu'il modifie.

a) S'il modifie un verbe à un temps simple, il suit le verbe :

J'**allais seulement** me promener.
La jeune fille **suivit derrière.**

b) Si un adverbe court ou commun modifie un verbe à un temps composé, il se place généralement entre l'auxiliaire et le participe passé.

> Elle m'**a enfin suivi.**
> J'**avais maintenant décidé** de partir.
> Lui **avait**-elle **vraiment offert** sa fille ?

c) Si l'adverbe est long et non commun, on le place généralement après le participe passé.

> Le peintre a **agi imprudemment.**
> La fille a observé l'homme **mélancoliquement.**

3. Les adverbes de temps et de lieu se placent au début ou à la fin de la phrase ou après le participe passé.

> Je veux me reposer **là.**   **Là,** je veux me reposer.
> Plusieurs personnes sont   **Derrière** sont assises plusieurs personnes.
> assises **derrière.**

Remarque 1

L'adverbe de lieu précède d'habitude l'adverbe de temps.

> Il est arrivé **là hier.**

Remarque 2

Déjà, souvent, toujours, se placent entre l'auxiliaire et le participe passé.

> Il **a souvent fait** ce voyage.   Elle **est déjà arrivée.**

4. Placé à la fin et surtout au commencement de la phrase, l'adverbe est mis en relief.

> **Plus tard,** je verrai.   **Enfin,** je suis parti.

5. Certains adverbes placés au commencement de la phrase sont suivis de l'inversion du verbe et du sujet : **peut-être, sans doute, à peine,** etc.

> Il partira **sans doute.**   **Sans doute** partira-t-il.
> Elle sera **peut-être** heureuse   **Peut-être** sera-t-elle heureuse.

Remarque 3

Dans la conversation, on fait généralement suivre **peut-être** de **que,** évitant ainsi l'inversion.

> Peut-être **qu'elle sera** heureuse.

Remarque 4

Aussi, conjonction, signifiant **par conséquent,** suit la même règle que **peut-être,** etc. Il ne faut pas le confondre avec **aussi = également.**

> Il est très vieux ; **aussi,** la jeune fille ne l'**aime-t-elle** pas.
>
> **Mais :**   Cet homme est vieux **aussi.**

6. Certains adjectifs sont employés adverbialement et sont donc invariables.

> Elle est **fort** timide.
> Vous travaillez **dur.**

APPLICATION

1. Donnez les adverbes correspondant aux adjectifs suivants :

   a) étonnant ;   d) propre ;   g) gracieux ;   i) joli ;
   b) léger ;   e) seul ;   h) mauvais ;   j) bon.
   c) différent ;   f) haut ;

2. Remplacez l'expression soulignée par un adverbe.

   a) Il m'a reçu <u>avec beaucoup de gentillesse</u>.
   b) Je pourrais un jour reposer <u>à cet endroit</u>.
   c) Il veulent vivre comme <u>par le passé</u>.
   d) Il attache le cheval à une branche <u>avec beaucoup d'habileté</u>.
   e) Le contrat a été conçu <u>en toute hâte</u>.
   f) Il mangeait <u>d'un air timide</u>.
   g) Cette case était tenue <u>dans une grande propreté</u>.
   h) Ses cheveux poussent <u>d'une façon différente</u>.
   i) Il a parlé à la jeune femme <u>avec douceur</u>.
   j) Nous avons voyagé <u>en toute tranquillité</u>.

3. Insérez l'adverbe à l'intérieur de la phrase.

   Gauguin nous dit dans ses mémoires qu'il a décidé de faire un voyage autour de l'île (tout à coup). Ses voisins semblaient émus tandis qu'il faisait ses légers paquets (très). Ils craignaient de ne jamais le revoir (beaucoup). Il a promis de revenir (solennellement). Le gendarme lui a prêté son cheval (aimablement).

   Le peintre a rencontré un homme qui l'a invité dans sa case (bientôt, tout de suite). Il a vu une Maorie d'une quarantaine d'années qui lui a demandé la raison de son voyage (là, immédiatement). Il a réfléchi et a répondu qu'il allait à la ville chercher une épouse (brièvement, ensuite). La femme lui a offert sa propre fille, qui n'avait pas quinze ans, comme compagne (alors, même). Le peintre, qui avait quarante ans, a accepté l'offre, ce qui nous paraît scandaleux (très vite, maintenant).

DEVOIRS ÉCRITS / TRAVAIL ORAL

A. COMPOSITION GUIDÉE

Quelles sont, à votre avis, les qualités que doit posséder l'époux ou l'épouse idéal(e) ? Pourquoi ces qualités vous paraissent-elles essentielles ?

1. Avez-vous déjà rencontré la personne idéale ou continuez-vous à la chercher ?

2. Est-ce que les qualités physiques comptent pour vous ?

3. Si oui, quels aspects de la personne sont importants ? (les yeux, les cheveux, le corps, la taille, etc.) Pourquoi ?

4. Quelles qualités morales / intellectuelles appréciez-vous particulièrement ? (l'intelligence, le sens de l'humour, la générosité, la patience, etc.) Pourquoi ?

5. Quels défauts trouvez-vous particulièrement difficiles à accepter ? (le manque de ponctualité, l'arrogance, l'égoïsme, l'avarice, etc.) Pourquoi ?

6. Pensez-vous que l'époux / l'épouse idéal(e) existe ?

B. COMPOSITION LIBRE / TRAVAIL ORAL

1. Qu'est-ce que l'extrait nous apprend sur le mode de vie des Tahitiens à l'époque de Gauguin ?

2. Deux étudiant(e)s présentent la peinture de Gauguin à la classe.

DIALOGUES

1. Deux ami(e)s discutent. L'un(e) pense qu'une grande différence d'âge peut nuire au bonheur dans le mariage. L'autre, au contraire, trouve qu'elle peut présenter des avantages.

Quelques expressions utiles

la maturité d'esprit	maturity of mind
le vieillissement	aging
l'absence d'énergie	lack of energy
pantouflard	stay-at-home
les ennuis de santé	health problems
avoir envie de dormir	to want to sleep
mener une vie mondaine	to lead a busy social life
les distractions	entertainment
les sorties	outings
s'ennuyer	to be bored

2. L'amour est essentiel dans le mariage. Le pour et le contre.

Quelques expressions utiles

la compatibilité	compatibility
avoir bon, mauvais caractère	to be good, bad tempered
être d'humeur égale	to be even tempered
compréhensif	understanding
avoir les moyens	to have means
avoir les mêmes goûts	to have similar tastes
la tendresse	affection, tenderness
la jalousie	jealousy
les soupçons	suspicion

MATIÈRE À RÉFLEXION

QUELQUES REMARQUES D'AUTEURS CÉLÈBRES SUR LE MARIAGE

- « Un bon mariage serait celui d'une femme aveugle avec un mari sourd. »

    Montaigne

- « Il vaut mieux encore être marié que mort. »

    Molière

- « Il y a de bons mariages, mais il n'y en a point de délicieux. »

    La Rochefoucauld

- « Nous marier ? Des gens qui s'aiment ! »

    Marivaux

- « Les chaînes du mariage sont si lourdes qu'il faut être deux pour les porter. »

    Alexandre Dumas fils

Chapitre 14

L'Asie
L'Inde

Récapitulation des chapitres 8-13

- Les pronoms personnels
- L'interrogation
- Les adjectifs et les pronoms indéfinis
- Le futur simple et le futur antérieur
- Les adjectifs et les pronoms possessifs
- Le conditionnel présent et le conditionnel passé
- Le nom
    - Le genre des noms
    - Le pluriel des noms
- Les adjectifs qualificatifs
- Les adverbes

Système politique : République fédérale
Population : 1 014 000 000
Capitale : New Delhi
Langues officielles : Anglais / hindi
Monnaie : Roupie

New Delhi

Bombay Calcutta

L'Inde est le berceau d'une des plus anciennes civilisations du monde. Colonisée par l'Angleterre à partir du XVIIIe siècle, l'Inde a obtenu son indépendance en 1947 grâce en grande partie aux efforts de Mahatma Gandhi qui prêchait la résistance passive et la non-violence. L'Inde moderne comprend 25 états et 7 territoires. On y parle de nombreuses langues. Malgré la modernisation du pays, des millions d'Indiens continuent à vivre dans la misère.

Le journaliste de l'*Express* nous livre ses impressions de Calcutta. Il nous cite aussi les jugements, souvent impitoyables, d'hommes célèbres qui ont passé par là. Enfin, il interroge des Indiens, artistes et hommes politiques, qui disent pourquoi ils aiment cette ville et ont choisi d'y vivre.

PRÉ-LECTURE

Avez-vous jamais désiré visiter l'Inde, ce pays qui compte un milliard d'habitants, tout juste un peu moins que la Chine ? Peut-être avez-vous des ami(e)s indien(ne)s ? Peut-être êtes-vous né(e) là-bas ?

Si vous planifiiez un voyage en Inde, quelles villes choisiriez-vous de visiter ? Et pourquoi ?

Calcutta, « cité de l'épouvantable nuit »

La pluie. Des gouttes par millions tombent dans la nuit et s'abattent sur Calcutta. La mousson touche à sa fin, dit-on, mais elle étreint une dernière fois la cité, comme une maîtresse câline. L'eau rebondit sur les trottoirs, s'étale aux

Le Gange à Calcutta

carrefours, noie les ruelles, déborde des égouts. Elle lèche les façades d'immeubles

5   grandioses mais fatigués, le long des avenues du centre-ville, où elle ranime un
peu les couleurs de l'ancien Empire des Indes. Il est cinq heures. Au bord de la
rivière Hooghly, des ombres s'avancent vers la rive et s'immergent lentement. Un
homme chante des mantras à voix basse. Dans un temple, une cloche sonne, au
loin. Des dizaines de corbeaux tournoient dans l'air, puis ils piquent vers les

10   quais. Là, tout près des baigneurs, ils s'ébrouent dans les immondices : fleurs
fanées, excréments, coques de noix de coco… Une odeur de bois brûlé chatouille
les narines : dans le bidonville tout proche, sous les milliers de bâches en
plastique brillant sous la pluie, l'heure est au petit déjeuner.
        « Que pensez-vous de l'arme nucléaire ? » Dans la pénombre, il a surgi de

15   nulle part, l'inconnu, dans son imperméable vert fermé jusqu'au col. Sans
attendre la réponse, il reprend à toute allure, avec <u>l'anglais d'Oxford</u>[1] : « En Inde,
voyez-vous, nous aimerions consacrer nos ressources à l'amélioration du niveau
de vie de la population : éducation, santé, services publics. Le sous-continent est
en voie de développement, c'est indéniable. » Une grenouille saute à quelques

20   mètres de là. Le bonhomme porte un vieux sac en jute dans la main gauche :
« Ma serviette est à l'intérieur, explique-t-il. Se baigner dans un affluent du
Gange[2] est excellent pour la santé. Je viens tous les matins avant d'ouvrir le
magasin. Je vends des métaux : tuyaux, barres, pièces détachées. Passez me voir à
l'occasion. Nous pourrons discuter ! »

25   À la fin des années 60, quand Louis Malle[3] est venu ici tourner un film
pendant des manifestations d'étudiants, un policier rencontré par hasard dans la
rue avait récité au cinéaste médusé des extraits des *Fleurs du mal*, de Baudelaire[4].
Toute la population ne lit pas Heidegger[5] dans le texte, certes. Mais la cité et ses
habitants ont préservé une de leurs qualités les plus attachantes : ils étonnent.

30   Tout le temps. […]

Des habitants qui étonnent

Quelle cité au monde a aussi mauvaise réputation ? Depuis sa fondation en 1690
par Job Charnock, un officiel de la Compagnie anglaise des Indes orientales, les
visiteurs rivalisent sur son compte en descriptions apocalyptiques[6]. Au siècle
dernier, Rudyard Kipling[7] y voit « la cité de l'épouvantable nuit », mêlant

35   pauvreté, famine et maladie. Lors de son passage, en 1950, l'ethnologue Claude
Lévi-Strauss[8], <u>qui en a pourtant vu d'autres</u>[9], s'offusque dans *Tristes Tropiques* :
« Ordure, désordre, promiscuité, frôlements… » Toujours, son nom est associé
au pire, même dans les contextes les plus incongrus. Quand, à la fin des années

---

[1] un anglais élégant
[2] Le Gange est le fleuve sacré des Hindous.
[3] Louis Malle (1932-1998), célèbre cinéaste français.
[4] Charles Baudelaire (1821-1867), un des poètes français les plus célèbres.
[5] Martin Heidegger (1889-1976), célèbre philosophe allemand.
[6] qui évoquent de terribles catastrophes
[7] Rudyard Kipling, né à Bombay (1865-1936), romancier et poète, prix Nobel 1907.
[8] Né en 1908 ; un des ethnologues français les plus célèbres.
[9] qui a pourtant vu des choses plus terribles

60, une revue érotique sera titrée *Oh ! Calcutta !*, ses auteurs ne feront pas
40 allusion à <u>la capitale bengalie</u>[10], mais à un obscur surréaliste français, Clovis
Trouille, et à sa toile tombée dans un oubli prématuré, *Oh ! Quel cul*[11] *t'as !*…
Les reportages sur Mère Teresa[12] et le récit lacrymogène[13] de Dominique
Lapierre[14], *La Cité de la Joie*, ont fait le reste. Rajiv Ghandi, Premier ministre
assassiné en 1991, résuma ses impressions en trois mots : « *A dying city.* »

45   « C'est peut-être "une ville mourante" mais on ne s'y ennuie jamais ! »,
s'esclaffe Mrinal Sen, cinéaste engagé et amoureux des lieux. Avec Satyajit Ray,
mort en 1992, Sen est l'un des principaux représentants du cinéma bengali,
aux antipodes des comédies musicales sirupeuses produites à la chaîne dans les
studios de Bombay. Comme tant d'autres industries, celle du film est en crise,
50 victime de la concurrence de Bombay, précisément, et de Hollywood : ici,
Titanic[15] est resté à l'affiche pendant plus d'un an…

        Mrinal Sen a longtemps cru à la révolution marxiste. Dans son appartement,
un portrait de Ho Chi Minh[16] vous accueille dans le hall d'entrée tandis que
Che Guevara[17] orne le mur du salon. « Je ne renie pas mon passé, explique-t-il,
55 mais je ne crois plus aux utopies. J'adore la vie, mais je laisse désormais une
petite place au cynisme. » Il voit dans la cité une expression de sa propre
personnalité : « Agitée, nerveuse, imprévisible, intimidante, infernale… J'ai
grandi dans cette confusion, dans ce chaos. Calcutta me stimule, Calcutta me
provoque, Calcutta m'irrite, Calcutta m'attriste, Calcutta m'inspire. »

60   Ancienne capitale politique et économique de l'Empire des Indes, la ville
était aussi son principal haut lieu intellectuel. Ici est né le plus bengali des
écrivains, le génial Rabindranath Tagore[18], prix Nobel de littérature. À travers le
sous-continent, la cité demeure l'une des plus cosmopolites, au moins dans
l'esprit : alors qu'une partie de l'Inde cède <u>aux sirènes</u>[19] nationalistes de
65 l'hindouisme, Calcutta reste ouverte sur les idées venues d'ailleurs. D'Occident,
en particulier. […]

Revers de fortune

        Ces temps-ci, cependant, le visiteur qui parcourt les trottoirs défoncés du centre-
ville est entouré des signes d'une puissance perdue. Le long de Chitpore Road et

---

[10] Calcutta, capitale du Bengal-occidental
[11] utilisé seul, mot vulgaire. Ici, allusion sexuelle.
[12] Mère Teresa (1910-1997), religieuse catholique d'origine albanaise qui a consacré sa vie à tenter d'améliorer la vie des déshérités de l'Inde, où elle a fondé des centaines d'asiles pour les orphelins et les infirmes.
[13] qui fait pleurer
[14] Dominique Lapierre (1931) journaliste et romancier. Plusieurs de ses romans ont été adaptés pour le cinéma, tels *Paris brûle-t-il ?* et *La cité de la joie* qui met en relief le travail de la Mère Teresa à Calcutta.
[15] film américain spectaculaire qui a connu un succès mondial
[16] Ho Chi Minh (1890-1969). Poète et homme politique vietnamien, fondateur du parti communiste vietnamien. Il a été président de la République démocratique du Vietnam à partir de 1954.
[17] Ernesto (dit Che) Guevara (1928-1967). Célèbre révolutionnaire cubain, d'origine argentine.
[18] Rabindranath Tagore (1861-1941), poète prolifique, romancier et dramaturge, a beaucoup influencé la littérature indienne moderne.
[19] aux appels

autour de Dalhousie Square, dans l'ancienne « Ville blanche », c'est le
70   capitalisme d'il y a cent ans qui se donne en spectacle, avec ses colonnes ioniques
et ses portes d'entrée monumentales. À présent, sous les effets conjugués du
climat, du manque de moyens et de la négligence pure et simple, la peinture
s'écaille et les murs se lézardent.

De manière presque irrésistible, les habitants de Calcutta rappellent ces
75   familles bourgeoises, sûres de leur rang mais victimes d'un revers de fortune, qui
déménagent d'année en année dans des appartements toujours plus petits, où
elles conservent leurs meubles devenus encombrants.

Au début du [XXᵉ] siècle, la cité était à son apogée. Le thé d'Assam[20], le jute
du delta, le charbon des provinces du Nord quittaient les docks à destination du
80   monde entier. À la veille de la Première Guerre mondiale, environ 60 % du
capital britannique investi en Inde l'étaient à Calcutta. Mais la partition du
Bengale en 1905 et le transfert de la capitale impériale à Delhi, en 1911,
marquent le début du déclin. Il sera très lent. Même en 1947, lors de
l'indépendance, le Bengale-Occidental, resté aux mains de l'Inde — tandis que la
85   moitié orientale est dévolue au Pakistan, puis au Bangladesh — est le plus
industrialisé des États de l'Inde. Un demi-siècle plus tard, la région n'est plus
qu'au 13ᵉ ou 14ᵉ rang. Le transport du charbon n'est plus rentable, l'industrie du
jute est en déclin et les plantations de thé, comme beaucoup de secteurs, sont
désormais entre les mains des marwaris, communauté de marchands originaires
90   du Rajasthan. Les Bengalis n'occupent plus qu'une place marginale dans le
monde des affaires et du négoce, où ils n'ont d'ailleurs jamais brillé par leur
habileté. [...]

Dans les campagnes alentour, la réforme agraire a largement amélioré le sort
des paysans, qui constituent l'écrasante majorité des électeurs. Dans la ville, en
95   revanche, le délabrement des écoles et des hôpitaux publics dépasse l'imaginable.
À la nuit tombée, les marchands de fruits et légumes viennent ranger leurs
produits dans l'unique morgue réfrigérée, afin qu'ils conservent plus longtemps
leur fraîcheur. [...]

« Bien sûr que c'est une ville triste », soupire R. S. Gupta, historien
100   spécialiste de Calcutta. « Mais je n'ai jamais envisagé de la quitter. Nulle part
ailleurs, sauf peut-être à Paris, je ne retrouve ce goût de la discussion — nous
l'appelons "*adda*" — pour le simple plaisir d'échanger des idées entre amis. » [...]

En principe, pourtant, Calcutta est un endroit idéal pour commencer une
révolution. Elle concentre au moins 12 millions d'habitants et sa densité est
105   parmi les plus élevées au monde : 33 000 habitants au kilomètre carré (contre
23 000 à Paris, où les immeubles sont pourtant plus hauts). Surtout, elle réunit,
parfois côte à côte, une misère épouvantable et une opulence obscène. [...]

« Un jour, avertit Ashok Mitra, ancien ministre des Finances, les Indiens
pourraient exiger des comptes. Ils demanderont à leurs dirigeants pourquoi ils
110   sont courtisés en période électorale, puis oubliés jusqu'au scrutin suivant. » Mais
ces Indiens-là, sans doute, ne seront pas nés à Calcutta. « Nous n'avons aucun

---

[20] région fertile, « la plus arrosée du monde », mais qui n'est pas exempte de troubles politiques

talent pour créer des structures politiques, reprend Mitra. Le dernier royaume hindou au Bengale remonte au XIVe siècle. Quand on veut établir un État, il faut savoir manquer de scrupules. »

« L'Inde », *L'Express international* (30 septembre-6 octobre 1999), p. 47-51.

Expressions à retenir

toucher à sa fin (l. 2)
le bidonville (l. 12)
à toute allure (l. 16)
en voie de (développement / disparition) (l. 19)
tourner un film (l. 25)
par hasard (l. 26)
faire allusion à (l. 39-40)
être en crise (l. 49)
revers de fortune (l. 75)
tandis que (l. 84)
entre les mains de (l. 89)
en revanche (l. 94-95)

COMPRÉHENSION

1. Est-il cinq heures du matin ou du soir ? Comment le savons-nous ?
2. Quelle caractéristique des habitants de Calcutta se révèle chez l'inconnu ?
3. Qu'est-ce que plusieurs visiteurs célèbres reprochent à Calcutta ?
4. Quel adjectif montre que l'auteur de l'article n'a guère d'admiration pour le livre de Dominique Lapierre ?
5. Quelle sorte de films produit-on à Bombay ?
6. Qu'est-ce qui différencie Calcutta de certaines autres villes de l'Inde ?
7. Pourquoi les bâtiments de l'époque impérialiste tombent-ils en ruine ?
8. Qu'est-ce qui explique le déclin de Calcutta dans le monde de l'industrie et du négoce ?
9. Dans quels domaines le déclin de Calcutta se fait-il le plus sentir ?
10. Pourquoi R. S. Gupta n'a-t-il jamais envisagé de quitter Calcutta ?

INTERPRÉTATION

1. Choisissez les deux adjectifs qui conviennent le mieux pour décrire le début du passage :
   triste, poétique, humoristique, satirique, pittoresque, descriptif.
2. À votre avis, pourquoi l'inconnu croit-il bon pour la santé de se baigner dans un affluent du Gange ?
3. Pourquoi les politiciens ont-ils aidé les paysans plutôt que les citadins ?
4. Pour quelles raisons, selon l'auteur, Calcutta est-elle une ville idéale pour commencer une révolution ?
5. Selon Ashok Mitra, quelle sorte de gens sont à même de créer un État ?

MAÎTRISONS LA LANGUE

A

1. Relevez dans le texte : a) les verbes ayant rapport à l'eau ; b) les expressions ayant rapport au cinéma ; c) les expressions ayant rapport à la topographie de la ville.

2. Dans le contexte de l'article, remplacez les expressions suivantes par des synonymes :

   a) immondices (l. 10) ; b) médusé (l. 27) ; c) désormais (l. 55) ;
   d) d'ailleurs (l. 65) ; e) monumentales (l. 71) ; f) à présent (l. 71) ;
   g) rappellent (l. 74) ; h) alentour (l. 93).

3. Donnez deux mots de la même famille que chacun des mots suivants :

   a) triste ; b) meuble ; c) capitale.

   Faites une phrase avec chacun de ces mots.

B

1. La Hooghly est une rivière, le Gange un fleuve. Qu'est-ce qui distingue un fleuve d'une rivière ?

2. Faites deux phrases pour illustrer le sens de deux homonymes de : a) voix ; b) vert.

3. Exprimez plus simplement :

   a) une odeur de bois brûlé chatouille les narines (l. 11-12) ;
   b) l'heure est au petit déjeuner (l. 13) ;
   c) à toute allure (l. 16) ;
   d) sa toile tombée dans un oubli prématuré (l. 41) ;
   e) aux antipodes (l. 48) ;
   f) est resté à l'affiche (l. 51) ;
   g) victimes d'un revers de fortune (l. 75) ;
   h) les Bengalis n'occupent plus qu'une place marginale (l. 90) ;
   i) ils n'ont […] jamais brillé par leur habileté (l. 91-92).

4. « Qu'un ami véritable est une douce chose », dit La Fontaine. Malheureusement, il existe aussi beaucoup de faux amis. Ce qui est vrai dans la vie l'est aussi pour les langues. De nombreux mots semblent être les mêmes en anglais et en français, mais ont un sens différent. Ce sont les « faux amis ».
   En voici trois. Utilisez chacun d'eux dans une phrase qui en montre le sens :

   a) affluent (l. 21) ; b) occasion (l. 24) ; c) largement (l. 93).

5. L'adjectif **vert** est souvent utilisé au sens figuré.
   Faites une phrase qui illustre le sens de chacune des expressions suivantes :

   a) un vieillard encore vert ;
   b) les raisins sont trop verts ;
   c) une verte semonce ;
   d) les verts ;
   e) il en a dit de vertes.

GRAMMAIRE

<u>RÉCAPITULATION DES CHAPITRES 8-13</u>

Les pronoms personnels

1. Remplacez l'expression soulignée par le pronom personnel qui convient.

   a) Il a vu <u>l'inconnu</u> qui sortait <u>de la pénombre</u>.
   b) Cet homme affirme qu'il se baigne <u>dans la rivière</u> tous les matins.
   c) Pendant qu'ils parlaient, il y avait <u>des corbeaux</u> qui tournoyaient <u>dans le ciel</u>.
   d) Une grenouille a sauté près <u>du journaliste et de l'inconnu</u>.
   e) Il croit <u>que se baigner dans un affluent du Gange est bon pour la santé</u>.
   f) Il est fatigué avant de se baigner ; après, il n'est plus <u>fatigué</u>.
   g) Le journaliste et <u>l'inconnu</u> ont pris rendez-vous.
   h) Des visiteurs ont dit beaucoup <u>de mal</u> de Calcutta.
   i) Le titre de la revue fait allusion à <u>Clovis Trouille</u>.
   j) Ne saviez-vous pas <u>que le nom commun *trouille* signifie *peur* dans le langage familier</u> ?
   k) Est-ce qu'elle ne s'est pas ennuyée <u>à Calcutta</u> ?
   l) A-t-il cru <u>à la révolution marxiste</u> ?
   m) La peinture s'écaille <u>dans la ville</u>.
   n) Lui et <u>ses amies</u> n'ont pas <u>le goût de la discussion</u>.

2. Donnez les conseils ci-après à un(e) de vos ami(e)s et remplacez l'expression soulignée par le pronom qui convient.

   > **Modèle :**   de parler <u>à son professeur</u>
   >   Parle-lui.

   a) de manger <u>des fruits et des légumes</u> ;
   b) de ne pas se baigner <u>dans le lac</u> ;
   c) d'exiger <u>des comptes</u> ;
   d) de s'occuper <u>de ses affaires</u> ;
   e) de ne pas se mettre <u>au soleil</u> ;
   f) de rendre visite <u>à ses amis</u> ;
   g) de ne pas aller voir <u>la comédie musicale</u> ;
   h) de ne pas laisser <u>la peinture</u> s'écailler.

3. Donnez les conseils ci-après à un groupe d'amis. Remplacez l'expression soulignée par un pronom personnel :

   a) de ne pas faire <u>de politique</u> ;
   b) de porter un <u>imperméable</u> ;
   c) de consacrer <u>leurs ressources</u> <u>à l'achat d'un immeuble</u> ;
   d) d'apporter un <u>sac</u> ;
   e) de ne pas se promener <u>au centre-ville</u> ;
   f) de s'occuper de <u>leurs parents</u> ;

g) de ne pas parler <u>de leur vie personnelle</u> ;

h) de ne pas s'offusquer <u>d'une critique</u>.

L'interrogation

1. Sans employer un mot interrogatif, posez la question à laquelle répond chaque phrase. Évitez d'utiliser **est-ce que.**

> **Modèle :** L'industrie du film est en crise.
> L'industrie du film est-elle en crise ?

a) La mousson touche à sa fin.

b) L'eau ranime un peu les couleurs.

c) Une cloche a sonné au loin.

d) Il n'avait pas vu l'homme à l'imperméable vert.

e) Se baigner dans un affluent du Gange, c'est excellent pour la santé.

f) Lévi-Strauss s'est offusqué du désordre.

g) Les auteurs de la revue ne font pas allusion à la capitale.

h) C'est « une ville mourante ».

i) On a toujours aimé parler à Calcutta.

j) Cette ville réunit misère et opulence.

2. À l'aide d'un mot interrogatif, posez la question à laquelle répond l'expression soulignée. Évitez d'utiliser **est-ce que.**

a) L'eau rebondit <u>sur les trottoirs</u>.

b) L'homme chante <u>à voix basse</u>.

c) L'inconnu porte <u>un imperméable vert</u>.

d) Nous aimerions consacrer nos ressources à <u>l'amélioration du niveau de vie</u>.

e) <u>Une grenouille</u> saute tout près d'eux.

f) Le bonhomme porte <u>un vieux sac en jute</u>.

g) Le vieux sac est en <u>jute</u>.

h) Le policier a récité un poème de <u>Baudelaire</u>.

i) Il n'aime pas les films <u>américains</u>.

j) La mauvaise réputation de Calcutta est due à <u>certains ouvrages</u>.

k) Calcutta a perdu de son importance <u>à cause du déclin de ses industries</u>.

l) De tous les cafés, il préfère <u>ceux de Calcutta</u>.

Les adjectifs et les pronoms indéfinis

1. Complétez par l'adjectif ou le pronom indéfini qui convient.

Calcutta ne plaît pas à _____. _____ visiteurs lui reprochent son désordre, _____ sa saleté, _____ encore la pauvreté qu'_____ y voit ; mais _____ admet que c'est une ville extraordinaire qui ne laisse _____ indifférent. _____ ne trouve qu'à Paris des gens qui aiment autant discuter. À Calcutta, _____ a _____ à dire.

L'auteur de l'article a rencontré, au bord de la rivière Hooghly _____ qui lui a parlé de _____ sortes de choses. L'inconnu a même invité chez lui le journaliste afin de continuer la conversation.

_____ aime parler politique, mais _____ discute aussi de cinéma, de littérature et de _____ les aspects culturels de la vie au Bengale. _____ vous louera le dernier film de Mrinal Sen, une _____ personne vous récitera un poème de Tagore. Peut-être même vous citera-t- _____ un poème de Baudelaire, car à Calcutta, _____ s'intéresse aussi aux cultures des pays étrangers. En _____ cas, _____ ne s'ennuie pas à Calcutta.

2. Mettez l'expression soulignée au négatif. Faites les changements voulus.

a) <u>Tout le monde</u> ici aime les comédies musicales sirupeuses.
b) Ils parlent de <u>tout</u>.
c) <u>Chacun</u> d'entre eux a apporté son sac.
d) Irez-vous <u>quelque part</u> dimanche ?
e) <u>Toutes</u> se sont baignées dans la rivière.
f) Avez-vous vu <u>quelque chose</u> d'inoubliable ?
g) <u>Tous</u> ont parlé du désordre.
h) J'ai rencontré <u>quelqu'un</u> de charmant.
i) Elles vont <u>quelque part</u> ce soir.
j) Nous visiterons <u>plusieurs </u>endroits touristiques.

Le futur simple et le futur antérieur

1. Mettez au futur.

Quand le journaliste est arrivé à Calcutta, il a vu une ville extraordinaire. Il a été désagréablement frappé par le désordre, la saleté, la pauvreté de cette immense métropole, mais en même temps, il a pu se rendre compte de son immense vitalité intellectuelle. Il a rencontré dans les rues des inconnus avec qui il a débattu toutes sortes de questions, et qui l'ont même invité chez eux pour continuer la discussion. Il est allé chez des cinéastes qui lui ont parlé cinéma, chez des peintres qui lui ont parlé peinture, chez des poètes qui lui ont parlé poésie. Mais ce qui l'a le plus surpris, c'est qu'on a pu lui citer des poèmes des _Fleurs du mal._

2. Mettez l'infinitif à la forme voulue du futur. Faites les accords nécessaires.

a) Quand il (récupérer) ses bagages, il ira tout de suite à l'hôtel.
b) Lorsqu'il (se reposer) suffisamment, il fera une promenade.
c) Aussitôt qu'il (être) à même de s'orienter, il s'aventurera jusqu'à la rivière.
d) Il est sûr que là, il (trouver) des choses intéressantes à voir et des gens à qui parler.
e) Il (s'asseoir) sur la rive et il (attendre).
f) Dès qu'une personne à l'air aimable (finir) de se baigner, il (s'approcher) d'elle et lui (poser) les questions qu'il (préparer) dans l'avion.
g) Après qu'il (interviewer) quelques inconnus, il (se rendre) chez un cinéaste, puis chez un peintre, pour parler de la culture du Bengale.

3. Mettez l'infinitif à la forme voulue (présent ou futur).

a) S'il (rencontrer) quelqu'un d'intéressant demain, il lui posera des questions.

b) Savez-vous si la mousson (toucher) à sa fin ?

c) Quand il (voir) Mrinal Sen, ils parleront du cinéma bengali.

d) Il ne pourra pas séjourner longtemps à Calcutta si son patron lui (ne pas envoyer) d'argent.

e) Si on (manquer) de moyens, on ne pourra pas restaurer les immeubles.

f) On (repeindre) l'immeuble quand la peinture s'écaillera.

g) Si on n'aide pas les paysans, on (ne plus avoir) leurs votes.

h) Il ne sait pas s'il (pouvoir) se rendre au centre-ville demain.

i) Il n'y aura pas de révolution si on (perdre) son énergie à discuter.

j) Dès qu'il (terminer) ses interviews, il (repartir) pour Paris.

Les adjectifs et les pronoms possessifs

1. Complétez par l'adjectif possessif ou, si la grammaire l'exige, par l'article qui convient.

Toute cette pluie avait donné mal à _____ tête au journaliste et il avait tant marché qu'il avait mal _____ pieds. Tout à coup un inconnu a surgi de la pénombre, un vieux sac à _____ main. Il a dit au journaliste que, dans _____ sac, il mettait _____ serviette. Tous les jours, il se baignait dans la rivière. D'habitude, _____ femme et _____ fils l'accompagnaient, mais ce jour-là, le garçon était malade. La santé de cet enfant laissait à désirer depuis _____ naissance ; toutefois, _____ état s'améliorait depuis qu'il prenait des bains presque quotidiens dans la Hooghly. —— père pensait que cette amélioration était due aux vertus curatives de l'affluent du Gange. L'enfant avait moins souvent des douleurs dans _____ membres. _____ jambes devenaient plus fortes ; il se servait rarement de _____ canne ; il mangeait _____ trois repas par jour. Il guérirait.

2. Complétez par le pronom possessif qui convient.

a) L'inconnu a ses idées et le journaliste a _____.

b) J'ai oublié mon stylo ; prête-moi _____.

c) Son imperméable est vert. Dites-moi, de quelle couleur est _____ ?

d) Cette femme ne s'occupe pas de _____, mais toi, tu prends soin de _____.

e) Elle fait son travail et moi _____.

f) Calcutta est sa ville natale et vous, quelle est _____ ?

g) Il parle toujours de ses problèmes, mais eux ne mentionnent même pas _____.

h) Tu aimes la cuisine de ton pays, et moi, j'aime celle de _____.

i) Je travaille pour les miens et Pierre pour _____.

j) Tu as ta famille ; nous, nous avons _____.

Le conditionnel présent et le conditionnel passé

1. Remplacez le présent de la proposition principale par un imparfait et faites les changements voulus.

   Modèle :   Il sait que la mousson sera bientôt finie.
   Il savait que la mousson serait bientôt finie.

   a) Elle pense que nous pourrons discuter.
   b) On sait que la réforme agraire fera du bien aux paysans.
   c) Les politiciens pensent qu'ils récolteront les votes des paysans.
   d) On dit qu'ils rangeront leurs fruits dans la morgue.
   e) Ils croient que le niveau de vie de la population se sera amélioré.
   f) Certains s'imaginent que Calcutta sera un endroit idéal pour commencer une révolution.
   g) L'ancien ministre des Finances affirme qu'un jour les Indiens exigeront des comptes.

2. Mettez l'infinitif à la forme voulue (présent, futur, imparfait, conditionnel).

   a) S'il pleut demain, il (ne pas sortir).
   b) S'il avait vu l'inconnu, il le (éviter).
   c) Il se baignerait tous les jours s'il en (avoir) le temps.
   d) Vous a-t-elle dit si elle (pouvoir) réciter le poème la semaine prochaine ?
   e) Si Calcutta a une mauvaise réputation, ce (être) en partie la faute de certains écrivains.
   f) Un second poète bengali (obtenir) le prix Nobel ? Est-ce vrai ?
   g) S'il y a du fanatisme ailleurs, ce (ne pas être) le cas à Calcutta.
   h) Si la visiteuse se promenait au centre-ville, elle (voir) les signes d'une puissance perdue.
   i) Si les monuments étaient restaurés, la ville (devenir) plus attrayante.
   j) S'ils n'avaient pas eu de revers de fortune, ils (ne pas déménager).

Le nom

Le genre des noms

1. Indiquez le genre des mots en caractère gras.

   a) Des millions de **gouttes** de **pluie** tombent sur Calcutta. L'**eau** rebondit sur les **trottoirs,** et noie les **rues.**
   b) En **Inde,** on aime consacrer ses **ressources** à l'**amélioration** du niveau de **vie** de la population : **éducation, santé,** services publics.
   c) À Calcutta, **cité** de l'épouvantable **nuit,** se mêlent **pauvreté, famine** et **maladie.**
   d) Claude-Lévi-Strauss, **ethnologue** célèbre, emploie les termes suivants pour décrire cette ville indienne : **ordure, désordre, promiscuité, frôlements.**
   e) L'**industrie** du film est en **crise** : Bombay fait **concurrence** à Calcutta.
   f) Est-ce que ce pays est en **voie** de **développement** ?

g) Ces **familles**, qui déménagent chaque **année** dans des **appartements** toujours plus sales, sont en réalité des **victimes** de la situation politique.

h) Ces **temps**-ci, les **visiteurs** admirent les **colonnes** et les **portes** d'**entrée**.

2. Employez l'article défini ou indéfini qui convient.

a) En Inde, _____ hindouisme est _____ religion qui domine.

b) On sent _____ odeur de bois brûlé et on entend _____ vent siffler.

c) A-t-il _____ impression favorable de _____ région ? — C'est _____ question difficile. Il critique souvent _____ négligence des autorités envers les enfants pauvres.

d) J'ai lu _____ livre où _____ journaliste fait _____ critique de _____ gouvernement municipal.

e) _____ chercheur qui a fait _____ étude sur _____ pays a _____ certitude que _____ système politique va bientôt changer.

Le pluriel des noms

1. Orthographiez correctement les noms.

a) Le journaliste a parlé de cinéma, sur les <u>lieu</u>, à des <u>metteur en scène</u>.

b) L'inconnu vendait des <u>métal</u>, des <u>tuyau</u> en particulier.

c) En Inde, vous verrez des <u>animal</u> de toutes sortes : des <u>tigre</u>, naturellement, des <u>chacal</u>, des <u>panthère,</u> des <u>rhinocéros</u>. Vous verrez aussi des <u>oiseau</u> ; vous aimerez sûrement les <u>oiseau-mouche</u>.

d) Pour restaurer les <u>monument</u> anciens, il faut entreprendre de grands <u>travail</u>.

e) Cet homme a les <u>cheveu</u> noirs, mais ses <u>fils</u> sont roux.

f) Calcutta a des <u>taudis</u>, mais aussi des <u>gratte-ciel</u> imposants.

g) J'aime les <u>bijou</u>, les <u>pierre</u> précieuses, surtout les <u>corail</u>.

h) Les <u>journal</u> ont-ils annoncé les <u>date</u> des prochains <u>bal</u> ?

i) Le propriétaire a fait signer les <u>bail</u> aux <u>locataire</u>.

j) Cette cathédrale a des <u>vitrail</u> merveilleux.

Les adjectifs qualificatifs

1. Remplacez le nom souligné par le nom entre parenthèses. Faites les changements voulus.

a) On a diagnostiqué le <u>mal</u> : il est bénin. (maladie)

b) Il porte un <u>imperméable</u> vert foncé. (chemise, chaussures)

c) Avez-vous peur du gros <u>lézard</u> ? (grenouille, serpents)

d) *Oh ! Calcutta !* est un <u>spectacle</u> érotique. (revue, pièce)

e) Le <u>cinéaste</u> est amoureux des lieux. (romancière, voyageuses)

f) Avez-vous vu le beau <u>film</u> ? (femmes, homme, tableaux)

g) Ce monsieur a des <u>rêves</u> fous. (idées, projet)

h) Pour son mariage, elle portera un <u>ensemble</u> blanc. (robe, gants)

i) Il y avait à Calcutta un bon <u>hôpital</u>. (écoles, services)

j) Elle vend des <u>légumes</u> frais. (salades, poisson)

k) C'est un long <u>chemin</u> d'ici à la ville. (route)

l) Voilà un <u>film</u> intéressant et instructif. (histoire, des livres)

m) Regardez <u>l'enfant</u>, si vif et si gentil. (fillette, demoiselles)

n) Ce <u>garçon</u> n'est pas franc ; au contraire, il est menteur. (fille, femmes)

o) C'est un <u>homme</u> pauvre, mais hospitalier. (personne, gens)

2. Mettez l'adjectif à la place voulue et faites les changements qui s'imposent.

a) Ces bâtiments (ancien) sont délabrés.

b) Ce sont des gens (pauvre) qui ont besoin d'argent.

c) Ces années (dernier), le malheureux a eu des revers de fortune.

d) Dans les hôpitaux (vieux), le délabrement est inimaginable.

e) Cette femme (brave) travaille dans des usines (différent) pour élever sa famille.

f) Il a son bureau dans son appartement (propre).

g) Il a raconté une histoire (drôle) que personne n'a crue.

h) Cette ville (grand, chaotique) a un charme (certain).

i) A-t-il une serviette (propre) dans son sac (grand) ?

j) Cette mine (ancien) de charbon n'est plus rentable.

Les adverbes

1. Insérez l'adverbe à l'intérieur de la phrase.

a) Des corbeaux tournoyaient dans le ciel. (lentement)

b) Un homme a surgi de la pénombre. (tout à coup)

c) Il a parlé au journaliste. (longuement)

d) Louis Malle avait rencontré un policier. (par hasard)

e) Son nom n'est-il pas associé au pire ? (toujours)

f) La réforme n'a pas contribué à l'amélioration du sort des citadins. (certes)

g) Il laisse une place au cynisme. (maintenant)

h) Lévi-Strauss n'a pas observé Calcutta. (bien)

i) Les comédies musicales tournées à Bombay sont sirupeuses. (vraiment)

j) Cet auteur a bien décrit la ville. (assez)

k) Le journaliste est arrivé. (hier, là)

l) Tous les ans, ils déménagent dans des maisons plus petites. (toujours)

DEVOIRS ÉCRITS / TRAVAIL ORAL

A. COMPOSITION GUIDÉE

Pourquoi je vais (je ne vais guère) au cinéma.

1. Allez-vous souvent au cinéma ? Pourquoi ?

2. Quel genre de films préférez-vous ? (romantiques, historiques, d'action, d'aventure, d'horreur, etc.) Pourquoi ?

3. Quels films avez-vous vus dernièrement ? En avez-vous été satisfait(e) ou déçu(e) ? Pour quelles raisons ?

4. Que pensez-vous des films qu'on tourne actuellement ? Contiennent-ils trop de scènes violentes ?

5. Quels aspects d'un film sont les plus importants pour assurer son succès ? (le jeu des acteurs, la mise en scène, les thèmes, les effets spéciaux, etc.)

B. COMPOSITION LIBRE / TRAVAIL ORAL

1. Un des plaisirs de l'université, ce sont les discussions entre étudiants. Êtes-vous d'accord ? Passez-vous beaucoup de temps à la cafétéria à parler de problèmes politiques ou écologiques ? Ou trouvez-vous que ce soit là une perte de temps et préférez-vous vous concentrer sur vos études ?

2. Faites la critique d'un film que vous avez vu récemment.

DIALOGUES

1. La classe devient la Chambre des communes. Un(e) président(e) est choisi(e) : il (elle) rétablira l'ordre si c'est nécessaire.

   Un projet de loi est devant les Députés. Il s'agit d'augmenter sensiblement l'impôt sur les revenus élevés. Chacun(e) apporte ses arguments pour ou contre le projet de loi.

Quelques expressions utiles

l'injustice du sort	the unfairness of fate
les déshérités	the underprivileged
les économiquement faibles	the underprivileged
toucher les prestations sociales	to be on welfare
les sans-abri	the homeless
ne pas manger à sa faim	not to eat one's fill
mourir de faim	to die of hunger
vivre dans le luxe	to live in the lap of luxury
le superflu	the superfluous, the unnecessary
un mécène	a patron of the arts
une œuvre de bienfaisance	a charity organization
faire la charité	to give alms
l'État-providence	the Welfare State

2. « Il n'est pas vrai que les hommes soient meilleurs dans la pauvreté que dans la richesse. » Le pour et le contre.

Quelques expressions utiles

la nature humaine	human nature
l'amertume	bitterness
les corvées journalières	daily drudgery
un milieu sordide	sordid surroundings
manquer du nécessaire	to be without the necessities
se passer de manger	to go without food
n'avoir aucune distraction	to have no amusements
l'égoïsme	selfishness
n'être jamais content(e)	to be never satisfied
être de bonne / mauvaise humeur	to be in a good / bad mood

MATIÈRE À RÉFLEXION

La misère est de tous les temps, en grande partie parce que ceux qui possèdent beaucoup ne veulent pas partager leurs richesses avec ceux qui n'ont rien.

Voici un passage saisissant tiré de *Les Caractères* de Jean de La Bruyère, où le moraliste décrit les paysans de son époque (XVIIᵉ siècle).

> L'on voit certains animaux farouches, des mâles et des femelles, répandus par la campagne, noirs, livides, brûlés du soleil, attachés à la terre qu'ils fouillent et qu'ils remuent avec une opiniâtreté invincible ; ils ont comme une voix articulée, et, quand ils se lèvent sur leurs pieds, ils montrent une face humaine, et en effet ils sont des hommes ; ils se retirent la nuit dans des tanières où ils vivent de pain noir, d'eau et de racines ; ils épargnent aux autres hommes la peine de semer, de labourer et de recueillir[21] pour vivre, et méritent ainsi de ne pas manquer de ce pain qu'ils ont semé.

Voici une autre remarque de La Bruyère :

> « Il y a une espèce de honte d'être heureux à la vue de certaines misères. »

---

[21] récolter

Chapitre 15

L'Asie
La Chine

Aspects grammaticaux étudiés :

- Les pronoms relatifs
- Le pronom **ce** devant un pronom relatif

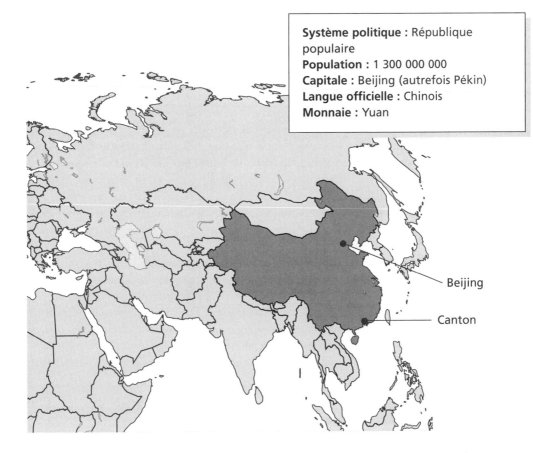

Système politique : République populaire
Population : 1 300 000 000
Capitale : Beijing (autrefois Pékin)
Langue officielle : Chinois
Monnaie : Yuan

Beijing

Canton

> La Chine est le pays le plus peuplé du monde. Dotée d'une civilisation très riche et très ancienne, elle a été longtemps gouvernée par des empereurs appartenant à différentes dynasties. En 1949, Mao Zedong (ou Mao Tsé-toung) a proclamé la Chine une République populaire et ses adversaires se sont retirés à Taïwan.
>
> Henri Alleg a visité la Chine dans les années 90. Il nous fait part ici de ses impressions à son arrivée à Beijing, qu'il continue à appeler Pékin.

PRÉ-LECTURE

La Chine ! Pour beaucoup d'entre nous, voilà un pays qui paraît bien lointain, bien mystérieux. Le Nouveau Monde contemple le monde ancien.

Mais vous avez peut-être des amis chinois qui vous ont parlé de leur pays. Ou peut-être encore vos parents sont-ils chinois ou êtes-vous né(e) en Chine. En quelques mots, dites ce que ce vaste pays représente pour vous.

« Vélo, boulot, dodo »

Sur les périphériques, le flot des voitures est aussi dense que sur les Champs-Elysées[1] et c'est bien là qu'il conviendrait de rappeler au voyageur pressé que Pékin n'est pas la Chine et que cet énorme trafic n'a rien de commun avec la maigre circulation motorisée des petites villes et villages de la Chine profonde. [...]

5   Sur les côtés des grandes avenues, dans des allées latérales à sens unique, un flot immense, continu et presque silencieux de cyclistes. Quatre à cinq millions de Pékinois, — peut-être plus —, circulent quotidiennement ainsi. Alors « Vélo, boulot, dodo » avec le même sens désespéré que l'expression, avant retouches, a pris chez nous[2] ? Ni amertume, ni mélancolie, ni tension, ni « ras le bol »[3] ou

10   « stress » apparents, en tout cas, dans cette multitude qui s'écoule, comme sereinement détachée des agitations de ce monde. Des hommes et des femmes de tous âges, simplement mais très proprement vêtus. Parfois même avec élégance lorsqu'il s'agit de jeunes femmes. Pas de course effrénée pour gagner quelques minutes ou dépasser celui ou celle qui précède. On suit le rythme avec discipline,

15   sans forcer. Un air de santé, de maîtrise de soi et de mesure. Souvent, sur le cadre ou sur un siège en osier, on véhicule l'enfant unique, emmitouflé par tous les temps de peur que le petit trésor ne s'enrhume. Dans une remorque, où un siège a été installé, trône parfois la grand-mère ou la belle-mère submergée de paquets.

À l'arrière des vélos, très souvent, d'incroyables cargaisons qui ne tiennent

20   que par un miracle d'équilibre. Sur les chemins défoncés et glissants des villages

---

[1] vaste avenue à Paris
[2] Pour caractériser le stress de la vie quotidienne à Paris, les Parisiens disent qu'elle se résume en trois mots : « métro, boulot (mot familier pour travail), dodo (mot enfantin signifiant sommeil) ». L'auteur fait des retouches, c'est-à-dire qu'il transforme l'expression pour l'adapter à la situation en Chine, remplaçant métro par vélo.
[3] expression familière qui indique le dégoût, le fait d'en avoir assez

Un des MacDonald de Beijing, près de la Place Tian An Men

du sud, slalomant entre les bosses, les trous, les flaques d'eau et de boue et sous des pluies diluviennes, je verrai d'autres cyclistes plus lourdement chargés encore, qui, comme pour ajouter à la difficulté, ont pris l'habitude de ne contrôler leur guidon que d'une seule main, l'autre tenant un parapluie au-dessus de leur tête.

25 On admire et on se dit que les recruteurs du cirque de Pékin et de ses extraordinaires équilibristes n'ont que l'embarras du choix dans une telle abondance de talents.

Dans toute la Chine, ils sont aujourd'hui environ 250 millions à pédaler chaque jour sur des machines qui, le plus souvent, n'ont ni lumière ni

30 changement de vitesse, mais paraissent par contre d'une solidité à toute épreuve. [...] Il y a seulement vingt ans, la possession d'une bicyclette (tout comme celle d'une montre) était encore un signe extérieur, sinon de richesse du moins d'une certaine aisance, et il n'était pas rare de voir deux, trois et même quatre personnes, plus ou moins en équilibre sur un même engin.

35 Les références ont changé : posséder un vélo est, aujourd'hui, en ville du moins, à la portée de chacun. Certains, dans les grandes villes comme Pékin, mais plus encore dans la province en plein développement de Guangdong (capitale : Canton) échangent leur vieille bécane[4] contre un vélomoteur ou un scooter mais pas question, sauf pour quelques rares nouveaux riches, d'une

40 voiture dont ils seraient propriétaires. Un rêve encore si lointain qu'il en paraît absurde.

---

[4] bicyclette (langue familière)

Autour des cohortes de cyclistes et, comme les enveloppant, la marée plus dense encore des piétons. Pas de heurts ni d'arrêts brusques ou de bouchons impénétrables. Tout le monde avance sans presse et sans bousculade, dans une
45 sorte de désordre huilé et tranquille.

Ce n'est plus le cas dès que l'on est dans le métro dont les deux lignes ne desservent encore qu'une faible partie de l'immense agglomération. Sans que personne ne songe à s'excuser, on y est bousculé, écrasé, étouffé, écorché par les paquets et les sacs que les voyageurs transportent avec eux. On a aussi du mal à
50 trouver quelqu'un d'assez obligeant pour perdre deux minutes et vous expliquer avec des signes ou en vous montrant sur un plan en *pinyin*, (une transcription latine conventionnelle) où vous vous trouvez et comment aller jusqu'à la station que vous cherchez.

Il est vrai que peu d'étrangers utilisent le métro et que les Pékinois peuvent
55 se demander pourquoi ceux qui s'y perdent ne prennent pas plus simplement un taxi quand chacun sait qu'ils ont les poches pleines de dollars. C'est pourtant dans de tels moments — malgré les explications apaisantes qu'il se donne — que le nouveau venu fouille furieusement dans sa mémoire pour tenter de se rappeler où il a lu que rien n'était comparable à l'exquise politesse chinoise.

60 Elle existe cependant mais ne s'exerce, semble-t-il, qu'à l'égard des gens qui vous ont été présentés. Je l'ai découverte un jour où j'étais invité et où mon hôte m'accablait d'amabilités, choisissant pour moi dans les plats les meilleurs morceaux pour les mettre dans mon assiette et me demandant à plusieurs reprises pourquoi j'aimais tant la Chine. Je ne comprenais pas cette insistance et
65 lui demandai finalement comment lui-même avait conclu, alors que je venais seulement d'arriver, que son pays m'avait séduit avant même que je ne le connaisse vraiment : « C'est évident, dit-il, faire un tel voyage à votre âge, cela ne peut s'expliquer autrement ». J'ai dépassé les 70 ans — un âge déjà très avancé selon les critères chinois, m'expliquèrent mes hôtes — mais je n'avais pas
70 tellement mesuré jusque-là que cet accomplissement méritait le respect. J'en devins parfaitement conscient devant les égards que l'on me témoignait constamment du fait de cet "âge avancé". Ainsi, je ne pouvais plus descendre un escalier sans que deux personnes plus jeunes se précipitent pour me soutenir, de crainte sans doute que je ne m'écroule avant le dernier palier. Et, c'est dans ces
75 instants-là, que je me demandais mélancoliquement si, <u>tout compte fait</u>[5], je ne préférais pas encore la rudesse égalitaire du métro.

Le touriste cossu lui, est à des années-lumière de ces problèmes, de la circulation dans le métro comme de la vie et des habitudes du Chinois moyen. S'il est logé dans le vieil et somptueux « Hôtel de Pékin », sur l'avenue
80 Tchangan, non loin de <u>la Cité Interdite</u>[6] et de <u>la Place Tian An Men</u>[7], il aura, pour ainsi dire sous la main, restaurants, bars, night-clubs et, dans le hall même de l'hôtel, sur une galerie pavée de marbre rouge et réfléchissant comme un miroir les lustres de cristal, des rangées de magasins aux vitrines éblouissantes. Il

---

[5] finalement
[6] l'ancien palais impérial
[7] la plus grande place de Beijing où ont eu lieu les manifestations estudiantines en 1989

ne saura peut-être pas que la petite tablette de chocolat suisse qu'il a achetée
85 pour 10 yuans[8] représente le salaire quotidien d'un fonctionnaire moyen.

Dans la soirée, on lui offrira de passer un moment au « karaoké ». La mode
est venue du Japon et a fait fureur en Chine avant de commencer à gagner
l'Amérique et l'Europe. Un écran agrandi projette un clip musical mais sans
paroles. C'est un amateur, sorti du public, qui, sur cet accompagnement,
90 interprétera la chanson. Pour l'aider, les couplets du tube qu'il a choisi dans une
liste à la disposition des clients s'inscrivent en sous-titres sur l'écran. [...]

Mais, il existe des établissements plus modestes. On trouve même des
karaokés installés dans la rue et sur les marchés. Il suffit pour cela d'une table, de
trois bancs et chaises pour asseoir les fans, d'un branchement électrique, d'un
95 poste de télé, d'un magnétoscope et d'une petite sélection de cassettes-vidéo.
Certains fonctionnent plus confortablement dans des dancings et aussi dans
certaines boîtes assez louches que la police surveille car elles servent parfois de
paravent à des activités moins innocentes : prostitution, drogue, trafics de toutes
sortes...

100 Sur la même avenue Tchangan, à quelques centaines de mètres de la Place
Tian An Men, et au coin d'une des rues les plus commerçantes de la ville, un
MacDonald illuminé et climatisé, fruit d'une « joint venture » sino-américaine,
annonce sur une banderole victorieuse, plantée en haut d'un mât, que quarante
milliards de ses hamburgers ont déjà été consommés de par[9] le monde.

105 Mêmes menus affichés sur les mêmes panneaux lumineux, mêmes chromes,
mêmes comptoirs impeccables, mêmes tables vernissées, mêmes fauteuils, durs,
inconfortables et inamovibles, mêmes uniformes et mêmes petits bonnets
coquins des serveuses et serveurs que dans tous les « MacDo » dispersés sur la
surface du globe. On pourrait aussi bien se croire à Melbourne, Manille, Los
110 Angeles ou Bruxelles[10].

Le « MacDo » de Canal Street dans le « Chinatown » de New York m'était
apparu plus chinois que celui-ci. Au moins s'était-il mis au diapason[11] du
quartier. Les plats servis étaient bien identiques à eux-mêmes mais on les
consommait dans un décor rouge, noir et or de fausse pagode sous des lanternes
115 de papier écarlate, tandis que sur les murs évoluaient des dragons aux écailles
flamboyantes. Les habitants de Chinatown pouvaient l'espace d'une
consommation et malgré l'odeur des « double cheese » (jamais de fromage dans
la cuisine chinoise !) se croire un moment revenus dans le vieux pays.

Rien de tout cela ici. Il est évident que les Pékinois qui viennent en ces lieux
120 n'ont pas envie d'y retrouver la Chine mais plutôt de l'oublier. Ce qu'ils y
cherchent, c'est un « parfum venu d'ailleurs », un peu de l'atmosphère de ce
continent féerique où chacun, en deux temps trois mouvements[12], peut faire

---

8 « le yuan (yen) équivalait à environ un franc français [25 cents] à l'époque de ce voyage » (note de
l'auteur)
9 dans, à travers
10 en Australie, dans les Philippines, aux États-Unis, en Belgique
11 dans le ton, dans le style
12 très rapidement

fortune. Car, même <u>si le « rêve américain » a du plomb dans l'aile</u>[13], beaucoup continue d'y croire.

125 « Vous êtes ici, dans le plus grand MacDonald du monde », me dit avec une sorte d'extase un étudiant qui parle l'anglais et qui s'est payé un hamburger, des « French chips » et un « coke ». Avec les 6 ou 7 yuans que cela lui a coûté, il aurait pu dîner beaucoup mieux et en compagnie d'un ami, à la table d'un de ces milliers de marchands de brochettes, de raviolis et de nouilles, qui sont installés

130 en plein vent. Mais manger au MacDonald — quand on ne peut pas se payer un repas au Hilton-Grande Muraille —, c'est quand même plus chic que le <u>restaurant-gargote</u>[14]. « Vous savez, me dit le même, la plupart des gens viennent une fois pour voir comment c'est, mais, peu qui soient des habitués… »

Effectivement, beaucoup de sièges sont inoccupés dans la salle du rez-de-

135 chaussée, et celle du premier est provisoirement fermée. On n'en est plus à l'époque, où il fallait faire la queue et presque se battre pour pénétrer dans ce saint des saints de la culture américaine[15]. Les Chinois sont des gens sages, ils apprennent vite et commettent rarement deux fois la même erreur.

Henri Alleg, *Le Siècle du dragon*, France, Le temps des cerises, 1994, p. 12-18.

Expressions à retenir

à sens unique (l. 5)
(en avoir) ras le bol (l. 9)
la maîtrise de soi (l. 15)
les flaques d'eau (l. 21)
les pluies diluviennes (l. 22)
l'embarras du choix (l. 26)
le changement de vitesse (l. 30)
à toute épreuve (l. 30)
avoir du mal (à) (l. 49)
à l'égard de (l. 60)
faire fureur (l. 87)
un magnétoscope (l. 95)

COMPRÉHENSION

1. Pourquoi le vélo est-il le moyen de transport le plus courant en Chine ?
2. Combien d'enfants ont généralement les Chinois ?
3. Décrivez brièvement les routes des villages du Sud.

---

[13] si, en général, on croit moins au « rêve américain »
[14] restaurant peu élégant
[15] Malgré ce que dit l'auteur, les MacDonald se sont multipliés en Chine.

4. Pourquoi les cyclistes dans ces villages ne contrôlent-ils souvent leur guidon que d'une seule main ?
5. Pourquoi le Chinois moyen ne peut-il pas s'offrir souvent une tablette de chocolat suisse ?
6. Pourquoi le touriste est-il surpris quand il voyage en métro ?
7. Envers quelles personnes les Chinois sont-ils particulièrement polis ?
8. Où est né le karaoké ?
9. À quoi les karaokés servent-ils parfois ?

INTERPRÉTATION

1. Quelle semble être la différence entre l'attitude des Français et celle des Chinois face à la routine quotidienne ?
2. Expliquez l'expression « petit trésor » (l. 17) dans le contexte.
3. Quelles illusions les habitants de Beijing se font-ils au sujet des étrangers ?
4. Pourquoi l'auteur n'apprécie-t-il pas vraiment qu'on se montre plein d'égards envers lui ?
5. Pourquoi le MacDo de Canal Street à New York paraissait-il à l'auteur plus chinois que celui de Beijing ?
6. Qu'est-ce que le décor du MacDonald de Beijing prouve ?
7. Selon l'étudiant qu'a rencontré l'auteur, pourquoi le MacDonald de Beijing compte-t-il peu d'habitués ?

MAÎTRISONS LA LANGUE

A

1. Relevez les termes qui désignent un genre de vélo. Faites deux phrases qui montrent la différence entre deux de ces mots.

2. Trouvez, dans le texte (l. 32-99), des mots de la même famille que :

   a) riche ; b) bousculer ; c) paix ; d) aimer ; e) grand ; f) confort.

3. Relevez trois expressions qui signifient une foule ou une grande quantité.

4. Complétez par une expression tirée du texte (l. 1-45). Faites les changements exigés par la grammaire.

   a) Le complet que j'ai acheté est trop large ; il faut y faire des _____.
   b) Il fait si chaud. Cet enfant doit étouffer ; il est _____ été comme hiver.
   c) Après une tempête de neige, les routes sont souvent _____.
   d) Elle est arrivée en retard à cause des _____ sur la route.
   e) Acheter une voiture n'est pas _____ de la plupart des gens.
   f) Cette circulation, j'en ai _____ !

B

1. Dans le dessin ci-dessous, indiquez le nom d'autant de parties du vélo que possible.

2. Faites deux phrases qui montrent la différence entre les deux mots :

   a) trafic (l. 98) et circulation (l. 4) ;   c) vitre et vitrine (l. 83) ;

   b) aisance (l. 33) et richesse (l. 32) ;   d) ville (l. 35) et village (l. 20).

3. Le texte comporte beaucoup de mots anglais ou américains. Parfois, ces mots changent de sens en français. Faites une phrase qui illustre le sens du mot « **dancing** » (l. 96).

4. Quotidien = de chaque jour, par jour. Comment dit-on « par semaine », « par mois », « par an » ?

5. On utilise souvent l'abréviation en français. *Vélo* est l'abréviation de vélocipède. Quelle est la forme complète des abréviations suivantes : a) ado ; b) aristo ; c) auto ; d) sensas(s) ; e) formid ; f) pub ; g) télé ; h) manif ?

6. Donnez trois autres expressions ayant le même sens que **en avoir ras le bol** (l. 9). Utilisez chacune de ces expressions dans une phrase pertinente.

GRAMMAIRE

LES PRONOMS RELATIFS

	personne	chose
sujet	qui	qui
objet direct	que / qu'	que / qu'
complément de la préposition *de*	dont, de qui, duquel, de laquelle, desquels, desquelles	dont, duquel, de laquelle, desquels, desquelles
complément d'une préposition autre que *de*	qui / lequel, laquelle, lesquels, lesquelles	lequel, laquelle, lesquels, lesquelles, où
complément d'une préposition		quoi

1. **Qui**

   Qui sujet, s'emploie pour les personnes et pour les choses.

   C'est un amateur **qui** interprétera la chanson.
   Ils pédalent sur des vélos **qui** n'ont pas de lumières.

2. **Que**

   Que objet, s'emploie pour les personnes et pour les choses.

   Vous ne trouvez pas la personne **que** vous cherchez.
   Il y a des boîtes louches **que** la police surveille.

> ### Remarque 1
> Devant une voyelle, **que** devient **qu'**.
>
>   Il a mangé la tablette de chocolat **qu'**il a achetée hier.

3. **Dont**

   Dont (**de + pronom relatif**) est employé pour les personnes et pour les choses.

   C'est l'hôte **dont** vous appréciez l'exquise politesse.
   Voici le métro **dont** les lignes desservent l'immense agglomération.

4. **Où (dans, à, sur + pronom relatif)**

   Où est utilisé pour indiquer le lieu ou le temps.

   Le restaurant **où** il dîne est un MacDonald.
   La grand-mère trône dans une remorque **où** un siège a été installé.
   J'ai découvert la politesse chinoise un jour **où** j'étais invité.

5. **Quoi**

Quoi, pronom relatif, remplace une proposition, une idée. Il est utilisé après une préposition et est équivalent au pronom démonstratif **cela.**

Elle a mangé chez MacDonald, **après quoi,** elle est allée à un karaoké.
Consultez un plan, **sans quoi,** vous allez vous perdre.

6. **Lequel, laquelle, lesquels, lesquelles**

Lequel et ses différentes formes s'emploient après une préposition pour les choses et, plus rarement, pour les personnes.

C'est le siège **sur lequel** la belle-mère s'est installée.
As-tu vu la bicyclette **pour laquelle** il a donné tout son salaire ?
L'ami **avec lequel** (**avec qui**) il dîne est chinois.

7. **Duquel, auquel, desquels, auxquels, desquelles, auxquelles**

Lequel, lesquels, lesquelles se combinent avec les prépositions **à** et **de** et deviennent **auquel, auxquels, auxquelles, duquel, desquels, desquelles.**

Les chemins **auxquels** il fait allusion sont glissants.
Le restaurant **duquel** (**dont**) vous parlez est une gargote.

Remarque 2

Quand le pronom est séparé de l'antécédent, **duquel** (ou **de qui** pour les personnes) et non **dont** doit être utilisé.

L'étudiante avec l'ami **de laquelle** (**de qui**) vous avez dîné parle bien le français.
Le restaurant vers l'entrée **duquel** vous vous dirigez est excellent.

Remarque 3

Il faut éviter d'utiliser les formes **lequel,** etc. quand c'est possible. Souvent, **où, dont** et **qui,** pour les personnes, peuvent les remplacer.

La personne **de laquelle** (**dont, de qui**) vous parlez est aimable.
Le siège **sur lequel** (**où**) elle est assise est confortable.

APPLICATION

1. Complétez par le pronom relatif qui convient (**qui, que, dont, où, quoi**).

   a) Ce flot de voitures _____ vous voyez cause des bouchons _____ sont impénétrables.

   b) Le siège _____ la belle-mère est assise paraît inconfortable.

   c) Les voitures _____ la précèdent et _____ elle essaye de dépasser roulent vite.

   d) Le restaurant _____ vous les avez rencontrés est une vraie gargote.

   e) Les cargaisons _____ ce cycliste transporte sont très lourdes.

f) Nous irons au cirque, après _____ , nous irons dîner.

g) La chanteuse _____ vous avez acheté le tube interprétera ce soir la chanson _____ vous aimez.

h) Le jour _____ elle m'a invitée, il y avait une circulation intense _____ m'a retardée.

i) À l'époque _____ elle a visité la Chine, il n'y avait pas de karaokés _____ on pouvait s'amuser.

j) Remerciez votre hôte, sans _____ , il ne vous invitera plus.

2. Complétez par la forme de **lequel** qui convient.

a) Les fauteuils dans _____ on s'assied chez MacDonald sont les mêmes partout.

b) Près de la ville dans _____ Jeanne habite, il y a beaucoup de circulation.

c) Le cycliste avec _____ vous avez voyagé et à _____ vous m'avez présenté a acheté un nouveau vélo.

d) La compagnie pour _____ vous travaillez paye un bon salaire.

e) La main de _____ il contrôle sa bicyclette est la gauche.

f) Connaissez-vous le restaurant de _____ il vient de sortir ?

g) Sur les périphériques, il y a des bouchons à _____ on ne peut remédier.

h) Je préfère les villages dans _____ la circulation est maigre.

i) Avez-vous vu le cirque de Pékin avec ses merveilleux équilibristes de _____ on admire partout le talent ?

j) Le vélomoteur contre _____ ils ont échangé leur vieille bicyclette ne leur donne pas la satisfaction à _____ ils s'attendaient.

3. Faites l'exercice ci-dessus en remplaçant **lequel**, etc., par **qui, que, dont, où**, lorsque c'est possible.

LE PRONOM *CE* DEVANT UN PRONOM RELATIF

1. Le pronom invariable **ce** est utilisé devant un relatif lorsqu'il n'y a pas d'antécédent exprimé. Il a le sens de **la chose.**

> **Ce (la chose)** qui m'a surpris, c'est le flot des voitures sur le périphérique.
> **Ce (la chose)** qu'ils cherchent, c'est « un parfum venu d'ailleurs ».
> Je ne sais pas **ce (la chose) dont** ils rêvent.

2. **Ce** est inséré entre **tout** + pronom relatif.

> **Tout ce qui** arrive est incroyable.
> Je ne comprenais pas **tout ce dont** ils parlaient.

3. **Quoi** est parfois précédé de **ce. Ce** doit être exprimé au début de la proposition.

> Dites-moi **(ce) à quoi** vous pensez.
> **Ce à quoi** on ne s'habitue pas, c'est la circulation.

APPLICATION

1. Complétez par les pronoms qui conviennent (**ce qui, ce que,** etc.).

   a) Un karaoké est _____ nous lui offrons ce soir.

   b) _____ surprend le touriste, c'est qu'il n'y a pas d'amertume chez ces Chinois.

   c) _____ ils désirent n'est pas à leur portée.

   d) Il me semble qu'un parapluie est _____ vous aurez besoin.

   e) Voyager est tout _____ ils rêvent.

   f) _____ vous avez dépensé, c'est le salaire quotidien d'un fonctionnaire.

   g) Elle n'a pas voulu me dire _____ elle pensait.

   h) Tout _____ nous avons envie, c'est d'acheter une voiture.

   i) Ont-ils trouvé tout _____ ils cherchaient ?

   j) _____ vous racontez est intéressant.

2. Complétez par le pronom relatif qui convient, précédé de **ce** si c'est nécessaire.

   a) Il ne voit pas aujourd'hui le flot de voitures _____ il est habitué.

   b) Je n'aime pas _____ on mange dans ce restaurant.

   c) _____ frappe, c'est le grand nombre de cyclistes.

   d) Voilà le couple _____ je vous ai parlé et _____ l'enfant est toujours emmitouflé.

   e) Je verrai demain la jeune femme avec la belle-mère de _____ vous avez parlé.

   f) La voiture _____ il est maintenant propriétaire n'est pas celle _____ il rêvait d'acheter.

   g) Tout _____ ils désirent, c'est de voir comment c'est.

   h) Les hôtes chez _____ nous habitions nous accablaient d'égards.

   i) Les chemins sur _____ nous avons voyagé étaient glissants et défoncés.

   j) Connaissez-vous le cirque pour _____ il recrute maintenant des équilibristes ?

3. Complétez par le pronom relatif qui convient, précédé de **ce** si c'est nécessaire.

   La Chine est un pays _____ il y a maintenant plus d'un milliard d'habitants. Beaucoup de gens quittent la campagne _____ ils mènent des vies modestes pour s'installer dans les grandes villes. _____ ils espèrent, c'est d'y trouver un emploi rémunératif. C'est un phénomène _____ se produit dans tous les pays _____ s'industrialisent. De loin, la métropole est pleine de promesse, mais malheureusement, tout _____ brille n'est pas or. Le nombre d'emplois _____ les usines peuvent offrir est limité et, _____ rend la situation plus difficile encore pour les nouveaux venus, c'est qu'ils n'ont pas l'expérience requise. Tout _____ trouvent ces pauvres gens _____ rêvaient d'une vie aisée en ville, c'est le chômage et la misère.

4. Combinez les deux phrases en utilisant le pronom relatif qui convient. Utilisez **ce** si c'est nécessaire.

a) Nous ne prendrons pas le métro. On est écrasé dans ce métro.
b) Il ne faut pas se perdre à Beijing. Il n'est pas facile de ne pas se perdre à Beijing.
c) On peut prendre un taxi. Beaucoup d'étrangers font cela.
d) Son hôte trouvait Henri Alleg très âgé. Alleg avait 70 ans.
e) L'auteur trouve le MacDonald de Chinatown à New York plus chinois que celui de Beijing. Il a vu le MacDonald de Chinatown à New York.
f) Une tablette de chocolat suisse coûte dix yuans. Dix yuans, c'est très cher pour un Chinois moyen.
g) À Beijing, il y a un grand MacDonald. Certains Chinois vont rêver dans ce grand MacDonald.
h) Le flot de voitures est très dense. Vous voyez le flot de voitures.
i) Les cyclistes roulent sereinement. Ils semblent détachés des agitations du monde.
j) Henri Alleg nous parle de la vie en Chine. Il est allé en Chine.

DEVOIRS ÉCRITS / TRAVAIL ORAL

A. COMPOSITION GUIDÉE

Qu'est-ce qui explique la popularité des restaurants du genre MacDonald dans le monde entier ?

• La rapidité du service ? le prix ? l'ambiance ? la qualité des mets ? la publicité ? la mode ?

• Fréquentez-vous ces restaurants ? Pour quelles raisons ?

B. COMPOSITION LIBRE / TRAVAIL ORAL

1. Vous avez sans doute assisté, ou même participé, à un karaoké. Décrivez cette expérience.

2. À votre avis, qu'est-ce que le rêve américain ?

DIALOGUES

1. Nous sommes tous concernés par la pollution causée pas les trop nombreuses voitures. D'un autre côté, il est difficile de renoncer au confort qu'offre l'auto. Comment protéger l'environnement sans renoncer au confort ? Avez-vous des solutions à proposer ? Une animatrice / Un animateur recueille les suggestions de la classe.

Quelques expressions utiles

les transports en commun	public transport
bondé	crowded
serrés comme des sardines	packed like sardines
faire la queue	to line up
faire une randonnée (en voiture)	to go for an outing (in the car)
en plein air	in the open air
un embouteillage	traffic jam
l'heure de pointe, d'affluence	rush hour
une mise au point	a tune up
vérifier l'huile, les pneus	to check the oil, the tires

2. Deux ami(e)s discutent. L'un(e) trouve regrettable qu'on voie dans tous les pays des MacDonald, des Pizza Hut, des Kentucky Fried Chicken. L'autre, au contraire, est enchanté(e) de retrouver partout ce à quoi il (elle) est habitué(e).

Quelques expressions utiles

le charme de la nouveauté	the charm of the new
le dépaysement	the feeling of strangeness
l'esprit d'aventure	a spirit of adventure
étrange	strange
étranger	foreign
les coutumes, les mœurs	customs
l'inconnu	the unkown
la peur de l'inconnu	fear of the unknown
la force de l'habitude	force of habit

UNE POINTE D'HUMOUR

À BICYCLETTE

- Deux fous grimpent une pente sur un tandem. Quand ils arrivent au sommet, le premier s'éponge le front et déclare :

    — Ouf ! avec cette chaleur, J'ai pensé qu'on n'y arriverait pas.

    — Oui, dit l'autre. Surtout que c'était une fameuse pente. Tu sais, si je n'avais pas freiné, on redescendait !

- Toto a sept ans et essaie d'imiter en tout son grand frère qui en a treize. Il l'entend raconter une de ses aventures à un copain :

    — Figure-toi que j'emmène cette fille faire une balade sur mon vélo. On s'arrête près du lac et quand je lui demande de m'embrasser, elle me dit non. Alors, je l'ai plantée là, j'ai filé sur mon vélo et elle a dû rentrer à pied.

Toto est très impressionné. Le lendemain, il invite sa petite voisine à venir faire une promenade sur le cadre de sa bicyclette. Quand ils arrivent au bord du lac, il lui dit de descendre et lui demande :

—Tu veux bien m'embrasser ?

Et la petite fille répond :

— Oui…

Toto est bien embêté. Il réfléchit quelques instants, puis dit à la fillette :

— Alors, tu prends la bicyclette et moi, je rentre à pied.

Hervé Nègre, *Dictionnaire des histoires drôles*, Paris, Librairie Fayard, 1973, p. 703 (2359, 2361).

Chapitre 16

L'Asie
La Mongolie

Aspects grammaticaux étudiés :

- Le comparatif de l'adjectif
- Le superlatif de l'adjectif
- Le comparatif et le superlatif de l'adverbe
- Le participe présent : forme et emplois

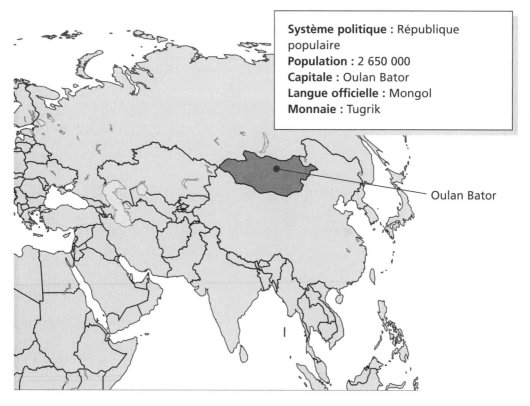

Système politique : République populaire
Population : 2 650 000
Capitale : Oulan Bator
Langue officielle : Mongol
Monnaie : Tugrik

Oulan Bator

Les Mongols sont un peuple nomade originaire de l'Asie centrale et de Sibérie. Ils ont conquis la Chine et une partie de l'Europe de l'Est au XIIIᵉ siècle. L'activité économique principale dérive de l'élevage du bétail. La République populaire a été proclamée en 1924. La Mongolie a subi à la fois l'influence chinoise et l'influence soviétique.

Dans son livre, *La Mongolie*, Jean-Émile Vidal résume l'histoire des Mongols et décrit leur mode de vie. Le passage ci-dessous explique brièvement les circonstances qui ont poussé les Mongols à se lancer à la conquête du monde et donne un aperçu de l'enfance et de la jeunesse de Gengis Khan (1160-1227).

PRÉ-LECTURE

Mongolie ! Qu'est-ce que ce nom exotique évoque pour vous : des plaines interminables où chevauchent d'intrépides cavaliers ou une région aride au climat sans pitié ?

Gengis Khan, ange ou démon ?

Tour à tour conquérants et subjugués, les Mongols ont franchi le seuil du XXᵉ siècle, épuisés par plus de deux millénaires de chevauchées victorieuses et dévastatrices, de reculs et de débâcles, de révoltes contre l'oppression. Avec, chez eux, le front de lutte toujours ouvert[1] contre une nature difficile, contre un
5   climat gros de périls.

Ils ont trouvé, au terme de leur odyssée[2] dans le temps et dans les vastes espaces de l'Asie et de l'Europe, assez de force pour se débarrasser du joug que les Mandchous[3] ont fait peser sur eux pendant deux siècles et pour créer et faire prospérer une Mongolie nouvelle. Le jugement porté sur les hommes, que ce
10   soit[4] sur Attila[5] ou Gengis Khan, est secondaire lorsqu'on veut peser cette histoire. Ce qui importe, c'est de comprendre pourquoi.

Pourquoi les incessantes razzias des cavaliers de la steppe[6], ces barbares, ces méprisés, dans les régions agricoles voisines ? Pourquoi ces élans centrifuges qui ont porté les forces par moments regroupées jusqu'aux confins du monde connu
15   à leur époque ? Pourquoi ce choc que l'on ressent de deux mondes étrangers et où le plus évolué a été sur le point de périr, saccagé, broyé, par la folle course de quelque[7] 300 000 cavaliers ? Pourquoi, en quelques années, les mondes chinois, iranien, romain se sont retrouvés sur les ruines de leurs civilisations ? [...]

---

[1] une lutte solidaire constante
[2] voyage mouvementé
[3] peuple du Nord-Est de la Chine
[4] *whether it be*
[5] Attila (395-453), roi des Huns, peuple mongol. Avec ses hordes, il a dévasté l'Europe et a été surnommé « le fléau de Dieu ».
[6] grande plaine
[7] d'environ

Gengis Khan

Les habitants de la steppe n'avaient pas le choix de leur mode de vie. Ce
20   n'est pas par une quelconque[8] infériorité d'ordre ethnique qu'ils continuaient
leur vie pauvre de pasteurs nomades, deux millénaires après que les autres eurent
labouré, semé, construit leurs villages et leurs cités. Ils poursuivaient leurs
errances parce que les conditions géographiques de la steppe les y contraignaient,
tandis que, dans les régions voisines, elles permettaient l'agriculture aux peuples
25   qui s'y étaient établis. La rupture était énorme entre les uns et les autres.

Les Mongols n'avaient pas d'autre choix qu'entre mourir ou vivre à cheval et
loger sous la yourte[9]. La steppe ne pouvait leur donner rien d'autre que les
troupeaux allant de pâturage en pâturage. Il fallait être intelligent, ingénieux,
solide et dur à la souffrance pour mener cette vie-là. Et comment les cavaliers de
30   la steppe n'eussent-ils[10] pas été attirés, fascinés, par les richesses du monde

---

[8] certaine
[9] tente de peau des nomades
[10] n'auraient-ils

sédentaire qu'ils apercevaient devant eux, quand les migrations les poussaient plus loin que de coutume ?

Alors, ils allaient se servir. Le butin pris par la force, c'est-à-dire la destruction, ils retournaient à l'abri de leur steppe, là où d'éventuels poursuivants
35   se sentaient perdus comme dans un désert. Que pouvait-on leur faire ? Ils n'avaient pas de villes que l'on pût détruire par représailles, ils fuyaient et leurs troupeaux avec eux. Ils passaient entre les mailles des ennemis comme le sable entre les doigts de la main. […]

Comment Temoudjin l'orphelin devint le Khan[11] des Mongols

Lorsque Temoudjin (*Tumur ji*, « le plus fin acier ») naquit en 1155, sous la
40   yourte d'un petit seigneur proche de la ruine, le Bagadour Yesugaï, sur la rive de l'Onon, aucun devin professionnel, aucun chaman, ne vit que le plus grand conquérant de tous les temps, celui qui deviendrait Gengis Khan, venait de voir le jour.

Yesugaï, le père, appartenait à cette aristocratie de la steppe qu'étaient les
45   éleveurs de chevaux, mais il ne possédait ni riches troupeaux ni grande autorité. Descendant de Kaboul Khan, qui avait tenté, un siècle plus tôt mais sans succès, d'unifier les tribus mongoles, il était réduit à subir les raids de voisins plus puissants et à voir s'affaiblir son maigre patrimoine.

À l'époque où la famille du petit Temoudjin se débattait dans la misère, la
50   vieille société patriarcale clanique était en train de disparaître, tandis que les nouvelles relations du féodalisme[12] nomade <u>étaient en pleine ascension</u>[13]. Les anciens clans s'étaient divisés et dispersés depuis longtemps et, entre les nouveaux, s'étaient établis des rapports de suzerains à vassaux, avec une classe dirigeante de riches aristocrates qui recevaient les meilleurs produits de la chasse,
55   la plus grande partie des butins et exigeaient de nombreuses corvées d'un peuple d'éleveurs aussi pauvres chez les suzerains que chez les vassaux. […]

Ces petits seigneurs, comme il en apparut des milliers en Europe dans la première phase du féodalisme, étaient des foyers de querelles et de troubles incessants. Ceux d'entre eux qui pouvaient offrir les meilleurs pâturages et une
60   relative sécurité, étaient évidemment les plus suivis, <u>d'où</u>[14] des luttes acharnées entre eux.

Les seigneurs les moins fortunés cherchaient protection auprès des plus puissants et un processus d'unification était en cours dans les étendues de la steppe. La loi du plus fort avait remplacé la rude démocratie primitive et la
65   prospérité ne pouvait <u>dès lors</u>[15] venir que de la fin des divisions et des querelles.

---

[11] souverain
[12] Le féodalisme (la féodalité) était un système social et politique du Moyen-Âge en Europe. Le seigneur (ou suzerain) louait ses terres à des paysans dont il assurait la protection. Les plus puissants seigneurs divisaient leurs terres en fiefs qu'ils distribuaient à des vassaux.
[13] se développaient
[14] c'est pourquoi il y avait
[15] par conséquent

C'est dans cette période de gestation, où tous les éléments d'unification de la nouvelle société féodale étaient présents, que grandit Temoudjin. Une période aussi où les empires voisins [...] étaient en décadence et peu préparés à résister à une attaque.

70   Terrain propice sur lequel le jeune Temoudjin put déployer ses talents, et sans lequel il ne fût[16] pas devenu « le Khan de tous les hommes », ainsi que l'annonçait son sceau.

Peu d'épreuves lui furent épargnées dans son enfance et sans doute dut-il beaucoup à sa mère Hoelun, femme d'un grand caractère que Yesugaï avait
75   enlevée à un chef Merkit[17] pour l'épouser. Selon les lois de l'exogamie[18], il partit à cheval en compagnie de son père, à la recherche d'une femme : il avait douze ans. Lorsqu'on l'eut trouvée, Temoudjin resta pour un temps, selon la coutume, sous la yourte de ses beaux-parents. Son père, sur le chemin du retour, fut empoisonné. Ceux qui restaient dans le clan refusèrent d'obéir à un enfant et,
80   emmenant avec eux les troupeaux, rejoignirent la puissante confédération des Taïdjout[19].

De la confédération de Yesugaï, il ne restait plus que quatre frères, deux demi-frères, une sœur, la mère et une vieille servante. Cette famille princière ruinée vivait près des sources de l'Onon, en bordure de la forêt, chassant et
85   pêchant dans les monts Khentei, déterrant les racines sauvages. Abandonnée, la mère s'occupait à entretenir sa nombreuse progéniture.

« La noble Hoelun, qui était née femme de ressource, pourvut à la nourriture de ses jeunes fils. Enfonçant un bonnet sur sa tête et ceinturant court sa jaquette, courant en amont et en aval du fleuve Onon, cueillant des pommes
90   et des cerises sauvages, elle nourrissait jour et nuit leur gosier… Les fils de la noble mère, nourris d'aulx et d'oignons sauvages, parvinrent à être dignes d'être souverains. Nourris avec les oignons de lys de la noble mère qui observait la règle, ses fils devinrent sages et fidèles à la loi. Nourris avec les aulx sauvages de la belle Hoelun, ses fils affamés devinrent bons…[20] »

95   Temoudjin ne supportait plus d'être spolié. Son demi-frère Bekter lui avait volé une alouette puis un poisson. Les lois de la steppe étaient dures et Temoudjin n'était pas porté à les adoucir : avec l'aide de son cadet, il tue Bekter à coups de flèches. [...]

Un peu plus tard, Temoudjin est pris lors d'une incursion ennemie et
100   emmené prisonnier. Il s'échappe et continue de grandir dans la même vie misérable.

Un jour pourtant, le peu qui restait paraît perdu. Des voleurs ont enlevé huit des neuf chevaux de la famille. Temoudjin fait à nouveau preuve de décision. Il saute sur le cheval qu'un de ses frères avait utilisé pour chasser, le seul

---

[16] serait
[17] Les Merkits sont une tribu mongole.
[18] le mariage en dehors du clan
[19] autre tribu mongole
[20] *L'Histoire secrète des Mongols*, écrite vers 1240 par un barde anonyme. Chronique de la vie de Gengis Khan et tableau vivant des mœurs mongoles du XIIIe siècle. La première partie de l'œuvre a été traduite en français par l'orientaliste Pelliot (Adrien-Maisonneuve, Paris, 1949). [note de l'auteur]

105 qui restait, et suit la trace des voleurs. Il ramène les huit chevaux et son premier
vassal, le jeune Bortchou qui lui était venu en aide. Tous deux se jurent amitié
éternelle. Bortchou deviendra l'un de ses meilleurs généraux.

Étant sorti de la plus noire misère, Temoudjin va chercher sa fiancée, Bortei,
et se marie. Il ne possède que quelques chevaux et quelques moutons, mais un
110 caractère trempé par la difficulté, déterminé et prudent à la fois. Il ne sait ni lire
ni écrire, mais déjà dans cette société mouvante où on est las de l'insécurité, il
connaît ses amis et ses ennemis. Il transfère son camp des sources de l'Onon à
celles du Keroulen. Là, il est à nouveau attaqué par les Merkits. Il parvient à leur
échapper, grâce à la vitesse de son cheval, après une poursuite de plusieurs jours,
115 en se cachant dans les monts de Khentei. [...]

Dès ce moment, la fortune change de camp en faveur de Temoudjin. Des
chefs de clan viennent à lui, parmi les plus hauts représentants de l'aristocratie
mongole. Il est d'abord élu Khan des Mongols par des seigneurs à la recherche
d'une certaine stabilité et d'un point de ralliement en cas de guerre.

120 Alors commencent les premières campagnes pour unifier les peuples de la
steppe. Temoudjin remporte une première victoire contre les Kéraïts grâce à une
intervention des troupes chinoises. N'ayant pas emporté la décision, il attaque à
nouveau les Kéraïts, mais cette fois jusqu'à la soumission, et prend chez eux sa
deuxième et sa troisième femmes.

125 La victoire contre les Naïmans, beaucoup plus forts que lui, donne un
premier exemple des ruses de guerre dont il saura user avec génie. Ses chevaux
sont épuisés par de longues marches lorsqu'il se trouve face à face avec l'ennemi.
Il attend la nuit en évitant le combat et, répandant ses hommes sur un large
front, leur fait allumer d'innombrables feux. Les Naïmans, pensant avoir devant
130 eux une puissante armée, prennent la fuite et sont harcelés et battus. Chez eux,
Temoudjin prend sa quatrième femme, d'une beauté célèbre.

Depuis la Grande Muraille[21] jusqu'aux monts Altaï[22], tous les peuples sont
maintenant ses sujets, à part quelques exceptions sans importance. Pour la
première fois, les féodaux, épars et jusque-là opposés, sont unis. Vers les sources
135 de l'Onon, dans une des vallées où il avait vécu une jeunesse de misère, est
dressée, en 1206, la bannière à neuf blanches queues de cheval. Le Conseil des
Nobles est réuni et proclame Temoudjin grand Khan de tous les peuples vivant
sous la tente. Temoudjin est alors âgé de cinquante ans. Il prend le nom de
Gengis Khan.

140 Ce qui se passait sur le plateau mongol était totalement ignoré ailleurs. Un
grand État, pourtant, venait de naître et le nom de Gengis Khan allait être
connu dans le monde entier et, pour toujours, inscrit en lettres de feu et de sang
dans l'histoire.

Jean-Émile Vidal, *La Mongolie*, Paris, René Julliard, 1971, p. 62-74.

---

[21] mur élevé entre la Chine et les steppes, à partir du IIIe siècle, pour protéger le pays des invasions
barbares
[22] chaîne de montagnes qui borde la Mongolie au nord-ouest

Expressions à retenir

se débarrasser de (l. 7)
à leur époque (l. 15)
le mode de vie (l. 19)
mener cette vie (l. 29)
des luttes acharnées (l. 60)
à la recherche (l. 76)
selon la coutume (l. 77)
le chemin du retour (l. 78)
être porté à (l. 97)
faire preuve de (l. 103)
venir en aide (l. 106)
grâce à (l. 121)

COMPRÉHENSION

1. Quel était le grand ennemi des Mongols chez eux ?
2. Pourquoi les Mongols ne cultivaient-ils pas la terre ?
3. Qu'est-ce qui faisait la seule richesse des Mongols ?
4. Pourquoi étaient-ils constamment en mouvement ?
5. Pourquoi ne poursuivait-on pas les Mongols dans leur steppe ?
6. Pourquoi certains seigneurs étaient-ils plus suivis que d'autres ?
7. Quel âge avait Temoudjin quand son père est mort ?
8. Comment les Mongols trouvaient-ils leurs femmes ?
9. Qu'est-ce que Hoelun donnait à manger à ses enfants ?
10. Quel était le nom de la première femme de Temoudjin ?

INTERPRÉTATION

1. En quoi le mode de vie des habitants de la steppe différait-il de celui de leurs voisins ?
2. Pourquoi les Mongols faisaient-ils des razzias dans les régions voisines ?
3. Quel changement était en train de se produire dans la société mongole quand Temoudjin est né ?
4 Quelles raisons expliquent la punition terrible que Temoudjin a infligée à son frère Bekter ?
5. Donnez deux exemples de l'importance des chevaux dans la vie des Mongols ?
6. Quels résultats positifs ont eus les guerres de Gengis Khan contre les autres tribus mongoles ?

MAÎTRISONS LA LANGUE

A

1. Trouvez, dans le texte, deux mots de la même famille que : a) cheval ; b) vie ; c) unis. Utilisez chacun de ces mots dans une phrase de votre cru.

2. Trouvez, dans la première partie du texte (l. 1-38), des expressions équivalentes aux expressions suivantes : a) le début ; b) fonder ; c) migrations ; d) forçaient.

3. Le passage qui suit résume la situation politique chez les Mongols à l'époque où Temoudjin est né. Complétez les phrases par les expressions tirées de la liste.

   | corvées | l'aristocratie | autorité | vassaux | patriarcale |
   | le féodalisme | suzerains | clans | démocratie | dirigeante |

   Au début du XIIᵉ siècle, la société mongole était divisée en _____. Les éleveurs de chevaux constituaient _____ de la steppe, mais certains n'avaient pas beaucoup de _____ parce qu'ils étaient pauvres. Quand Temoudjin est né, la société _____ était en train de disparaître pour être remplacée par _____ avec des _____ et des _____. La _____ primitive n'existait plus. Une classe _____ de riches recevait la plus grande part du butin et de la chasse et imposait des _____ aux éleveurs.

B

1. Le texte abonde en antonymes (expressions ayant un sens contraire). Trouvez-en cinq exemples.

2. Les habitants de la Chine sont des Chin-**ois**, de l'Iran, des Iran-**iens**, de Rome, des Rom-**ains**. Comment appelle-t-on les habitants des villes ou pays suivants :

   a) la Norvège ; b) le Canada ; c) le Chili ; d) la Hongrie ; e) la Suède ; f) le Brésil ; g) le Mexique ; h) Québec ; i) Toronto ; j) Paris ; k) Londres ?

3. **L'exogamie** est le mariage en dehors du clan. Comment appelle-t-on :

   a) le mariage avec plusieurs personnes ;
   b) le mariage avec une seule personne ;
   c) le mariage avec deux personnes ?

4. Le cheval, cher aux Mongols, a joué un rôle important chez beaucoup de peuples. Il figure dans bon nombre de locutions et d'adages français. Utilisez chacune des expressions ci-dessous dans une phrase qui en montre le sens :

   a) être à cheval sur les principes ;
   b) avoir une fièvre de cheval ;
   c) un remède de cheval ;
   d) monter sur ses grands chevaux ;
   e) un cheval de bataille ;
   f) ne pas se trouver dans le pas d'un cheval.

GRAMMAIRE

LE COMPARATIF DE L'ADJECTIF

1. Le comparatif de **supériorité** se compose de **plus + adjectif + que.**

   Les Naïmans étaient **plus forts que** Temoudjin.

2. Le comparatif d'**infériorité** se compose de **moins + adjectif + que.**

   Yesugaï était **moins riche que** ses voisins.

3. Le comparatif d'**égalité** se compose de **aussi + adjectif + que.**

   Les éleveurs sont **aussi pauvres** chez les suzerains **que** chez les vassaux.

4. Le comparatif de supériorité de **bon** est **meilleur** ; le comparatif de supériorité de **mauvais** est **plus mauvais** ou **pire.**

   Ce seigneur offre de **meilleurs pâturages que** son voisin.
   Bekter est **pire (plus mauvais) que** son frère.

5. **Plus petit** est utilisé dans un sens concret, **moindre** dans un sens abstrait.

   Il est **plus petit que** sa femme.
   La puissance de ce seigneur est **moindre que** la puissance de son voisin.

6. Pour les comparatifs de supériorité et d'infériorité, lorsque le second terme de la comparaison est une proposition, le verbe de la subordonnée est précédé d'un **ne** explétif et, parfois, d'un **le** facultatif.

   Temoudjin était **moins fort que** ses ennemis **ne (le)** croyaient.
   Gengis Khan est devenu **plus puissant que** ses alliés **ne (l')** avaient prévu.

> *Remarque*
>
> Le **ne** explétif ne s'emploie pas après un comparatif d'égalité.
>
> Gengis Khan est **aussi brave que** sa mère **(le)** désirait.

APPLICATION

1. Faites des phrases où vous utiliserez le comparatif : a) de supériorité ; b) d'égalité.

   Modèle :   (heureux) Les nomades / les sédentaires
   Les nomades sont **plus heureux que** les sédentaires.
   Les nomades sont **aussi heureux que** les sédentaires.

   a) (pauvre) Yesugaï / ses voisins
   b) (forte) Hoelun / ses amies
   c) (riches) Ces vassaux / leurs suzerains

d) (intelligent) Kaboul Khan / les autres Khans

e) (puissant) Gengis Khan / les chefs des régions voisines

2. Faites des phrases où vous utiliserez le comparatif d'infériorité.

a) (riche) Yesugaï / voisins

b) (violentes) razzias des Merkits / attaques des Naïmans

c) (fortuné) Bortchou / Temoudjin

d) (nombreux) Les enfants du voisin / les enfants de Hoelun

e) (ingénieux) frères de Temoudjin / lui

3. À l'aide des mots donnés, faites des phrases où vous utiliserez le comparatif de supériorité.

a) Temoudjin / est / fort / son frère

b) Ce Khan est devenu / un grand conquérant / Kaboul Khan

c) Les suzerains étaient parfois / pauvres / leurs vassaux

d) Une classe dirigeante percevait / une bonne part du butin / le reste du peuple

e) Ils organisaient des raids / dévastateurs / les razzias de leurs voisins

f) Les aulx que la belle Hoelun cueillait étaient / gros / des oignons de lys

g) Sa nouvelle fiancée est / riche / Bortei

h) Ces oignons sont / bons pour la santé / les cerises sauvages

i) Bekter était / un mauvais frère / son cadet

j) Ce jeune Khan semble / puissant / les autres chefs

4. Faites le même exercice en utilisant le comparatif d'égalité.

5. À l'aide des mots donnés, faites des phrases où vous utiliserez le comparatif d'infériorité.

a) Les autres chefs sont / forts / le Grand Khan

b) Son enfance a été / heureuse / l'enfance de son frère

c) Ces pommes lui paraissent / mauvaises / les cerises sauvages

d) La vie de ses voisines est / dure / la vie de Hoelun

e) Les Keraïts étaient / puissants / les Naïmans

f) Le cadet est / intelligent / le frère aîné

g) Les pâturages de ce seigneur sont / riches / les pâturages de ses voisins

h) Le butin qu'il a pris est / important / le butin pris par son rival

i) Les sédentaires étaient / durs à la souffrance / les cavaliers de la steppe

j) Le dernier raid a été / dévastateur / les autres

6. Complétez le texte de façon logique en utilisant le comparatif de l'adjectif.

Yesugaï était _____ puissant _____ ses voisins parce qu'il était proche de la ruine. Il devait subir les raids de seigneurs _____ riches _____ lui. Après la mort de Yesugaï, sa femme, Hoelun, a élevé la famille. D'abord _____ forts _____ leurs amis, ses fils sont devenus _____ résistants parce que leur mère les nourrissait d'aulx. L'ail est encore _____ bon pour la santé _____ les fruits. Temoudjin est devenu un adolescent _____ courageux _____ ses frères et, plus tard, un chef _____ audacieux _____ ses rivaux.

LE SUPERLATIF DE L'ADJECTIF

1. Le superlatif de supériorité se compose de **le, la, les + plus + adjectif + de** (s'il y a lieu).

   > Tumur ji signifie « **le plus fin** acier ».
   > Temoudjin est devenu **le plus grand** conquérant **de** tous les temps.
   > **Les plus hauts** représentants **de** l'aristocratie viennent à lui.

2. Le superlatif d'infériorité se compose de **le, la, les + moins + adjectif + de** (s'il y a lieu).

   > Hoelun est **la moins riche.**
   > **Les moins puissants des** seigneurs n'offrent pas de bons pâturages.

3. Lorsque l'adjectif suit normalement le nom, l'article est répété devant l'adjectif.

   > Les seigneurs **les moins fortunés** cherchaient protection auprès des seigneurs **les plus puissants.**

4. Les comparatifs irréguliers ont des superlatifs qui leur correspondent.

   > Ils reçoivent **les meilleurs** produits de la chasse.
   > En Mongolie, **le moindre** vol était sévèrement puni.

5. Le superlatif absolu s'exprime en faisant précéder l'adjectif de **très, fort, extrêmement,** etc.

   > Temoudjin était **fort (très, extrêmement) intelligent.**

   (Pour le superlatif suivi d'une proposition relative, voir le chapitre 18.)

APPLICATION

1. Faites des phrases en utilisant le superlatif de supériorité.

   > **Modèle :**   C'est la tribu (puissante / Mongolie)
   >   C'est la tribu **la plus puissante de** la Mongolie.

   a) C'est le général (bon / Gengis Khan)
   b) La famille de Bortei est (pauvre / région)
   c) Bekter est le voleur (dangereux / environs)
   d) Ces suzerains ont les pâturages (riches / endroit)
   e) Elles ont vu les villes (charmantes / pays)
   f) Ces seigneurs recevaient les produits (bons / chasse)
   g) Ils sont devenus les hommes (sages / steppe)
   h) Il a ramené le mouton (gros / troupeau)
   i) Ce Khan est (cruel / chefs mongols)
   j) Ici, les lois sont (dures / steppe)

2. Répétez l'exercice en utilisant le superlatif d'infériorité.

3. Complétez la phrase en utilisant un superlatif de supériorité ou d'infériorité, selon le sens.

   a) Gengis Khan est…
   b) Les incessantes razzias des Mongols causaient…
   c) Hoelun était la mère…
   d) Les cavaliers de la steppe sont…
   e) Les lois mongoles étaient…
   f) Les troupeaux devenaient…
   g) Le mode de vie des nomades paraît…
   h) Les conditions géographiques de la steppe sont…

4. Faites des phrases à l'aide des mots donnés. Si deux formes sont possibles, donnez-les.

   Modèle : Elle est intelligente (plus / il imaginait)
   Elle est **plus intelligente qu'**il **n'**imaginait.
   Elle est **plus intelligente qu'**il **ne l'**imaginait.

   a) Le travail est difficile (moins / je croyais)
   b) Les cavaliers de la steppe sont devenus dangereux (moins / ils étaient)
   c) Ils protégeaient bien leurs vassaux (plus / ils avaient promis)
   d) Il n'est pas audacieux (aussi / je croyais)
   e) Le blizzard a été mauvais (plus / on avait annoncé)

LE COMPARATIF ET LE SUPERLATIF DE L'ADVERBE

1. Le comparatif des adverbes est soumis aux mêmes règles que le comparatif des adjectifs.

   Il avance **plus rapidement que** son rival.
   Il travaille **aussi assidûment que** ses frères.
   Il va **moins loin que** son ami.

2. Le superlatif des adverbes est soumis aux mêmes règles que le superlatif des adjectifs. L'article **le** qui précède le superlatif est invariable.

   C'est Hoelun qui élève ses fils **le plus courageusement.**
   Ce sont ces gens qui ont construit les yourtes **le moins solidement.**

3. Certains adverbes ont un comparatif et un superlatif irréguliers :

beaucoup	plus	le plus
peu	moins	le moins
bien	mieux	le mieux
mal	plus mal ; pis	le plus mal ; le pis

   Les riches aristocrates reçoivent **plus que** les petits seigneurs.
   Des seigneurs, c'est Yesugaï qui a reçu **le moins.**

> ### Remarque 1
>
> **Pis** est surtout utilisé dans certaines expressions, comme **de mal en pis, tant pis.**
> **Le pis** est employé comme nom.
>
> > Tout va **de mal en pis.**
> > Il a perdu ses chevaux. **Tant pis !**
> > **Le pis,** c'est qu'il a tué son frère.
>
> ### Remarque 2
>
> Le comparatif d'égalité de **beaucoup** est **autant.**
>
> > Il aime **autant** ses fils **que** ses filles.

APPLICATION

1. Complétez par un comparatif ou un superlatif de supériorité.

   a) Il travaille (lentement / son frère)

   b) Les troupeaux fuient (rapidement / sur la steppe / dans la montagne)

   c) C'est Hoelun qui élève ses fils (bien)

   d) Ce Mongol n'aime pas ses moutons (beaucoup / ses chevaux)

   e) Voilà les seigneurs qui exigent des corvées (souvent)

   f) La Mongolie a des blizzards (fréquemment / régions environnantes)

   g) Ce gros garçon mange (peu / sa sœur)

   h) Ce grand général attaque (intelligemment / ses ennemis)

   i) Ses fils observent la loi (fidèlement / leurs amis)

   j) Cette famille pauvre vit (mal / ses voisins)

2. Complétez le texte ci-dessous à l'aide des comparatifs et des superlatifs qui conviennent.

   Adolescent, Temoudjin était déjà _____ fort, beaucoup _____ fort _____ ses frères. Sur la steppe, c'était précisément la loi de _____ fort qui régnait. Certains riches aristocrates exigeaient _____ bons butins et imposaient _____ mauvaises corvées au peuple d'éleveurs.

   Le père de Temoudjin avait été un des seigneurs _____ fortunés _____ la région. Maintenant, ses voisins, _____ puissants _____ lui, le harcelaient et lui volaient ses animaux. Mais _____ tragique, c'est que, lorsque Temoudjin n'avait que douze ans, Yesugaï a été empoisonné par ses ennemis.

   Maintenant, Temoudjin était orphelin. Heureusement, sa mère, Hoelun, s'est montrée _____ courageuse _____ femmes et son fils, devenu Gengis Khan, a réussi à unifier la Mongolie.

LE PARTICIPE PRÉSENT

Forme

1. Le participe présent est une forme verbale invariable. On le forme en ajoutant **-ant** au radical de l'imparfait.

je donn-**ais**	donn-**ant**
je finiss-**ais**	finiss-**ant**
je rend-**ais**	rend-**ant**
j'all-**ais**	all-**ant**
j'ét-**ais**	ét-**ant**

> ### *Remarque*
> Il n'y a que deux participes présents irréguliers :
>
> **ayant (avoir)**   **sachant (savoir)**

2. Le participe présent composé est formé du participe présent du verbe **avoir** ou **être** suivi du participe passé du verbe. Il exprime une action antérieure à celle du verbe principal.

> **Ayant perdu** son père, il n'avait plus d'autorité.
> **S'étant querellé** avec son frère, il a voulu le tuer.

Emplois

1. Le participe présent employé seul :

   a) équivaut souvent à une proposition relative ;

   > Ils n'avaient que les troupeaux **allant** de pâturage en pâturage.
   > (**qui allaient**)

   b) exprime la cause ;

   > Les Naïmans, **pensant** avoir devant eux une puissante armée, prennent la fuite. (**parce qu'ils pensent**)

   c) exprime la simultanéité ou, si la forme composée est utilisée, l'antériorité. Dans ce cas, le participe présent précède la proposition principale. Le sujet est le même que celui du verbe principal ;

   > **Apprenant** la victoire de ses ennemis, le chef s'est enfui immédiatement.
   > **Étant sorti** de la misère, il se marie.
   > **Ayant battu** les Merkits, il attaque les Naïmans.

   d) peut être employé comme adjectif et s'accorde comme l'adjectif.

   > Les populations **environnantes** cultivent des fruits **nourrissants.**

> *Remarque 1*
>
> Certains participes présents ont deux formes selon qu'ils sont utilisés comme formes verbales ou comme adjectifs. Voici quelques-uns de ces participes présents :
>
> | **Forme verbale** | **Adjectif** |
> |---|---|
> | fatiguant | fatigant |
> | convainquant | convaincant |
> | provoquant | provocant |
> | excellant | excellent |
> | différant | différent |
> | précédant | précédent |
> | pouvant | puissant |
> | sachant | savant |
>
> Ne **pouvant** vaincre par les armes des ennemis plus **puissants,** il a eu recours à la ruse.

2. Le participe présent précédé de **en** (**gérondif**) :

   a) exprime la manière ou le moyen ;

   > **En se cachant** dans les monts de Khentei, il échappe à l'ennemi. (**manière**)
   > **En chassant** et **en pêchant,** il nourrissait sa famille. (**moyen**)

   b) exprime la simultanéité.

   > **En quittant** sa yourte, il a vu que son cheval avait disparu.

> *Remarque 2*
>
> Pour insister sur la simultanéité ou pour marquer une opposition on emploie **tout en.**
>
> > **Tout en étant** pauvre, elle nourrit bien ses fils. (**même si elle est pauvre**)
> > Il travaille **tout en chantant. (en même temps qu'il chante)**

APPLICATION

1. Remplacez l'infinitif par la forme voulue du participe présent, avec ou sans **en.**

   a) (fuir), ils emmenaient leurs troupeaux.
   b) (se débarrasser) du joug des Mandchous, ils ont créé une Mongolie nouvelle.
   c) (chercher) les points d'eau, (éviter) les blizzards, ils sont toujours en mouvement.
   d) (n'avoir) pour richesse que leurs troupeaux, ils poursuivaient leurs errances.

e) La steppe, ne leur (offrir) que des pâturages, ils allaient se servir dans les régions (environner).

f) (ne pouvoir) se défendre, il subissait les raids de voisins (pouvoir).

g) (exiger) de nombreuses corvées d'un peuple pauvre, la classe (diriger) s'enrichissait.

h) (grandir) sous la yourte d'un seigneur ruiné, Temoudjin aurait pu rester pauvre toute sa vie.

i) (nourrir) bien ses fils, la belle Hoelun a fait d'eux des garçons forts.

j) (tuer) son frère, Temoudjin a montré à la fois sa force et sa cruauté.

2. Remplacez les expressions soulignées par des participes présents. Faites les changements qui s'imposent.

a) Ils vivaient près des sources de l'Onon, <u>ils pêchaient, chassaient et déterraient</u> les racines sauvages.

b) Elle enfonçait son bonnet sur sa tête et courait partout <u>cueillir</u> des pommes et des cerises.

c) <u>Parce qu'il ne supportait plus</u> d'être spolié, Temoudjin a tué son frère.

d) <u>Comme il avait volé</u>, Bekter était coupable.

e) Temoudjin, <u>qui avait été emmené prisonnier</u>, a réussi à s'échapper.

f) Quand des voleurs ont enlevé huit des neuf chevaux de la famille, Temoudjin <u>a sauté</u> sur le cheval qui restait, et a réussi à ramener les autres.

g) Temoudjin, <u>qui était fiancé</u>, est allé chercher Bortei et s'est marié.

h) <u>Parce qu'il avait évité</u> le combat, il a donné un exemple de sa ruse.

i) <u>Comme ils ont vu</u> d'innombrables feux, les Naïmans ont pris la fuite.

j) <u>Il ne possédait</u> que quelques moutons, <u>il ne savait</u> ni lire ni écrire, mais il avait toutefois un caractère trempé par les difficultés.

DEVOIRS ÉCRITS / TRAVAIL ORAL

A. COMPOSITION GUIDÉE

Les fils de Hoelun sont devenus forts en mangeant des aulx. L'ail a, nous dit-on, des propriétés médicinales. Croyez-vous aux remèdes naturels, à l'homéopathie ?

1. Est-ce que vous surveillez votre régime ?

2. Y a-t-il des mets que vous ne mangez pas ? Pourquoi ?

3. Prenez-vous des vitamines ? Quel genre ? Pour quelles raisons ?

4. Que faites-vous quand vous êtes malade ? Allez-vous chez le médecin ou prenez-vous uniquement des produits naturels ?

5. Pensez-vous l'être humain capable de se soigner lui-même ?

B. COMPOSITION LIBRE / TRAVAIL ORAL

1. Après avoir lu le passage, quelle idée vous faites-vous de l'importance et du rôle de la femme dans la société mongole au XIIᵉ siècle ?

2. L'extrait décrit brièvement l'arrivée au pouvoir de Gengis Khan. Vous vous documenterez sur le reste de sa vie et en ferez le récit oralement ou par écrit.

DIALOGUES

1. Deux ami(e)s discutent. L'un(e) rêve de voyager dans des contrées exotiques comme la Mongolie, l'autre préfère visiter des régions qui ressemblent davantage à son pays.

Quelques expressions utiles

voir du pays	to see the world
être bien chez soi	to be comfortable at home
se faire des amis	to make friends
lever le camp	to break camp
coucher à la belle étoile	to sleep in the open
s'occuper des animaux	to look after the animals
voir du nouveau	to see something new
être à la merci des intempéries	to be at the mercy of bad weather
monter à cheval	to ride a horse
en plein air	in the open air
en plein désert	in the midst of the desert
souffrir de la chaleur / de la soif	to suffer from the heat / from thirst

2. Pour éviter la guerre, les nations favorisées par le sort devraient partager leurs richesses avec les pays pauvres. Le pour et le contre.

Quelques expressions utiles

les matières premières	raw material
les produits agricoles	farm produce
les produits alimentaires	foodstuffs
la surpopulation	overpopulation
les déshérités	the have-nots
le minerai	ore
le tremblement de terre	earthquake
l'éruption volcanique	volcanic eruption
la sécheresse	drought
les inondations	floods

MATIÈRE À RÉFLEXION

Voici deux pensées de Blaise Pascal (1623-1662), philosophe français du XVIIe siècle, sur l'absurdité de la guerre.

⚜

- « Pourquoi me tuez-vous ? — Eh quoi ! ne demeurez-vous pas de l'autre côté de l'eau ? Mon ami, si vous demeuriez de ce côté, je serais un assassin et cela serait injuste de vous tuer de la sorte ; mais puisque vous demeurez de l'autre côté, je suis un brave, et cela est juste. »

- « Quand il est question de juger si on doit faire la guerre et tuer tant d'hommes, condamner tant d'Espagnols à la mort[23], c'est un homme seul qui en juge, et encore[24] intéressé : ce devrait être un tiers indifférent. »

---

[23] La France était en guerre avec l'Espagne.
[24] de plus

Chapitre 17

L'Europe
La Laponie

Aspects grammaticaux étudiés :

- Le subjonctif : remarques générales
    Le subjonctif présent
    Le subjonctif passé
    Le subjonctif après certaines conjonctions
- Les adjectifs et les pronoms démonstratifs

La Laponie n'est pas à proprement parler un pays. C'est une entité plus ethnique et linguistique que géographique qui s'étend sur plusieurs pays : Finlande, Norvège, Suède et Russie. La langue parlée est le lapon.

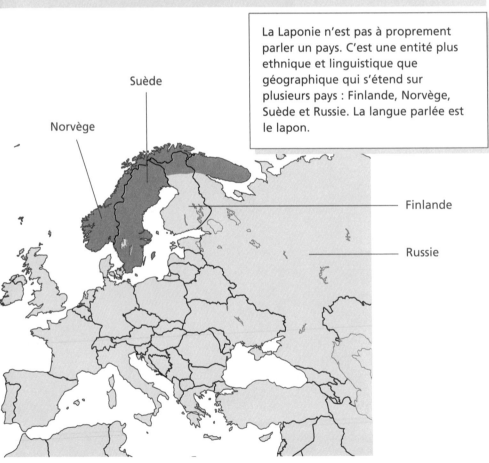

Suède

Norvège

Finlande

Russie

La plupart des Lapons sont maintenant sédentaires. Les autres pratiquent l'élevage des rennes et franchissent librement les frontières entre la Finlande, la Norvège et la Suède.

C'est surtout en tant qu'auteur de comédies pleines de verve que Jean-François Regnard (1655-1709) est connu de nos jours. Mais avant de se consacrer au théâtre, il a mené une vie aventureuse. Grand voyageur, il a même été capturé par des corsaires et vendu comme esclave à Alger. Libéré, il a visité l'Europe du Nord. Son *Voyage en Laponie* (1681) où, parfois, la fiction et la réalité se confondent, a été publié en 1731, après sa mort, et a connu un grand succès. C'est un de ses meilleurs ouvrages.

PRÉ-LECTURE

La Laponie décrite dans ce passage est la Laponie d'il y a trois cents ans. Pourtant, certaines choses n'ont pas changé : le climat rigoureux (−21 °C en janvier) et six à sept semaines d'obscurité l'hiver.

Si vous étiez né(e) dans un tel pays, à quoi passeriez-vous le temps ? Pensez-vous qu'il soit possible de s'y plaire ?

D'insolites coutumes

Le vendredi 15 août, il fit un grand froid, et il neigea sur les montagnes voisines. Nous eûmes une longue conversation avec le prêtre, lorsqu'il eut fini les deux sermons qu'il fit ce
5   jour-là, l'un en finlandais[1], et l'autre en lapon. Il parlait, heureusement pour nous, [un] assez bon latin, et nous l'interrogeâmes sur toutes les choses qu'il pouvait le mieux connaître, comme sur le baptême, le mariage et les
10   enterrements. Il nous dit, au sujet du premier, que tous les Lapons étaient chrétiens et baptisés ; mais que la plupart ne l'étaient que pour la forme seulement, et qu'ils retenaient tant de choses de leurs anciennes superstitions, qu'on pouvait dire qu'ils n'avaient que le nom de chrétiens, et que leur cœur était encore païen.

15   Les Lapons portent leurs enfants au prêtre pour baptiser, quelque temps après qu'ils sont nés : si c'est en hiver, ils les portent avec eux dans leurs traîneaux ; et si c'est en été, ils les mettent sur des rennes, dans leurs berceaux

Jean-François Regnard

---

[1] La Laponie a longtemps subi l'influence de la Finlande.

pleins de mousse, qui sont faits d'écorces de bouleau [...]. Sitôt que l'enfant est baptisé, le père lui fait ordinairement présent d'une renne femelle, et tout ce qui
20 provient de cette renne, qu'ils appellent *pannikcis*, soit en lait, fromages, et autres denrées, appartient en propre à la fille : et c'est ce qui fait sa richesse lorsqu'elle se marie. Il y en a qui font encore présent à leurs enfants d'une renne lorsqu'ils aperçoivent sa première dent ; et toutes les rennes qui viennent de celle-là sont marquées d'une marque particulière, afin qu'elles puissent être distinguées des
25 autres. Ils changent le nom de baptême aux enfants lorsqu'ils ne sont pas heureux ; et le premier jour de leurs noces, comme tous les autres, ils couchent dans la même cabane, et caressent leurs femmes devant tout le monde.

Il nous dit, touchant le mariage, que les Lapons mariaient leurs filles assez tard, quoiqu'elles ne manquassent pas de partis[2], lorsqu'elles étaient connues
30 dans le pays pour avoir quantité de rennes provenues de celles que leur père leur a données à leur naissance et à leur première dent : car c'est là tout ce qu'elles emportent avec elles ; et le gendre, bien loin de recevoir quelque chose de son beau-père, est obligé d'acheter la fille par des présents. [...]

Lorsque l'amant a jeté les yeux sur quelque fille qu'il veut avoir en mariage,
35 il faut qu'il fasse état[3] d'apporter quantité d'eau-de-vie, lorsqu'il vient faire la demande avec son père ou son plus proche parent. On ne fait point l'amour[4] autrement en ce pays, et on ne conclut jamais de mariage qu'après avoir vidé plusieurs bouteilles d'eau-de-vie et fumé quantité de tabac. Plus un homme est amoureux, plus il apporte de brandevin[5] ; et il ne peut par d'autres marques
40 témoigner plus fortement sa passion. Ils donnent un nom particulier à cette eau-de-vie que l'amant apporte aux accords, et ils l'appellent la bonne arrivée du vin, ou *soubbouvin, le vin des amants*. C'est une coutume chez les Lapons d'accorder leurs filles longtemps avant que de les marier : ils font cela afin que l'amoureux fasse durer ses présents ; et s'il veut venir à bout de son entreprise, il faut qu'il ne
45 cesse point d'arroser son amour de ce breuvage si chéri. Enfin, lorsqu'il a fait les choses honnêtement pendant un an ou deux, quelquefois on conclut le mariage. [...]

J'ai déjà dit que lorsqu'une fille est connue dans le pays pour avoir quantité de rennes, elle ne manque point de partis, mais je ne vous avais pas dit,
50 monsieur, que cette quantité de biens était tout ce qu'ils demandaient dans une fille, sans se mettre en peine si elle était avantagée de la nature, ou non[6] ; si elle avait de l'esprit, ou si elle n'en avait point ; et même si elle était encore pucelle, ou si quelque autre avant eux avait reçu des témoignages de sa tendresse. [...]

Ils lavent leurs enfants dans un chaudron, tous les jours trois fois, jusqu'à ce
55 qu'ils aient un an ; et après, trois fois par semaine. Ils ont peu d'enfants, et il ne s'en trouve presque jamais six dans une famille. Lorsqu'ils viennent au monde, ils les lavent dans de la neige jusqu'à ce qu'ils ne puissent plus respirer, et pour lors[7]

---

[2] même si elles ne manquaient pas de partis, même si elles avaient beaucoup d'amoureux
[3] qu'il soit sûr
[4] la cour
[5] genre de brandy
[6] sans se demander si elle était belle ou non
[7] alors

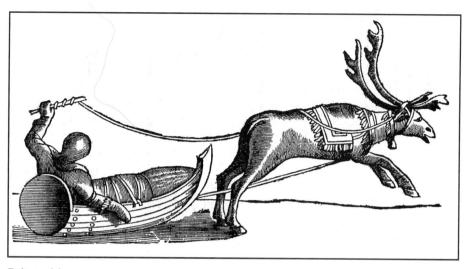

Traîneau tiré par un renne

ils les jettent dans un bain d'eau chaude ; je crois qu'il font cela pour les endurcir au froid. [...]

60   Les maladies [...] sont presque toutes inconnues aux Lapons ; et s'il leur en arrive quelqu'une, la nature est assez forte pour les guérir d'elle-même, et sans l'aide de médecins ils recouvrent bientôt la santé. Ils usent pourtant de quelques remèdes, comme de la *racine de mousse*, qu'ils nomment *jeest*, ou ce qu'on appelle *angélique pierreuse*. La résine qui coule des sapins leur fait des emplâtres, et le

65   fromage de renne est leur onguent divin ; ils s'en servent diversement. Ils ont du fiel de loup qu'ils délaient dans du brandevin avec de la poudre à canon. Lorsque le froid leur a gelé quelque partie du corps, ils étendent le fromage coupé en tranches sur la partie malade, et ils en reçoivent du soulagement. La seconde manière d'employer le fromage, pour les maux extérieurs ou intérieurs,

70   est de faire entrer un fer rouge dans le fromage, qui distille par cette ardeur une espèce d'huile, de laquelle ils se frottent à l'endroit où ils souffrent ; et le remède est toujours suivi d'un succès et d'un effet merveilleux. Il conforte[8] la poitrine, emporte la toux, et est bon pour toutes les contusions ; mais la manière la plus ordinaire pour les plaies plus dangereuses, c'est le feu. Ils s'appliquent un

75   charbon tout rouge sur la blessure et le laissent le plus longtemps qu'ils peuvent, afin qu'il puisse consumer tout ce qu'il y a d'impur dans le mal. Cette coutume est celle des Turcs ; ils ne trouvent point de remède plus souverain.

      Ceux qui sont assez heureux en France, et en d'autres lieux, pour arriver à une extrême vieillesse, sont obligés de souffrir quantité d'incommodités qu'elle

80   traîne avec elle ; mais les Lapons en sont entièrement exempts, et ils ne ressentent pour toute infirmité dans cet état qu'un peu de diminution de leur vigueur ordinaire. On ne saurait même distinguer les vieillards d'avec les jeunes,

---

[8] donne de la force à

et on voit rarement de tête blanche en ce pays : ils retiennent toujours leur même poil[9], qui est ordinairement roux.

Jean-François Regnard, *Voyage en Laponie*, France, Éditions du Griot, 1992, p. 89-98.

Petits Lapons

Georges Fourest (1864-1945) a écrit des poèmes humoristiques.

Tous nos malheurs viennent de ne savoir demeurer enfermés dans une chambre.

Blaise Pascal[10]

Dans leur cahute enfumée
bien soigneusement fermée
les braves petits Lapons
boivent l'huile de poisson !

5   Dehors on entend le vent
pleurer ; les méchants ours blancs
grondent en grinçant des dents
et depuis longtemps est mort
le pâle soleil du Nord !
10   Mais dans la hutte enfumée
bien soigneusement fermée
les braves petits Lapons
boivent l'huile de poisson…

Sans rien dire, ils sont assis,
15   père, mère, aïeul, les six
enfants, le petit dernier
bave en son berceau d'osier[11] ;
leur bon vieux renne au poil roux
les regarde, l'air si doux !

20   Bientôt ils s'endormiront
et demain ils reboiront[12]
la bonne huile de poisson,
et puis se rendormiront
et puis, un jour, ils mourront !
25   Ainsi coulera leur vie
monotone et sans envie…

---

[9] les mêmes cheveux
[10] un des plus grands philosophes français (XVIIe siècle)
[11] Y a-t-il de l'osier en Laponie ? Mystère et botanique. (note de l'auteur)
[12] boiront de nouveau

et plus d'un poète envie
les braves petits Lapons
buveurs d'huile de poisson !

Expressions à retenir

les denrées (l. 21)
le gendre (l. 32)
jeter les yeux sur (l. 34)
manquer de partis / avoir des partis (l. 49)
se mettre en peine (l. 51)
avoir de l'esprit (l. 52)
se servir de (l. 65)
couper en tranches (l. 68)

les ours blancs (v. 6)
grincer des dents (v. 7)

COMPRÉHENSION

D'insolites coutumes

1. En quelle langue la conversation entre les Français et le prêtre a-t-elle eu lieu ?
2. En quoi consistait la richesse d'une mariée ?
3. Quels présents l'amoureux offrait-il au père de la jeune fille de son choix ?
4. Quel était le remède le plus utilisé par les Lapons ?
5. Comment soignait-on les blessures graves ?

Petits Lapons

1. Expliquez, plus simplement, ces vers :
   « et depuis longtemps est mort
   le pâle soleil du Nord. » (v. 8-9)
2. Expliquez le sens de l'adjectif **braves** dans ce contexte.

INTERPRÉTATION

D'insolites coutumes

1. Pourquoi, selon le prêtre, les Lapons n'avaient-ils de chrétien que le nom ?
2. Pourquoi est-ce que le mariage ne suivait pas promptement la demande ?
3. « Ils ont peu d'enfants ». (l. 55) Un auteur contemporain ferait-il la même remarque ? Justifiez votre réponse.
4. Malgré ce que dit Regnard, qu'est-ce qui peut expliquer l'absence de têtes blanches en Laponie ?

Petits Lapons

1. Comment le poète imite-t-il le cri de l'ours blanc ?
2. Trouvez-vous une contradiction entre ce qu'affirme le poète et l'extrait de Regnard ?
3. Quel adjectif, utilisé par l'auteur, résume parfaitement la vie des petits Lapons du poème ?
4. Expliquez le rapport entre la citation de Pascal et la conclusion du poème.

MAÎTRISONS LA LANGUE
D'insolites coutumes

A

1. Remplacez chacune des expressions ci-après par une expression équivalente dans le contexte : a) présent (l. 19) ; b) denrées (l. 21) ; c) propre (l. 21) ; d) leurs noces (l. 26) ; e) avoir en mariage (l. 34) ; f) se mettre en peine (l. 51) ; g) recouvrent (l. 62) ; h) vigueur (l. 82).

2. « ne l'étaient » (l. 11). Quel mot « l' » remplace-t-il ?

3. Quel est le pluriel du nom **mal** ? Trouvez dans le texte deux mots de la même famille que **mal.**

4. Trouvez, dans le texte, trois mots de la même famille que **aimer.**

5. Trouvez dans le texte (l. 1-33), le contraire des expressions suivantes :

   a) chaleur ; b) ils sont morts ; c) mâle ; d) sa pauvreté ; e) leur mort.

6. Dans les deux derniers paragraphes, trouvez le contraire des mots suivants :

   a) jeunes ; b) extérieurs ; c) faiblesse ; d) froid.

7. « Ils lavent leurs enfants trois fois par semaine. » Faites une phrase sur ce modèle en utilisant les mots ci-dessous à la forme voulue :
   elles / un voyage / faire / an / fois / deux.

B

1. « une renne femelle » (l. 19) Quel mot est inutile ici et pourquoi ?

2. **Marier, se marier, épouser**. On utilise souvent mal ces trois verbes. Utilisez chacun de ces termes dans une phrase qui en illustre clairement le sens.

3. Trouvez, dans les deux derniers paragraphes, deux exemples de superlatifs et un exemple de comparatif.

4. **Baptême, baptiser** sont souvent employés au sens figuré. Utilisez chacune des expressions ci-dessous dans une phrase qui en montre le sens :

   a) le baptême de l'air ;
   b) le baptême du feu ;
   c) baptiser le vin.

Petits Lapons

A

1. a) Quel est le sens du préfixe **re-** dans les verbes : reboiront (v. 21),
      se rendormiront (v. 23) ?

   b) Quel est le temps de ces verbes ?

   c) Donnez trois infinitifs où le préfixe **re-** a le même sens.

2. Donnez le contraire de : s'endorment, se rendormiront.

B

1. Trouvez dans le poème, deux mots dont le sens est proche de **cabane.**
2. Quelle est la différence entre « **envie** » (v. 26) et « **envie** » (v. 27) ?

GRAMMAIRE

LE SUBJONCTIF

Remarques générales

1. Le subjonctif est un mode. Il est utilisé dans des propositions subordonnées. Il
   dépend de verbes, parfois sous-entendus, ou de conjonctions exprimant :

   a) le doute ;
   b) l'attente ;
   c) l'émotion ;
   d) la volonté ;
   e) la concession ;
   f) la condition.

2. Le subjonctif peut aussi être utilisé dans des propositions relatives.

3. Le subjonctif est souvent introduit par **que,** mais **que** n'est pas toujours suivi du
   subjonctif.

4. Le subjonctif a quatre temps : **le présent, le passé, l'imparfait** et **le plus-que-
   parfait.** L'imparfait et le plus-que-parfait sont uniquement littéraires et sont
   utilisés de moins en moins, même dans le style soutenu, exception faite de la
   troisième personne du singulier, plus euphonique que les autres personnes. S'il
   n'est pas nécessaire de savoir conjuguer le subjonctif à l'imparfait et au plus-que-
   parfait, il faut savoir reconnaître ces temps, comme c'est le cas pour le passé
   simple (voir l'appendice).

Le subjonctif présent

Forme

C'est un temps simple. On le forme en ajoutant les terminaisons **-e, -es, -e, -ions, -iez, -ent** au radical de la troisième personne du pluriel de l'indicatif présent.

aimer (ils aim-ent)	finir (ils finiss-ent)	vendre (ils vend-ent)
que j'aim-**e**	que je finiss-**e**	que je vend-**e**
que tu aim-**es**	que tu finiss-**es**	que tu vend-**es**
qu'il/elle/on aim-**e**	qu'il/elle/on finiss-**e**	qu'il/elle/on vend-**e**
que nous aim-**ions**	que nous finiss-**ions**	que nous vend-**ions**
que vous aim-**iez**	que vous finiss-**iez**	que vous vend-**iez**
qu'ils/elles aim-**ent**	qu'ils/elles finiss-**ent**	qu'ils/elles vend-**ent**

Remarque 1

La première et la deuxième personnes du pluriel sont identiques à celles de l'imparfait de l'indicatif.

Remarque 2

Seuls neuf verbes font exception à la règle et ont des subjonctifs irréguliers. Ce sont : **aller, avoir, être, faire, falloir, pleuvoir, pouvoir, savoir, vouloir** (voir l'appendice).

Le subjonctif passé

Forme

C'est un temps composé du subjonctif de l'auxiliaire **avoir** ou **être + du participe passé** du verbe. L'accord du participe passé se fait selon les règles habituelles (voir les chapitres 2 et 3).

dire	aller	se laver (verbe pronominal)
que j'aie dit	que je sois allé(e)	que je me sois lavé(e)
que tu aies dit	que tu sois allé(e)	que tu te sois lavé(e)
qu'il/elle/on ait dit	qu'il/elle/on soit allé(e)	qu'il/elle/on se soit lavé(e)
que nous ayons dit	que nous soyons allé(e)s	que nous nous soyons lavé(e)s
que vous ayez dit	que vous soyez allé(s), allée(s)	que vous vous soyez lavé(s), lavée(s)
qu'ils/elles aient dit	qu'ils/elles soient allé(e)s	qu'ils/ elles se soient lavé(e)s

Emplois

Le subjonctif est employé après des verbes qui expriment la nécessité. **Falloir** et ses synonymes, les expressions **il est nécessaire, il est essentiel,** etc., sont suivis du subjonctif.

> **Il faut qu'**il **soit** sûr d'apporter quantité d'eau-de-vie.
> **Il est nécessaire qu'**il ne **cesse** pas d'arroser son amour de ce breuvage.

Remarque

Le subjonctif est parfois utilisé comme impératif, aux personnes qui n'existent pas à l'impératif. Dans ce cas, le subjonctif dépend d'un verbe sous-entendu, par exemple, **il faut que.**

> **Qu'il donne** des rennes à sa fille !
> **Que je sois** punie si je mens !

Le subjonctif après certaines conjonctions

Une **conjonction**, comme son nom l'indique, est un mot qui sert à joindre deux mots ou deux groupes de mots. Une locution conjonctive est formée de plusieurs mots et joue le même rôle que la conjonction[13].

Le subjonctif est utilisé après des conjonctions exprimant :

a) l'attente (**avant que, jusqu'à ce que, en attendant que**) ;

> Ils lavent leurs enfants dans de la neige **jusqu'à ce qu'**ils ne **puissent** plus respirer.
> **Avant que** le mariage **ait lieu,** ils boivent beaucoup d'eau-de-vie.

Remarque 1

Après que est suivi de l'indicatif. Il n'indique pas l'attente.

> **Après que** le père **a reçu** beaucoup de cadeaux, on marie les jeunes.
> Les Lapons portent leurs enfants au prêtre quelque temps **après qu'**ils **sont nés.**

---

b) le but (**pour que, afin que, de sorte que,** etc.) ;

> Ils font cela **afin que** l'amoureux **fasse** durer ses présents.
> Ils s'appliquent un charbon tout rouge sur la blessure **pour qu'**il **puisse** consumer ce qu'il y a d'impur dans le mal.

c) la crainte (**de crainte que, de peur que**) ;

> **De crainte que** la fille (**n'**) **ait** d'autres amoureux, le jeune homme va immédiatement voir le père.

---

[13] Nous utilisons **conjonction** pour simplifier.

Remarque 2

Avec **avant que, de crainte que,** etc., un **ne** explétif (ou pléonastique) peut précéder le subjonctif. Il ne change rien au sens de la phrase et son emploi est facultatif.

d) la concession (**quoique, bien que, malgré que, sans que**) ;

> Les Lapons marient leurs filles tard **quoiqu**'elles ne **manquent** pas de partis si elles ont des rennes.
> On voit des gens arrivés à une extrême vieillesse, **sans qu**'ils **aient** les cheveux blancs.

e) la condition (**à condition que, pourvu que**).

> Il apportera des cadeaux, **à condition que** la fille **veuille** bien l'épouser.
> **Pourvu qu**'elle **ait** des rennes, elle trouvera des amoureux.

Remarque 3

Pourvu que, dans une proposition indépendante a le sens de **espérons que.**

> **Pourvu que** sa blessure **guérisse !**

Remarque 4

Le subjonctif présent a un sens présent ou futur. Il est employé lorsque l'action (ou l'état) de la proposition principale et celle de la proposition subordonnée sont simultanées ou lorsque l'action de la principale précède celle de la subordonnée.

> Il faut qu'il **apporte** des cadeaux à son futur beau-père. (**simultanéité**)
> Êtes-vous sûre (**maintenant**) qu'on **puisse** guérir la plaie ? (**à l'avenir**)
> (action de la principale antérieure à celle de la subordonnée)

Remarque 5

Si l'action de la proposition subordonnée (c'est-à-dire celle qui contient le subjonctif), a précédé l'action de la proposition principale, on emploie le subjonctif passé.

> Le jeune homme désire se marier. Il faut qu'il **donne** beaucoup d'eau-de-vie au père de la jeune fille. (**il donnera, à l'avenir**)
> Le père a donné son consentement. Il faut que le jeune homme lui **ait fait** cadeau de beaucoup d'eau-de-vie. (**il lui a fait cadeau d'eau-de-vie dans le passé**)

La concordance des temps

Lorsque le temps de la proposition principale est au passé ou au conditionnel, il faudrait utiliser un **subjonctif imparfait** ou **plus-que-parfait** dans la subordonnée. Les auteurs des siècles passés respectaient cette règle. De nos jours, on n'utilise presque plus ces temps peu mélodieux (voir « Une pointe d'humour »), sauf à la troisième personne du singulier dans des ouvrages littéraires. On préfère ne pas respecter la règle ou éviter le subjonctif. (Voir le chapitre 18.)

> On leur **donnait** des rennes afin qu'elles ne **manquassent** pas de partis. (correct, mais démodé)
> On leur **donnait** des rennes afin qu'elles ne **manquent** pas de partis. (langage courant, incorrect, mais accepté)
> On leur **donnait** des rennes ; ainsi, elles ne **manquaient** pas de partis. (clair et correct)

APPLICATION

1. Remplacez le verbe **devoir** par **il faut que.**

   Modèle :   Vous ne devez pas boire d'eau-de-vie.
   Il ne faut pas que vous buviez d'eau-de-vie.

   a) Nous devons laver les enfants trois fois par jour.
   b) Elle doit avoir une grande quantité de rennes pour attirer des prétendants.
   c) Les Lapons doivent porter leurs enfants au prêtre.
   d) En Laponie, on doit se servir de les berceaux d'écorces de bouleau.
   e) Le père doit faire présent d'une renne à sa fille.
   f) L'amoureux doit-il acheter de l'eau-de-vie ?
   g) Le père et l'amoureux doivent boire ensemble.
   h) Vous ne devez pas prendre froid.
   i) Dois-tu manger beaucoup de fromage ?
   j) Je ne dois pas dormir trop longtemps si je veux arriver à l'heure.

2. Mettez l'infinitif à la forme voulue.

   a) Pour que les enfants (jouir) d'une bonne santé, on les baigne trois fois par jour jusqu'à ce qu'ils (avoir) un an.
   b) Afin que les malades (se rétablir) vite, on leur donne de l'huile de poisson.
   c) Les petits Lapons resteront dans leur hutte jusqu'à ce que la tempête (finir).
   d) Il n'est pas nécessaire que vous (aller) voir le médecin, mais il faut qu'on (mettre) un fer chaud sur la blessure.
   e) Il faut qu'on (fermer) la hutte soigneusement de peur que les ours (pouvoir) y entrer.
   f) Jusqu'à ce qu'ils (devenir) très vieux, ils n'ont pas de cheveux blancs.
   g) Bien que le père (offrir) déjà beaucoup de rennes à sa fille, elle n'a pas de prétendants.
   h) Il ne mariera pas sa fille jusqu'à ce qu'il (ruiner) complètement son futur gendre.

3. Mettez les infinitifs à la forme voulue.

   a) Quoiqu'il (neiger) sur les montagnes hier, il ne fait pas froid aujourd'hui.

   b) Comme ils sont chrétiens, il faut que leurs enfants (être) baptisés.

   c) Pourvu que son père lui (faire) cadeau de rennes fertiles, la jeune fille finira par avoir un beau troupeau.

   d) Quoiqu'elle (ne pas être) jolie, elle a beaucoup d'amoureux.

   e) À condition que vous (posséder) des rennes, la vie n'est pas désagréable en Laponie.

   f) Savez-vous si elle (recevoir) des témoignages de sa tendresse ?

   g) Il faut plonger les enfants dans la neige jusqu'à ce qu'ils (ne pas pouvoir) respirer.

   h) Elle ne s'occupe pas de son renne. Pourvu qu'il (ne pas mourir) !

   i) Il est essentiel que vous (laisser) le charbon rouge sur la plaie le plus longtemps possible.

   j) Bien qu'on (appliquer) hier un charbon rouge sur la blessure, elle ne guérit pas.

   k) Après qu'on (frotter) de l'huile sur sa poitrine, le malade peut dormir.

   l) Pour qu'ils (demeurer) si actifs, il faut qu'ils (être) en bonne santé.

   m) On donne de l'huile de poisson aux enfants de crainte qu'ils (attraper) des rhumes.

   n) On marque les rennes d'un signe particulier afin qu'elles (pouvoir) être distinguées des autres.

   o) La malade a guéri sans que le médecin (être) obligé d'intervenir.

4. Mettez l'infinitif à la forme voulue.

Quand les Lapons sont malades, comme ils (avoir) d'excellents remèdes sous la main, il n'est pas nécessaire qu'ils (aller) voir un médecin. Par exemple, lorsque le froid leur (geler) le pied, pour qu'il (guérir) vite, ils y (appliquer) du fromage de renne coupé en tranches. S'il (s'agir) d'une blessure grave, il faut qu'on (se servir) d'une autre méthode. On (introduire) un fer rouge dans le fromage jusqu'à ce qu'il (fondre) et (former) une huile. Il faut alors qu'on en (frotter) l'endroit malade et l'effet, nous dit Regnard, est immédiat. Parfois, sur une blessure grave, on applique un fer rouge. À condition qu'on le (laisser) assez longtemps sur la plaie, le blessé guérira.

5. Mettez les infinitifs à la forme voulue (subjonctif présent ou passé, passé composé).

Dans la Laponie que décrit Regnard, il n'est pas nécessaire qu'une jeune fille (être) belle ni intelligente pour qu'elle (avoir) beaucoup d'amoureux, mais il faut qu'elle (posséder) un grand nombre de rennes. Il faut, qu'à sa naissance, elle (recevoir) une renne très fertile, car c'est de cette renne que provient tout le troupeau.

    Quand un jeune homme a vu celle qu'il désire épouser, de crainte que d'autres (faire) le même choix, il est essentiel qu'il (aller) immédiatement voir le père. Avant que celui-ci (accorder) son consentement, il faut que l'amoureux lui (rendre) de nombreuses visites. Le jeune homme est toujours bienvenu, à condition qu'il (faire) cadeau d'une grande quantité d'eau-de-vie et de tabac à son futur beau-père. Parfois, l'amoureux dépense une petite fortune avant que le vieux (consentir) au mariage.

Après que le mariage (avoir lieu), le père ne reçoit plus de cadeaux jusqu'à ce qu'un autre jeune homme (venir) lui demander une de ses autres filles en mariage. Pourvu que sa famille (être) nombreuse et qu'il (avoir) assez de filles, le père ne manque jamais d'eau-de-vie. Il fait froid en Laponie et il faut qu'on (boire) de l'alcool pour se réchauffer.

LES ADJECTIFS ET LES PRONOMS DÉMONSTRATIFS

Forme

	Masculin singulier	Féminin singulier	Masculin pluriel	Féminin pluriel
Adjectifs	ce + consonne cet + voyelle ou **h** muet	cette	ces	ces
Pronoms	celui celui-ci celui-là	celle celle-ci celle-là	ceux ceux-ci ceux-là	celles celles-ci celles-là
Pronoms invariables	ce, c' + voyelle ou **h** muet ceci, cela (ça : langue parlée)			

Adjectifs démonstratifs

1. Comme leur nom l'indique, les adjectifs démonstratifs servent à désigner une personne ou une chose.

   ce pays   **cet** état (voyelle)   **cette** quantité
   ce hibou (**h** aspiré) **cet** homme (**h** muet)   **ces** Lapons, **ces** filles

2. Pour marquer la distinction entre deux (ou plusieurs) personnes ou objets, on ajoute **-ci**, **-là** après le nom ; **-ci** s'applique à la personne ou à l'objet le plus proche.

   Cette fille-ci est plus pauvre que **ces filles-là.**

Pronoms démonstratifs variables

1. **Celui, celle, ceux, celles** sont utilisés devant une préposition — souvent **de** — ou devant une proposition relative.

   Cette coutume est **celle des** Turcs.
   Ceux qui arrivent à une extrême vieillesse sont exceptionnels.
   Celle à qui nous parlons est Lapone.

2. Les formes avec **-ci** et **-là** sont utilisées lorsque le pronom n'est pas suivi d'une expression marquant la possession ni d'une proposition relative.

> Préférez-vous cette jeune fille-ci à **celle-là ?**
> **Ceux-ci** sont plus malades que **ceux-là.**
> **Mais : Ceux-ci** sont plus malades que **ceux** <u>du village voisin.</u>
> Préférez-vous cette jeune fille à **celle** <u>qui possède deux rennes</u> ?

3. **-ci et -là** après le pronom démonstratif, renvoient respectivement au dernier objet mentionné **(celui-ci = le dernier)** et au premier objet mentionné **(celui-là = le premier).**

> De ces deux écrivains, Poulin et Regnard, **celui-ci** est français, **celui-là** est canadien.

Remarque

Pour renvoyer au premier objet mentionné, on peut également utiliser **ce dernier.**

> De ces deux écrivains, Poulin et Regnard, **ce dernier** est français.

Pronoms démonstratifs invariables

1. En général, **ceci** annonce une idée qui va être exprimée ; **cela** (**ça,** forme familière) renvoie à une idée déjà exprimée.

> L'auteur nous dit **ceci** : les maladies sont presque inconnues en Laponie. Elle boit de l'huile de poisson. Elle croit que **cela** lui est d'un secours considérable.

2. Le pronom **ce** est utilisé comme antécédent d'un relatif quand il n'y a pas d'antécédent exprimé. Il a le sens de **la chose.**

> Les rennes sont **ce qui** fait sa richesse. (ce = la chose)
> Voilà **ce que** vous admirerez. (ce = la chose)[14]

3. **Ce** est inséré entre **tout,** pronom, et le pronom relatif qui suit.[15]

> Le fromage de renne est **tout ce dont** ils se servent.

4. Lorsque le verbe **être** est suivi d'un nom propre, d'un nom précédé d'un article ou d'un adjectif, d'un pronom ou d'un adverbe, **ce** ou **c'** sont utilisés comme sujets.

> **C'est Pierre.**
> **C'est une coutume** chez les Lapons.
> **C'est une excellente idée !**

---

[14] Pour **ce** + **être** voir le chapitre 20.
[15] Pour **tout** + **relatif** voir le chapitre 15.

Ce sont eux qui viendront.
C'était très bien.

5. **Ce (c'),** toujours masculin, est employé devant **être** pour répéter ou annoncer une idée.

Avoir beaucoup de rennes, **c'est** un avantage pour une fille.
Le remède le plus ordinaire, **(c') est** le feu.
Cette eau-de-vie, **c'est** vraiment **délicieux.**
Mais : Cette eau-de-vie **est** vraiment **délicieuse.**

Remarque

Ça est utilisé au lieu de **cela** dans le langage parlé.

Il doit apporter de l'eau de vie : dites-lui bien **ça (cela).**

APPLICATION

1. Complétez les phrases par l'**adjectif démonstratif** qui convient, avec **-ci** et **-là** si c'est nécessaire.

   a) _____ cabane est plus confortable que _____ cabane.
   b) Dans _____ état, il ne peut pas voyager.
   c) _____ rennes appartiennent à _____ jeune fille.
   d) _____ quantité de biens est tout ce que _____ gens demandent.
   e) Dans _____ pays, on boit de l'eau-de-vie.
   f) Ils lavent _____ enfants trois fois par jour et _____ enfants trois fois par semaine.
   g) Buvez un coup de _____ huile de poisson.
   h) _____ fromage et _____ emplâtres sont des remèdes efficaces.
   i) _____ Lapon est chrétien, mais _____ Lapon ne l'est pas.
   j) _____ berceau est fait d'écorces de bouleau et _____ berceau est en osier.

2. Complétez les phrases par le **pronom démonstratif** qui convient, avec **-ci** et **-là** si c'est nécessaire.

   a) Les deux jeunes filles lui plaisent, mais il demande en mariage _____ qui a plusieurs rennes.
   b) _____ lave son enfant deux fois par semaine, _____ trois fois par mois.
   c) Dans le pays, _____ qui ont quantité de rennes ont quantité d'amoureux.
   d) Ces animaux, _____ est tout _____ qu'elles emportent.
   e) Elle mange beaucoup de fromage et croit que _____ la conserve en bonne santé.

f) Accorder sa fille longtemps avant de la marier, _____ est une coutume chez les Lapons.

g) Dites-vous bien _____ : les vieillards souffrent presque toujours d'incommodités.

h) Regnard déclare que les Lapons sont exempts d'incommodités ; _____ , je ne le crois pas.

i) Le remède le plus souvent utilisé, _____ est le feu.

j) L'huile de poisson, _____ est _____ que boivent les petits Lapons.

3. Complétez les phrases par le démonstratif qui convient, adjectif ou pronom.

> **Modèle :** _____ qui habitent en France souffrent d'incommodités.
> **Ceux** qui habitent en France souffrent d'incommodités.
> Je préfère _____ maison à _____ .
> Je préfère **cette maison-ci** à **celle-là**.

a) Ils transportent leurs enfants dans des traîneaux ; _____ sont faits d'écorce de bouleau.

b) _____ vie monotone est _____ des petits Lapons.

c) _____ que vous voyez est un vieillard.

d) Regnard et Fourest sont deux écrivains : _____ est poète, _____ est dramaturge.

e) _____ qui fait sa richesse, ce sont les rennes.

f) Un bain d'eau froide, je n'aime pas _____ !

g) Écoutez bien _____ : _____ fromage de renne est bon pour la santé.

h) _____ pilules sont chères ; le malade préfère _____ .

i) Les Lapons guérissent sans l'aide des médecins ; ils trouvent que _____ sont inutiles.

j) Tout _____ qui provient de la renne appartient à _____ fille.

DEVOIRS ÉCRITS / TRAVAIL ORAL

A. COMPOSITION GUIDÉE

Trouvez, dans les deux passages, des facteurs qui expliquent, en partie, la bonne santé et la longévité des Lapons. À votre avis, y a-t-il d'autres facteurs qui peuvent jouer un rôle ?

1. Selon vous, comment faut-il vivre pour avoir une bonne santé ?

2. Qu'est-ce que les Lapons mangent ?

3. Qu'est-ce qu'ils boivent ?

4. Est-ce que leur régime contribue à leur bonne santé ?

5. Quel est le mode de vie des Lapons ? Quelles sont leurs occupations ?

6. Est-ce que ces activités peuvent influencer l'état de santé ?

B. COMPOSITION LIBRE / TRAVAIL ORAL

1. Que pensez-vous de l'attitude des Lapons envers le mariage ?

2. Regnard décrit la Laponie du XVIIe siècle. Vous vous documenterez sur la vie en Laponie de nos jours et communiquerez les résultats de vos recherches à la classe.

DIALOGUES

1. Inventez un dialogue, humoristique si possible, entre un(e) patient(e) et son médecin.

Quelques expressions utiles

se plaindre	to complain
avoir mal à la tête, à l'estomac, au ventre, aux pieds	to have a headache, stomach pains, lower stomach pains, sore feet
avoir un rhume, être enrhumé	to have a cold
avoir de la fièvre	to have a temperature
ausculter, examiner	to examine (a patient)
donner une ordonnance	to give a prescription
prendre des pilules	to take pills
faire un régime	to go on a diet

2. Vous avez un(e) ami(e) qui aime un peu trop manger. Vous essayez de lui donner des conseils. Il / Elle vous accuse d'être anorexique. Imaginez la conversation.

Quelques expressions utiles

la bonne chère	good food
perdre du poids, maigrir	to lose weight
surveiller son poids	to watch one's weight
faire de l'exercice	to exercise
faire de l'haltérophilie	to lift weights
faire de la marche	to go walking
aller à pied	to walk
éviter les sucreries	to avoid sweet things
des aliments sans valeur nutritive/ des cochonneries	junk food
garder la ligne	to keep a good figure
un patapouf (très familier)	a fatso

UNE POINTE D'HUMOUR

QUELQUES RÉFLEXIONS SUR LA SANTÉ ET LE MARIAGE

- « Les gens sains sont des malades qui s'ignorent[16]. »

    Jules Romains

- « Presque tous les hommes meurent de leurs remèdes, et non pas de leurs maladies. »

    Molière

- « Nous avons tous assez de force pour supporter les maux d'autrui. »

    La Rochefoucauld

- « J'affirme avoir entendu, entre un malade et son médecin, le bref et éloquent dialogue dont je rapporte ci-dessous les termes.
    — Plus de tabac !
    — Je ne fume jamais.
    — Plus d'alcool !
    — Je n'en ai jamais pris.
    — Plus de vin !
    — Je ne bois que de l'eau.
    — Aimez-vous les pommes de terre frites ?
    — Beaucoup, docteur.
    — Alors, n'en mangez plus. »

    Courteline

Voici un poème d'Alphonse Allais, humoriste français. L'humour réside, en grande partie, dans l'écart entre le sentiment amoureux et le son discordant des passés simples et des subjonctifs imparfaits.

COMPLAINTE AMOUREUSE

Oui, dès l'instant où je vous vis,
Beauté féroce, vous me plûtes ;
De l'amour qu'en vos yeux je pris,
Sur-le-champ, vous vous aperçûtes.
Mais de quel air froid vous reçûtes
Tous les soins que pour vous je pris !
Combien de soupirs je rendis ?
De quelle cruauté vous fûtes ?
Et quel profond dédain vous eûtes

---

[16] ne savent pas qu'ils sont malades.

Pour les vœux que je vous offris !
En vain, je priai, je gémis,
Dans votre dureté vous sûtes
Mépriser tout ce que je fis ;
Même un jour je vous écrivis
Un billet tendre que vous lûtes,
Et je ne sais comment vous pûtes,
De sang-froid, voir ce que je mis.
Ah ! fallait-il que je vous visse,
Fallait-il que vous me plussiez,
Qu'ingénument je vous le disse,
Qu'avec orgueil vous vous tussiez ;
Fallait-il que je vous aimasse,
Que vous me désespérassiez
Et qu'en vain je m'opiniâtrasse
Et que je vous idolâtrasse
Pour que vous m'assassinassiez !

Alphonse Allais, *Les Pensées,* Paris, Le cherche midi éditeur, 1987, p. 66.

Chapitre 18

L'Europe
La Russie

Aspects grammaticaux étudiés :

- Le subjonctif (suite)
    Le subjonctif dans les propositions relatives
    Le subjonctif après quelques locutions
    Pour éviter le subjonctif

Système politique : République
Population : 150 000 000
Capitale : Moscou
Langue officielle : Russe
Monnaie : Rouble

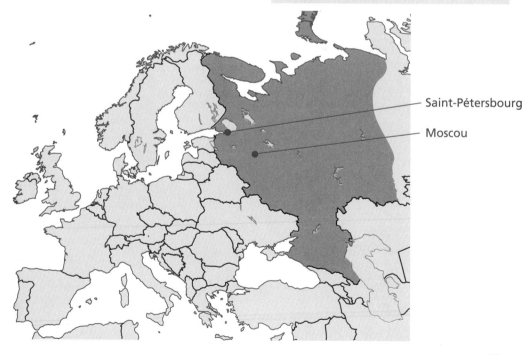

Saint-Pétersbourg

Moscou

La Russie, située en Asie et en Europe orientale, est le pays le plus étendu du monde. Elle a été gouvernée par des tsars pendant plus de quatre siècles. La révolution d'octobre 1917 a instauré le régime communiste et l'Empire russe est bientôt devenu l'U.R.S.S. (l'Union des républiques socialistes soviétiques) comprenant 16 républiques autonomes.

En 1990, des amendements constitutionnels ont établi un régime présidentiel, la pluralité des partis et le droit à la propriété privée. Les Républiques ayant proclamé leur indépendance, l'U.R.S.S. a cessé d'exister en 1991.

Jacques-François-Anselme Ancelot (1794-1854) est surtout connu comme dramaturge. Toutefois, en 1826, il a fait un voyage en Russie et a consigné ses souvenirs dans un journal intitulé « Six mois en Russie ».

PRÉ-LECTURE

Le peuple russe n'a guère connu la liberté. À l'époque où Ancelot visite la Russie, les paysans sont de véritables esclaves, attachés à la terre de leur seigneur. Pourtant, même à cette époque, grâce à Catherine II, la Russie possède des œuvres d'art de tous les pays d'Europe. Ces trésors se trouvent maintenant à Saint-Pétersbourg, à l'Ermitage, un des plus beaux musées du monde.

Si un oncle riche et généreux vous payait le voyage en Russie, quel serait votre itinéraire ? Pourquoi choisiriez-vous de visiter certains endroits plutôt que d'autres ?

Serfs ou bourgeois ?

Mai 1826

Personne n'ignore, mon cher Xavier[1], que le peuple russe est le plus superstitieux des peuples ; mais si l'on n'en a été le témoin, on ne peut se figurer jusqu'où est porté son attachement aux plus minutieuses pratiques d'une dévotion extérieure. Un Russe (je parle des classes inférieures) ne passe point
5   devant une église, devant une image, sans s'arrêter, ôter son chapeau, et faire une douzaine de <u>signes de croix</u>[2] ; et qu'on ne s'imagine pas que cette dévotion tourne au profit de la morale publique ! Il n'est pas rare d'entendre dans une église un homme remerciant <u>saint Nicolas</u>[3] d'avoir bien voulu lui offrir une occasion de voler sans être aperçu. Voici un fait qui m'a été raconté par une
10   personne <u>digne de foi</u>[4]. Un paysan russe avait égorgé une femme et sa fille, pour les dépouiller ; il est traduit devant le juge, qui lui demande s'il observait les préceptes de la religion, et s'il ne mangeait pas de la viande durant le carême.

---

[1] Ancelot écrit à un ami, Xavier Saintine.
[2] gestes imitant la forme de la croix, emblème des chrétiens
[3] le saint patron de la Russie
[4] que l'on peut croire

À ces mots, le meurtrier s'indigne d'un pareil soupçon ; il <u>signe son front</u>[5], et s'étonne que son juge ait pu le croire capable de commettre un pareil crime.

15   Il serait naturel de penser que ces hommes, si scrupuleux en matière de religion, professent un profond respect pour les ministres de leur culte : on se tromperait. Par une contradiction que je ne saurais expliquer, une influence funeste est attribuée par le peuple à la rencontre fortuite d'un prêtre, d'un moine, ou d'une religieuse ; et ce n'est qu'en prenant le soin de cracher trois fois
20   par-dessus son épaule gauche, qu'un paysan russe peut conjurer les malheurs que l'aspect d'un prêtre doit nécessairement amener pour lui, durant toute la journée. Ce que j'avance là, je l'ai vu. [...]

Juin 1826

La nation russe est formée de paysans esclaves, de paysans affranchis, de marchands et de nobles.

25   Le paysan esclave est attaché à la glèbe : on le vend en même temps que la terre ; quelquefois on vend les hommes individuellement ; mais le gouvernement ne favorise pas ces sortes de marchés qui, en arrachant le paysan au sol qui l'a vu naître, au village où se sont concentrées toutes ses affections, lui enlèvent la seule consolation que lui ait laissée la servitude. Le seigneur a deux moyens de faire
30   fructifier sa terre : ou il la livre à ses paysans pour la fertiliser, en leur imposant une redevance qu'ils paient par tête, ou il exige d'eux trois jours de travail par semaine, dans une portion de la terre dont tous les produits lui appartiennent ; et pendant les trois autres jours, le serf cultive pour lui une portion de terre calculée pour qu'elle suffise à sa nourriture et à celle de sa famille. Toutes les fois
35   que le seigneur possède des champs productifs, les paysans sont employés au labour ; mais si la nature du sol se refuse à la culture, le propriétaire donne des congés à ses esclaves ; il leur permet d'exercer, dans les villes ou dans les villages, une industrie quelconque, à la charge de lui payer une certaine somme par année. Les fruits de cette industrie sont souvent assez considérables pour enrichir
40   les esclaves ; et alors tous leurs efforts tendent à reconquérir la liberté, qui leur est vendue par leur maître ; quand ils ont obtenu cette faveur, ils entrent dans la classe des paysans affranchis. Les serfs, quelle que soit la fortune qu'ils doivent à leur industrie, ne peuvent posséder en leur nom des terres et des paysans ; ils en achètent cependant, mais l'acquisition est faite sous le nom de leur seigneur,
45   dont la bonne foi est la seule garantie qu'ils puissent opposer à une usurpation. Il est presque sans exemple, <u>au reste</u>[6], que les seigneurs, profitant des avantages que leur donne cette possession simulée, aient dépouillé leurs esclaves des fruits de leur travail. N'est-ce pas un étrange spectacle, mon cher Xavier, que celui de ces hommes à la fois serfs et despotes ? [...]
50   On répète sans cesse, mon cher Xavier, et j'ai avancé moi-même qu'en Russie il n'existe que deux classes, les maîtres et les esclaves ; et pourtant cette assertion n'est pas rigoureusement vraie ; un état intermédiaire remplit, <u>tant bien</u>

---

[5] fait le signe de la croix
[6] d'ailleurs

Catherine II de Russie

que mal[7], l'espace immense qui sépare l'homme qui peut tout de celui qui ne

55 peut rien ; et si cette classe n'est ni assez nombreuse, ni assez considérée pour qu'on l'aperçoive au premier coup d'œil, un regard attentif la fait découvrir. L'impératrice Catherine, dans

60 l'intention de former un tiers-état[8] en Russie, déclara par un oukase[9] que tout paysan de la couronne[10] ayant un pécule suffisant pour exercer une branche d'industrie pourrait quitter son

65 village, aller s'établir dans une ville, et s'y faire inscrire sous le titre de *mechechénine* (bourgeois) ; la même faculté ayant été accordée aux affranchis des nobles, le nombre des *mechechénines*

70 s'accroît tous les jours. Viennent ensuite les trois classes de marchands, nommées première, deuxième et troisième *ghildes* ; c'est le prix de la patente qui assigne au marchand son rang dans l'une de ces

75 classes. La première ghilde jouit à peu près des mêmes privilèges que la noblesse ; il lui est permis de posséder des terres et des esclaves, tandis que les deux autres ne peuvent acheter que des maisons ou des biens sans paysans ; c'est là que s'arrêtent aussi les droits des *mechechénines*. Ceux-ci sont obligés de fournir des recrues à l'armée, et de les présenter en nature ; mais les marchands, en payant

80 une certaine somme au gouvernement, sont affranchis du service effectif.

Il n'est pas rare de rencontrer, en Russie, des g*entilshommes*[11] dont les pères sont encore esclaves ; et voici comment s'explique cette bizarrerie. Par la protection d'un seigneur, l'enfant d'un paysan peut être placé dans une école militaire ; il y fait son éducation, en sort comme *enseigne*[12], entre au service, et le

85 voilà noble. Ce qui peut paraître singulier, c'est qu'en lui adressant la parole ou en lui écrivant, on est obligé de lui dire : *Vaché blahorodio,* c'est-à-dire, *vous qui êtes d'une race noble* ; et pendant ce compliment on administre peut-être des coups de knout[13] à la souche de cette noble race.

Bien que les privilèges de la première ghilde de marchands soient assez

90 étendus, comme tu as pu le voir, mon ami, et sembleraient devoir les rapprocher

---

[7] plus ou moins
[8] une troisième classe, en dehors de la noblesse et du clergé
[9] édit du tsar ou, dans ce cas, de la tsarine
[10] ils cultivaient les terres appartenant au domaine impérial et n'étaient pas attachés à la terre
[11] en italique dans le texte
[12] sorte de sous-officier
[13] instrument de torture russe : fouet en lanières de cuir terminées par des crochets ou des boules de métal

de la noblesse, il n'en existe pas moins une distance immense entre ces deux classes. L'éducation, les habitudes, le costume même des marchands, qui n'ont point encore renoncé à la longue barbe, enfin l'orgueil de l'aristocratie, tout les sépare. […]

95   Les magasins à prix fixes sont fort rares ici, et l'acheteur doit se tenir en garde contre l'impudente exagération des prix ; il faut, s'il veut être moins trompé, qu'il offre d'abord le tiers, tout au plus, de la somme qu'on lui demande. Il m'est arrivé d'obtenir pour 55 roubles un objet que le marchand ne pouvait pas, disait-il, me donner à moins de 125.

Jacques-François-Anselme Ancelot, « Six mois en Russie », *Œuvres complètes,* Paris, Adolphe Delahays Librairie, 1855, p. 505-512. (extraits)

Expressions à retenir

en être témoin (l. 2)
offrir une occasion (l. 8-9)
digne de foi (l. 10)
donner des congés (l. 36-37)
dépouiller (l. 47)
à la fois (l. 49)
tant bien que mal (l. 52-53)
au premier coup d'œil (l. 57)
s'établir (l. 65)
s'inscrire (l. 66)
des biens (l. 77)
à prix fixes (l. 95)

COMPRÉHENSION

1. Comment le Russe conjurait-il le mauvais sort quand il avait vu un prêtre ?
2. Dans quelles circonstances le paysan esclave était-il parfois arraché à son village natal ?
3. Comment un serf affranchi pouvait-il se procurer des terres et des serfs ?
4. Quel est « l'homme qui peut tout » (l. 54) ?
5. Quel était le privilège de la noblesse que partageaient aussi les marchands de la première *ghilde* ?
6. Comment les marchands pouvaient-ils éviter le service militaire ?
7. Qu'est-ce qui continuait à séparer la noblesse de la première *ghilde* de marchands ?
8. Que devait faire le client dans un magasin en Russie ?

INTERPRÉTATION

1. Selon Ancelot, qu'était-ce que la religion pour beaucoup de Russes ?
2. Quels adjectifs l'auteur utilise-t-il pour décrire l'attitude du peuple russe envers sa religion ?

3. Expliquez, en vos propres mots, les deux façons dont le seigneur tirait un revenu de sa terre ?

4. Comment un serf pouvait-il reconquérir sa liberté ?

5. Comment le fils d'un paysan pouvait-il devenir noble ?

6. Pourquoi le mot *gentilshommes* (l. 81) est-il en italique ?

MAÎTRISONS LA LANGUE

A

1. Trouvez, dans le texte (l. 10-34), les synonymes des mots suivants :

   a) tué ; b) l'assassin ; c) néfaste ; d) inattendue ; e) inévitablement ; f) parfois ; g) produire ; h) payement.

2. Trouvez, dans le texte, un homonyme de **foi.**
   Donnez un autre homonyme de ce mot et utilisez-le dans une phrase qui en illustre le sens.

3. Trouvez, dans le texte, un mot de la même famille que : a) riche ; b) fruit.

4. Relevez, dans le texte, les expressions qui ont trait au vol.

B

1. Donnez trois homonymes de **saint.** Utilisez chacun de ces homonymes dans une phrase qui en illustre le sens.

2. Donnez :

   a) cinq mots de la même famille que **serf ;**

   b) quatre mots de la même famille que : étonner ; ministre ; digne.

3. Trouvez (l. 23-55) trois paires d'antonymes.

4. 33,3 % = (un) tiers. Qu'est-ce que 50 %, 25 %, 10 % ?

5. Le mot **foi** revient deux fois dans le texte. Faites une phrase avec chacune des expressions qui suivent :

   a) avoir la foi ;

   b) être digne de foi ;

   c) avoir foi en (quelqu'un, quelque chose) ;

   d) être de bonne (mauvaise) foi ;

   e) en toute bonne foi ;

   f) ma foi.

GRAMMAIRE

LE SUBJONCTIF (SUITE)

Emplois

Le subjonctif est utilisé :

a) après les verbes et les expressions marquant **une émotion** tels que : **craindre, avoir peur, aimer, préférer, être heureux (triste, malheureux), s'étonner, regretter, il est honteux,** etc. ;

> Cette femme **est contente que** ses champs **soient** fertiles.
> Ce seigneur **regrette que** tous ses serfs **aient obtenu** leur liberté.
> Il **est honteux qu'**on **ait gardé** des êtres humains en esclavage.
> Il **s'étonne que** le juge **ait pu** le croire capable d'un pareil crime.

Remarque 1

Après des verbes tels que **craindre** et **avoir peur**, on utilise souvent un **ne** explétif ou pléonastique. Ce **ne** est facultatif et n'a pas une valeur négative. (Voir le chapitre 17.)

> Il **craint que** ses serfs **(ne) s'en aillent.**
> Ils **ont peur que** les marchands **(ne)** les **trompent.**

---

b) après les expressions marquant **le doute** tels que : **douter, ne pas croire, ne pas penser, ne pas trouver, il est douteux, il n'est pas certain (sûr),** etc. ;

> **Pensez-vous** que les serfs libérés **puissent** être heureux ?
> **Il est douteux** que les *mechechénines* **fournissent** de bonnes recrues à l'armée.
> **Qu'on ne s'imagine pas** que cette dévotion **tourne** au profit de la morale publique.

Remarque 2

Les verbes **croire, penser, trouver,** etc., au négatif et à l'interrogatif, sont suivis du subjonctif. À l'affirmatif, ils sont suivis de l'indicatif.

> Le seigneur **ne pense (croit) pas** que l'enfant de ce paysan **fasse** un bon officier.
> Le seigneur **pense-t-il (croit-il)** que l'enfant de ce paysan **fasse** un bon officier ?
> Le seigneur **pense (croit)** que l'enfant de ce paysan **fera** un bon officier.

> ### Remarque 3
>
> Le verbe **croire,** au négatif, est parfois suivi de l'indicatif.
>
>> Il **ne croit pas** que le serf **soit parti.** (On ne sait pas si le serf est parti ou non.)
>> Il **ne croit pas** que le serf **est parti.** (Le serf est parti, c'est un fait.)

c) après les verbes exprimant **la négation : nier, ne pas dire, ne pas affirmer,** etc. ;

> On **ne dit pas** que les serfs ne **puissent** pas posséder de terres quand ils ont acheté leur liberté.
> L'assassin **nie** qu'il **ait égorgé** la femme et sa fille.
> On **n'a jamais vu** que les seigneurs **aient dépouillé** leurs esclaves.

d) après les verbes exprimant **un ordre** ou **une défense : ordonner, exiger, défendre, interdire,** etc. ;

> Catherine II **ordonne** que les serfs **s'établissen**t dans la ville s'ils le désirent.
> Le seigneur **interdit** qu'on **s'en aille** du village.

> ### Remarque 4
>
> **Dire** est suivi du subjonctif s'il a le sens d'**ordonner.**
>
>> Il **dit** que ce serf **part** pour la ville. (C'est un fait : le serf part.)
>> Il **dit** que le serf **parte** pour la ville. (C'est un ordre : le serf doit partir.)

e) après les verbes exprimant **la volonté, le désir : vouloir, désirer, souhaiter, avoir envie,** etc. ;

> Elle **veut** que les paysans **fassent** bien leur travail.
> Nous **souhaitons** que tout **aille** bien.

> ### Remarque 5
>
> **Espérer** est suivi de l'indicatif. Toutefois, à l'interrogatif et au négatif, il est parfois suivi du subjonctif.
>
>> Nous **espérons** que le coupable **sera puni.**
>> **Espérez-vous** qu'il **sera (soit) puni** ?
>> Nous **n'espérons pas** qu'il **sera (soit) puni.**

f) dans les **propositions indépendantes** (voir le chapitre 17), le verbe exprimant un **ordre,** un **désir,** un **souhait** est sous-entendu ;

> **Qu'il vienne** immédiatement !
> **Advienne** que pourra ! (*Come what may !*)

Remarque 6

Ce que précède le subjonctif après certains verbes qui se construisent avec la préposition **à** (**s'attendre à, se tenir à**).

> On **s'attend à ce que** le serf **soit** libéré.
> Il **tient à ce que** l'accusé **regrette** son crime.

---

g) après les **expressions impersonnelles** indiquant :

> i) **la possibilité ou l'impossibilité : il est possible (impossible), il semble, il est peu probable (improbable), il se peut,** etc. ;
>
> ii) **le jugement : il vaut mieux, il est important, il est utile, il est bon,** etc.

> **Il est possible** que le seigneur **affranchisse** certains serfs.
> **Il est peu probable** que le meurtrier **soit acquitté.**
> **Il vaut mieux** que le seigneur **vende** l'esclave en même temps que la terre.

Remarque 7

On dit souvent que le subjonctif est le mode du doute et cela est vrai jusqu'à un certain point.

a) **Il est probable** est suivi de **l'indicatif** (**probable** est moins incertain que **possible**).

> **Il est probable** que le seigneur **affranchira** certains serfs.

b) **Il me semble** (ou **il semble à quelqu'un**) est suivi de **l'indicatif.**

> **Il me semble** que le marchandage **est** à la mode.
> **Il semble à Ancelot** que le marchandage **est** à la mode.

Mais :

c) **Il semble** est suivi du **subjonctif.**

> **Il semble** que le marchandage **soit** à la mode.

Remarque 8

Il paraît que n'est pas un synonyme de **il semble que** et n'est pas suivi du subjonctif.

Il paraît que = on dit que.

> **Il paraît** que ce marchand **fait** de bons prix.

De nombreuses règles régissent l'emploi du subjonctif, mais c'est aussi un temps où il entre une part de subjectivité. Plus une personne est consciente des règles, plus elle utilisera de subjonctifs. Certaines règles sont toujours respectées, par exemple, le subjonctif est toujours employé après **il faut que, pour que, jusqu'à ce que, vouloir que,** etc. Toutefois, certains verbes, comme **croire, penser,** à l'interrogatif et au négatif, sont très souvent, dans la conversation, suivis d'un indicatif.

> Je **ne crois pas** qu'il **vienne.** (forme correcte)
> Je **ne crois pas** qu'il **viendra.** (incorrect, mais courant)

APPLICATION

1. Remplacez les expressions soulignées par les expressions entre parenthèses. Faites les changements voulus.

a) Personne n'<u>ignore</u> que ce peuple est superstitieux. (sait, croit, craint, dit)

b) <u>Il faut</u> que vous ôtiez votre chapeau. (il n'est pas nécessaire, est-il essentiel, on s'étonne, elle ordonne)

c) <u>Je crois</u> qu'il a été témoin du crime. (je ne crois pas, nous doutons, il est probable, j'ai peur)

d) Le serf <u>désire</u> que cette portion de terre lui appartienne. (veut, demande, apprend, tient à)

e) <u>On dit</u> qu'il faut n'offrir que le tiers de la somme. (on ne dit pas, il semble, il me semble, nous savons)

2. Mettez l'infinitif à la forme voulue.

a) On veut qu'il (faire) le signe de la croix quand il passe devant une église.

b) Ne vous imaginez pas que le meurtrier (avoir) des remords.

c) Le juge ordonne qu'on (mettre) le meurtrier en prison.

d) Pensez-vous que ces gens (respecter) les ministres de leur culte ?

e) Il faut qu'il (prendre) soin de cracher trois fois par-dessus son épaule gauche.

f) Le gouvernement ne recommande pas qu'on (vendre) les hommes individuellement.

g) Le seigneur espère que les paysans (faire) fructifier sa terre.

h) Il s'attend à ce que nous (payer) une certaine somme.

i) Il est possible que certains serfs (s'enrichir).

j) Il est probable que marchands et nobles (ne jamais se rejoindre).

k) Pour qu'il y (avoir) un tiers-état, Catherine II permet que les paysans (s'établir) dans une ville.

l) On ne souhaite pas que les affranchis (acheter) des esclaves parce qu'on craint qu'ils (s'enrichir) trop.

m) Il attendra que la terre (produire) ses fruits.

n) Croyez-vous que Catherine II (aimer) son peuple ? — Oui, je crois qu'elle l'(aimer), bien qu'elle (faire) des erreurs de jugement.

o) Si le marchand demande que vous lui (donner) 100 roubles, offrez-lui la moitié de cette somme. Il paraît qu'il (ne pas s'attendre) à recevoir davantage.

3. Mettez le verbe entre parenthèses à la forme voulue. N'utilisez pas automatiquement le subjonctif.

Quand Sophie, petite princesse allemande, arrive en Russie en 1774, elle y (venir) pour se marier avec le grand-duc Pierre, neveu de l'impératrice Élisabeth. Elle craint d'abord qu'on ne la (rejeter) parce qu'elle (ne avoir) aucune expérience de la vie à la cour de Russie. Elle fait tout en son pouvoir pour que l'impératrice (s'intéresser) à elle et pour qu'elle (se réjouir) que Sophie (devenir) sa nièce. Quand la jeune fille rencontre le grand-duc Pierre, elle s'étonne qu'il (pouvoir) être aussi laid. Elle ne se trompe pas quand elle juge qu'avec un tel visage, il (être) impossible qu'il (avoir) une intelligence moyenne. Pierre est débile de corps et d'esprit. Sophie se rend compte que la vie avec lui (ne pas devoir) être facile, mais comme elle ne veut pas qu'il (refuser) de l'épouser et la (renvoyer) en Allemagne, elle espère qu'elle lui (plaire). Il semble que Sophie (ne jamais réussir) à plaire au grand-duc, mais son histoire finit bien. Grâce à son intelligence, à son courage, à sa ruse, à sa cruauté parfois, Sophie, la petite princesse allemande, (devenir) un jour Catherine II, la Grande, impératrice de Russie.

4. Mettez les infinitifs à la forme voulue. Justifiez l'emploi du mode que vous utilisez.

Si vous allez un jour en Russie, il est probable que vous (visiter) Saint-Pétersbourg. Si c'est le cas, il faut absolument que vous (consacrer) quelques heures au musée de l'Ermitage. Il est vrai que, pour qu'on (pouvoir) se faire une idée des trésors que le musée renferme, quelques heures, quelques jours même, (ne pas suffire). Il est douteux que vous (entrer) directement dans le musée ; il faudra que vous (faire) la queue. En attendant qu'on vous (permettre) de pénétrer dans ce temple des beaux-arts, vous pourrez consulter votre *Guide bleu* pour que votre visite (être) plus agréable et plus fructueuse. À condition que vous (savoir) d'avance où se trouvent les chefs-d'œuvre que vous voulez voir, il vous sera possible de vous rendre directement dans les salles où ils se trouvent, sans que vous (avoir) à demander des renseignements dans une langue que vous ne connaissez pas, à des gens qui ne parlent guère la vôtre.

Quand vous sortirez de l'Ermitage, il est certain que vous (avoir) mal aux pieds. Il se peut aussi que tous ces tableaux, ces vases en pierres semi-précieuses, vous (donner) le vertige. Pourtant, il faudra encore que vous (trouver) le temps d'admirer l'élégante architecture de la Venise du Nord, fondée par Pierre le Grand.

Le subjonctif dans les propositions relatives

1. On emploie le subjonctif dans les propositions relatives :

   a) après des **superlatifs** ou des mots ayant un sens superlatif, tels **seul, unique, premier, dernier,** etc., utilisés comme noms ou adjectifs ;

   La bonne foi du seigneur est **la meilleure** garantie qu'ils **puissent** opposer à l'usurpation.

C'est la terre **la plus (la moins)** fertile que les serfs **aient** jamais **cultivée.**

C'est **la seule** consolation que lui **ait laissée** la servitude.

b) après des noms tels que **le mieux, le pire** (superlatifs de l'adverbe ou de l'adjectif employés comme noms) ;

Le pire qu'il **puisse** arriver, c'est que son fils parte.

c) après **il n'y a que** ;

Il n'y a que quelques serfs qui soient capables de vivre en ville.

d) lorsque l'antécédent du pronom relatif est un nom précédé d'un article ou un pronom indéfini, si le verbe de la proposition principale est soit à l'impératif, soit à l'interrogatif, soit au négatif. Le fait est alors nié ou mis en doute.

Montrez-moi un gentilhomme dont le père **soit** un serf. (**le gentilhomme n'existe peut-être pas**)

Y a-t-il des serfs qui **puissent** se libérer ? (**doute : j'ignore la réponse**)

Il n'y a pas de serfs qui **puissent** se libérer. (**négation : il n'existe pas de serfs**)

Mais :

Il y a des serfs qui **peuvent** se libérer. (**c'est un fait : il n'y a pas de doute**)

Il m'a montré un gentilhomme dont le père **est** un serf. (**le gentilhomme existe**)

Le subjonctif après quelques locutions

Le subjonctif est utilisé après certaines locutions. En voici quelques-unes :

a) **quel, quelle, quels, quelles + que + être.** Ces adjectifs s'accordent avec le sujet du verbe ;

Quel que soit son profit, le marchand n'est pas satisfait.

Quelle que soit la fortune qu'ils doivent à leur industrie, ils ne peuvent posséder de terre.

b) les locutions pronominales **qui que** (généralement **+ être**) pour les **personnes** et **quoi que**, pronom objet, pour les **choses** ;

Qui que tu **sois**, je ne te crains pas.

Quoi que l'impératrice **fasse,** le peuple est mécontent.

> *Remarque*
>
> Il existe d'autres formes des ces locutions, équivalentes à l'anglais *who(m)ever*, *whatever*, telles **qui que ce soit qui (sujet), qui que ce soit que (objet),** pour les personnes, **quoi que ce soit qui (sujet), quoi que ce soit que (objet),** pour les choses. En général, on évite de les employer parce qu'elles sont lourdes.
>
> > **Qui que ce soit** qui **ait dit** cela, il se trompe.
> > **Quoi que ce soit** que vous **fassiez,** ce sera inutile.

c) la locution **où que** ;

> **Où que** le serf **aille,** il est reconnu.

d) les locutions adverbiales invariables **quelque + adjectif** ou a**dverbe + que,**
   si + adjectif ou **adverbe + que.**

> **Quelque (Si) étendus que soient** les privilèges des *ghildes,* les marchands ne sont pas les égaux des nobles.
> **Quelque (Si) cruellement que** le maître **traite** ses serfs, ils lui sont fidèles.

APPLICATION

1. Mettez l'infinitif à la forme voulue, présent ou passé.

   a) Ancelot affirme que le peuple russe est le plus superstitieux qu'il (voir).
   b) Ce seigneur est l'homme le moins intelligent que je (connaître).
   c) La seule consolation qu'elle (avoir) autrefois, c'est l'affection de sa famille.
   d) Le mieux, pour le serf, c'est qu'il (aller) travailler à la ville.
   e) Y a-t-il une *ghilde* qui (jouir) des mêmes privilèges que la noblesse ?
      — Oui, il y en a une qui (jouir) des mêmes privilèges.
   f) Vendez-lui une terre qu'il (pouvoir) cultiver.
   g) Nous lui offrons la terre la plus fertile que nous (posséder).
   h) Ne connaissez-vous pas de seigneur qui (être) bon envers les serfs ?
      — Si, je connais un seigneur qui (être) bon envers les serfs.
   i) Il n'y a que les affranchis qui (avoir) le droit de s'établir dans une ville.
   j) Les magasins à prix fixes sont les seuls où l'on (être) sûr de ne pas être volé.

2. Terminez les phrases suivantes par une proposition relative de votre cru.

   a) Ce pécule est le seul argent que _____
   b) C'est le meilleur prix que _____
   c) Il y a ce paysan qui _____
   d) Le vol est l'unique moyen qui _____
   e) Voici la terre la plus fertile que _____
   f) Connaissez-vous un paysan qui _____
   g) Envoyez-moi quelqu'un qui _____
   h) Ce juge est le premier qui _____
   i) Catherine II est l'impératrice la plus éclairée que _____
   j) Je ne vois personne qui _____

3. Complétez les phrases par le mot ou la locution qui convient.

    a) _____ généreux que soit leur seigneur, les serfs souffrent.

    b) _____ soit le prix que vous avez payé, c'est trop cher.

    c) _____ il fasse, il se trompe toujours.

    d) _____ il aille, il rencontre un moine ou une religieuse.

    e) _____ vous soyez, il y en a d'autres plus malheureux que vous.

    f) _____ soient les redevances qu'exige le seigneur, elles sont trop élevées pour ces pauvres serfs.

    g) _____ minutieusement qu'il observe les pratiques extérieures de la religion, cet homme est malhonnête.

    h) _____ vous soyez, vous êtes un être humain, comme moi.

Pour éviter le subjonctif

Comme nous l'avons vu au chapitre précédent, les subjonctifs imparfait et plus-que-parfait sont peu euphoniques, sauf à la troisième personne. Ils ne sont pas utilisés dans la conversation, si ce n'est, parfois, dans un but humoristique. Mais il vaut souvent mieux éviter le subjonctif, même au présent et au passé, et employer une construction plus simple quand c'est possible.

1. Quand la principale et la subordonnée ont le même sujet, on utilise, de préférence, un infinitif dans la subordonnée.

    Un Russe ne passe point devant une église **sans qu'il s'arrête.**
    Un Russe ne passe point devant une église **sans s'arrêter.**
    Pour qu'elle suffise à leur nourriture, la portion de terre doit être substantielle.
    Pour suffire à leur nourriture, la portion de terre doit être substantielle.

2. La proposition subordonnée peut être remplacée par un nom ou une construction adjectivale.

    Bien qu'ils aient des privilèges, les marchands ne sont pas les égaux des nobles.
    Malgré leurs privilèges, les marchands ne sont pas les égaux des nobles.
    Pourvu qu'un seigneur le protège, le fils d'un paysan peut être placé dans une école militaire.
    Par (Grâce à) la protection d'un seigneur, le fils d'un paysan peut être placé dans une école militaire.
    Croyez-vous que ce paysan **soit** libre ?
    Croyez-vous **ce paysan libre** ?

3. On peut insérer un infinitif tel que **savoir, apprendre, voir, entendre,** etc.

    Nous sommes **étonnés qu'ils portent** la longue barbe.
    Nous sommes **étonnés de les voir porter** la longue barbe.
    Le meurtrier est indigné que **le juge lui pose** une pareille question.
    Le meurtrier est indigné **d'entendre le juge lui poser** une pareille question.

4. Après certaines expressions impersonnelles, en particulier après **il faut que,** on peut employer un infinitif avec un objet indirect, s'il y a lieu.

Il faut qu'on punisse le coupable.   **Il faut punir** le coupable.
Il faut qu'il aille en prison.   **Il lui faut aller** en prison.
Il est impossible qu'il **s'en aille** loin du village.
Il lui est impossible de **s'en aller** loin du village.

5. On peut formuler la phrase de façon différente en utilisant un autre verbe principal, une conjonction ou un adverbe.

Il faut qu'ils obéissent à l'impératrice.
Ils doivent obéir à l'impératrice.
Bien que les privilèges de la première *ghilde* **soient étendus,** il existe une grande différence entre les deux classes.
Même si les privilèges de la première *ghilde* **sont étendus,** il existe une grande différence entre les deux classes.

APPLICATION

1. Transformez les phrases de façon à éviter le subjonctif.

a) Il ne faut pas que vous vous imaginiez que cette dévotion tourne au profit de la morale publique.
b) Avant qu'il quitte son village, le paysan doit acheter sa liberté.
c) Il craint qu'il ne voie plus sa famille.
d) Il est triste qu'on ait administré des coups de knout à ces malheureux.
e) Trouvez-vous que ce marchand soit honnête ?
f) Il faut que les serfs restent dans leurs villages.
g) Ne craignez-vous pas qu'elle meure ?
h) Il faut que vous lui adressiez la parole.
i) Pour qu'il obtienne une terre, il faut qu'il parle au seigneur.
j) Vous attendez-vous à ce que les prix augmentent ?
k) Écrivez-lui qu'il vienne.
l) Est-il possible que vous obteniez cette faveur ?

2. Mettez l'infinitif au temps voulu.

a) Il faut que les marchands (fournir) une certaine somme pour être affranchis du service effectif.
b) Il n'est pas rare qu'on (voir) des gentilshommes dont les pères sont encore esclaves.
c) Il n'est pas impossible qu'un fils de paysan (devenir) noble.
d) Bien que son fils (être) officier, cet homme est un serf.
e) Il est probable que, quand ils (avoir) assez d'argent, ils (s'établir) dans la ville.
f) Pourvu que le seigneur (protéger) cet enfant, il sera officier.
g) Les nobles craignent que les marchands ne (s'enrichir) trop.
h) Les nobles acceptent que les serfs (s'affranchir) à condition que ceux-ci leur (payer) une somme importante.

    i)   Cet homme ne passe jamais devant une église sans qu'il (faire) une douzaine de signes de croix.

    j)   Elle tient à ce que ses enfants (être) libres.

    k)   Connaissez-vous un magasin qui (vendre) à prix fixes ?

    l)   Quels que (être) les efforts qu'ils font, ils ne peuvent payer la redevance.

    m) Le seigneur ordonne-t-il que vous (rester) au village ?

3. Dans l'exercice ci-dessus, transformez les phrases de façon à éviter le subjonctif quand c'est possible.

DEVOIRS ÉCRITS / TRAVAIL ORAL

A. COMPOSITION GUIDÉE

Il y a bien des genres d'esclavage. Ne sommes-nous pas tous plus ou moins esclaves de quelqu'un ou de quelque chose ? Qu'en pensez-vous ?

1. Quelles formes peut prendre l'esclavage à notre époque ? (travail, amour, drogue, cigarette, alcool, etc.)

2. Avez-vous déjà rencontré des « esclaves » ou seriez-vous « esclave » vous-même ?

3. Que font-ils (que faites-vous) pour lutter contre cet esclavage ?

4. La liberté totale est-elle possible ?

B. COMPOSITION LIBRE / TRAVAIL ORAL

1. « Renoncer à la liberté, c'est renoncer à sa qualité d'homme », a dit Jean-Jacques Rousseau. Qu'en pensez-vous ? Est-il parfois inévitable d'être obligé de renoncer à la liberté ?

2. Vous vous documenterez sur l'histoire de la Russie durant ces vingt dernières années et vous en parlerez à la classe.

DIALOGUES

1. Jean-Paul Marat, célèbre révolutionnaire français, a dit : « C'est par la violence que l'on doit établir la liberté. » Le pour et le contre.

Quelques expressions utiles

Liberté, Égalité, Fraternité	Freedom, equality, brotherhood
(devise de la République française)	(the motto of the French Republic)
la vengeance	revenge
le respect de la vie humaine	respect for human life

la dignité humaine	human dignity
sacrifier des innocents	to sacrifice innocent people
poser des bombes	to place bombs
risquer sa propre vie	to risk one's life
un cercle vicieux	a vicious circle
d'autres moyens	other means
réduire en esclavage	to reduce to slavery
les droits de l'homme (de la personne)	human rights
les classes privilégiées	the privileged classes
les déshérités	the underprivileged
les économiquement faibles	the underprivileged

2. Deux ami(e)s ont une discussion animée. L'un(e) se déclare monarchiste, l'autre, républicain(e).

Quelques expressions utiles

le roi, la reine	the king, the queen
la suite	retinue, hangers on
un régime républicain	a republican system
les élections présidentielles	presidential elections
élu	elected
une tare	a hereditary condition, disease
l'attirail	paraphernalia
le faste	ostentation, pomp
le népotisme	nepotism (favoritism)
l'appui des grosses sociétés	corporate support
le pot-de-vin	bribe
la dictature	dictatorship
les abus de pouvoir	misuse of power

MATIÈRE À RÉFLEXION

La Liberté

- « Ô liberté, que de crimes on commet en ton nom ! »

    Madame Roland, montant sur l'échafaud, pendant la Révolution française

- « La liberté est le droit de faire tout ce que les lois permettent ; et si un citoyen pouvait faire ce qu'elles défendent, il n'aurait plus de liberté parce que les autres auraient tout de même ce pouvoir. »

    Montesquieu, *De l'esprit des lois*

- « Les Français ne sont pas faits pour la liberté. Ils en abuseraient. »

    Voltaire

Voici un extrait d'une fable de Jean de La Fontaine (XVIIᵉ siècle), le plus célèbre des fabulistes français et un très grand poète. Pour le Loup, la liberté est le plus grand de tous les biens. Le Chien, animal domestique, n'est qu'un esclave.

Un Loup, qui n'a que « les os et la peau », rencontre un superbe Chien, de toute évidence, bien nourri. Contrairement à leur habitude, ils commencent à bavarder. Le Loup complimente le Chien sur sa bonne mine. Celui-ci se vante de tous les conforts dont il jouit et invite le Loup, ce « pauvre diable », à venir les partager. Ému, le Loup imagine tout le bonheur qui l'attend et suit le Chien.

Chemin faisant, il vit le col[14] du Chien pelé.
« Qu'est-ce là ? lui dit-il. — Rien. — Quoi ! rien ? — Peu de chose.
— Mais encor ? — Le collier dont je suis attaché
De ce que vous voyez est peut-être la cause.
— Attaché ? dit le Loup : vous ne courez donc pas
Où vous voulez ? — Pas toujours : mais qu'importe ?
— Il importe si bien, que de tous vos repas
Je ne veux en aucune sorte,
Et ne voudrais pas même à ce prix un trésor. »
Cela dit, maître Loup s'enfuit, et court encor.

> Jean de la Fontaine, « Le Loup et le Chien », *Fables*, Livre premier, V, Paris, Librairie Larousse, 1965, p. 36-38.

---

[14] le cou

Chapitre 19

L'Europe
L'Italie

Aspects grammaticaux étudiés :

- L'infinitif
    L'infinitif objet sans préposition
    L'infinitif après une préposition
    Les autres emplois de l'infinitif
- Quelques prépositions + nom
- Les nombres
    Les nombres cardinaux
    Les nombres ordinaux
    Les nombres collectifs

Système politique : République
Population : 57 700 000
Capitale : Rome
Langue officielle : Italien
Monnaie : Euro (la lire jusqu'au mois de janvier 2002)

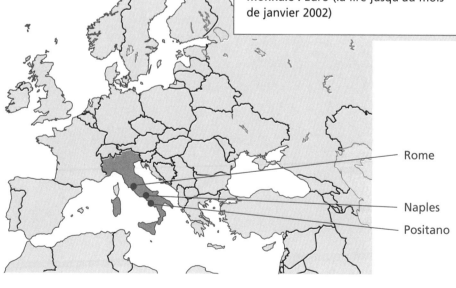

Rome

Naples

Positano

L'Italie est un pays touristique grâce à son important passé historique. Rome, Florence et Venise sont particulièrement célèbres pour leur richesse artistique. Le Nord est plus industrialisé et progressiste tandis que le Sud (le *Mezzogiorno*), où se situe notre nouvelle, demeure agricole et moins prospère.

Félicien Marceau, pseudonyme de Louis Carette, est né en Belgique en 1913. Poursuivi pour collaboration à la fin de la guerre, il s'est réfugié en Italie où il a travaillé comme bibliothécaire au Vatican. L'œuvre de Félicien Marceau comprend des romans, des essais, du théâtre et des nouvelles. Il a été élu à l'Académie française en 1975.

« L'honneur de don Pasquale », nouvelle tirée de *Les Belles Natures* (1957), raconte l'histoire d'un amour contrarié. Un jeune homme aime une jeune fille et est aimé d'elle, mais le père de celle-ci s'oppose à cet amour. Voici le dilemme devant lequel se trouve le protagoniste : comment épouser la femme qu'il aime tout en respectant les lois de l'honneur ?

PRÉ-LECTURE

1. L'honneur est le thème principal de cette nouvelle. Quelle est votre conception de l'honneur ?

2. Quelle image vous faites-vous de la maffia d'après les films que vous avez vus ou les romans que vous avez lus ?

3. Avez-vous déjà visité l'Italie ? Si oui, quelles sont vos impressions de ce pays ?

L'honneur de don[1] Pasquale

— Mais je l'aime ! s'exclama-t-il avec douleur et dans un allègre cliquetis de ciseaux.

Non, je n'appellerai pas cela un salon de coiffure. On irait imaginer des miroirs, des appliques, des séchoirs électriques, est-ce que je sais ? La boutique de
5   Gennariello, à Positano[2], était une simple pièce, de trois mètres sur trois, au ras de la ruelle. [...]

— Je l'aime, répéta Gennariello affectueusement penché sur la chevelure huileuse du maréchal. [...]

— Cela finira bien par s'arranger, dit le maréchal.
10   — Le père ne veut pas, rétorqua sombrement Gennariello. [...]

Un jour qu'ils s'étaient assis sur le parapet de la route, Gennariello avait pris la main de Nunziatina[3]. Nunziatina ne l'avait pas retirée. Fou de bonheur,

---

[1] titre italien qui marque l'honneur et le respect
[2] ville du Sud de l'Italie, près de Naples
[3] la jeune fille qu'il aime

devant une si éclatante manifestation de tendresse, Gennariello, dès le
lendemain, avait mis son beau costume noir et s'était rendu chez don Pasquale
15   pour lui demander la main de sa fille. En homme qui connaît les usages, il s'était
muni d'une fort belle cassate[4] soigneusement enveloppée dans du papier glacé.
Le cœur pourtant lui battait. L'importance de la démarche, certes, y était pour
quelque chose[5]. Et aussi ces damnés escaliers. Il y avait surtout que le père de
Nunziatina n'était pas un homme ordinaire.

20   Don Pasquale vivait à Positano dans les sentiments que peut éprouver un roi
en exil. Il y était né, pourtant, dans ce village en escaliers, mais, vers sa dix-
septième année, l'esprit hanté par le souvenir presque légendaire d'un de ses
oncles qui avait été un camorriste[6] notoire, il était parti pour Naples. Là, grâce à
ses dons naturels, vigueur et ingéniosité, il était rapidement devenu une des têtes
25   pensantes de *Vicaria*, quartier général des mauvais garçons napolitains. [...]

     Il avait alors définitivement adopté cette démarche pompeuse, ce pas lent,
ces manières froides et courtoises, ces complets bois de rose ou vert Nil, ces
chaînes de montre chargées de breloques, tous les traits enfin à quoi, dans
Naples, se reconnaissent les hommes de caractère. En napolitain, cela s'appelle
30   un *guappo*. Le terme est difficile à traduire. Le *guappo*, si l'on veut, c'est le dur, le
caïd[7], bel homme et le sachant, né pour commander et en ayant conscience,
éprouvant jusqu'au vertige le redoutable honneur qu'il a d'être lui-même[8].

     D'où l'importance, pour lui, de cet honneur. Vivant principalement sur la
révérence qu'il inspire, le *guappo* peut tout faire, tout, sauf perdre la face. Il y a
35   des *guappi* dont les trafics sont à peu près honnêtes. Ceux de don Pasquale ne
l'étaient pas. Sans être prisonnier de sa spécialité, il s'occupait surtout de
contrebande. En 1949, lassée de toujours le rencontrer sans jamais trouver de
quoi le faire condamner à plus de six mois, la police avait fini par lui remettre
son *foglio di via*[9], petit papier qui comporte, pour l'intéressé[10], un parcours
40   gratuit jusqu'à son village natal et l'obligation de n'en plus jamais sortir[11]. [...]

     On conçoit que, pour un homme de cette envergure, un gendre coiffeur, un
gendre modeste, un gendre honnête, un gendre enfin de Positano, ce n'était pas
du tout ce qu'il fallait. Comme don Pasquale aimait les douceurs, il mangea très
bien — et très vite — la cassate. Comme il avait le culte de la famille, il en laissa
45   même un morceau (assez petit) pour sa femme et pour sa fille. Cet intermède
expédié, il mit Gennariello à la porte. Pas une seconde il n'avait été question de
Nunziatina.

     Gennariello médita sur cette défaite pendant une quinzaine de jours puis,
ayant remis son complet noir et muni d'une bouteille d'excellent vin, il retourna
50   chez don Pasquale. Cette fois, ranimé d'ailleurs par un verre de son propre vin

---

[4] glace aux fruits confits
[5] y jouait un rôle
[6] membre de la maffia
[7] chef d'une bande de mauvais garçons
[8] si content de lui-même qu'il en perd la tête
[9] feuille de route – l'ordre de partir
[10] la personne en question
[11] Don Pasquale est renvoyé dans son village natal avec l'ordre de ne plus jamais en sortir.

que don Pasquale avait eu la politesse de lui offrir, il formula sa demande. Don Pasquale y répondit courtement.

— Ma fille n'est pas pour toi, Gennariello. Enlève-toi cette idée de la tête. Nunziatina n'épousera qu'un Napolitain. [...]

55   Il n'était évidemment pas question d'épouser Nunziatina sans le consentement de son père. Dans la province de Salerne, ces choses-là ne se font pas. Il n'y avait qu'à prendre patience, en espérant que le temps modifierait l'attitude de don Pasquale.

Cette affaire en serait encore restée longtemps au stade de l'exclamation si
60   un épisode imprévu n'était survenu pour ajouter, dans le cœur de Gennariello, aux émois de l'amour les affres de la jalousie. Il faut croire que la démarche de Gennariello avait incité don Pasquale à se formuler quelques réflexions sur l'opportunité de caser sa fille. Toujours est-il que, deux dimanches de suite, il avait reçu chez lui, et avec beaucoup de fla-fla[12], un ami de Naples, un complice
65   des temps heureux, un certain don Giacinto [...]. Bien qu'il n'eût pas trente-cinq ans, ce don Giacinto était déjà un vrai *guappo* et ses manières étaient plus solennelles encore que celles de don Pasquale (lequel, malgré tout, après six ans de Positano, commençait à se laisser aller[13]). [...]

Devant ce danger, devant les larmes de Nunziatina, Gennariello se réveilla.
70   Foin des discours[14] ! Assez de lamentations ! Il ne restait plus qu'une chose à faire : enlever Nunziatina. Gennariello s'ouvrit de[15] son projet à son ami Pietro, lequel l'approuva hautement. On pourrait objecter ici qu'il est plus grave d'enlever une fille que de se passer du[16] consentement paternel. C'est montrer qu'on n'entend rien aux lois de l'honneur. L'enlèvement ne supprime pas du tout
75   le consentement du père. Simplement, il le rend inévitable. On conviendra que c'est tout autre chose. [...]

Le dimanche soir venu, Gennariello et Pietro allèrent s'asseoir à quelques marches au-dessus de la maison de don Pasquale. Vers dix heures, don Pasquale et don Giacinto sortirent, commencèrent à descendre l'escalier. [...] Cinq
80   secondes plus tard, Gennariello et son ami pénétraient dans la maison. [...] Prévenue de son enlèvement et tout à fait consentante, Nunziatina avait, sur le chapitre de l'honneur[17], les principes sévères de son père. Elle voulait bien être enlevée, mais dans les formes[18], par la violence, sans être complice et, enchantée de son enlèvement, elle luttait cependant contre celui qui, dans tous les sens du
85   mot, la ravissait[19] [...]. Cependant, les forces de Nunziatina faiblissaient. Gennariello et Pietro réussirent à l'entraîner. Le seuil à peine franchi, elle se coula dans les bras de son ravisseur.

— Que c'est beau ! dit-elle. [...]

Ils arrivèrent chez Gennariello. [...]

---

[12] d'ostentation
[13] négliger son apparence de *guappo*
[14] Au diable les discours !
[15] révéla
[16] d'agir sans le
[17] concernant l'honneur
[18] selon les règles ; avec les formes habituelles
[19] deux sens : l'enlevait et la charmait

90   La porte s'ouvrit et, d'une belle voix de basse, don Pasquale proféra :
— Misérable ! [...]
— Misérable ! reprit don Pasquale. Tu m'as enlevé ma fille...
Cet exorde était bien. Il donnait un état précis de la question.
— Je suis prêt à réparer, dit Gennariello qui, lui aussi, pour sa réplique, se
95   fiait aux traditions les plus sûres.
— Répare-t-on l'honneur ? interrogea sombrement don Pasquale.
— Je veux l'épouser, rétorqua Gennariello. [...]
— Elle est déshonorée, reprit-il. Ma fille ! La lumière de mes yeux...
Les épaules pliées sous le poids du destin, il avait pris sa tête entre ses mains.
100   — Il fallait bien, dit Gennariello qui, ses deux répliques essentielles
formulées, ne savait plus très bien comment continuer.
— Malheureuse ! dit Pasquale en s'adressant à sa fille. Ne pouvais-tu
résister ?
— Ils étaient deux, papa, dit Nunziatina.
105   — Ma fille ! reprenait Pasquale. Je l'avais élevée pour en faire la consolation
de mes vieux jours et je la retrouve dans le lit d'un misérable.
Gennariello leva l'index.
— Don Pasquale, dit-il, regardez autour de vous.
Don Pasquale promena autour de lui un œil globuleux.
110   — Je regarde, dit-il d'une voix profonde. Je ne vois que le déshonneur, la
boue, la fange, l'ordure.
— Mais pas de lit, enchaîna Gennariello. Je n'ai pas emmené Nunziatina
dans ma chambre. Je l'ai emmenée dans mon salon de coiffure et Pietro ne nous
a pas quittés.
115   — Qui oserais-je encore regarder en face ? dit don Pasquale qui n'avait pas
écouté.
— Votre fille, don Pasquale, je n'y ai pas touché !
— Tu as déshonoré ma fille et tu n'es pas encore mort ! Ne suis-je donc plus
un homme ? s'interrogeait Pasquale, une main levée, l'autre sur son cœur.
120   — Sauf respect[20]..., dit don Giacinto de sa voix froide.
Don Pasquale se tourna vers lui. Dans une affaire comme celle-là, l'avis d'un
guappo comme don Giacinto n'était pas à dédaigner. [...]
— ... Si, devant témoins, ce garçon affirme qu'il n'a pas touché à votre fille,
il n'y a pas de dommage, don Pasquale, et un homme d'honneur peut encore très
125   bien l'épouser.
Nunziatina se redressa dans son fauteuil. Ça, c'était la demande en mariage,
claire, précise. Et quand un *guappo* se hasarde à demander quelque chose, c'est
que, pour lui, la question est déjà réglée. Du côté de la porte, il y eut une
rumeur.
130   — Mais c'est vrai, ça ! s'exclama don Pasquale le visage illuminé.
Il se retourna, apostropha les voisins massés devant la porte.
— Vous l'avez entendu. Il a juré qu'il n'avait pas touché à ma fille...

---

[20] Sauf votre respect : que cela ne vous offense pas

Les voisins se regardèrent. En ce qui concerne Nunziatina, l'opinion publique était entièrement acquise à Gennariello. Mais enfin, la gaffe, il l'avait

135 faite. La chose à ne pas dire, il l'avait dite. Et la vérité, c'est la vérité. [...]

— Allons, rentre ! dit don Pasquale à sa fille. [...]

Un quart d'heure plus tard, l'ordre régnait à Positano. [...]

— Don Giacinto, dit don Pasquale, vous m'avez fait l'honneur de demander la main de ma fille.

140 — Don Pasquale, l'honneur est pour moi, rétorqua don Giacinto en touchant son chapeau.

La porte s'ouvrit. Entra le maréchal des carabiniers.

— Maréchal ! s'exclama don Pasquale avec ampleur. La bonne surprise ! [...]

—J'ai su que votre fille avait été enlevée.

145 — Oui, dit don Pasquale, elle a été enlevée par ce petit voyou de Gennariello.

— Je vais l'arrêter, dit le maréchal. Un enlèvement, avec violences... C'est grave.

— Vous avez raison, dit don Pasquale. [...]

150 — Oui, reprit le maréchal avec un soupir, je vais l'arrêter. Puisque vous le dénoncez...

— Dénoncer ? dit don Pasquale que le terme chatouillait désagréablement. Je ne dénonce personne.

— Ah pardon ! fit observer le maréchal. Si j'arrête Gennariello, c'est

155 uniquement parce que vous le dénoncez. Je n'y ai pas assisté, moi, à cet enlèvement.

— Mais tout le monde l'a vu.

— Tout le monde a vu que, cette nuit, votre fille était chez Gennariello. D'accord. Mais qui me dit qu'elle y a été emmenée de force ?

160 — Moi, je vous le dis, maréchal !

— Donc, vous dénoncez Gennariello... [...]

Dénoncer ? Lui ? Lui, don Pasquale, le *guappo* ? Le *guappo* rend sa justice lui-même. En aucun cas, il ne dénonce. En aucun cas, il n'a recours à la police. Et devant don Giacinto, <u>par-dessus le marché</u>[21] ! [...]

165 — Maréchal, je ne dénonce personne, dit enfin don Pasquale avec solennité.

— Votre fille était cependant, cette nuit, chez Gennariello ?

— Oui.

— Elle y est donc allée <u>de son plein gré</u>[22]...

— Ma fille ! rugit don Pasquale.

170 — Si vous me dites qu'elle n'y est pas allée de son plein gré, cela signifie que vous dénoncez Gennariello. [...]

Don Pasquale était pris entre deux honneurs : le sien et celui de sa fille. Le sien qui lui interdisait de dénoncer, celui de sa fille qui lui interdisait d'être allée, librement, en pleine nuit, chez un homme. Don Pasquale n'hésita pas

175 longtemps. L'honneur d'une fille se répare. Celui d'un *guappo* ne se répare jamais.

---

[21] en plus
[22] volontairement

— Ma fille est allée chez Gennariello de son plein gré, articula-t-il avec effort.

180 Des paupières, don Giacinto approuva. Le maréchal se leva, prit son képi.

— Alors, je n'arrête pas Gennariello ?

185

— Non, dit Pasquale.

— Bon, dit le maréchal.

Il était déjà près de la porte. Il se retourna.

190 — Je n'aurais pas cru cela de votre fille, don Pasquale. En pleine nuit, chez un célibataire...

— En pleine nuit !

195 protesta don Pasquale. Elle n'y est pas restée dix minutes.

Le maréchal eut une expression gaillarde.

— En dix minutes, on

200 fait bien des choses, don Pasquale. Et si vous n'aviez pas couru derrière elle, combien de temps serait-elle restée, pouvez-vous me le dire ?

Des mariés

205 — Gennariello m'a donné sa parole...

De gaillard, le large visage du maréchal se fit sceptique et amusé.

— Ah, si vous croyez Gennariello, c'est autre chose. Vous trouvez votre fille chez un homme, la nuit, on vous dit qu'il ne s'est rien passé et vous le croyez... Don Pasquale, vous êtes un ingénu.

210 Un ingénu ? Don Pasquale en eut le souffle coupé.

— Qu'est-ce que vous voulez ? reprenait le maréchal. Si les gens me demandent pourquoi je n'arrête pas Gennariello, je serai bien forcé de leur répondre qu'on n'arrête pas un homme parce qu'une jeune fille, librement, lui a fait une petite visite...

215 — Don Giacinto va l'épouser, trancha don Pasquale qui commençait à s'énerver.

— Don Giacinto ? rétorqua le maréchal avec un étonnement très bien imité. Ah, mes compliments ! Cela arrange tout. Je ne savais pas qu'à Naples les hommes d'honneur épousaient les filles qu'on a trouvées la nuit chez un autre

220 homme.

Don Giacinto se souleva à moitié sur sa chaise. Mais don Pasquale, lui, se levait tout à fait et il abattit son gros poing sur la table.

— Alors c'est Gennariello qui l'épousera, dit-il avec force.

— Hé, dit le maréchal. Il faut voir s'il voudra encore.

225 — Comment ! S'il voudra encore...

— Don Pasquale, il faut comprendre. Une fille compromise... Une fille qui court la nuit chez les hommes...

— Je saurai bien l'y forcer, moi ! hurla Pasquale.

Le mariage a eu lieu jeudi dernier. Ce fut une très jolie fête et Nunziatina 230 était charmante sous son voile blanc. [...]

Félicien Marceau, « L'Honneur de don Pasquale », *Les Belles Natures*,
Paris, Gallimard, 1957, p. 87-107.

Expressions à retenir

muni(e) de (l. 16)
perdre la face (l. 34)
l'opportunité (l. 63)
se laisser aller (l. 68)
se passer de (l. 73)
la question est réglée (l. 128)
faire une gaffe (l. 134-135)
avoir recours à (l. 163)
par-dessus le marché (l. 164)
de son plein gré (l. 178)
un(e) célibataire (l. 193)
s'énerver (l. 216)

COMPRÉHENSION

1. Quel est le dilemme auquel doit faire face Gennariello ?
2. Quelle preuve d'amour Nunziatina a-t-elle donnée à Gennariello ?
3. Quelle est l'attitude d'un *guappo* concernant l'honneur ?
4. Pourquoi don Pasquale vivait-il à Positano ?
5. Pourquoi don Pasquale a-t-il refusé la demande de Gennariello ?
6. Pourquoi n'était-il pas question pour Gennariello d'épouser Nunziatina sans le consentement de son père ?
7. Qu'est-ce que le jeune coiffeur a fait pour forcer le consentement du père ?
8. Quelle est la preuve que don Pasquale tient plus à son honneur de *guappo* qu'à l'honneur de sa fille ?

INTERPRÉTATION

1. Décrivez brièvement don Pasquale.
2. Qu'est-ce qu'un *guappo* ?
3. Pourquoi, après l'enlèvement, don Pasquale serait-il obligé d'accepter Gennariello pour gendre ?

4. Quelle erreur Gennariello a-t-il commise ?

5. Comment don Giacinto a-t-il reformulé sa demande en mariage après l'enlèvement de la fille de don Pasquale ?

6. Pourquoi don Pasquale a-t-il refusé de dénoncer Gennariello ?

7. Comment le maréchal a-t-il empêché le mariage de don Giacinto et de Nunziatina ?

MAÎTRISONS LA LANGUE

A

1. **Sombrement** (l. 10) est un adverbe dérivé de l'adjectif **sombre**. Formez des adverbes à partir des adjectifs suivants : a) affectueux ; b) évident ; c) patient ; d) solennel ; e) soigneux.

2. « Elle luttait cependant contre celui qui, dans tous les sens du mot, la **ravissait** » (l. 85). Utilisez le verbe **ravir** dans deux phrases où il aura deux sens différents.

3. Trouvez dans le texte une expression équivalente aux mots soulignés (l. 23-168).

   a) <u>à cause de</u> ses dons naturels ;   d) il n'y avait qu'à <u>patienter</u> ;
   b) sans jamais trouver <u>de raison pour</u> ;   e) faire <u>une erreur</u> ;
   c) un homme de cette <u>importance</u> ;   f) agir <u>librement</u>.

4. Trouvez dans la nouvelle les expressions ayant trait à des parties du corps.

5. Remplacez le mot qui ne convient pas par un mot qui se trouve dans le texte.

   a) Il avait adopté ces manières chaleureuses.
   b) Le refus de don Pasquale a été une victoire pour Gennariello.
   c) Son ami Pietro a critiqué son projet.
   d) Un quart d'heure après l'enlèvement, la confusion régnait à Positano.
   e) En écoutant le maréchal, don Pasquale commençait à se calmer.

B

1. Faites deux phrases où vous ferez ressortir la différence entre les faux amis **opportunité** (l. 63) et **occasion.**

2. Faites de courtes phrases avec les expressions suivantes.

   a) perdre la face (l. 34) ;
   b) finir par (l. 38) ;
   c) se laisser aller (l. 68) ;
   d) se passer de (l. 73) ;
   e) avoir recours à (l. 163) ;
   f) par-dessus le marché (l. 164).

3. Expliquez les différents sens du mot **pièce** dans les phrases ci-dessous.

   a) La boutique de Gennariello était une simple **pièce.** (l. 5)
   b) Le vase de cristal s'est cassé en mille **pièces.**
   c) Il a payé la cassate avec plusieurs **pièces** de monnaie.

d) Hier, nous avons vu une **pièce** de théâtre.

e) Pour toucher un chèque, il faut montrer une **pièce** d'identité.

4. Donnez un synonyme des mots soulignés.

a) Il était fou de bonheur devant une si <u>éclatante</u> manifestation de tendresse. (l. 13)

b) En homme qui connaît les <u>usages</u>, il s'était muni d'une fort belle cassate. (l. 15-16)

c) Elle était <u>enchantée</u> de son enlèvement. (l. 83-84)

d) Son <u>avis</u> n'était pas à dédaigner. (l. 121-122)

e) Don Pasquale se levait <u>tout à fait</u>. (l. 221-222)

5. Les expressions suivantes comprennent le nom **cheveux.** Avec chacune de ces expressions, faites une phrase qui en montre le sens :

a) couper les cheveux en quatre ;

b) avoir mal aux cheveux ;

c) cela a tenu à un cheveu ;

d) arriver comme un cheveu sur la soupe.

GRAMMAIRE

L'INFINITIF

L'infinitif objet sans préposition

L'infinitif s'emploie comme objet sans préposition :

1. Après les verbes exprimant la volonté ou le désir (**vouloir, désirer, espérer, souhaiter,** etc.).

— Je **veux** l'**épouser,** rétorqua Gennariello.
Il **espère convaincre** don Pasquale de donner son consentement.

2. Après les verbes exprimant le goût, la préférence (**aimer, détester, préférer,** etc.).

Il **aime manger** la cassate.
Nunziatina n'aime pas don Giacinto ; elle **préfère épouser** le coiffeur.

3. Après les verbes de déclaration (**affirmer, déclarer, dire, nier,** etc.).

Il **affirme** n'**avoir** pas touché à la fille.
Elle **dit être** amoureuse du coiffeur.

4. Après les verbes d'opinion ou de connaissance (**croire, penser, imaginer,** etc.).

Tu **penses** pouvoir épouser cette fille !
Il **croit forcer** son consentement.

5. Après les verbes de perception.

Elle a **vu entrer** don Pasquale.
Elle **a entendu crier** son père.

6. Après certains verbes de mouvement (**aller, courir, descendre, monter, entrer, rentrer, sortir, partir, venir, revenir, retourner**).

> Il **est sorti** acheter une bouteille d'excellent vin.
> Il **est retourné formuler** sa demande.
> Ils **sont allés s'asseoir** à quelques pas de la maison.

Remarque 1

Ne confondez pas **venir** et **venir de (passé récent)**.

> Il **vient** lui **demander** la main de sa fille. = Il vient dans le but de lui demander la main de sa fille.
> Il **vient de faire** sa déclaration d'amour. = Il a fait sa déclaration d'amour il y a quelques instants.

7. Après d'autres verbes souvent utilisés (**devoir, pouvoir, savoir, faire, laisser, falloir**).

> Ne **pouvais**-tu **résister** ?
> Il ne savait pas très bien ce qu'il **devait** en **faire.**
> Il **faut voir** s'il voudra encore.

Remarque 2

Voir l'appendice pour une liste plus complète des verbes suivis directement de l'infinitif.

L'infinitif après une préposition

Règle générale : après une préposition, le verbe se met à l'infinitif.

1. L'infinitif après **à**

   En général, l'infinitif précédé de **à** est utilisé après des verbes marquant **un but, un effort, une direction.** (Voir la liste dans l'appendice.)

   > Ils **ont réussi à entraîner** la jeune fille.
   > Don Pasquale **commençait à s'énerver.**
   > Je ne **parviens** pas **à traduire** le terme *guappo.*

2. L'infinitif après **de**

   Après un grand nombre de verbes transitifs et pronominaux, l'infinitif est précédé de **de.** (Voir la liste dans l'appendice.)

   > Don Pasquale **regrettait de quitter** Naples.
   > Il **a dit** (= ordonné) à sa fille **de rentrer.**
   > Ils **se sont arrêtés de monter** l'escalier et se sont regardés.

3. L'infinitif après **pour**

   Pour indique le but.

   > Gennariello est allé chez don Pasquale **pour** formuler sa demande en mariage.
   >
   > Il a enlevé Nunziatina **pour** obtenir le consentement de son père.

Remarque 1

Pour a parfois le sens de **sur le point de.** Cette construction est fréquente au Canada.

> Don Giacinto était **pour partir.**

---

4. L'infinitif après **par**

   L'infinitif après **par** qui désigne la manière ne s'emploie généralement qu'après **commencer** et **finir.**

   > La police **avait fini par** lui **remettre** son *foglio di via.*
   >
   > Lors de l'enlèvement, Nunziatina **a commencé par lutter** contre celui qui la ravissait.

5. **Après** est suivi de **l'infinitif passé.** (L'infinitif passé est formé de l'auxiliaire **avoir** ou **être** + le participe passé du verbe.)

   > **Après avoir mangé** la cassate, don Pasquale a mis Gennariello à la porte.
   >
   > **Après être sortis** de la maison, ils se sont réfugiés dans le salon de coiffure.

6. **Avant de, afin de, jusqu'à, de façon à, en sorte de**

   L'infinitif peut être précédé d'une **locution prépositive** (= une préposition formée de plusieurs mots).

   > Don Pasquale était parti pour Naples **afin de vivre** avec son oncle, camorriste notoire.
   >
   > **Avant de partir**, le maréchal a fait une remarque sarcastique.
   >
   > Il est allé **jusqu'à** (*as far as*) l'**enlever** avec violence.

Remarque 2

En est la seule préposition qui soit suivie du **participe présent.**

> L'honneur est pour moi, rétorqua don Giacinto **en touchant** son chapeau.
>
> Malheureuse ! dit don Pasquale **en s'adressant** à sa fille.

Pour une liste plus complète des verbes + infinitif avec ou sans préposition, voir l'appendice.

Les autres emplois de l'infinitif

1. L'infinitif peut être sujet d'un verbe, avec la fonction d'un nom.

> **Dénoncer** quelqu'un **est** impossible pour un *guappo*.
> **Accepter** Gennariello pour gendre **semble** difficile à don Pasquale.

2. Dans les propositions indépendantes, l'infinitif s'emploie comme un verbe conjugué :

   a) dans les propositions interrogatives indiquant la délibération ;

   > Comment **faire** pour convaincre le père ?
   > Que **dire** ?   Qui **croire** ?

   b) dans les propositions exclamatives exprimant la surprise, l'indignation, le désir ;

   > Lui, **avoir** recours à la police ? Jamais !
   > Ah ! **se venger** de ce déshonneur !

   c) dans les propositions impératives pour donner un ordre, par exemple dans les recettes, les manuels, les avis au public.

   > **Sonner** avant d'entrer dans le salon.
   > Pour tout renseignement, **s'adresser** au maréchal.
   > **Mettre** les verbes à l'infinitif.

Remarque

Lorsque l'infinitif est négatif, **ne pas** le précède.

> La chose à **ne pas dire**, il l'avait dite.
> Tâchez de **ne pas contrarier** son père.
> **Ne pas déranger !**

APPLICATION

1. Complétez les phrases suivantes en employant la préposition qui convient, s'il y a lieu.

   a) Il ne cesse pas _____ dire qu'il l'aime et qu'il ne se résigne pas _____ la perdre.

   b) Il veut _____ épouser Nunziatina, mais son père refuse _____ lui en donner la permission.

   c) Il continue _____ la voir et ensemble ils essaient _____ trouver une solution.

   d) Elle hésite _____ parler à son père parce qu'il lui a ordonné _____ cesser _____ voir le coiffeur.

   e) Il a dit à son ami Pietro _____ venir _____ le voir, car il désirait _____ lui parler.

f) M'aideras-tu _____ enlever Nunziatina ? J'ose _____ l'espérer.

g) Son ami cherche _____ comprendre. Il ne pense pas _____ avoir bien compris.

h) Il faut _____ tâcher _____ bien faire les choses.

i) Il vaut mieux _____ prévenir Nunziatina. Elle pourra nous _____ aider.

j) Vas-tu réussir _____ la décider _____ se prêter au jeu ?

k) Don Giacinto venait _____ partir ; ils n'ont pas tardé _____ entrer dans la maison.

l) Elle faisait semblant _____ lutter, mais elle s'amusait _____ participer à l'enlèvement.

m) Gennariello a failli _____ tout gâcher quand il a nié _____ avoir touché à la fille.

n) Don Pasquale dit _____ préférer la mort au déshonneur.

o) Le maréchal se vante _____ avoir empêché don Giacinto _____ épouser Nunziatina.

2. Remplacez la préposition qui précède l'infinitif par celle qui est donnée entre parenthèses. Faites tous les changements voulus.

   a) Gennariello s'est rendu chez don Pasquale pour lui demander la main de sa fille. (afin de)

   b) Avant de lui donner la cassate, il a formulé sa demande. (après)

   c) Pendant l'enlèvement, Nunziatina luttait pour respecter les lois de l'honneur. (de façon à)

   d) Don Pasquale a hurlé avant d'ouvrir la porte. (en)

   e) Il ment pour ne pas dénoncer Gennariello. (de manière à)

   f) Elle a commencé à lui parler. (par)

   g) Avant de faire sa déclaration, don Giacinto a touché son chapeau. (en)

   h) Le maréchal s'est arrêté au salon de coiffure avant d'aller chez don Pasquale. (après)

   i) Il est entré en faisant du bruit. (sans)

   j) Afin d'empêcher le mariage de Nunziatina avec don Giacinto, le maréchal a dit qu'elle s'était compromise.

3. Remplacez les verbes soulignés par les verbes donnés entre parenthèses. Faites tous les changements nécessaires.

   a) Elle va épouser cet homme. (veut, refuse, peut, espère, tient)

   b) Nous voulons assister aux noces. (comptons, hésitons, promettons, venons, pensons)

   c) Il nie avoir manqué de respect envers la fille du *guappo*. (regrette, semble, risque, croit, a honte)

   d) Les habitants de Positano ont essayé d'aider Gennariello. (ont cherché, ont tenté, se sont efforcés, ont tâché, ont préféré)

   e) Est-ce que vous arrivez à comprendre le subjonctif ? (pouvez, réussissez, prétendez, vous appliquez, doutez)

4. Gennariello écrit à ses grands-parents qui habitent en Sicile. Employez la préposition qui convient, s'il y a lieu.

J'aimerais _____ vous annoncer une grande nouvelle. J'ai décidé _____ me marier. Quand je l'ai vue _____ monter l'escalier, je suis tombé amoureux. Elle a commencé _____ passer devant ma boutique tous les jours et nous avons fini _____ faire de longues promenades. Je ne crois pas _____ pouvoir _____ exprimer combien je l'aime. J'ai oublié _____ vous dire qu'elle est très belle et qu'elle veut _____ avoir de nombreux enfants.

J'ai réussi _____ décider son père _____ m'accepter pour gendre. Au début, il avait refusé _____ m'accorder sa main. Il m'a même dit _____ sortir de chez lui et il m'a défendu _____ fréquenter sa fille. Il a fallu _____ recourir à des mesures extrêmes ; j'ai dû _____ enlever ma bien-aimée. Son père a eu le tort _____ vouloir _____ donner sa fille à un *guappo* de Naples.

Pourquoi ne venez-vous pas _____ nous rendre visite ? Je désire _____ vous présenter ma fiancée. Je tiens _____ vous inviter à notre mariage. J'espère _____ vous voir ce jour-là.

QUELQUES PRÉPOSITIONS + NOM

1. **En / dans**

   a) **En** est utilisé pour indiquer le temps qu'il faut pour accomplir une action.

   > Il a mangé la cassate **en** cinq minutes.
   > Le voyage de Toronto à Rome se fait **en** huit heures.

   b) **Dans,** suivi d'un espace de temps, est utilisé pour indiquer le moment où l'action commence.

   > Le maréchal reviendra le voir **dans** deux jours.
   > L'avion de Rome partira **dans** vingt minutes.

2. **Pendant / pour**

   a) Pour exprimer la durée d'une action ou d'un état, aucune préposition n'est nécessaire. **Pendant** est facultatif.

   > Gennariello et Pietro ont attendu le départ de don Giacinto (**pendant**) vingt minutes.

   b) **Pour** est utilisé pour exprimer une durée d'un temps à venir ; il contient l'idée de **but**.

   > Don Giacinto va à Positano **pour** deux jours.

3. **À cause de / grâce à**

   a) **À cause de** est souvent employé pour exprimer une cause négative.

   > Ils étaient essoufflés **à cause de** leur émoi et **à cause des** escaliers.

b) **Grâce à** est toujours employé pour exprimer une cause positive.

> **Grâce à** ses dons naturels, don Pasquale était rapidement devenu le chef du quartier.

4. **Vers / envers**

a) **Vers** indique la direction au sens physique.

> Ils sont allés **vers** la mer.

b) **Envers** signifie **à l'égard de** et indique la direction au sens moral.

> Le guappo a été méchant **envers** le coiffeur.

5. **Avant / devant**

a) **Avant** indique le temps.

> Ils ont pénétré dans la maison **avant** le retour de don Pasquale.

b) **Devant** indique le lieu.

> Les jeunes amoureux se sont rencontrés **devant** la boutique.

6. **Sans / avec**

Sans, et généralement **avec,** s'emploient sans article, à moins qu'ils n'introduisent un nom qualifié.

> Il l'a insulté **sans** pitié.
> Il se comporte **avec** intégrité, **avec une** intégrité **qu'on voit rarement.**

7. **Chez**

La préposition **chez** signifie **à la maison de, dans le bureau de, dans le pays de,** etc. Elle est toujours suivie d'un nom de personne ou d'un pronom remplaçant un nom de personne.

> Pour se faire couper les cheveux, on va **chez** Gennariello.
> Après une longue absence, le guappo est retourné **chez** lui.

APPLICATION

1. Complétez avec la préposition qui convient.

a) Ce soir, il va à Milan. Il part _____ quinze jours. Il va voyager en train. Le voyage se fait _____ quatre heures. Le train partira _____ un quart d'heure.

b) Quand il est arrivé _____ sa fiancée, la mère de celle-ci s'est levée et est venue _____ lui.

c) _____ clients, le coiffeur serait obligé de fermer boutique.

d) Il est arrivé _____ moi ; donc, il m'a attendu _____ la porte _____ dix minutes.

e) _____ sa persistance, il a pu l'épouser. Réaliser son rêve n'a pas été facile _____ l'opposition du père.

f) Le jeune homme était populaire parce qu'il était gentil _____ tout le monde.

g) Il n'a pas agi _____ prudence ; il s'est lancé dans cette aventure _____ hésitation.

h) Le mariage aura lieu _____ quinze jours, le 23 décembre, _____ les fêtes de Noël.

i) Ils ont préparé les noces _____ quelques jours. Ils avaient hâte de se marier.

j) Après le mariage, don Pasquale est devenu plus tolérant _____ son gendre.

2. Complétez par la préposition qui convient. Faites tous les changements voulus.

Gennariello et Nunziatina se sont mariés jeudi dernier. Les amis du coiffeur et les *guappi* napolitains ont fini _____ bien s'entendre. Don Giacinto a voulu _____ chanter une chanson populaire. _____ le dîner, don Pasquale a fait un discours _____ ses amis et ses anciens collègues de Naples.

_____ avoir bu à la santé des mariés, les invités se sont mis à table.

Quand les musiciens ont commencé _____ jouer, le père de la mariée a proposé à sa femme _____ danser _____ lui, mais elle a préféré _____ rester assise. Elle se contentait _____ contempler sa fille. Gennariello et Nunziatina s'amusaient _____ s'embrasser quand les invités faisaient tinter les verres. Ils ne craignaient plus _____ fâcher don Pasquale. Ils songeaient seulement _____ vivre heureux, _____ soucis.

LES NOMBRES

Faites bien la distinction entre :

a) le **nombre** qui désigne une quantité (= combien) ;

Quel est **le nombre** d'étudiants dans la classe ?
Indiquez **le nombre** d'enfants dans votre famille.

b) le **numéro** qui identifie ;

Quel est votre **numéro** de téléphone ?
Je cherche l'appartement **numéro** 27.

c) le **chiffre.** Les 10 chiffres sont : 1, 2, 3, 4, 5, 6, 7, 8, 9, 0.

Fais mieux tes **chiffres** ! On dirait que ce 3 est un 5.

Les nombres cardinaux

1. Les adjectifs numéraux sont invariables sauf :

vingt, cent et **un** (qui devient **une** au féminin)

2. Un trait d'union relie les différentes parties d'un nombre inférieur à cent.

cinquante-cinq   cent dix-neuf

3. La conjonction **et** s'emploie sans trait d'union pour unir le **un** et le **onze** aux dizaines **sauf après quatre-vingts.**

> vingt **et un**   soixante **et un**   soixante **et onze**
> **Mais :** quatre-vingt-un   quatre-vingt-onze

4. **Vingt** et **cent** prennent un **s** lorsqu'ils sont précédés d'un nombre pluriel et ne sont pas suivis d'un autre nombre.

> quatre-vingt**s** (jours)   deux cent**s** (minutes)
> quatre-vingt mille (livres)   deux cent vingt (livres)

5. **Mille** est invariable.

> C'était un jeune homme du Sud, comme il y en a cent **mille.**

6. **Millier, million, milliard, billion,** etc. sont des **noms** et suivent les règles qui s'appliquent aux noms. Ils prennent un **s** au pluriel et **de** s'il sont suivis d'un nom.

> Il a gagné **des millions** en faisant la contrebande.
> Il y a cinquante-huit **millions d'habitants** en Italie.

7. Les nombres cardinaux sont utilisés pour désigner les dates, les souverains et les papes (sauf pour **premier**).

> le vingt et un décembre   le premier (1er) octobre
> Elizabeth II (deux)   Elizabeth 1re (première)
> Jean XXIII (vingt-trois)   Louis XIV (quatorze)

Remarque

Demi s'accorde avec le nom qui le précède mais est invariable lorsqu'il précède le nom.

> à huit heures et **demie**   minuit et **demi** (*minuit* est masculin)
> **Mais :** une **demi**-heure

APPLICATION

Écrivez en toutes lettres :

a) 55 000 ;

b) 2 000 000 ;

c) le 21 septembre ;

d) 6 $\frac{1}{2}$ heures ;

e) 100 ans ;

f) 75 kilomètres ;

g) 82 ;

h 500 000 ;

i) 200 ;

j) 380 personnes ;

k) 1999 ;

l) 91.

Les nombres ordinaux

1. Les nombres ordinaux, qui désignent l'ordre ou le rang, sont formés en ajoutant **-ième** au nombre cardinal, en omettant le **e** final s'il y a lieu. Ces mots sont des adjectifs qui s'accordent avec le nom ou le pronom qu'ils qualifient.

> Vers sa **dix-septième** année, il est parti pour Naples.
> Gennariello est le **quatrième** enfant de sa famille.

> *Remarque*
>
> Attention à l'orthographe de **neuvième, dix-neuvième,** etc.
>
> > Il y a neu**f** clients qui attendent leur tour.
> > Le **neuvième** est le maréchal.

2. Le nombre ordinal correspondant à **un/une** est **premier/première,** mais dans les nombres composés, on emploie **unième.**

   Second est synonyme de *deuxième*. Dans les nombres composés, on utilise **deuxième.**

   > Son oncle est le **premier** parmi les mauvais garçons napolitains, il est le **second.**
   > C'est la **vingt et unième** ou la **vingt-deuxième** fois que la police l'arrête.

3. **Premier / première** et **dernier / dernière** suivent le nombre cardinal.

   > Les **deux premières** tentatives pour obtenir son consentement ont échoué.
   > Ce sont les **trois derniers** clients.

APPLICATION

Écrivez en toutes lettres le chiffre ordinal correspondant au chiffre donné.

a)	29	g)	1000
b)	31	h)	5
c)	100	i)	1
d)	125	j)	260
e)	80	k)	70
f)	48	l)	90

Les nombres collectifs

1. Les nombres collectifs sont formés en ajoutant **-aine** au nombre cardinal. Ce sont des noms féminins, suivis de **de + nom.** Le **-e** du nombre cardinal disparaît et **-x** se change en **-z.**

   > dix — une dizaine   douze — une douzaine
   > vingt — une vingtaine   trente — une trentaine

cinquante — une cinquantaine   cent — une centaine
Mais : mille — un millier

2. Ces nombres indiquent l'approximation.

Gennariello médita sur cette défaite pendant **une quinzaine** de jours. (à peu près quinze jours)
Mais : généralement une douzaine = 12 exactement
une douzaine d'œufs ; une douzaine d'oranges

APPLICATION

Écrivez en toutes lettres :

a) environ 60 ;

b) à peu près 40 ;

c) 12 roses ;

d) environ 15 ;

e) à peu près 100 ;

f) environ 30 ;

g) approximativement 20 ;

h) à peu près 1000.

DEVOIRS ÉCRITS / TRAVAIL ORAL

A. COMPOSITION GUIDÉE

On dit que l'amour est indispensable pour rendre un mariage heureux. Pourquoi donc tant de mariages d'amour se terminent-ils par le divorce ?

1. Pour quelles raisons se marie-t-on (amour, besoin de sécurité, de compagnie, désir de fonder une famille, etc.) ?

2. L'amour suffit-il pour rendre un mariage heureux ?

3. Quelles autres conditions sont nécessaires (rapports d'âge, d'humeur, de classe, goûts semblables, etc.) ?

4. Quelles sont, en général, les causes des divorces (infidélité, incompréhension, problèmes d'argent, d'éducation des enfants, violence, etc.) ?

5. Quelles sont à votre avis les conditions indispensables pour qu'un mariage dure ?

B. COMPOSITION LIBRE / TRAVAIL ORAL

1. Donnez libre cours à votre imagination et rédigez un court récit intitulé : *Un amour impossible.*

2. Dans la nouvelle « L'Honneur de don Pasquale », démontrez que le comportement des personnages est, en général, dicté par les lois de l'honneur.

3. Vous annoncez à vos parents que vous voulez vous marier. Ils n'approuvent pas le choix que vous avez fait. Jouez la scène.

DIALOGUES

1. Imaginez une conversation entre un(e) adolescent(e) et ses parents. Ils n'arrivent pas à se comprendre. Le jeune reproche à ses parents d'être trop sévères tandis que les parents l'accusent d'être rebelle.

Quelques expressions utiles

n'en faire qu'à sa tête	to have one's way
faire ses quatre volontés	to do exactly as one pleases
être vieux jeu	to be old-fashioned
croire tout savoir	to think one knows everything
être une mauvaise tête	to be a rebel
avoir l'esprit fermé	to be narrow-minded
être autoritaire	to be authoritarian
j'en ai assez / marre / ras-le-bol !	I've had enough !
avoir tort	to be wrong
ça m'énerve	that annoys me
ne pas être d'accord	to disagree
tu exagères !	you overdo it !
tu vas trop loin !	you're going too far !
se fâcher / se mettre en colère	to become angry
ça m'enrage !	that makes me very angry !

2. Le père veut dresser un contrat de mariage qui sauvegarde les biens de sa fille. Elle proteste contre cette idée.

Quelques expressions utiles

un mariage de convenance / de raison	a marriage of convenience
un mariage d'amour	a love match
témoigner sa passion	to show one's passion
les liens conjugaux	marriage bonds
les vœux de mariage	marriage vows
un homme de parole	a man of his word
on peut le croire sur parole	he is as good as his word
le mariage va à vau-l'eau	the marriage is breaking up
la rupture	the break-up
se laisser exploiter / duper	to let oneself be exploited / fooled
ne penser qu'à amasser de l'argent	to think only of amassing wealth
sur un plateau d'argent	on a silver platter
l'emporter sur	to get the upper hand on

UNE POINTE D'HUMOUR

ZÉRO EN MATHS

- Un homme compte sur ses doigts :

   — 6 et 3... 9... et 4... 13... et 2... 15... oui, c'est bien ça. Cela fait quinze ans que je suis professeur de mathématiques.

- L'instituteur pose cette multiplication au tableau : 327 x 948 = ?

   — Pierre, dit-il, combien cela fait-il ?

   L'élève se met à gribouiller fébrilement sur son cahier et, trois minutes plus tard, il annonce fièrement : 309 996.

   — Fais-moi la preuve, dit le maître.

   — Comment, s'écrie le gamin, profondément outragé. Alors, ma parole ne vous suffit pas ?

- L'institutrice interroge un nouvel élève :

   — Combien font 14 plus 17 ?

   — 38.

   — Et 12 plus 19 ?

   — 42.

   Une dernière expérience : 22 plus 5 ?

   — 34.

   — Tu as appris à compter tout seul ?

   — Non. C'est mon père qui m'a appris.

   — Et que fait-il, ton père ?

   — Il est garçon de café.

- — Antoine, cite-moi deux dates importantes concernant Charlemagne.

   — L'an 800. Il a été couronné empereur.

   — Bien. Et la seconde date ?

   — En 810, il a fêté le dixième anniversaire de son couronnement.

Mina et André Guillois, *Les Enseignants ont de l'humour*, Paris, Le cherche midi éditeur, 1982, p. 69, 84-85, 106.

Chapitre 20

L'Europe
La France

Aspects grammaticaux étudiés :

- La voix passive (le passif)
- **Ce** ou **il** + **être**
  - **Il (elle, ils, elles)** + **être**
  - **Ce** + **être**
- **Faire** causatif
- **Devoir** + infinitif
- **Pouvoir** + infinitif
- **Savoir** et **connaître**

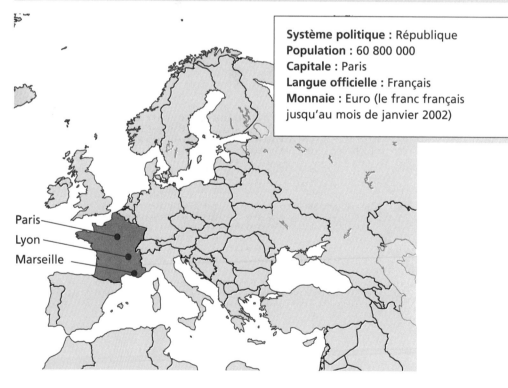

Système politique : République
Population : 60 800 000
Capitale : Paris
Langue officielle : Français
Monnaie : Euro (le franc français
jusqu'au mois de janvier 2002)

Paris
Lyon
Marseille

La France est le berceau de la langue et de la civilisation françaises qui ont rayonné à travers le monde. Elle a été une puissance coloniale, ce qui explique l'importance du français, en particulier en Amérique du Nord, en Afrique et aux Antilles.

Le XVIIᵉ siècle sous Louis XIV, surnommé le Roi-Soleil, est celui des grands écrivains : La Fontaine, Corneille, Racine, Molière. La Révolution française de 1789, avec la Déclaration des droits de l'homme, a influencé le monde entier.

Visiter un pays étranger comporte des plaisirs, sans doute, mais aussi des difficultés, surtout si l'on parle mal ou peu la langue — ou même si on ne la parle pas comme les autochtones. Un Anglais, un Américain et un Canadien nous racontent leurs escarmouches[1] avec le français de France, langue parlée par 150 000 000 de personnes.

PRÉ-LECTURE

Avez-vous déjà visité un pays dont vous ne possédiez pas la langue ? En tout cas, vous avez certainement déjà essayé de communiquer avec une personne qui ne parle pas la vôtre ? Qu'avez-vous ressenti ? Amusement ou frustration ? Racontez cette expérience.

Pierre Daninos, né en 1913, est un humoriste français qui connaît bien l'Angleterre puisqu'il s'y trouvait pendant la Deuxième Guerre mondiale. L'extrait ci-dessous est tiré de son ouvrage le plus célèbre, *Les Carnets du major Thompson*. Il y met en scène un Anglais francophile qui a épousé une Française en secondes noces. C'est l'occasion, pour Daninos, de se moquer, sans grande méchanceté, à la fois de ses compatriotes et des Anglais.

Des étrangers à Paris

Un Anglais à Paris

J'ai longtemps cherché à savoir, sans jamais poser de questions trop directes, comment parler un bon français.

Il y a, d'abord, les guides de poche où : *Excusez-moi… Y a-t-il quelqu'un ici qui parle anglais ?… Je suis étranger*, se lit, pour plus de facilité : *Ekskyze-mwa… i*
5 *jatil kelkoe isi ki parle aglé ?… ze suiz étrazé…* […]

Étant donné[2] mes difficultés avec ces mémentos […], j'ai, pour un temps, et à l'instar de[3] beaucoup de mes honorables concitoyens, adopté une solution de paresse : ne pas essayer de parler français ou le parler tellement mal que les Français qui se piquent de *spiker* l'English viennent à votre secours en faisant

---

[1] petites luttes
[2] À cause de
[3] comme

10 prendre l'air à leur anglais du lycée : *ze dineur iz raidi*. Vous êtes sûr, alors, non
seulement d'avoir peine à être compris, mais de ne plus comprendre personne.

Il existe, pour un sujet britannique, une troisième manière : ne pas attaquer
le français de front et profiter, pour mettre son vocabulaire au point, des séjours
que les missions ou les guerres lui auront permis de faire au Canada ou en
15 Belgique. Je ne saurais trop signaler les périls d'une telle méthode.

J'avais fait confiance aux Canadiens, qui assurent être seuls aujourd'hui dans
le monde à parler le vrai français : celui de Montaigne[4]. Toutefois, je déconseille
à un compatriote de demander une paire de claques[5] à un vendeur de chaussures
sous prétexte qu'il a besoin de snow-boots, ou un char à un groom parce qu'il
20 veut un taxi...

L'expérience belge, si elle précède, comme la mienne, le séjour en France,
n'est pas moins dangereuse. Je me rappelle l'air narquois de cet agent immobilier
auquel je demandai, débarquant de Liège[6] à Paris, s'il pouvait me trouver un
appartement de quatre places[7].

25 « <u>Dans le sens de la marche</u>[8] ? » interrogea-t-il ; et son sourire me fit aussitôt
sentir que j'étais arrivé au pays <u>de la repartie</u>[9] [...].

Aucun doute : pour parler un vraiment bon français, il fallait l'apprendre en
France. N'était-ce pas le moins qu'épousant une Française je <u>cherchasse (merci)</u>[10]
à partager ses mots ? Une fois sur place, pourtant, les choses devinrent encore
30 plus complexes. Je savais déjà qu'il y avait une façon de parler le français au nord
des Ardennes et une autre au sud. Mais j'ai été amené très vite à constater qu'il
existe aussi une façon de parler le français au nord de la Somme, une seconde au
sud de la Loire, une troisième à droite du Massif Central, et (environ) cinquante-
cinq autres, de telle sorte qu'en fin de compte on ne saurait dire avec exactitude
35 qui en France parle français. Les Lyonnais se moquent des Marseillais, les
Bordelais des Lillois (quand ce n'est pas des Landais), les Niçois des Toulousains,
les Parisiens de toute la France, et toute la France des Parisiens.

* * *

Décidé à me perfectionner, j'entrepris un voyage à travers le pays. [...]

Pour satisfaire à une certaine logique, j'allai d'abord rendre visite aux
40 Tiberghien, de Roubaix, que j'avais connus pendant la guerre. M. Tiberghien
m'accueillit en me disant :

« Mettez-vous... »

Je supposai un instant qu'il allait me demander si je mettais des caleçons de
toile ou de laine, mais il se contenta de répéter : « Mettez-vous... » en
45 m'indiquant un fauteuil.

Je m'y mis.

---

[4] Michel de Montaigne (1533-1592), auteur des premiers essais (*Essais*).
[5] Une claque, en France, est une gifle. Au Canada, les claques sont des caoutchoucs qui protègent les
chaussures. En France, on dit aussi snow-boots.
[6] capitale de la Wallonie, partie francophone de la Belgique
[7] Les Belges disent « place » pour « pièce ». (*Note de l'auteur*)
[8] Dans le sens où roule le train
[9] où les personnes ont toujours une réponse prête
[10] Quel temps le major utilise-t-il ? C'est un tour de force qui mérite des félicitations.

Quelque temps plus tard, arrivant à Marseille, j'entendis M. Pappalardo s'écrier en me
50   voyant :

« Remettez-vous[11], cher major Tommepessonne ! »

Je pensai qu'il allait m'apporter un cordial[12], mais
55   c'était là simple façon de m'inviter à prendre un siège.

Je m'y remis.

Le français varie, en somme, avec la longitude.
60   Encore s'agit-il là du français que les Français eux-mêmes entendent[13] à peu près. Mais, lorsqu'un Basque se met à parler la langue du terroir (et il
65   semble le faire avec un plaisir particulier devant un Parisien ou un étranger), on est en plein brouillard. [...]

Les Parisiens savent-ils ou
70   non parler français ? À vrai dire quand, chez mes amis Daninos, j'entends le petit garçon dire à sa sœur : « T'es pas cap[14] de faire ça ! »
75   ... ou chuchoter en me

La Tour Eiffel

regardant (ils doivent me croire un peu dur de la conque[15]) :

« T'as vu sa moustache ? Drôlement au poil[16] !... Et son imper[17] ?... Impecc[18] !... »

... il m'est difficile de penser que ce langage-express est celui du pays de
80   Montesq, pardon, Montesquieu[19]. On serait même en droit de se demander si, à cette cadence-là, dans cinquante ans, la France n'aura pas perdu la moitié de son vocabulaire. Avouez que ce serait formid[20]... Mais après tout, ils en sont cap !

Pierre Daninos, *Les Carnets du major Thompson*, Paris, Hachette, 1954, p. 155-162.

---

[11] Calmez-vous ! En français standard, on dit : « Remettez-vous ! » à une personne qui vient d'avoir une forte émotion.
[12] boisson alcoolisée
[13] comprennent
[14] capable
[15] cavité de l'oreille. Expression amusante ici ; on dit normalement : dur d'oreille.
[16] Vraiment parfaite ! Jeu de mots sur « au poil », la moustache étant faite de poils.
[17] imperméable
[18] impeccable
[19] Charles de Montesquieu (1689-1755), moraliste et philosophe français, auteur de *De l'esprit des lois*.
[20] formidable

Expressions à retenir

étant donné (l. 6)
prendre l'air (l. 10)
avoir peine à (l. 11)
mettre au point (l. 13)
faire confiance à (l. 16)
sous prétexte que (l. 19)
un agent immobilier (l. 22)
en fin de compte (l. 34)
accueillir quelqu'un (l. 41)
à vrai dire (l. 70-71)

COMPRÉHENSION

1. Que ferait le marchand de chaussures s'il obéissait au client demandant une paire de claques ? (l. 18)
2. Qu'est-ce qu'on attend généralement après « Mettez-vous… » ? (l. 44)
3. À qui et dans quelles circonstances dit-on « Remettez-vous » ? (l. 51)
4. Comment les jeunes transforment-ils la langue ?

INTERPRÉTATION

1. Que pense le major de l'anglais parlé par la majorité des Français ?
2. Expliquez le « merci » (l. 28) du major.
3. Quelle est l'attitude des Parisiens envers le reste de la France et vice versa ?
4. Montrez que, dans ce passage, l'humour naît souvent du fait que les mots n'ont pas le même sens pour tous les francophones.

Dave Barry est journaliste au quotidien *The Miami Herald* depuis 1983. Il a obtenu le prix Pulitzer en 1988.

Un Américain à Paris

L'été dernier, j'ai passé mes vacances à Paris, la capitale de la France. J'ai marché sur les traces d'illustres écrivains, tels Ernest Hemingway, Henry Miller et F. Scott Fitzgerald, qui tous[21], <u>soit dit en passant</u>[22], sont morts à l'heure qu'il est. Je pense le plus grand mal des conducteurs parisiens. Il n'existe qu'une seule

5   place de stationnement libre dans toute la ville, et elle se trouve au Musée du

---

[21] Tous ces célèbres écrivains américains ont vécu à Paris.
[22] à propos (*by the way*)

Louvre, actuellement sous étroite
surveillance policière. Résultat : [...] des
milliers d'automobilistes énervés
sillonnent la ville dans tous les sens à la
10 recherche d'une place libre et se
défoulent en prenant les piétons pour
cible, allant jusqu'à les pourchasser sur le
trottoir si nécessaire. Parfois, le seul
moyen de leur échapper est de se réfugier
15 dans l'une des célèbres cathédrales de la
capitale, que l'on trouve heureusement
tous les 25 pieds (ou 83,13 litres)[23].

    <u>Quoi qu'il en soit</u>[24], il est très
agréable de se promener dans les rues de
20 Paris et de se sentir — comme beaucoup
d'Américains lorsqu'ils visitent cette ville
superbe — gros. Car, c'est un fait, nous
autres Américains ressemblons à des
troupeaux de bovins montés sur des
25 chaussures de tennis devant les Parisiens,
qui ont tendance à être très minces et à
peser 38 livres (ou 7,83 m). On peut
s'étonner de leur santé si florissante,
<u>étant donné que</u>[25] leur principale

Un café parisien

30 activité, en dehors d'écraser les piétons,
est de se prélasser aux terrasses des cafés
pendant plusieurs jours <u>d'affilée</u>[26] en ayant l'air français.

    Il nous arrive d'essayer de nous fondre dans le décor, mais notre imposture
est vite repérée parce que nous sommes incapables de prononcer le code secret
35 français, la fameuse lettre « r ». Il est pratiquement impossible pour un étranger
d'émettre ce son ; c'est grâce à ça que les garçons de café nous démasquent,
même lorsqu'on essaie de passer pour un autochtone.

    Le garçon : « Bonjour, je suspecte que vous êtes américain. »

    Vous : « Mais je ne porte pas les Nike. »

40 Le garçon : « Au quai, monsieur pantalons intelligents (OK, M. Petit
Malin), prononcez le mot "Rouen." »

    Vous : « Woon. »

    Le garçon : « Si vous êtes français, je suis l'homme de la Batte (si vous êtes
français, je suis Batman). »

---

[23] Notre Américain a quelque difficulté à comprendre le système métrique, comme le montre aussi le
paragraphe suivant.
[24] De toute façon, peu importe
[25] puisque
[26] De suite, sans interruption

45   Autre méthode pour faire, <u>à coup sûr</u>[27], la différence entre les Français et les Américains : les uns fument alors que les autres se creusent la tête pour résoudre l'épineux problème du pourboire. Les guides touristiques restent vagues sur cette question : ils expliquent que le service est généralement inclus dans l'addition, mais pas toujours, avant d'ajouter que, s'il est inclus, il ne l'est pas forcément

50   totalement. Ainsi, pendant que les indigènes lézardent, fument et écrivent des romans, nous autres Américains passons notre temps à jeter des regards inquiets à l'addition […].

Honnêtement, je n'ai aucune idée de la façon dont les Français <u>s'y prennent</u>[28] dans ce domaine, étant donné que, pendant les deux semaines

55   passées à Paris, je n'ai jamais vu un Parisien sortir d'un café. Ça n'est pas une critique. En tant que journaliste professionnel, j'aime l'idée d'une société où l'on accepte que les gens consacrent leur temps à traîner au bistrot et à boire un verre. La ville est splendide, la nourriture, fabuleuse, et ils ont des toilettes publiques high-tech payantes si incroyables qu'en y allant vous avez la sensation que vous

60   pourriez bien être téléporté à travers la galaxie jusqu'au vaisseau de *Star Trek*. […]

Comme disent les Français, « au revoir » (littéralement, « woon »).

L'actualité (15 décembre 1998), p. 55.

Expressions à retenir

étroite surveillance (l. 6-7)
se défouler (l. 10-11)
prendre pour cible (l. 11-12)
quoi qu'il en soit (l. 18)
d'affilée (l. 32)
à coup sûr (l. 45)
se creuser la tête (l. 46)
l'épineux problème (l. 47)
le pourboire (l. 47)
s'y prendre (l. 53-54)

COMPRÉHENSION

1. Pourquoi Barry pense-t-il beaucoup de mal des automobilistes parisiens ?
2. Selon le journaliste, où les Français passent-ils la plupart de leur temps ?
3. Pour le major Thompson, c'est la maîtrise du vocabulaire français qui présente de grandes difficultés. Quel est le plus grand obstacle pour Barry ?

---

[27] avec certitude
[28] procèdent

INTERPRÉTATION

1. Expliquez le 83,13 litres (l. 17) et le 7,83 m (l. 27).
2. Expliquez, en anglais « Au quai, monsieur pantalons intelligents » (l. 40).
3. Quel adjectif conviendrait pour décrire le caractère du garçon (imaginaire, bien sûr !) ?
4. L'humour, ici, est dû, en partie, à l'hyperbole (l'exagération). Trouvez des exemples d'hyperboles.

Alain Stanké est né en Lituanie en 1934. Après des études secondaires à Paris, il est arrivé au Québec à l'âge de 17 ans. Il a travaillé comme journaliste à la fois pour les quotidiens et pour la télévision, où il a été aussi scripteur et producteur. Stanké est également un éditeur connu au Québec : en 1971, il a lancé les Éditions de la Presse et en 1975, les Éditions Stanké.

Un Canadien à Paris

Le présent récit, qui relate les tribulations d'un Canadien à Paris, est imaginaire. Pourtant, le fond en est véridique. […]

Je n'étais jamais allé à Paris. C'était donc tout naturel qu'en descendant à l'aéroport d'Orly[29] je ressente un léger pincement au cœur.

5   Dès l'arrivée à l'hôtel, je me dirige vers la réception. […]

Les formalités remplies, je monte à ma chambre et téléphone aussitôt à Montréal pour apprendre à ma femme que je suis arrivé sain et sauf.

— Opératrice ? dis-je

— OPÉRA[30] combien ? demande à son tour la femme au bout du fil.

10   — C'est pour faire un « longue distance ».

— Un quoi !

— Les Français ne doivent pas téléphoner souvent à l'étranger, car la préposée n'a pas l'air de comprendre...

— C'est pour téléphoner à Montréal, au Canada.

15   — Ne bougez pas. Je vous passe l'inter.

— Allô ! Ici la standardiste. Vous avez demandé l'interurbain ?

Cette fois, je manque de perdre patience.

— Je n'ai rien demandé du tout ! Ce que je veux c'est parler à Montréal.

— C'est pour un P.C.V.[31] ? insiste la voix.

20   — Non, c'est pour ma femme !

— Mais où appelez-vous ?

— À Montréal.

— En P.C.V. ?

— Non, en Canada.

---

[29] Maintenant, il atterrirait à l'aéroport Charles de Gaulle.
[30] Il s'agit de l'indicatif d'une certaine zone téléphonique.
[31] La personne qui reçoit l'appel paie les frais.

25   —Je vous demande qui va payer !
Ce[32] qu'elles sont indiscrètes, ces Françaises...
  — C'est un appel « collect ». Ou, si vous aimez mieux, « charges
renversées ». Compris ?
C'est sûrement une nouvelle employée. Elle ne comprend pas. Il faut que je
30   lui explique tout.
  — Ma femme va payer le téléphone.
  — Ah ! votre femme va payer la communication. C'est ce que je disais : c'est
un P.C.V. alors ! Ne quittez pas, j'ai l'abonnée en ligne. [...]
J'ai hâte de manger dans un bon restaurant. Je commets l'imprudence de
35   demander à un Parisien de me recommander « un bon restaurant français ». Il
me fait remarquer, assez justement d'ailleurs, que, français, les restaurants le sont
tous, <u>au même titre que</u>[33] les cerises (de France), le pain (français) et les
pâtisseries (françaises).
Le restaurant dans lequel j'entre finalement à midi est charmant. L'accueil,
40   lui, est plutôt froid.
  — C'est pour dîner, dis-je au maître d'hôtel.
  — À cette heure-ci ? demande-t-il, l'air ulcéré.
Les Français ne mangent peut-être pas aux mêmes heures que nous. Il faut
se renseigner.
45   — À quelle heure servez-vous le dîner ici ?
  — À partir de 19 heures, monsieur.
  —Et maintenant, vous servez quoi ?
  — Le déjeuner, monsieur !
  — Le déjeuner à midi ? Ils doivent se lever tard, les Parisiens !
50   J'apprendrai plus tard que tout cela n'est qu'une question de termes. Quand
nous prenons notre déjeuner, les Français, eux, prennent le petit déjeuner ;
quand nous dînons, ils déjeunent et, quand nous soupons, ils dînent. Durant
mon séjour en France, j'ai simplifié mes tracas en disant que je voulais tout
simplement manger. Ce que j'ai d'ailleurs fait très bien trois fois par jour...
55   Je veux à tout prix commencer par une spécialité. Le menu annonce :
« Bifteck pommes frites ». Le mariage des pommes — frites <u>par surcroît</u>[34] —
avec la viande est inattendu. Je commande. Je dois avouer que pour le steak, que
je prends habituellement « médium », c'est assez compliqué. On peut me le faire
saignant, <u>à point</u>[35], ou de mille et une autres façons, mais on ne sait pas le faire
60   médium. J'en conclus que le chef doit être un débutant. Quant aux pommes,
c'est de la fausse représentation : <u>de vulgaires patates frites</u>[36] ! [...]
C'est ainsi que, petit à petit, je fais mon apprentissage parisien. J'apprends
que, pour obtenir un verre de bière, on doit demander un demi, qu'on dit
boisson et non breuvage, une glace et non une crème glacée, que bien froid se dit
65   frappé et qu'on ne demande pas la liste mais la carte des vins. À la pharmacie, on

---

[32] Comme
[33] comme
[34] en plus
[35] entre saignant et bien cuit
[36] des pommes de terre frites ordinaires

donne une ordonnance et non une « prescription », et l'on ne se plaint pas, après avoir trop mangé, de brûlements d'estomac, mais de brûlures à l'estomac…
Là-bas, un bicycle est un vélo, une lumière rouge un feu rouge et la gazoline de l'essence. Une intermission devient un entracte, le barbier un coiffeur, la boîte
70 téléphonique une cabine…

J'apprends tout cela par la méthode difficile, c'est-à-dire non sans humiliation parfois mais restant toujours fier de parler, comme dit la fameuse annonce, la langue de 150 000 000 de personnes.

Alain Stanké, « Les Tribulations d'un Québécois à Paris »

Expressions à retenir

sain et sauf (l. 7)
au bout du fil (l. 9)
le / la préposé(e) (l. 13)
l'interurbain (l. 16)
l'abonné(e) (l. 33)
le maître d'hôtel (l. 41)
se renseigner (l. 44)
le tracas (l. 53)
(du steak) saignant, à point (l. 59)
une ordonnance (l. 66)

COMPRÉHENSION

1. Que représente le mot OPÉRA (l. 9) pour la standardiste ?
2. Qu'est-ce qui explique que le vocabulaire du narrateur et celui de la standardiste soient différents ?
3. Qu'y a-t-il d'illogique dans la question du narrateur qui veut qu'on lui recommande un bon restaurant français ?
4. Quel repas prend-on le matin en France ?
5. Expliquez la confusion causée par le « pommes frites » (l. 56) du menu. De quel genre de pommes s'agit-il ?

INTERPRÉTATION

1. Pourquoi le narrateur dit-il « au Canada » (l. 14) et « en Canada » (l. 24) ?
2. Quel mot — pas très poli ici — dans une des réponses du Canadien à la standardiste montre qu'il est très énervé ?
3. Y a-t-il une ressemblance entre les Français rencontrés brièvement dans ce passage et le garçon du passage précédent ? Expliquez votre réponse.

MAÎTRISONS LA LANGUE

Un Anglais à Paris

A

1. Trouvez, dans le texte, les synonymes des expressions suivantes : a) compatriotes ; b) sortant ; c) directement ; d) attirer l'attention sur ; e) dangers ; f) moqueur ; g) m'améliorer ; h) sensass.

2. Trouvez trois mots de la même famille que : a) signaler ; b) places.

B

1. Quelles villes habitent : a) les Lillois ; b) les Bordelais ; c) les Niçois ; d) les Toulousains ; e) les Lyonnais ?

2. Le suffixe **-ois** est un des plus courants pour désigner les habitants d'une ville. Donnez-en quatre exemples.

3. Comment appelle-t-on les habitants : a) de Londres ; b) de Madrid ; c) de Moscou ; e) de Rome ?

Un Américain à Paris

A

1. Trouvez, dans le texte, le contraire des mots suivants : a) prochain ; b) vivants ; c) calmes ; d) s'énervent ; e) désagréable ; f) gros.

2. Remplacez l'expression soulignée par une expression tirée du texte. Faites les changements voulus.

   a) Il disparaît dans le décor.
   b) Voici une autre façon de faire la différence entre Français et Américains sans se tromper.
   c) C'est à cause de cela que nous sommes démasqués.
   d) Je ne sais pas comment les Français font puisque je n'en ai jamais vu un sortir d'un café.
   e) Ils poursuivent les piétons sur le trottoir s'il le faut.

B

1. De quels noms sont dérivés les verbes suivants : a) sillonner (l. 9) ; b) pourchasser (l. 12) ; c) se réfugier (l. 14) ? Faites une phrase avec chacun de ces noms.

2. Le verbe **lézarder** (l. 50) a deux sens. Faites deux phrases qui les illustrent.

3. Les pays étrangers et leurs coutumes ont inspiré de multiples expressions. Répondez aux questions suivantes :

   a) Le major Thompson est anglais. File-t-il à l'anglaise ? Expliquez votre réponse.
   b) Qu'est-ce que la soupe anglaise ?

c) Qu'est-ce que le homard à l'américaine ?

d) Qu'est-ce qu'une salade russe ?

e) Qu'est-ce que vous ressentez sur les montagnes russes ?

Un Canadien à Paris

A

1. Que remplacent les pronoms suivants : **en** (l. 2) ; **le** (l. 36) ; **le** (l. 59) ?

2. Faites deux phrases où le mot **vulgaire(s)** (l. 61) sera utilisé dans deux sens différents.

B

1. Pourquoi y a-t-il une inversion aux l. 41 et 42 ?

2. Vous êtes en France et vous voulez téléphoner au Canada ou aux États-Unis. Imaginez votre dialogue avec la standardiste.

GRAMMAIRE

LA VOIX PASSIVE (LE PASSIF)

Un verbe est à la **voix active** quand le sujet **fait** l'action. Il est à la **voix passive** quand le sujet **subit** l'action.

Voix active	**Voix passive**
La maison **inclut** le service.	Le service **est inclus** par la maison.
Le sujet (la maison) fait l'action.	Le sujet (le service) subit l'action.

Forme

Le passif est formé à l'aide du verbe **être** suivi du participe passé d'un verbe transitif. Le temps du verbe actif devient le temps du verbe **être**. Seul **l'objet direct** du verbe peut être le sujet d'un verbe transitif.

> Les garçons **nous démasquent**. **Nous sommes démasqués** par les garçons. (**nous,** objet du verbe à la voix active, devient le sujet du verbe à la voix passive ;
> le verbe actif **démasquent** est au présent ; donc, le verbe **être** (**sommes**) est également au présent.)

Remarque

Le participe passé d'un verbe à la voix passive s'accorde avec le sujet, comme tous les participes passés conjugués avec **être.**

> Notre imposture **sera** vite **repérée.**

Emplois

1. Le complément du verbe passif est le complément d'agent. Ce complément indique **qui** (la personne) ou **ce qui** (la chose) fait l'action. Il est généralement introduit par la préposition **par.**

> Notre imposture sera vite repérée **par les garçons.**
> Le major Thompson est invité **par les Daninos.**
> Les piétons sont pourchassés **par les voitures.**

2. La préposition **de** introduit le complément d'agent après certains verbes :

   a) qui expriment un état ;
   b) qui expriment une émotion, un sentiment ;
   c) employés au sens figuré.
   > Le major est connu **de tous.**
   > Les Parisiens ne sont guère aimés **des provinciaux.**
   > Le narrateur est dévoré **d'inquiétude.**
   > **Mais :** Le singe a été dévoré **par** le lion. (sens propre)

Les façons d'éviter la voix passive

La voix passive est souvent lourde et il est bon de l'éviter, si possible.

1. On peut utiliser le complément d'agent comme sujet.

> Les piétons **ont été pourchassés** par les automobilistes.
> **Les automobilistes** ont pourchassé les piétons.
> Cette standardiste **est aimée** de tous.
> **Tous** aiment cette standardiste.

2. Quand l'agent n'est pas exprimé :

   a) on peut employer le pronom indéfini **on** ;
   > Le steak peut être fait saignant.   **On** peut faire le steak saignant.
   > Vous n'êtes pas compris.   **On** ne vous comprend pas.
   b) on peut employer un verbe pronominal.
   > Nous **serons fondus** dans le décor.
   > Nous **nous fondrons** dans le décor.
   > Le français **est parlé** dans de nombreux pays.
   > Le français **se parle** dans de nombreux pays.

APPLICATION

1. Mettez les verbes au passif.

   a) Le major a d'abord adopté une solution de paresse.
   b) L'agent immobilier trouvera un appartement de quatre pièces.
   c) Le major Thompson a appris le français en France.
   d) Il a entrepris un voyage pour se perfectionner.
   e) On l'a amené à constater son erreur.

f)   Monsieur Pappalardo a invité le major à s'asseoir.

g)   Un jour, la France aura peut-être perdu la moitié de son vocabulaire.

h)   Des milliers d'automobilistes sillonnent la ville dans tous les sens.

i)   Ils pourchassent les piétons sur le trottoir.

j)   Les garçons repèrent vite l'imposture de certains Américains.

k)   Les touristes ne résolvent jamais l'épineux problème du pourboire.

l)   Stanké relate les tribulations d'un Canadien à Paris.

m) Tu as commis une imprudence.

n)   À quelle heure sert-on le dîner ?

o)   Les touristes n'aiment guère les garçons de café.

2. Transformez les phrases de façon à éviter le passif. Repectez les temps.

a)   Le français est parlé au Canada et en Belgique.

b)   En France, la bière est bue frappée.

c)   Une ordonnance a été apportée à la pharmacie.

d)   Les feux rouges n'auront pas été respectés par cet automobiliste.

e)   Le narrateur n'a pas été compris de la standardiste.

f)   Un bon restaurant m'est recommandé par ce Français.

g)   Le dîner sera servi à partir de 19 heures.

h)   Ce Parisien n'a jamais été vu sortant d'un café.

i)   Cette idée a été acceptée.

j)   Un moyen de démasquer l'imposture sera trouvé.

k)   Le langage-express des enfants n'est pas apprécié par le major.

l)   Cette ville superbe est visitée par beaucoup de touristes.

m) Les caleçons de laine sont portés en hiver.

CE OU IL + ÊTRE

Il (elle, ils, elles) + être

1. On emploie **il (elle, ils, elles) + être** lorsque le verbe est suivi directement d'un nom ou d'un adjectif. Le pronom est le sujet du verbe qui peut donc être singulier ou pluriel.

   Il est major.   **Elles sont** standardistes.   **Ils étaient** charmants.

2. **Il** est le sujet de **être** quand le verbe est suivi d'un adjectif qualifiant une idée qui n'a pas encore été exprimée. L'adjectif est alors suivi de **de + infinitif** ou de **que + proposition substantive.**

   Il est impossible d'émettre ce son.   (+ de + infinitif)

   Il n'**est** pas **désagréable de se promener.**   (+ de + infinitif)

   Il est sûr que personne ne le comprend. (+ que + proposition substantive)

   Il est vrai qu'il parle mal le français.   (+ que + proposition substantive)

> *Remarque 1*
>
> Le verbe **être** peut être employé à n'importe quel temps de l'indicatif.
>
>> Il **sera** facile de repérer les imposteurs.
>> Il **a été** très difficile d'obtenir la communication.
>
> *Remarque 2*
>
> Un pronom personnel objet indirect peut précéder le verbe **être.**
>
>> Il **lui** a été difficile d'obtenir la communication.
>> Il ne **m'**est pas facile de comprendre les expressions idiomatiques.
>
> *Remarque 3*
>
> Très souvent, dans le français parlé, on emploie **c'est,** etc., au lieu de **il est.**
>
>> **C'est** sûr qu'il est difficile de communiquer.
>> **Ce sera** facile de téléphoner à Montréal.

Ce + être

1. **Ce** (**c'** devant une voyelle) est utilisé devant **être** quand le verbe est suivi d'un nom (précédé d'un article ou d'un adjectif), d'un adverbe, d'un nom propre ou d'un pronom. S'il s'agit d'un pronom personnel, on utilise la forme tonique : **moi, toi, lui, elle, eux, elles** (voir le chapitre 8).

>> **C'est un appel** « collect ».
>> **C'est notre nouvelle employée.**
>> **Ce sera ainsi.**   **Ç'a** toujours **été ainsi.**
>> **Ce sont les Daninos.**
>> **C'est lui.**   **Ce sont eux.**   **C'est le tien.**

> *Remarque*
>
> Quand le verbe **être** est précédé d'un pronom objet indirect, on emploie **ça** ou **cela.**
>
>> **Ça (Cela) m'**est difficile.   **Ça** ne **lui** est pas possible.

2. a) **Ce** (**c'**) est employé devant **être + adjectif** lorsqu'il remplace une idée qui a déjà été exprimée.

>> Se promener dans les rues de Paris, **c'est agréable.**
>> Est-il possible que cet Américain puisse prononcer le « r » ? — Oui, **c'est possible.**

b) L'adjectif peut être suivi d'un infinitif précédé de **à** : idée + ce + est + **adjectif + à.**

> Téléphoner à Montréal, **ce** n'**est** pas **facile à faire.**
> Les garçons ne sont pas toujours polis ; **c'est triste à constater.**

3. Lorsque le verbe **être** est suivi d'un nom, **de** précède l'infinitif :

Ce + être + nom + de + infinitif

> **C'est un danger** public **de conduire** de cette façon.
> **Ce serait une impolitesse de** ne pas **inviter** le major.

APPLICATION

1. Complétez par **il** ou **ce** (**c'**).

Si vous vous promenez à Paris, _____ est possible que vous vous sentiez gros. Les Français sont très minces ; _____ est d'ailleurs étonnant parce qu'ils ont une cuisine fantastique. _____ est évident aussi qu'ils ne font guère d'exercice puisqu'ils passent tout leur temps dans les cafés. _____ est impossible de les voir sortir d'un café. Les voir entrer, _____ est facile, mais les voir sortir, _____ est une autre affaire.

Si _____ est agréable de se promener dans les rues de Paris, cette ville superbe est aussi très dangereuse. Les conducteurs énervés semblent prendre les piétons pour cible. _____ n'est pas sans péril de marcher sur les trottoirs, mais traverser la rue, _____ est risquer sa peau. _____ est heureux qu'il y ait de nombreuses cathédrales où _____ est possible de se réfugier.

(d'après Dave Barry)

2. Complétez par **il, ce** (**c'**) ou **ça** selon le cas.

a) _____ lui est impossible d'appeler sa femme.

b) Ce qui est certain, _____ est que le major est amoureux d'une Française.

c) _____ serait agréable d'aller rendre visite aux Tiberghien.

d) Prononcer le « r », _____ lui est difficile.

e) _____ est un demi qu'il veut.

f) À Paris, _____ me sera facile de faire des progrès en français.

g) Vous avez des brûlures à l'estomac. Comme _____ est ennuyeux !

h) Pourquoi est _____ naturel que le narrateur ait ressenti un léger pincement au cœur ?

i) Vous avez réussi à traverser la rue ! _____ est un véritable exploit.

j) Vous voulez que je règle l'addition. Vous savez que _____ n'est pas facile pour nous, étrangers. On se demande toujours si _____ est nécessaire de laisser un pourboire.

FAIRE CAUSATIF

1. Quand **faire** est employé dans un sens causatif :

   a) il est toujours suivi d'un infinitif ;

   b) son sujet cause l'action, il ne la fait pas.
   Le major **fait parler** M. Pappalardo.
   J'ai **fait apporter** une glace.
   Il a **fait faire** des chaussures spéciales.

2. Le pronom personnel objet précède le verbe **faire.**

   Le major **le fait parler.**
   Je **les ai fait apporter.**

> ### Remarque
>
> Si l'objet direct est précédé d'un article indéfini (**un, une, des**) ou partitif (**du, de la**), le pronom objet sera **en.**
>
> J'ai fait apporter **une** glace.   J'**en ai fait apporter** une.
> J'ai fait faire **des** chaussures.   J'**en ai fait faire.**
> Il se fait servir **de la** viande.   Il s'**en fait servir.**

3. Quand l'infinitif a un objet direct, le sujet de l'infinitif est précédé de **à**, si c'est un **nom.**

   Le garçon fait prononcer un « r » **à l'Américain.**
   Elle fait apporter le demi **au jeune homme.**

4. Si l'objet de l'infinitif est un pronom, c'est la forme de l'objet indirect (**me, te, se, lui, nous, vous, se, leur**) qui est utilisée.

   Le garçon **lui fait prononcer** un « r ».
   Elle **leur fait lire** la carte.

5. Pour éviter l'ambiguïté, **par** est souvent employé devant le sujet de l'infinitif.

   Elle fait apporter le demi **au jeune homme.** (ambigu : est-ce le jeune homme qui apporte le demi ou est-ce qu'on apporte le demi au jeune homme ?)
   Elle fait apporter le demi **par le jeune homme.** (l'ambiguïté a disparu)

APPLICATION

1. Complétez la phrase à l'aide des mots donnés. Ajoutez la préposition s'il y a lieu.

   a) Le major fait apporter (ses bagages).
   b) L'atterrissage à Paris a fait sourire (le Canadien).

c) Les conducteurs font courir (les piétons).
d) M. Pappalardo fait étudier (l'anglais, ses enfants).
e) Il va faire acheter (des chaussures, son ami).
f) Il fait expliquer (la grammaire, le professeur).
g) Nous ferons visiter (l'église, les touristes).
h) Nous ferons annoncer (la nouvelle, sa femme).
i) Le père a-t-il fait faire (ses devoirs, l'enfant) ?
j) L'Américain a fait faire (une ordonnance, le docteur).
k) Il va faire répéter (la phrase, l'Américain).
l) Ils font apporter (des glaces, le garçon).

2. Remplacez les expressions soulignées par le pronom qui convient.

a) La réceptionniste a fait remplir <u>les formalités</u> <u>au Québécois</u>.
b) La standardiste a fait répéter <u>l'indicatif</u> <u>au client</u>.
c) Il s'est fait apporter un <u>bifteck</u>.
d) Ferons-nous préparer <u>le dîner</u> <u>au chef</u> ?
e) Tu n'avais pas fait envoyer <u>la lettre</u> <u>par ton ami</u>.
f) Le garçon s'amuse à faire répéter <u>le mot « Rouen »</u> <u>aux touristes</u>.
g) Nous nous sommes fait envoyer <u>les chaussures</u>.
h) La moustache du major fait chuchoter <u>les enfants</u>.
i) Cette manie d'abréger va faire perdre <u>aux Français</u> <u>la moitié de leur vocabulaire</u>.
j) Le major fera *spiker* l'*English* <u>aux Français</u>.

3. Complétez les phrases à l'aide d'un infinitif.

a) Le professeur fait… .
b) Demain, ma mère me fera… .
c) Mon père a fait… .
d) Au guichet du cinéma, on fait parfois… .
e) Au restaurant, nous nous faisons… .
f) À la bibliothèque, les étudiants ont fait… .
g) Les automobilistes faisaient toujours… .
h) Nos voisins se font… .
i) L'agent de police a fait… .
j) Le vendeur a fait… .

DEVOIR + INFINITIF

Selon le contexte et le temps du verbe, **devoir** indique :

1. La nécessité, l'obligation. Dans ce sens, **falloir** peut le remplacer.

On **doit** demander un demi.   Il **faut** qu'on demande un demi.
One must (has to) ask for "un demi."

Il **a dû** téléphoner.   Il lui **a fallu** téléphoner.
He had to telephone.

Il **devait** toujours répéter « Rouen ».

Il lui **fallait** toujours répéter « Rouen ».

He constantly had to repeat "Rouen".

Nous **devrons** laisser un pourboire.

Il nous **faudra** laisser un pourboire.

We'll have to leave a tip.

2. Une intention : **être censé(e)(s), avoir l'intention de.**

Il **doit** aller manger bientôt.

Il **a l'intention** d'aller manger bientôt.

He's supposed to go and eat soon.

Il **devait** aller chez les Daninos hier.

Il **était censé** aller chez les Daninos hier.

He was supposed to go to the Daninos yesterday.

3. Une supposition, une probabilité.

Le chef **doit** être un débutant.

The chef must be (is probably) a novice.

Ils **devaient** se lever tôt.

They were supposed to get up early. They were probably used to getting up early.

Vous **avez dû** trop manger.

You must have eaten too much. You probably ate too much.

Il **devrait** être facile pour le major d'apprendre le français.

It should be (ought to be) easy for the Major to learn French.

4. Un conseil, un reproche. Généralement, c'est le conditionnel qu'on utilise dans ces cas.

Vous **devriez** acheter des chaussures.

You should (ought to) buy shoes.

Il **aurait dû** appeler sa femme.

He should (ought to) have called his wife.

POUVOIR + INFINITIF

Pouvoir + infinitif est employé pour indiquer :

1. La possibilité, la permission.

On **peut** s'étonner de leur santé.
Vous avez la sensation que vous **pourriez** être transporté à travers la galaxie.
Puis-je m'asseoir ?

2. La capacité (être capable, à même de).

On **peut** me le faire saignant.
Les Parisiens ne **peuvent** pas comprendre les Basques.

3. Précédé de **si** + imparfait, un souhait.

> Ah ! s'il **pouvait** prononcer le « r ».

4. Suivi du conditionnel, un reproche.

> Le garçon **pourrait** être poli. (= devrait)
> Vous **auriez pu** vous excuser. (= Vous auriez dû)

Remarque

Au négatif, l'emploi de **pas** est facultatif avec **pouvoir.** C'est le cas aussi pour **oser.**

> Il ne peut souffrir les conducteurs parisiens.
> Le major n'ose s'asseoir.

SAVOIR ET CONNAÎTRE

Deux verbes à ne pas confondre.

1. **Connaître** est utilisé avec un nom ou un pronom objet. Il n'a jamais comme objet une proposition et n'est donc jamais suivi de **que** ni d'un infinitif.

> **Connaissez-vous** cette belle cathédrale ?
> **Connais-tu** Pierre Daninos ?
> Le major **avait connu** les Tiberghien pendant la guerre.
> Comment **les a**-t-il **connus** ?

2. **Connaître + un nom de chose** indique une connaissance moins précise que **savoir.**

> Le major **connaît** un peu **le français.**
> **Connaissez**-vous **la littérature** russe ?

3. **Savoir + nom** ou **pronom** indique une connaissance précise. Il n'est jamais utilisé devant les noms de personnes, d'animaux, d'objets, d'endroits, ni avec les pronoms qui remplacent ces noms.

> Stanké et Daninos **savent le français.**
> **Saviez**-vous qu'ils sont écrivains ? — Oui, nous **le savions.**

4. **Savoir** est utilisé devant une proposition introduite par **que,** par **un mot interrogatif** ou par **un infinitif.**

> Il **sait que** le garçon se moque de lui.
> Le major ne **sait** plus **comment** il peut apprendre le français.
> Il **sait parler** la langue couramment.

APPLICATION

1. Transformez les phrases de façon à utiliser la forme voulue de **devoir** ou de **pouvoir.**

   a) Le major est obligé d'apprendre le français parce que sa femme est française.

   b) Il a probablement beaucoup d'amis français.

   c) Il a certainement besoin d'une paire de chaussures.

   d) Il est impossible au Canadien et à la standardiste de se comprendre.

   e) L'Américain aurait intérêt à améliorer sa prononciation.

   f) Le garçon a été si impoli. Il lui faudrait présenter ses excuses.

   g) Vous m'avez insulté. Et vous ne vous excusez même pas !

   h) On prépare mal le steak dans ce restaurant. Le chef est certainement un débutant.

   i) Nous avons fait des projets. Nous sommes censés aller à Roubaix demain.

   j) À son arrivée à Paris, il faudra qu'il téléphone à sa femme.

2. Complétez par la forme voulue de **savoir** ou de **connaître.**

   a) Le major _____ il l'anglais ? — Bien sûr, il _____ l'anglais ; il _____ même un peu de français.

   b) _____ vous Paris ? — Non, mais je _____ que c'est une des plus belles villes du monde.

   c) Le major _____ que les enfants se sont moqués de lui.

   d) _____ vous les Tiberghien ? — Je les ai perdus de vue, mais je les _____ autrefois.

   e) _____ tu la conjugaison des verbes irréguliers ? — Oui, je _____ les conjuguer tous.

   f) Je crois qu'elle ne _____ jamais l'espagnol. Depuis que je la _____, elle essaie de l'apprendre.

   g) Si vous _____ cette personne, vous l'aimeriez.

   h) Si je _____ qu'il était à Paris, je lui aurais téléphoné.

DEVOIRS ÉCRITS / TRAVAIL ORAL

A. COMPOSITION GUIDÉE

Vous planifiez un voyage dans un pays francophone. Décrivez vos préparatifs.

1. Quels livres lisez-vous ?

2. Quels guides emporterez-vous ?

3. Quel sera votre itinéraire ?

4. Que désirez-vous visiter plus particulièrement ?

5. Que faites-vous pour améliorer votre connaissance du français avant votre départ ?

B. COMPOSITION LIBRE / TRAVAIL ORAL

1. Avez-vous déjà voyagé à l'étranger ? Si tel est le cas, quels ont été les plus grands plaisirs de ce voyage ? Quelles difficultés avez-vous rencontrées ?

2. Vous arrivez dans un pays où vous ne connaissez pas du tout la langue. Imaginez la scène à l'hôtel ou dans un restaurant et jouez-la.

DIALOGUES

1. Deux ami(e)s ont une discussion animée. L'un(e) trouve qu'on devrait enseigner aux enfants une langue universelle, telle l'espéranto, par exemple. L'autre pense qu'on ne peut pas créer une langue artificiellement.

Quelques expressions utiles

une langue morte	a dead language
une langue vivante	a living language
la langue maternelle	the mother tongue
maîtriser une langue	to master a language
la tour de Babel	the Tower of Babel
le traducteur, la traductrice	the translator
la traduction simultanée	simultaneous translation
les grandes puissances	the great powers
la primauté de l'anglais	the pre-eminence of English
le bilinguisme	bilingualism

2. Certains écrivains étrangers, dont Dave Barry, se plaignent de la façon dont les Français conduisent, mais ceux-ci ne sont certainement pas les seuls à ne pas respecter le code de la route. Deux animatrices / Deux animateurs invitent la classe à suggérer des moyens de rendre les routes moins dangereuses.

Quelques expressions utiles

prendre des risques	to take risks
coller au pare-chocs de quelqu'un	to tailgate
faire des excès de vitesse	to exceed the speed limit
un contrôle radar / de vitesse	speed trap
attraper une contravention	to get a ticket
brûler un feu rouge	to go through a red light
la vitesse maximale permise	the speed limit
les ados	teenagers
les gens âgés	old people
freiner	to brake
faire vérifier ses freins	to have one's brakes checked

| les clignotants | turn signals |
| se faufiler entre les voitures | to dodge in and out of traffic |

UNE POINTE D'HUMOUR

Les quelques blagues qui suivent montreront que les étrangers ne sont pas les seuls à souffrir quand il s'agit de maîtriser la grammaire et l'orthographe du français.

- Un écolier indigné écrit à la maison Larousse (éditeur d'un dictionnaire célèbre) : « Je ne comprends vraiment pas pourquoi, dans votre Dictionnaire, qui devrait être un ouvrage sérieux, ne figurent pas des mots aussi usuels que *oroscope*, *idrogène* ou *ipocrite* ! »

- — Papa, dit un petit garçon, c'est moi qui ai la meilleure note du trimestre en orthographe. Alors, tu me l'achètes, ma bicyclette ?
  — D'accord, si tu m'épelles correctement *bicyclette*.
  — Heu… fait le gamin, finalement, je crois que je préférerais un vélo.

- En classe de grammaire, la maîtresse dit à ses élèves :
  « Je ne m'étions pas beaucoup amusée, cet été. » Comment pourrais-je corriger cela ?
  Une petite fille lève la main :
  — L'an prochain, essayez de trouver un petit ami.

- Le maître essaie d'expliquer à ses élèves les mystères du singulier et du pluriel.
  Si je dis : « Le cheval et la jument est dans la prairie », est-ce correct, demande-t-il ?
  — Non, s'écrie aussitôt un blondinet.
  — Et pourquoi n'est-ce pas correct ?
  — Parce que la dame aurait dû être nommée en premier.

- — Véronique, dis-moi une phrase avec le mot « je » à son début.
  — « Je » est…
  — Non, coupe la maîtresse. Il faut dire « Je suis. »
  — Ah ! bon ! Alors « je » suis un pronom personnel.

> Mina et André Guillois, *les Enseignants ont de l'humour*, Paris, Le cherche midi éditeur, 1982.

Et voici une plaisanterie d'Alphone Allais qui semble confirmer ce que dit Dave Barry :

« J'ai toujours eu l'amour des terrasses de café, et la conception la plus flatteuse du paradis serait, pour moi, une terrasse de café, d'où l'on ne partirait plus jamais. »

Chapitre 21

Dans l'espace

Récapitulation des chapitres 15-20

- Les pronoms relatifs
- Les comparatifs et les superlatifs
- Le participe présent
- Les démonstratifs
- Le subjonctif
- Les prépositions
- Les nombres
- Le passif
- **Ce** ou **il + est**
- **Faire** causatif
- Les verbes **devoir, pouvoir, savoir, connaître**

PRÉ-LECTURE

De nos jours, les humains marchent sur la lune et se promènent dans l'espace. Pensez-vous qu'il y ait, quelque part, sur une planète où nous n'avons pas encore mis les pieds, des êtres qui nous ressemblent ? Comment vous imaginez-vous ces êtres ou pourquoi pensez-vous qu'ils n'existent pas ?

Pierre Boulle est né en 1912. Il est l'auteur de plusieurs romans et d'ouvrages humoristiques. *Le Pont de la rivière Kwai* (1952), souvenir de la dernière guerre et de son séjour en Extrême-Orient, a été porté à l'écran en 1956 et a connu un grand succès. *La Planète des singes* (1963) a inspiré un film en 1968 et, de nouveau, en 2001.

Un homme chez les singes

Pour Ulysse Mérou et ses deux compagnons, un long voyage dans l'espace s'est terminé par un « atterrissage » sur une planète inconnue. Parce qu'elle ressemble à la terre, ils l'ont surnommée Soror (Sœur). Ils découvrent bientôt qu'elle est peuplée d'êtres qui, extérieurement, pourraient être des humains, mais qui ne savent ni parler, ni rire, et
5   *qui vivent dans la forêt, comme des bêtes.*

Tout à coup, les « humains » sont attaqués par des singes qui, eux, ressemblent à des humains, avec l'intelligence et la cruauté que cela comporte. Les « humains », incapables de se défendre, sont massacrés sans merci. Quelques-uns, dont Ulysse, le narrateur, sont pris dans un filet et faits prisonniers.

10   Une terreur mortelle s'empara de moi quand je vis s'avancer leur troupe. Après avoir été témoin de leur cruauté, je pensais qu'ils allaient effectuer un massacre général.

Les chasseurs, tous des gorilles, marchaient en tête. Je remarquai qu'ils avaient abandonné leurs armes, ce qui me donna un peu d'espoir. Derrière eux,
15   venaient les servants[1] et les rabatteurs, parmi lesquels il y avait un nombre à peu près égal de gorilles et de chimpanzés. Les chasseurs paraissaient les maîtres et leurs façons étaient celles d'aristocrates. Ils ne semblaient pas animés de mauvaises intentions et s'interpellaient de la meilleure humeur du monde…

En vérité, je suis si bien accoutumé aujourd'hui aux paradoxes de cette
20   planète que j'ai écrit la phrase précédente sans songer à l'absurdité qu'elle représente. Et pourtant, c'est la vérité ! Les gorilles avaient des airs d'aristocrates. Ils s'interpellaient joyeusement en un langage articulé et leur physionomie exprimait à chaque instant des sentiments humains dont j'avais vainement cherché la trace chez Nova[2]. […] Il existait certainement une haine farouche
25   entre les deux races. Il suffisait pour s'en convaincre de voir l'attitude des hommes prisonniers, à l'approche des singes. Ils s'agitaient frénétiquement, ruaient des quatre membres, grinçaient des dents, l'écume à la bouche, et mordaient avec rage les cordes du filet.

---

[1] ceux qui chargent les fusils des chasseurs. Les gorilles ont fait une chasse à l'homme.
[2] la première habitante de la planète qu'Ulysse a rencontrée, une « humaine »

Sans prendre garde à ce
30 tumulte, les gorilles chasseurs —
je me surpris à les appeler des
seigneurs — donnaient des
ordres à leurs valets. De grands
chariots, assez bas, dont la plate-
35 forme était constituée par une
cage, furent avancés sur une
piste qui se trouvait de l'autre
côté du filet. On nous y
enfourna, à raison d'une dizaine
40 par chariot, opération qui fut
assez longue, car les prisonniers
se débattaient avec désespoir.
Deux gorilles, les mains
recouvertes de gants de cuir
45 pour éviter les morsures, les

Une scène du film *La Planète des singes* (1968)

saisissaient un par un, les dégageaient du piège et les jetaient dans une cage, dont
la porte était vite repoussée, tandis qu'un des seigneurs dirigeait l'opération,
appuyé avec nonchalance sur une canne.

Quand mon tour vint, je voulus attirer l'attention sur moi en parlant. Mais
50 à peine avais-je ouvert la bouche qu'un des exécutants, prenant sans doute cela
pour une menace, m'appliqua avec brutalité son énorme gant sur la face. Je fus
bien obligé de me taire et fus jeté comme un ballot dans une cage, en compagnie
d'une douzaine d'hommes et de femmes, encore trop agités pour faire attention à
moi.

55 Quand nous fûmes tous embarqués, un des servants vérifia la fermeture des
cages et vint rendre compte à son maître. Celui-ci fit un geste de la main, et des
ronflements de moteur firent retentir la forêt. Les chariots se mirent en branle[3],
chacun tiré par une sorte de tracteur automobile conduit par un singe. Je
distinguai fort bien le chauffeur du véhicule qui suivait le mien. C'était un
60 chimpanzé. Il était vêtu d'un bleu[4] et semblait d'humeur joviale. Il nous adressait
parfois des exclamations ironiques et, quand le moteur ralentissait, je pouvais
l'entendre fredonner une mélopée au rythme assez mélancolique, dont la
musique ne manquait pas d'harmonie.

Cette première étape fut si courte que je n'eus guère le temps de reprendre
65 mes esprits. Après avoir roulé pendant un quart d'heure sur une mauvaise piste,
le convoi s'arrêta sur un vaste terre-plein, devant une maison en pierre. C'était
l'orée de la forêt : je distinguai au-delà une plaine couverte de cultures ayant
l'aspect de céréales.

La maison, avec son toit en tuile rouge, ses volets verts et des inscriptions
70 inscrites sur un panneau à l'entrée, avait l'apparence d'une auberge. Je compris

---

[3] en mouvement
[4] combinaison en toile bleue, généralement portée par les gens qui font un travail manuel. Le chimpanzé
n'appartient pas à la même classe que les gorilles.

vite que c'était un rendez-vous de chasse. Les guenons étaient venues y attendre leurs seigneurs, qui arrivaient dans leurs voitures particulières, après avoir suivi un autre chemin que nous. Les dames gorilles étaient assises en cercle dans des fauteuils et papotaient à l'ombre de grands arbres qui ressemblaient à des
75   palmiers. L'une d'elles buvait de temps en temps dans un verre, à l'aide d'une paille.

Dès que les chariots furent rangés, elles s'approchèrent, curieuses de voir les résultats de la chasse et, d'abord, les pièces abattues, que des gorilles, protégés par un long tablier, étaient en train d'extraire de deux grands camions, pour les
80   exposer à l'ombre des arbres.

C'était le glorieux tableau de chasse. Là encore, les singes opéraient avec méthode. Ils plaçaient les cadavres sanglants sur le dos, côte à côte, alignés comme au cordeau. Puis, tandis que les guenons poussaient de petits cris admiratifs, ils s'appliquaient à *présenter* le gibier d'une manière attrayante. [...]
85   Je crains de ne pouvoir faire comprendre ce que ce tableau avait pour moi de grotesque et de diabolique. Ai-je assez insisté sur le physique totalement, absolument *simiesque* de ces singes, mis à part l'expression de leur regard ? Ai-je dit que ces guenons, habillées elles aussi d'une façon sportive, mais avec une grande recherche, se bousculaient pour découvrir les plus belles pièces et se les
90   montraient du doigt en congratulant leurs seigneurs gorilles ? Ai-je dit qu'une d'elles, sortant d'un sac une paire de petits ciseaux, se pencha sur un corps, coupa quelques mèches d'une chevelure brune, en fit une boucle autour de son doigt, puis, bientôt imitée par toutes les autres, la fixa sur son bonnet au moyen d'une épingle ?
95   L'exposition du tableau était terminée : trois rangées de corps soigneusement disposés, hommes et femmes alternés, celles-ci dardant une ligne de seins dorés vers l'astre monstrueux[5] qui incendiait le ciel. Détournant les yeux avec horreur, j'aperçus un nouveau personnage qui s'avançait, portant une boîte oblongue au bout d'un trépied. C'était un chimpanzé. Je reconnus très vite en lui le
100   photographe qui devait fixer le souvenir de ces exploits cynégétiques pour la postérité simienne. La séance dura plus d'un quart d'heure, les gorilles se faisant d'abord prendre[6] individuellement dans des postures avantageuses, certains posant le pied d'un air triomphant sur une de leurs victimes, puis en groupe compact, chacun passant le bras autour du cou de son voisin. Les guenons
105   eurent ensuite leur tour et prirent des attitudes gracieuses devant ce charnier, avec leur chapeau empanaché bien en évidence. [...]

Une cloche tinta dans l'auberge, annonçant l'heure du déjeuner. Les gorilles se dirigèrent vers la maison par petits groupes, en bavardant gaiement, tandis que le photographe rangeait ses instruments après avoir pris quelques clichés de nos
110   cages.

Nous n'étions cependant pas oubliés, nous, les hommes. Je ne savais le sort que nous destinaient les singes, mais il entrait dans leurs vues de nous soigner. Avant de disparaître dans l'auberge, un des seigneurs donna des instructions à un

---

[5] Bételgeuse, le soleil qui éclaire Soror.
[6] se faire prendre en photo : se faire photographier

gorille, qui semblait être un chef d'équipe. Celui-ci revint vers nous, rassembla
115 son monde et, bientôt, les servants nous apportèrent à manger dans des bassines
et à boire, dans des seaux. La nourriture consistait en une sorte de pâtée. Je
n'avais pas faim, mais j'étais résolu à manger pour conserver mes forces intactes.
Je m'approchai d'un des récipients, autour duquel plusieurs prisonniers s'étaient
accroupis. Je fis comme eux et tendis une main timide. Ils me regardèrent d'un
120 air hargneux, mais, la nourriture étant abondante, me laissèrent faire. C'était une
bouillie épaisse, à base de céréales, qui n'avait pas mauvais goût. J'en avalai
quelques poignées sans déplaisir.

Notre menu fut d'ailleurs corsé par la bonne grâce de nos gardiens. La
chasse terminée, ces rabatteurs, qui m'avaient tant effrayé, ne se montraient pas
125 méchants, tant que nous nous comportions bien. Ils se promenaient devant les
cages et nous lançaient de temps en temps quelques fruits, s'amusant beaucoup
de la bousculade que cet envoi ne manquait pas de provoquer. J'assistai même à
une scène qui me donna à réfléchir. Une petite fille ayant attrapé un fruit au vol,
son voisin se précipita sur elle pour [le] lui arracher. Le singe, alors, brandit sa
130 pique, la passa entre les barreaux et repoussa l'homme avec brutalité ; puis il mit
un deuxième fruit dans la main même de l'enfant. Je connus ainsi que ces
créatures étaient accessibles à la pitié.

Pierre Boulle, *La Planète des singes*, Paris, Julliard (Pocket), 1963, p. 49-54.

Expressions à retenir

un atterrissage (l. 2)
prendre garde (l. 29)
attirer l'attention (l. 49)
à peine (l. 50)
vérifier (l. 55)
la première étape (l. 64)
à l'ombre (l. 74)
d'une manière attrayante (l. 84)
se bousculer (l. 89)
en évidence (l. 106)
se diriger (l. 108)
un chef d'équipe (l. 114)

COMPRÉHENSION

1. Montrez que les réactions des « hommes » dans le filet sont des réactions de bêtes.
2. À quoi les grandes dames passent-elles leur temps ?
3. Qu'est-ce qui montre que les gorilles ont le sens esthétique (le leur, bien sûr !) ?
4. Quelle qualité les dames gorilles admirent-elles chez leurs mâles ?
5. Comment les « hommes » sont-ils nourris ?
6. Comment les singes rétablissent-ils l'ordre parmi leurs captifs ?

INTERPRÉTATION

1. À votre avis, quel est le rôle des chimpanzés dans la société simienne ?
2. Pourquoi certains gorilles portaient-ils un long tablier ?
3. Ces dames coupent des mèches de cheveux et en ornent leur bonnet (l. 90-94). Peut-on faire un parallèle avec certaines de nos coutumes ?
4. Qu'est-ce que la scène où les gorilles posent le pied sur une de leurs victimes évoque pour vous (l. 103) ?
5. À quoi vous fait penser la scène où les gorilles jettent des fruits dans la cage (l. 123-132) ?
6. Pourquoi les gorilles jetaient-ils des fruits aux « hommes » ?
7. Montrez que la chasse à « l'homme » ressemble à une chasse organisée par des hommes.
8. Dans la conduite des « hommes » et des singes, relevez les passages qui font ressortir que les « hommes » sont, en réalité, des animaux pris au piège.
9. Qu'est-ce que le prénom du narrateur, Ulysse, suggère ?

MAÎTRISONS LA LANGUE

A

1. Trouvez, dans le texte, les synonymes des mots suivants (l. 10-24) :

   a) vu ; b) faire ; c) devant ; d) semblaient ; e) manières ; f) ; habitué ; g) inutilement.

2. Relevez les termes ayant rapport : a) aux singes ; b) à la chasse ; c) à la hiérarchie sociale.

3. Quel est le sens du préfixe **dé-** dans **dégager** (l. 46) ? Trouvez, dans le texte, trois autres mots formés à l'aide de ce préfixe. Utilisez chacun de ces mots dans une phrase qui en illustre le sens.

B

1. Donnez trois mots de la même famille que : a) race ; b) dent ; c) corps ; d) doigt.

2. Le mot **poignée** signifie la quantité que contient une main fermée (un poing). Comment appelle-t-on la quantité que peut contenir : a) une bouche ; b) les bras ; c) une gorge ; d) une cuiller ?

3. Donnez deux mots dérivés de : a) singe ; b) chasse. Utilisez chacun de ces mots dans une phrase qui en montre le sens.

4. Quel est le sens du suffixe **graphe** dans **photographe** ? Donnez quatre mots formés à l'aide du même suffixe.

5. Il est beaucoup question de singes dans ce chapitre. Les singes ont inspiré un certain nombre d'images dans la langue française. Faites une phrase qui montre le sens de chacune des expressions qui suivent :

   a) malin comme un singe ;
   b) payer en monnaie de singe ;
   c) On n'apprend pas à un vieux singe à faire la grimace ;
   d) C'est un vrai singe.

GRAMMAIRE

RÉCAPITULATION DES CHAPITRES 15-20

Les pronoms relatifs

1. Complétez par le pronom relatif qui convient, précédé de **ce** si c'est nécessaire.

   Quand il a vu les gorilles, une terreur mortelle s'est emparée d'Ulysse. Les chasseurs, _____ étaient tous des gorilles, marchaient en tête. Derrière venaient les rabatteurs et les servants, parmi ————— il y avait des gorilles et des chimpanzés _____ semblaient tous de bonne humeur.

   Ulysse Mérou était étonné par les airs d'aristocrates _____ il remarquait chez les gorilles. L'élégance _____ ils faisaient preuve contrastait avec la conduite des « humains » _____ on aurait pris pour des bêtes. Ils grinçaient des dents et voulaient mordre leurs gardiens ; mais ceux-ci les repoussaient à l'aide des piques _____ ils étaient armés.

   _____ le narrateur fait ressortir ici, c'est que les singes se conduisent comme des hommes : ils ont les défauts et la cruauté des hommes. Pour tout _____ ils font, on peut trouver un parallèle dans notre société. Tout _____ arrive aux « hommes » reflète le traitement que nous imposons aux animaux, y compris les expériences scientifiques _____ Ulysse sera plus tard témoin.

2. Complétez par la forme voulue du pronom relatif, précédé de **ce** si c'est nécessaire.

   Nova, c'est le nom qu'Ulysse a donné à la première « femme » _____ il a rencontrée sur Soror _____ le vaisseau spatial s'était posé. Les trois cosmonautes avaient atterri à l'orée d'une forêt dans _____ ils ont découvert un lac _____ ils se sont baignés. Après plusieurs années dans le vaisseau, c'est un plaisir _____ ils appréciaient. Tout à coup, ils ont vu sur un rocher _____ surplombait le lac, une belle jeune femme, nue, _____ ils ont admiré la beauté. Ils ont essayé de lui parler, mais Nova n'était pas un être avec _____ on pouvait communiquer : aucun son ne sortait de sa bouche. Elle avait peur de ces créatures _____ portaient des vêtements et _____, pourtant, ressemblaient à celles parmi _____ elle vivait. _____ étonnait le plus les terriens, c'est que le visage de Nova n'avait aucune expression.

Les comparatifs et les superlatifs

1. Transformez les phrases en utilisant l'expression donnée entre parenthèses.

   Modèle : Les hommes sont forts (moins / gorilles).
   Les hommes sont **moins** forts **que** les gorilles.

   a) Les gorilles sont élégants (moins / chimpanzés).
   b) Leur pâtée était bonne (plus / celle des cochons).
   c) Les gardiens sont méchants (aussi / chasseurs).

d) L'astre qui éclaire Soror est puissant (plus / celui qui éclaire la terre).

e) Cette guenon-ci est mauvaise (moins / ce gorille-là).

f) Parfois, les singes se conduisaient bien (plus / hommes).

g) Il a parlé gentiment au servant (aussi / seigneur).

h) Le chapeau empanaché est laid (moins / autres chapeaux).

i) Ce qu'ils ont fait est mal (plus / ce que font les singes).

j) Le gardien a donné un gros fruit à la fillette (plus / prisonnier).

2. Complétez les phrases en utilisant un superlatif de supériorité, selon le modèle. Faites les accords voulus. Attention à la place de l'adjectif.

> **Modèle :** C'est la guenon (mauvais / groupe).
> C'est **la pire (la plus mauvaise)** guenon **du** groupe.

a) C'est Bételgeuse qui est (brillant / astre).

b) C'est le gorille (élégant / tous).

c) C'est lui qui travaille (bien / deux).

d) Ce sont les chimpanzés qui agissent (intelligemment / tous les singes).

e) Les gorilles sont (puissant / singe).

f) C'est le chimpanzé (bon / troupe).

g) C'est la guenon qui a coupé une mèche de cheveux (élégante / toutes).

h) C'est le servant (mauvais / groupe).

i) Voilà le prisonnier (intelligent / cage).

j) Ce sont les guenons qui servent leurs seigneurs (belle / la planète).

3. Complétez par les mots qui conviennent.

Lorsque les aéronautes ont rencontré Nova, ils ont cru que Soror était habité par _____ beaux spécimens _____ l'humanité. Les habitants de Soror étaient des créatures _____ humaines _____ bestiales. Peut-être auraient-ils tué de la manière _____ sauvage les trois aéronautes si les singes n'étaient pas arrivés à temps. À temps ! Le sort que les gorilles et les chimpanzés réservaient aux terriens était tout _____ horrible. Ils ont tué l'ami d'Ulysse et ont fait prisonniers ce dernier et son professeur. Ils les ont traités de la façon _____ cruelle _____ on puisse imaginer. Ils les ont mis dans des cages _____ étroites et leur ont donné une nourriture quelque peu _____ bonne _____ celle qu'on donne aux cochons. Ulysse a eu le courage d'en manger sa part parce qu'il voulait rester _____ fort _____ possible pour faire face aux gorilles.

Le participe présent

1. Remplacez l'infinitif par la forme voulue du participe présent, avec ou sans **en**.

a) (attaquer) leurs ennemis dans les régions (environner), les singes ont déclenché une guerre sanglante.

b) (avoir) été témoin de leur cruauté, il en était dégoûté.

c) (ne savoir) quoi faire, il a essayé d'attirer l'attention sur lui (parler).

d) (être) prisonnier, il n'avait pas le droit de parler.

e) (prendre) son geste pour une menace, le singe l'a attaqué.

f) C'est (songer) à Nova qu'il a examiné les victimes, (craindre) de découvrir son corps dans le tas de cadavres.

g) Il a caché son émoi (enfouir) la tête dans ses bras.

h) Ulysse trouvait Nova (charmer) et (fasciner) surtout quand elle lui lançait des regards (provoquer).

i) Ils ont vu sortir le singe (entraîner) un autre prisonnier.

j) (vouloir) transporter les prisonniers, les singes préparaient le départ du convoi.

k) (se mettre) en branle, les chariots faisaient un bruit infernal.

l) On tentait de transformer les hommes en créatures (obéir).

m) Les prisonniers protestaient, (s'agiter), (mordre) et (grincer) des dents.

n) Il a eu peur quand des bras (menacer) se sont tendus vers lui.

o) Angoissé, il observait les actions des gorilles, (s'imaginer) les nouvelles tribulations qui l'attendaient sur la planète Soror.

Les démonstratifs

1. Complétez par l'adjectif ou le pronom démonstratif qui convient. Ajoutez **-ci** ou **-là** quand il le faut.

a) Les gorilles marchent en tête : _____ sont les seigneurs de _____ société.

b) _____ fillette est charmante, mais _____ est un vrai singe.

c) Ulysse a tenté de parler à un des gorilles, mais _____ lui a appliqué son gant sur la face.

d) Le chauffeur de _____ véhicule était plus jovial que _____ qui conduisait le mien.

e) Il a remarqué _____ : les dames papotaient.

f) _____ gorille est plus fort que _____ .

g) _____ qui rendait la scène tragique, c'étaient les corps humains, alignés côte à côte.

h) Voyez ces gorilles et ces chimpanzés : _____ sont des seigneurs, _____ des servants.

i) _____ qui s'approchaient de nous étaient armés de piques.

j) Il a donné un fruit à la petite fille, _____ est bien.

2. Complétez par le **pronom relatif**, le **pronom démonstratif** ou l'**adjectif démonstratif** qui convient.

Les singes _____ ont attaqué les malheureux « hommes » étaient des gorilles _____ étaient servis par d'autres gorilles, d'une classe inférieure, et par des chimpanzés _____ étaient aussi les intellectuels et les artistes de _____ société. Les épouses des seigneurs gorilles, _____ se réunissaient souvent pour papoter, s'habillaient avec élégance. Elles cherchaient à plaire à leurs maris _____ elles considéraient comme leurs maîtres et _____ elles admiraient particulièrement lorsque, de leur chasse à l'homme, ils rapportaient de sanglants trophées. —— étaient exposés devant le pavillon de chasse _____ les femmes venaient les contempler.

C'est à _____ spectacle sinistre _____ Ulysse a assisté. Mais _____ n'était pas le pire. Un photographe est arrivé. _____ était, naturellement, un artiste, un chimpanzé. Les seigneurs posaient, le pied sur l'une de leurs victimes. Les dames prenaient des attitudes _____ elles croyaient gracieuses, mais _____ Ulysse trouvait obscènes.

Le subjonctif

1. Mettez les infinitifs au temps voulu. Quand vous utilisez le subjonctif, justifiez-en l'emploi.

   a) Il faut que les humains (obéir) aux singes.

   b) Bien qu'ils (abandonner) leurs armes, ils ont tout de même l'allure de chasseurs.

   c) Parce qu'il (être) témoin de leur cruauté, le narrateur pense que les gorilles (effectuer) un massacre général.

   d) Ce sont les chasseurs les plus cruels que je (voir) jamais, quoiqu'ils (s'interpeller) de la meilleure humeur du monde.

   e) Les prisonniers s'agitent dans la cage sans que les gorilles (prendre) garde au tumulte.

   f) Le seigneur gorille ordonne que les prisonniers (être) jetés dans une cage.

   g) Avant qu'ils ne (pouvoir) réagir, on les y enfourne.

   h) Parce qu'ils (craindre) d'être mordus, les gorilles portent des gants.

   i) Le prisonnier désire qu'on le (entendre) parler.

   j) Il est possible qu'une occasion (se présenter).

   k) Hélas ! dès qu'il (vouloir) ouvrir la bouche, on le frappe.

   l) Aussitôt que les cages sont fermées, le maître ordonne que les chariots (partir).

   m) Il ne pense pas que le chauffeur du tracteur (être) un gorille. Non, maintenant, il est sûr qu'il (avoir) devant lui un chimpanzé. Il semble d'ailleurs que celui-ci (être) d'humeur joviale puisqu'il (chanter).

   n) Le narrateur craint que les singes (tuer) Nova la veille.

   o) Les guenons attendent que leurs seigneurs (descendre) de voiture.

   p) Après qu'on (aligner) les cadavres, les guenons leur coupent des mèches de cheveux.

   q) Parmi les cadavres, il n'y en a pas un que le narrateur (reconnaître).

   r) Le narrateur espère qu'on (nourrir) les « hommes » lorsque les gorilles (être) dans la salle à manger.

   s) Comme il n'y a pas de fourchettes, il faut qu'on (prendre) la bouillie avec ses doigts.

   t) Il mange parce qu'il veut que ses forces (se conserver).

   u) Il paraît qu'il (être) possible de faire un voyage interplanétaire dans quelques années.

Les prépositions

1. Complétez, s'il y a lieu, par la préposition qui convient.

   a) Il désire _____ sauver Nova, mais s'il veut la sauver, il doit d'abord se sauver _____ lui-même.

   b) Il aimerait _____ pouvoir _____ parler à ses gardiens, mais _____ le faire, il doit _____ être certain qu'ils lui permettront _____ ouvrir la bouche.

   c) Il a décidé _____ attendre qu'une occasion se présente. Cela finira bien _____ arriver.

   d) _____ intéresser ses gardiens, il a commencé _____ sourire. Ses malheureux compagnons ne savent pas _____ sourire ni rire.

   e) _____ se faire aimer des gorilles, il se conduit comme un bon chien docile.

   f) Un jour, il réussira _____ gagner leur confiance, il en est certain.

2. Complétez par la préposition qui convient.

   Quand, _____ l'an 2 500, les cosmonautes se sont lancés _____ l'espace, ils étaient partis _____ cinq ans. Lorsqu'ils se sont posés _____ la planète qu'ils ont baptisée Soror, ils voyageaient _____ deux ans. L'atterrissage s'est effectué _____ quelques heures.

   Ils se sont posés _____ l'orée d'une forêt. _____ un certain temps, ils ont admiré le paysage assez semblable à celui de la Terre. Ils savaient qu'ils trouveraient des habitants _____ Soror parce que, _____ leur vaisseau, ils y avaient vu des maisons. Ils avaient hâte _____ rencontrer ces êtres. Tout de même, ce n'est pas _____ appréhension qu'ils se demandaient comment ils seraient reçus _____ les Sororiens. Pour l'instant, _____ avoir voyagé _____ deux ans _____ un espace clos, ils étaient heureux _____ se promener _____ plein air. D'ailleurs, l'air _____ Soror était beaucoup plus pur que celui _____ la planète Terre. _____ la prévoyance du professeur qui les guidait, ils avaient emporté un peu de nourriture, mais cela n'était pas nécessaire parce que les grands arbres étaient chargés _____ fruits délicieux.

3. Complétez les phrases à l'aide d'un infinitif.

   a) Presque tous mentent. Lequel _____ ?

   b) Ne pas _____ dans le vaisseau spatial.

   c) Vouloir, c'est _____ .

   d) Nous n'avons pas d'argent. Comment _____ pour acheter du pain ?

   e) Partir, c'est _____ un peu.

   f) Dans les trains, on lit parfois : « Ne pas _____ au-dehors. »

   g) Trop _____ est mauvais pour la ligne et pour la santé.

   h) _____ ce monsieur chez moi ! Jamais !

   i) Vous avez frappé cet enfant. Pourquoi _____ cela ?

   j) _____ les phrases à l'aide d'un infinitif.

Les nombres

1. Écrivez en toutes lettres.

a) 5027
b) 488
c) 200
d) 3880
e) 290

f) 80
g) 21
h) 98
i) 491
j) 71

2. Transformez les nombres ci-dessus en nombres ordinaux. Écrivez-les en toutes lettres.

Le passif

1. Transformez les phrases en éliminant le passif.

a) Des ordres ont été donnés au chef d'équipe par le seigneur.
b) La pâtée sera avalée par les « hommes » qui ont faim.
c) La nourriture était apportée dans des bassines.
d) Notre menu a été corsé par la bonne grâce de nos gardiens.
e) Des fruits ont été jetés dans les cages par les gardiens ; les fruits ont été mangés immédiatement.
f) Un fruit sera attrapé par la petite fille.
g) Il va être volé par un des prisonniers.
h) Il sera repoussé à coups de pique par un des gardiens.
i) Un deuxième fruit a été mis dans la main de l'enfant par le gardien.
j) Le secret d'Ulysse devait être bien gardé.

Ce ou *il* + *est*

1. Complétez par **ce** ou **il.**

a) _____ est le chimpanzé qui a pris les photos.
b) Parler aux singes, _____ n'est pas facile à faire.
c) _____ est difficile au narrateur de regarder l'horrible spectacle.
d) _____ serait la première fois qu'ils entendraient parler un humain.
e) Voici la pique d'un des gorilles ; l'autre, _____ est celle du chimpanzé.
f) _____ était facile de voir qu'il y avait une haine farouche entre les deux races.
g) _____ est certain que _____ est une nécessité pour le narrateur d'essayer de parler.
h) Dans cette histoire, _____ sont les singes qui sont des humains et _____ sont les humains qui sont des singes.
i) Ce qu'il voyait, _____ était vraiment diabolique.
j) _____ ne lui est pas facile d'attirer l'attention sur lui.

Faire causatif

1. Remplacez les expressions soulignées par le pronom qui convient.

    a) L'approche des singes faisait s'agiter <u>les prisonniers</u>.
    b) Les gorilles peuvent se faire mordre <u>les mains</u>.
    c) Un des seigneurs faisait jeter <u>les prisonniers</u> dans une cage.
    d) Le seigneur n'a pas fait vérifier <u>la fermeture des cages</u> <u>par le gorille</u>.
    e) Les ronflements du moteur ont-ils fait retentir <u>la forêt</u> ?
    f) Les mâles font voir <u>les résultats de leur chasse</u> <u>à leurs guenons</u>.
    g) Ils font extraire <u>les cadavres</u> de deux grands camions <u>par leurs servants</u>.
    h) Ils faisaient aligner <u>les cadavres</u> d'une manière qu'ils trouvaient attrayante <u>par leurs servants</u>.
    i) Les guenons ont fait prendre <u>leur photo</u> <u>par le chimpanzé</u>.
    j) Le seigneur n'a pas fait donner <u>de pain</u> <u>aux hommes</u>.
    k) Il a fait apporter une <u>pâtée</u> <u>par les gardiens</u>.
    l) Les seigneurs veulent que les gardiens fassent obéir <u>les hommes</u>.

Les verbes *devoir, pouvoir, savoir, connaître*

1. Traduisez les phrases en français.

    a) He ought to eat his dinner.
    b) You might apologize!
    c) Did you know that he was supposed to visit his mother?
    d) Do you know Paris? — No, but I know it's a beautiful city.
    e) You should have gone to see "The Planet of the Apes."

DEVOIRS ÉCRITS / TRAVAIL ORAL

A. COMPOSITION GUIDÉE

Montrez que les « hommes » dans le passage « Un homme chez les singes » sont non seulement traités comme des animaux, mais se conduisent comme des animaux.

a) Les hommes sont traités comme des animaux.

    1. Où les met-on ?
    2. Que leur fait-on ?
    3. Que leur donne-t-on à manger ?
    4. Comment les force-t-on à obéir ?

b) Les hommes se conduisent comme des animaux.

    1. Comment manifestent-ils leur colère ?
    2. Que font-ils pour se défendre ?
    3. Comment agissent-ils les uns envers les autres ?

Conclusion : Qu'est-ce que l'auteur cherche à nous montrer ?

B. COMPOSITION LIBRE / TRAVAIL ORAL

1. Montrez que, dans notre extrait, la société simienne est une réplique de la société humaine.

2. Imaginez qu'il soit maintenant possible d'aller passer ses vacances dans l'espace. Vous vous rendez dans une agence de voyages pour faire vos réservations. Jouez la scène.

DIALOGUES

1. Une partie du roman décrit les expériences que les singes effectuent sur les humains. Ces pages évoquent les expériences que nous faisons sur les animaux.

   Faites deux groupes : l'un défend le point de vue des chercheurs / chercheuses, l'autre s'oppose à l'utilisation d'animaux dans les laboratoires.

Quelques expressions utiles

anesthésier	to anaesthetize
un anesthésique	an anaesthetic
la vivisection	vivisection (experimentation on living animals)
un savant	a scientist
une piqûre	an injection
une expérience	an experiment
faire, exécuter, pratiquer des expériences	to experiment, to carry out experiments
une découverte	a discovery
la guérison (du cancer, etc.)	the cure (for cancer, etc.)
une intervention chirurgicale	an operation
l'ablation	the removal (of an organ)
le cerveau	the brain
les appareils	instruments, machines
un pansement	a bandage

2. Deux amis discutent de l'avenir de notre univers. L'un trouve que les voyages interplanétaires enrichissent nos connaissances et nous mènent de découverte en découverte. L'autre trouve, au contraire, que terriens nous sommes et terriens nous devons rester.

Quelques expressions utiles

les recherches	research
la fusée (spatiale)	(space) rocket
être utile	to benefit
coûteux, coûteuse	costly

l'espace	space
les risques	risks, danger
la couche d'ozone	the ozone layer
consacrer des sommes folles	to devote huge sums
découvrir, faire des découvertes	to discover
un échantillon	a sample
des minéraux	minerals
avoir l'esprit d'aventure	to have the spirit of adventure
mieux dépenser l'argent du contribuable	to spend the taxpayer's money more wisely

UNE POINTE D'HUMOUR

HISTOIRES DE SINGES

- — Moi, je sais grimper aux arbres, dit le singe.

  — Oui, mais moi, je sais voler dans les branches, dit le perroquet.

  — Oui, mais moi, j'ai des mains au bout des pieds, dit le singe.

  — Oui, mais moi, j'ai des plumes bleues et vertes, dit le perroquet.

  — Oui, mais moi, je me tiens debout comme un homme, dit le singe.

  — Oui, mais moi, je sais parler, dit le perroquet.

  — Ah ! ça, c'est un peu fort, dit le singe. Et moi, qu'est-ce que tu crois que je suis en train de faire ?

- Un gars a emmené sa femme et sa belle-mère faire un safari en Afrique. Tout à coup, il entend sa femme qui hurle :

  — Chéri ! Un gorille vient d'enlever maman ! Qu'est-ce qu'on peut faire ?

  — Rien, dit le gars, placidement. S'il n'arrive pas à lui échapper, c'est tant pis pour lui…

- Le professeur est en train d'expliquer que, selon la théorie de Darwin, l'homme descend du singe, quand il aperçoit Toto au fond de la classe qui, au lieu de suivre le cours, fait d'abominables grimaces. Alors, il s'écrie :

  — Toto ! descends tout de suite…

  Hervé Nègre, *Dictionnaire des histoires drôles*, Paris, Librairie Fayard, 1973, p. 165 (518), p. 278 (910), p. 640 (2130).

❧ APPENDICE ❧

FORMATION DES VERBES RÉGULIERS – PREMIER GROUPE

INFINITIF aimer	**PARTICIPE PASSÉ** aimé	**IMPÉRATIF** aime aimons aimez
FUTUR j'aimerai tu aimeras il aimera nous aimerons vous aimerez ils aimeront	**PASSÉ COMPOSÉ** j'ai aimé	
	PLUS-QUE-PARFAIT j'avais aimé	**PRÉSENT DU SUBJONCTIF** j'aime tu aimes il aime nous aimions vous aimiez ils aiment
	FUTUR ANTÉRIEUR j'aurai aimé	
CONDITIONNEL j'aimerais tu aimerais il aimerait nous aimerions vous aimeriez ils aimeraient	**CONDITIONNEL PASSÉ** j'aurais aimé	
	SUBJONCTIF PASSÉ j'aie aimé	**PASSÉ SIMPLE** j'aimai tu aimas il aima nous aimâmes vous aimâtes ils aimèrent
PARTICIPE PRÉSENT aimant*	**PRÉSENT DE L'INDICATIF** j'aime tu aimes il aime nous aimons vous aimez ils aiment	
IMPARFAIT j'aimais tu aimais il aimait nous aimions vous aimiez ils aimaient		

*Le participe présent est généralement formé du radical de la première personne du pluriel du présent de l'indicatif : **aim**-ons → **aim**-ant

FORMATION DES VERBES RÉGULIERS – DEUXIÈME GROUPE

INFINITIF finir	**PARTICIPE PASSÉ** fini	**IMPÉRATIF** finis finissons finissez
FUTUR je finirai tu finiras il finira nous finirons vous finirez ils finiront	**PASSÉ COMPOSÉ** j'ai fini	
	PLUS-QUE-PARFAIT j'avais fini	**PRÉSENT DU SUBJONCTIF** je finisse tu finisses il finisse nous finissions vous finissiez ils finissent
	FUTUR ANTÉRIEUR j'aurai fini	
CONDITIONNEL je finirais tu finirais il finirait nous finirions vous finiriez ils finiraient	**CONDITIONNEL PASSÉ** j'aurais fini	
	PRÉSENT DE L'INDICATIF je finis tu finis il finit nous finissons vous finissez ils finissent	**PASSÉ SIMPLE** je finis tu finis il finit nous finîmes vous finîtes ils finirent
PARTICIPE PRÉSENT finissant		
IMPARFAIT je finissais tu finissais il finissait nous finissions vous finissiez ils finissaient		

FORMATION DES VERBES RÉGULIERS – TROISIÈME GROUPE

INFINITIF rendre	**PARTICIPE PASSÉ** rendu	**IMPÉRATIF** rends rendons rendez
FUTUR je rendrai tu rendras il rendra nous rendrons vous rendrez ils rendront	**PASSÉ COMPOSÉ** j'ai rendu	
	PLUS-QUE-PARFAIT j'avais rendu	**PRÉSENT DU SUBJONCTIF** je rende tu rendes il rende nous rendions vous rendiez ils rendent
	FUTUR ANTÉRIEUR j'aurai rendu	
CONDITIONNEL je rendrais tu rendrais il rendrait nous rendrions vous rendriez ils rendraient	**CONDITIONNEL PASSÉ** j'aurais rendu	
	SUBJONCTIF PASSÉ j'aie rendu	
PARTICIPE PRÉSENT rendant	**PRÉSENT DE L'INDICATIF** je rends tu rends il rend nous rendons vous rendez ils rendent	**PASSÉ SIMPLE** je rendis tu rendis il rendit nous rendîmes vous rendîtes ils rendirent
IMPARFAIT je rendais tu rendais il rendait nous rendions vous rendiez ils rendaient		

FORMATION D'UN VERBE PRONOMINAL (RÉFLÉCHI)

INFINITIF se fâcher	PARTICIPE PASSÉ fâché	IMPÉRATIF fâche-**toi** fâchons-**nous** fâchez-**vous**
FUTUR je **me** fâcherai tu **te** fâcheras il **se** fâchera nous **nous** fâcherons vous **vous** fâcherez ils **se** fâcheront	PASSÉ COMPOSÉ je **me** suis fâché(e)	
	PLUS-QUE-PARFAIT je m'étais fâché(e)	PRÉSENT DU SUBJONCTIF je **me** fâche tu **te** fâches il **se** fâche nous **nous** fâchions vous **vous** fâchiez ils **se** fâchent
	FUTUR ANTÉRIEUR je **me** serai fâché(e)	
CONDITIONNEL je **me** fâcherais tu **te** fâcherais il **se** fâcherait nous **nous** fâcherions vous **vous** fâcheriez ils **se** fâcheraient	CONDITIONNEL PASSÉ je **me** serais fâché(e)	
	SUBJONCTIF PASSÉ je **me** sois fâché(e)	PASSÉ SIMPLE je **me** fâchai tu **te** fâchas il **se** fâcha nous **nous** fâchâmes vous **vous** fâchâtes ils **se** fâchèrent
PARTICIPE PRÉSENT se fâchant	PRÉSENT DE L'INDICATIF je **me** fâche tu **te** fâches il **se** fâche nous **nous** fâchons vous **vous** fâchez ils **se** fâchent	
IMPARFAIT je **me** fâchais tu **te** fâchais il **se** fâchait nous **nous** fâchions vous **vous** fâchiez ils **se** fâchaient		

VERBE AUXILIAIRE – AVOIR

INFINITIF avoir	PARTICIPE PASSÉ eu	IMPÉRATIF aie ayons ayez
FUTUR j'aurai tu auras il aura nous aurons vous aurez ils auront	PASSÉ COMPOSÉ j'ai eu	
	PLUS-QUE-PARFAIT j'avais eu	PRÉSENT DU SUBJONCTIF j'aie tu aies il ait nous ayons vous ayez ils aient
	FUTUR ANTÉRIEUR j'aurai eu	
CONDITIONNEL j'aurais tu aurais il aurait nous aurions vous auriez ils auraient	CONDITIONNEL PASSÉ j'aurais eu	
	SUBJONCTIF PASSÉ j'aie eu	PASSÉ SIMPLE j'eus tu eus il eut nous eûmes vous eûtes ils eurent
PARTICIPE PRÉSENT ayant	PRÉSENT DE L'INDICATIF j'ai tu as il a nous avons vous avez ils ont	
IMPARFAIT j'avais tu avais il avait nous avions vous aviez ils avaient		

VERBE AUXILIAIRE – ÊTRE

INFINITIF être	PARTICIPE PASSÉ été	IMPÉRATIF sois soyons soyez
FUTUR je serai tu seras il sera nous serons vous serez ils seront	PASSÉ COMPOSÉ j'ai été	
	PLUS-QUE-PARFAIT j'avais été	PRÉSENT DU SUBJONCTIF je sois tu sois il soit nous soyons vous soyez ils soient
	FUTUR ANTÉRIEUR j'aurai été	
CONDITIONNEL je serais tu serais il serait nous serions vous seriez ils seraient	CONDITIONNEL PASSÉ j'aurais été	
	SUBJONCTIF PASSÉ j'aie été	PASSÉ SIMPLE je fus tu fus il fut nous fûmes vous fûtes ils furent
PARTICIPE PRÉSENT étant	PRÉSENT DE L'INDICATIF je suis tu es il est nous sommes vous êtes ils sont	
IMPARFAIT j'étais tu étais il était nous étions vous étiez ils étaient		

VERBES IRRÉGULIERS

1. acquérir to acquire (conquérir, s'enquérir)

Présent de l'indicatif	Participe présent	Passé simple
j'acquiers tu acquiers il acquiert nous acquérons vous acquérez ils acquièrent	acquérant	j'acquis
	Imparfait	**Présent du subjonctif**
	j'acquérais	j'acquière tu acquières il acquière nous acquérions vous acquériez ils acquièrent
	Participe passé	
	acquis	
Impératif	**Futur**	
acquiers acquérons acquérez	j'acquerrai	
	Conditionnel	
	j'acquerrais	

2. **aller** to go

Présent de l'indicatif	Participe présent	Passé simple
je vais	allant	j'allai
tu vas	**Imparfait**	**Présent du subjonctif**
il va	j'allais	j'aille
nous allons	**Participe passé**	tu ailles
vous allez	allé (conjugué avec *être*)	il aille
ils vont		nous allions
Impératif	**Futur**	vous alliez
va (vas-y)	j'irai	ils aillent
allons	**Conditionnel**	
allez	j'irais	

3. **appeler** to call (**ficeler, rappeler**)

Présent de l'indicatif	Participe présent	Passé simple
j'appelle	appelant	j'appelai
tu appelles	**Imparfait**	**Présent du subjonctif**
il appelle	j'appelais	j'appelle
nous appelons	**Participe passé**	tu appelles
vous appelez	appelé	il appelle
ils appellent		nous appelions
Impératif	**Futur**	vous appeliez
appelle	j'appellerai	ils appellent
appelons	**Conditionnel**	
appelez	j'appellerais	

4. **(s') asseoir** to sit, to sit down

Présent de l'indicatif	Participe présent	Passé simple
j' (je m') assieds	(s') asseyant	j' (je m') assis
tu (t') assieds	**ou**	**Présent du subjonctif**
il (s') assied	(s') assoyant	j' (je m') asseye
nous (nous) asseyons	**Imparfait**	tu (t') asseyes
vous (vous) asseyez	j' (je m') asseyais	il (s') asseye
ils (s') asseyent	**ou**	nous (nous) asseyions
ou (plus rarement)	j' (je m') assoyais	vous (vous) asseyiez
j' (je m') assois	**Participe passé**	ils (s') asseyent
tu (t') assois	assis	**ou**
il (s') assoit	(conjugué avec *être* au sens	j' (je m') assoie
nous (nous) assoyons	réfléchi : je me suis assis(e)	tu (t') assoies
vous (vous) assoyez	**Futur**	il (s') assoie
ils (s') assoient	j' (je m') assiérai	nous (nous) assoyions
Impératif	**ou**	vous (vous) assoyiez
assieds (-toi)	j' (je m') assoirai	ils (s') assoient
asseyons (-nous)	**Conditionnel**	
asseyez (-vous)	j' (je m') assiérais	
ou	**ou**	
assois (-toi)	j' (je m') assoirais	
assoyons (-nous)		
assoyez (-vous)		

5. **battre** to beat, to hit (**abattre, combattre**)

Présent de l'indicatif	Participe présent	Passé simple
je bats	battant	je battis
tu bats	**Imparfait**	**Présent du subjonctif**
il bat	je battais	je batte
nous battons	**Participe passé**	tu battes
vous battez	battu	il batte
ils battent		nous battions
Impératif	**Futur**	vous battiez
bats	je battrai	ils battent
battons	**Conditionnel**	
battez	je battrais	

6. **boire** to drink

Présent de l'indicatif	Participe présent	Passé simple
je bois	buvant	je bus
tu bois	**Imparfait**	**Présent du subjonctif**
il boit	je buvais	je boive
nous buvons	**Participe passé**	tu boives
vous buvez	bu	il boive
ils boivent		nous buvions
Impératif	**Futur**	vous buviez
bois	je boirai	ils boivent
buvons	**Conditionnel**	
buvez	je boirais	

7. **conduire** to drive (**construire, cuire, déduire, détruire, induire, réduire, traduire**)

Présent de l'indicatif	Participe présent	Passé simple
je conduis	conduisant	je conduisis
tu conduis	**Imparfait**	**Présent du subjonctif**
il conduit	je conduisais	je conduise
nous conduisons	**Participe passé**	tu conduises
vous conduisez	conduit	il conduise
ils conduisent		nous conduisions
Impératif	**Futur**	vous conduisiez
conduis	je conduirai	ils conduisent
conduisons	**Conditionnel**	
conduisez	je conduirais	

8. **connaître** to know (**apparaître, disparaître, paître*, paraître, reconnaître**)

Présent de l'indicatif	Participe présent	Passé simple
je connais tu connais il connaît nous connaissons vous connaissez ils connaissent	connaissant	je connus
	Imparfait	**Présent du subjonctif**
	je connaissais	je connaisse tu connaisses il connaisse nous connaissions vous connaissiez ils connaissent
	Participe passé	
	connu	
Impératif	**Futur**	
connais connaissons connaissez	je connaîtrai	
	Conditionnel	
	je connaîtrais	

*Ne s'emploie pas au participe passé ni au passé simple.

9. **coudre** to sew

Présent de l'indicatif	Participe présent	Passé simple
je couds tu couds il coud nous cousons vous cousez ils cousent	cousant	je cousis
	Imparfait	**Présent du subjonctif**
	je cousais	je couse tu couses il couse nous cousions vous cousiez ils cousent
	Participe passé	
	cousu	
Impératif	**Futur**	
couds cousons cousez	je coudrai	
	Conditionnel	
	je coudrais	

10. **courir** to run (**accourir, discourir, recourir**)

Présent de l'indicatif	Participe présent	Passé simple
je cours tu cours il court nous courons vous courez ils courent	courant	je courus
	Imparfait	**Présent du subjonctif**
	je courais	je coure tu coures il coure nous courions vous couriez ils courent
	Participe passé	
	couru	
Impératif	**Futur**	
cours courons courez	je courrai	
	Conditionnel	
	je courrais	

11. craindre to fear, to be afraid of (atteindre, ceindre, éteindre, feindre, peindre, plaindre)

Présent de l'indicatif	Participe présent	Passé simple
je crains	craignant	je craignis
tu crains	**Imparfait**	**Présent du subjonctif**
il craint	je craignais	je craigne
nous craignons	**Participe passé**	tu craignes
vous craignez	craint	il craigne
ils craignent		nous craignions
Impératif	**Futur**	vous craigniez
crains	je craindrai	ils craignent
craignons	**Conditionnel**	
craignez	je craindrais	

12. croire to believe

Présent de l'indicatif	Participe présent	Passé simple
je crois	croyant	je crus
tu crois	**Imparfait**	**Présent du subjonctif**
il croit	je croyais	je croie
nous croyons	**Participe passé**	tu croies
vous croyez	cru	il croie
ils croient		nous croyions
Impératif	**Futur**	vous croyiez
crois	je croirai	ils croient
croyons	**Conditionnel**	
croyez	je croirais	

13. cueillir to gather, to pick (accueillir, recueillir)

Présent de l'indicatif	Participe présent	Passé simple
je cueille	cueillant	je cueillis
tu cueilles	**Imparfait**	**Présent du subjonctif**
il cueille	je cueillais	je cueille
nous cueillons	**Participe passé**	tu cueilles
vous cueillez	cueilli	il cueille
ils cueillent		nous cueillions
Impératif	**Futur**	vous cueilliez
cueille	je cueillerai	ils cueillent
cueillons	**Conditionnel**	
cueillez	je cueillerais	

14. devoir to have to, must, to owe

Présent de l'indicatif	Participe présent	Passé simple
je dois	devant	je dus
tu dois	**Imparfait**	**Présent du subjonctif**
il doit	je devais	je doive
nous devons	**Participe passé**	tu doives
vous devez	dû (due, dus, dues)	il doive
ils doivent		nous devions
Impératif	**Futur**	vous deviez
dois	je devrai	ils doivent
devons	**Conditionnel**	
devez	je devrais	

15. dire to say, to tell (contredire, prédire)*

Présent de l'indicatif	Participe présent	Passé simple
je dis	disant	je dis
tu dis	**Imparfait**	**Présent du subjonctif**
il dit	je disais	je dise
nous disons	**Participe passé**	tu dises
vous dites	dit	il dise
ils disent		nous disions
Impératif	**Futur**	vous disiez
dis	je dirai	ils disent
disons	**Conditionnel**	
dites	je dirais	

*Ces deux verbes suivent la règle normale sauf à la 2e personne du pluriel de l'indicatif
présent : vous contredisez, vous prédisez.

16. dormir to sleep (endormir, rendormir)

Présent de l'indicatif	Participe présent	Passé simple
je dors	dormant	je dormis
tu dors	**Imparfait**	**Présent du subjonctif**
il dort	je dormais	je dorme
nous dormons	**Participe passé**	tu dormes
vous dormez	dormi	il dorme
ils dorment		nous dormions
Impératif	**Futur**	vous dormiez
dors	je dormirai	ils dorment
dormons	**Conditionnel**	
dormez	je dormirais	

17. **écrire** to write (**décrire, inscrire, réécrire** ou **récrire**)		
Présent de l'indicatif	**Participe présent**	**Passé simple**
j'écris	écrivant	j'écrivis
tu écris	**Imparfait**	**Présent du subjonctif**
il écrit	j'écrivais	j'écrive
nous écrivons		tu écrives
vous écrivez	**Participe passé**	il écrive
ils écrivent	écrit	nous écrivions
Impératif	**Futur**	vous écriviez
écris	j'écrirai	ils écrivent
écrivons	**Conditionnel**	
écrivez	j'écrirais	

18. **employer** to use, to employ (**aboyer, déployer, moyer, ennuyer, essuyer, défrayer, essayer, frayer, payer**)		
Présent de l'indicatif	**Participe présent**	**Passé simple**
j'emploie	employant	j'employai
tu emploies	**Imparfait**	**Présent du subjonctif**
il emploie	j'employais	j'emploie
nous employons		tu emploies
vous employez	**Participe passé**	il emploie
ils emploient	employé	nous employions
Impératif	**Futur**	vous employiez
emploie	j'emploierai	ils emploient
employons	**Conditionnel**	
employez	j'emploierais	

Les verbes en **-ayer**, tels **payer, essayer, balayer** se conjuguent comme des verbes réguliers ou sur le modèle d'**employer.**

19. **envoyer** to send (**renvoyer**)		
Présent de l'indicatif	**Participe présent**	**Passé simple**
j'envoie	envoyant	j'envoyai
tu envoies	**Imparfait**	**Présent du subjonctif**
il envoie	j'envoyais	j'envoie
nous envoyons		tu envoies
vous envoyez	**Participe passé**	il envoie
ils envoient	envoyé	nous envoyions
Impératif	**Futur**	vous envoyiez
envoie	j'enverrai	ils envoient
envoyons	**Conditionnel**	
envoyez	j'enverrais	

20. espérer to hope **(céder, inquiéter, interpréter, lécher, préférer, refléter, régler, sécher)**

Présent de l'indicatif	Participe présent	Passé simple
j'espère	espérant	j'espérai
tu espères	**Imparfait**	**Présent du subjonctif**
il espère	j'espérais	j'espère
nous espérons	**Participe passé**	tu espères
vous espérez	espéré	il espère
ils espèrent		nous espérions
Impératif	**Futur**	vous espériez
espère	j'espérerai	ils espèrent
espérons	**Conditionnel**	
espérez	j'espérerais	

21. faillir to almost ... Verbe défectif employé surtout aux formes ci-dessous :

Temps composés		Passé simple
j'ai failli		je faillis
j'avais failli		
etc.		

22. faire to do, to make **(défaire, refaire, satisfaire)**

Présent de l'indicatif	Participe présent	Passé simple
je fais	faisant	je fis
tu fais	**Imparfait**	**Présent du subjonctif**
il fait	je faisais	je fasse
nous faisons	**Participe passé**	tu fasses
vous faites	fait	il fasse
ils font		nous fassions
Impératif	**Futur**	vous fassiez
fais	je ferai	ils fassent
faisons	**Conditionnel**	
faites	je ferais	

23. falloir to have to, must Verbe impersonnel employé aux formes suivantes :

Présent de l'indicatif	Participe passé	Passé simple
il faut	fallu (il a fallu, il avait fallu, etc.)	il fallut
Imparfait	**Futur**	**Présent du subjonctif**
il fallait	il faudra	il faille
	Conditionnel	
	il faudrait	

24. **fuir** to flee (s'enfuir)

Présent de l'indicatif	Participe présent	Passé simple
je fuis	fuyant	je fuis
tu fuis	**Imparfait**	**Présent du subjonctif**
il fuit	je fuyais	je fuie
nous fuyons	**Participe passé**	tu fuies
vous fuyez	fui	il fuie
ils fuient		nous fuyions
Impératif	**Futur**	vous fuyiez
fuis	je fuirai	ils fuient
fuyons	**Conditionnel**	
fuyez	je fuirais	

25. **haïr** to hate

Présent de l'indicatif	Participe présent	Passé simple
je hais	haïssant	je haïs
tu hais	**Imparfait**	**Présent du subjonctif**
il hait	je haïssais	je haïsse
nous haïssons	**Participe passé**	tu haïsses
vous haïssez	haï	il haïsse
ils haïssent		nous haïssions
Impératif	**Futur**	vous haïssiez
hais	je haïrai	ils haïssent
haïssons	**Conditionnel**	
haïssez	je haïrais	

26. **jeter** to throw (**cliqueter, feuilleter, projeter, rejeter**)

Présent de l'indicatif	Participe présent	Passé simple
je jette	jetant	je jetai
tu jettes	**Imparfait**	**Présent du subjonctif**
il jette	je jetais	je jette
nous jetons	**Participe passé**	tu jettes
vous jetez	jeté	il jette
ils jettent		nous jetions
Impératif	**Futur**	vous jetiez
jette	je jetterai	ils jettent
jetons	**Conditionnel**	
jetez	je jetterais	

27. **lever** to raise, to lift (**acheter, amener, crever, emmener, enlever, mener, peser, semer**)

Présent de l'indicatif	Participe présent	Passé simple
je lève	levant	je levai
tu lèves	**Imparfait**	**Présent du subjonctif**
il lève	je levais	je lève
nous levons	**Participe passé**	tu lèves
vous levez	levé	il lève
ils lèvent		nous levions
Impératif	**Futur**	vous leviez
lève	je lèverai	ils lèvent
levons	**Conditionnel**	
levez	je lèverais	

28. **lire** to read (**élire, relire**)

Présent de l'indicatif	Participe présent	Passé simple
je lis	lisant	je lus
tu lis	**Imparfait**	**Présent du subjonctif**
il lit	je lisais	je lise
nous lisons	**Participe passé**	tu lises
vous lisez	lu	il lise
ils lisent		nous lisions
Impératif	**Futur**	vous lisiez
lis	je lirai	ils lisent
lisons	**Conditionnel**	
lisez	je lirais	

29. **mentir** to lie (**partir, ressortir, sortir**)

Présent de l'indicatif	Participe présent	Passé simple
je mens	mentant	je mentis
tu mens	**Imparfait**	**Présent du subjonctif**
il ment	je mentais	je mente
nous mentons	**Participe passé**	tu mentes
vous mentez	menti	il mente
ils mentent		nous mentions
Impératif	**Futur**	vous mentiez
mens	je mentirai	ils mentent
mentons	**Conditionnel**	
mentez	je mentirais	

30. **mettre** to put, to place (**commettre, promettre, remettre, soumettre**)		
Présent de l'indicatif	**Participe présent**	**Passé simple**
je mets	mettant	je mis
tu mets	**Imparfait**	**Présent du subjonctif**
il met	je mettais	je mette
nous mettons	**Participe passé**	tu mettes
vous mettez	mis	il mette
ils mettent		nous mettions
Impératif	**Futur**	vous mettiez
mets	je mettrai	ils mettent
mettons	**Conditionnel**	
mettez	je mettrais	

31. **mourir** to die		
Présent de l'indicatif	**Participe présent**	**Passé simple**
je meurs	mourant	je mourus
tu meurs	**Imparfait**	**Présent du subjonctif**
il meurt	je mourais	je meure
nous mourons	**Participe passé**	tu meures
vous mourez	mort (conjugué avec *être*)	il meure
ils meurent		nous mourions
Impératif	**Futur**	vous mouriez
meurs	je mourrai	ils meurent
mourons	**Conditionnel**	
mourez	je mourrais	

32. **naître** to be born		
Présent de l'indicatif	**Imparfait**	**Passé simple**
je nais	je naissais	je naquis
tu nais	**Participe passé**	**Présent du subjonctif**
il naît	né (conjugué avec *être*)	je naisse
nous naissons	**Futur**	tu naisses
vous naissez	je naîtrai	il naisse
ils naissent	**Conditionnel**	nous naissions
Participe présent	je naîtrais	vous naissiez
naissant		ils naissent

33. ouvrir to open (couvrir, découvrir, offrir, souffrir)

Présent de l'indicatif	Participe présent	Passé simple
j'ouvre	ouvrant	j'ouvris
tu ouvres	**Imparfait**	**Présent du subjonctif**
il ouvre	j'ouvrais	j'ouvre
nous ouvrons	**Participe passé**	tu ouvres
vous ouvrez	ouvert	il ouvre
ils ouvrent		nous ouvrions
Impératif	**Futur**	vous ouvriez
ouvre	j'ouvrirai	ils ouvrent
ouvrons	**Conditionnel**	
ouvrez	j'ouvrirais	

34. plaire to please, to like (complaire, déplaire, taire)*

Présent de l'indicatif	Participe présent	Passé simple
je plais	plaisant	je plus
tu plais	**Imparfait**	**Présent du subjonctif**
il plaît	je plaisais	je plaise
nous plaisons	**Participe passé**	tu plaises
vous plaisez	plu	il plaise
ils plaisent		nous plaisions
Impératif	**Futur**	vous plaisiez
plais	je plairai	ils plaisent
plaisons	**Conditionnel**	
plaisez	je plairais	

*N.B. il tait, sans accent sur le **i**

35. pleuvoir* to rain Verbe impersonnel employé aux formes suivantes :

Présent de l'indicatif	Imparfait	Passé simple
il pleut	il pleuvait	il plut
ils pleuvent	ils pleuvaient	ils plurent
Participe présent	**Participe passé**	**Présent du subjonctif**
pleuvant	plu (il a plu, ils ont plu ; etc.)	il pleuve
	Futur	ils pleuvent
	il pleuvra	
	ils pleuvront	
	Conditionnel	
	il pleuvrait	
	ils pleuvraient	

***Pleuvoir** est utilisé surtout à la 3e personne du singulier. Toutefois, on peut l'employer au pluriel, mais au le sens figuré : Les insultes, les honneurs (etc.) pleuvent.

36. **pouvoir** to be able to, can

Présent de l'indicatif	Imparfait	Passé simple
je peux	je pouvais	je pus
tu peux	**Participe passé**	**Présent du subjonctif**
il peut	pu	je puisse
nous pouvons	**Futur**	tu puisses
vous pouvez	je pourrai	il puisse
ils peuvent		nous puissions
Participe présent	**Conditionnel**	vous puissiez
pouvant	je pourrais	ils puissent

37. **prendre** to take (apprendre, comprendre, déprendre, entreprendre)

Présent de l'indicatif	Participe présent	Passé simple
je prends	prenant	je pris
tu prends	**Imparfait**	**Présent du subjonctif**
il prend	je prenais	je prenne
nous prenons	**Participe passé**	tu prennes
vous prenez	pris	il prenne
ils prennent	**Futur**	nous prenions
Impératif	je prendrai	vous preniez
prends	**Conditionnel**	ils prennent
prenons	je prendrais	
prenez		

38. **recevoir** to receive (apercevoir, concevoir, décevoir, percevoir)

Présent de l'indicatif	Participe présent	Passé simple
je reçois	recevant	je reçus
tu reçois	**Imparfait**	**Présent du subjonctif**
il reçoit	je recevais	je reçoive
nous recevons	**Participe passé**	tu reçoives
vous recevez	reçu	il reçoive
ils reçoivent	**Futur**	nous recevions
Impératif	je recevrai	vous receviez
reçois	**Conditionnel**	ils reçoivent
recevons	je recevrais	
recevez		

39. résoudre to solve, to resolve

Présent de l'indicatif	Participe présent	Passé simple
je résous	résolvant	je résolus
tu résous	**Imparfait**	**Présent du subjonctif**
il résout	je résolvais	je résolve
nous résolvons	**Participe passé**	tu résolves
vous résolvez	résolu	il résolve
ils résolvent		nous résolvions
Impératif	**Futur**	vous résolviez
résous	je résoudrai	ils résolvent
résolvons	**Conditionnel**	
résolvez	je résoudrais	

40. rire to laugh (**sourire**)

Présent de l'indicatif	Participe présent	Passé simple
je ris	riant	je ris
tu ris	**Imparfait**	**Présent du subjonctif**
il rit	je riais	je rie
nous rions	**Participe passé**	tu ries
vous riez	ri	il rie
ils rient		nous riions
Impératif	**Futur**	vous riiez
ris	je rirai	ils rient
rions	**Conditionnel**	
riez	je rirais	

41. rompre to break (**interrompre**)

Présent de l'indicatif	Participe présent	Passé simple
je romps	rompant	je rompis
tu romps	**Imparfait**	**Présent du subjonctif**
il rompt	je rompais	je rompe
nous rompons	**Participe passé**	tu rompes
vous rompez	rompu	il rompe
ils rompent		nous rompions
Impératif	**Futur**	vous rompiez
romps	je romprai	ils rompent
rompons	**Conditionnel**	
rompez	je romprais	

42. **savoir** to know, to know how

Présent de l'indicatif	Participe présent	Passé simple
je sais	sachant	je sus
tu sais	**Imparfait**	**Présent du subjonctif**
il sait	je savais	je sache
nous savons	**Participe passé**	tu saches
vous savez	su	il sache
ils savent		nous sachions
Impératif	**Futur**	vous sachiez
sache	je saurai	ils sachent
sachons	**Conditionnel**	
sachez	je saurais	

43. **servir** to serve

Présent de l'indicatif	Participe présent	Passé simple
je sers	servant	je servis
tu sers	**Imparfait**	**Présent du subjonctif**
il sert	je servais	je serve
nous servons	**Participe passé**	tu serves
vous servez	servi	il serve
ils servent		nous servions
Impératif	**Futur**	vous serviez
sers	je servirai	ils servent
servons	**Conditionnel**	
servez	je servirais	

44. **suffire** to suffice, to be enough

Présent de l'indicatif	Participe présent	Passé simple
je suffis	suffisant	je suffis
tu suffis	**Imparfait**	**Présent du subjonctif**
il suffit	je suffisais	je suffise
nous suffisons	**Participe passé**	tu suffises
vous suffisez	suffi	il suffise
ils suffisent		nous suffisions
Impératif	**Futur**	vous suffisiez
suffis	je suffirai	ils suffisent
suffisons	**Conditionnel**	
suffisez	je suffirais	

45. **suivre** to take, to follow (**poursuivre**)

Présent de l'indicatif	Participe présent	Passé simple
je suis	suivant	je suivis
tu suis	**Imparfait**	**Présent du subjonctif**
il suit	je suivais	je suive
nous suivons	**Participe passé**	tu suives
vous suivez	suivi	il suive
ils suivent		nous suivions
Impératif	**Futur**	vous suiviez
suis	je suivrai	ils suivent
suivons	**Conditionnel**	
suivez	je suivrais	

46. **vaincre** to defeat (**convaincre**)

Présent de l'indicatif	Participe présent	Passé simple
je vaincs	vainquant	je vainquis
tu vaincs	**Imparfait**	**Présent du subjonctif**
il vainc	je vainquais	je vainque
nous vainquons	**Participe passé**	tu vainques
vous vainquez	vaincu	il vainque
ils vainquent		nous vainquions
Impératif	**Futur**	vous vainquiez
vaincs	je vaincrai	ils vainquent
vainquons	**Conditionnel**	
vainquez	je vaincrais	

47. **valoir** to value, to be worth

Présent de l'indicatif	Participe présent	Passé simple
je vaux	valant	je valus
tu vaux	**Imparfait**	**Présent du subjonctif**
il vaut	je valais	je vaille
nous valons	**Participe passé**	tu vailles
vous valez	valu	il vaille
ils valent		nous valions
Impératif	**Futur**	vous valiez
vaux	je vaudrai	ils vaillent
valons	**Conditionnel**	
valez	je vaudrais	

---

48. venir to come **a)** avec être : devenir, intervenir, parvenir, provenir, (se) souvenir ;
            b) avec avoir : convenir, prévenir, subvenir, tenir (et ses composés).

Présent de l'indicatif	Participe présent	Passé simple
je viens	venant	je vins
tu viens	**Imparfait**	**Présent du subjonctif**
il vient	je venais	je vienne
nous venons	**Participe passé**	tu viennes
vous venez	venu (conjugué avec *être*)	il vienne
ils viennent		nous venions
Impératif	**Futur**	vous veniez
viens	je viendrai	ils viennent
venons	**Conditionnel**	
venez	je viendrais	

---

49. vivre to live **(revivre, survivre)**

Présent de l'indicatif	Participe présent	Passé simple
je vis	vivant	je vécus
tu vis	**Imparfait**	**Présent du subjonctif**
il vit	je vivais	je vive
nous vivons	**Participe passé**	tu vives
vous vivez	vécu	il vive
ils vivent		nous vivions
Impératif	**Futur**	vous viviez
vis	je vivrai	ils vivent
vivons	**Conditionnel**	
vivez	je vivrais	

---

50. voir to see **(revoir)**

Présent de l'indicatif	Participe présent	Passé simple
je vois	voyant	je vis
tu vois	**Imparfait**	**Présent du subjonctif**
il voit	je voyais	je voie
nous voyons	**Participe passé**	tu voies
vous voyez	vu	il voie
ils voient		nous voyions
Impératif	**Futur**	vous voyiez
vois	je verrai	ils voient
voyons	**Conditionnel**	
voyez	je verrais	

51. **vouloir** to want		
Présent de l'indicatif	**Participe présent**	**Passé simple**
je veux	voulant	je voulus
tu veux	**Imparfait**	**Présent du subjonctif**
il veut	je voulais	je veuille
nous voulons		tu veuilles
vous voulez	**Participe passé**	il veuille
ils veulent	voulu	nous voulions
Impératif	**Futur**	vous vouliez
		ils veuillent
veux veuille	je voudrai	
voulons (veuillons)	**Conditionnel**	
voulez veuillez	je voudrais	

CAS SPÉCIAUX

1. Les verbes se terminant par **-cer** prennent un **c cédille (ç)** avant les lettres **a** ou **o**.

    Exemple :   je commençais
                    nous commençons

    Parmi ces verbes, il y a : annoncer, avancer, balancer, effacer, forcer, s'efforcer, lancer, menacer, prononcer, remplacer.

2. Les verbes se terminant par **-ger** prennent un **e** avant les lettres **a** et **o**.

    Exemple :   je mangeais
                    nous mangeons

    Tels sont : arranger, changer, déranger, diriger, juger, nager, neiger, partager, plonger, protéger, songer, soulager, voyager.

VERBES SUIVIS DE L'INFINITIF SANS PRÉPOSITION

affirmer	estimer	prétendre
aimer	faillir	se rappeler
aller	faire	regarder
compter	falloir	rentrer
courir	s'imaginer	retourner
croire	juger	revenir
descendre	laisser	savoir
désirer	mener	sembler
détester	monter	sentir
devoir	oser	valoir mieux
dire	paraître	venir
écouter	partir	voir
entendre	penser	vouloir
envoyer	pouvoir	
espérer	préférer	

VERBES SUIVIS DE LA PRÉPOSITION *À* DEVANT UN INFINITIF

aider	continuer (**à** ou **de**)	inviter
amener	décider*	mettre
s'amuser	se décider**	se mettre
s'appliquer	donner	obliger
apprendre	s'efforcer	parvenir
arriver	s'employer	se plaire
s'attendre	encourager	se résigner
autoriser	s'ennuyer	rester
avoir	enseigner	réussir
chercher	s'entendre	servir
commencer (**à** ou **de**)	s'exercer	songer
se condamner	habituer	tarder
conduire	s'habituer	tenir
consacrer	hésiter	travailler
consentir	s'intéresser	

*Il m'a décidé **à** partir.   **Je me suis décidé **à** partir.
 J'ai décidé **de** partir.

VERBES SUIVIS DE LA PRÉPOSITION *DE* DEVANT UN INFINITIF

achever	éviter	se passer
s'apercevoir	s'excuser	permettre
arrêter	se fatiguer	persuader
s'arrêter	feindre	plaindre
avertir	féliciter	se plaindre
blâmer	finir	se presser
cesser	se garder	prévoir
charger	se hâter	prier
commander	inspirer	priver
conseiller	interdire	promettre
se contenter	se lasser	proposer
continuer	louer	punir
craindre	manquer	recommander
crier	se mêler	refuser
décider	menacer	regretter
défendre	mériter	remercier
demander	se moquer	reprocher
se dépêcher	négliger	risquer
dire	obliger	se soucier
douter	s'occuper	souffrir
se douter	offrir	soupçonner
écrire	omettre	se souvenir
s'efforcer	ordonner	supplier
empêcher	oublier	tâcher
s'ennuyer	pardonner	tenter
essayer	parler	se vanter

EMPLOIS PRINCIPAUX DU SUBJONCTIF

ON EMPLOIE LE SUBJONCTIF DANS LA PROPOSITION SUBORDONNÉE APRÈS LES VERBES OU LOCUTIONS :

QUI EXPRIMENT UN **DOUTE** OU UNE **INCERTITUDE**	QUI EXPRIMENT UN **ORDRE**, UNE **VOLONTÉ**, UNE **ATTENTE**	QUI EXPRIMENT UN **SENTIMENT** OU UNE **OPINION NÉGATIVE**
je doute que	je commande que	j'ai peur que
je ne crois pas que	j'ordonne que	je crains que
croyez-vous que… ?	j'exige que	je suis content(e) que
je ne pense pas que	je permets que	je suis désolé(e) que
pensez-vous que… ?	je défends que	je suis fâché(e) que
etc.	j'interdis que	je suis triste que
	je veux que	je regrette que
	je souhaite que	je suis étonné(e) que
	je désire que	je suis surpris(e) que
	je préfère que	je ne dis pas que
	j'ai envie que	je nie que
	j'empêche que	etc.
	j'attends que	
	etc.	
Expressions impersonnelles	**Expressions impersonnelles**	**Expressions impersonnelles**
il est douteux que	il faut que	il est (mal)heureux que
il n'est pas sûr que	il est nécessaire que	il est triste que
il n'est pas probable que	il n'est pas nécessaire que	il est bon que
il se peut que	il est essentiel que	il est sage que
il semble que	il est urgent que	il est préférable que
il ne semble pas que	etc.	il vaut mieux que
il est incroyable que		il est honteux que
il n'est pas vrai que		il (c')est dommage que
il est (im)possible que		il est important que
il n'est pas clair que		etc.
etc.		

EMPLOIS PRINCIPAUX DU SUBJONCTIF (SUITE)

ON EMPLOIE LE SUBJONCTIF DANS LA PROPOSITION SUBORDONNÉE APRÈS :

CERTAINES CONJONCTIONS

bien que	à moins que	où que
quoique	sans que	quelque … que
malgré que	pourvu que	quel(s), quelle(s) … que
afin que	de peur que	tout … que
pour que	de crainte que	si … que
avant que	soit que … soit que	etc.
en attendant que	quoi que ce soit que	
jusqu'à ce que	qui que ce soit que	

UN SUPERLATIF

le plus … que	le pire que …	le dernier … que
le meilleur … que	le moins … que	il n'y a que…
le pire … que	le moins que…	le seul que…
le plus que…	le seul … que	le premier que…
le mieux que…	le premier … que	le dernier que…

UN ANTÉCÉDENT INDÉFINI

Connaissez-vous quelqu'un qui **puisse** nous aider ?
  (**quelqu'un** est l'antécédent indéfini)

UN VERBE SOUS-ENTENDU EXPRIMANT UN SOUHAIT

Qu'il **vienne** !

Dieu **soit** béni !

Vive le Canada !

A

abandonner	to leave, to give up
s'abandonner	to give oneself up
abattre	to lay down (cards), to bang down, to kill
s'abattre (sur)	to fall on
abattu, -e	killed, shot
abeille n. f.	bee
d'abord ; tout d'abord	first; first of all
aboutir	to end up
abri n. m.	shelter
abriter	to shelter, to house, to accommodate
absorber (s')	to concentrate
accablant, -e	oppressive
accablé, -e	overcome
accabler	to overwhelm, to heap (something on someone)
accord n. m.	agreement
d'accord	agreed, OK
accordé, -e	tuned
accorder	to grant, to give
accourir	to come running
s'accoutumer	to become accustomed
à l'accoutumée	usually
accroc n. m.	hitch
accrocher (s')	to hold on to
accroître (s')	to grow
accroupir (s')	to crouch
accueil n. m.	reception
accueillir	to welcome
acéré, -e	sharp
acharné, -e	fierce
acharnement n. m.	relentlessness
achat n. m.	purchase
achever	to finish
acquis, -e	acquired
être acquis à	to be in favour of
actuel, -le	present, current
actuellement	at the moment, now
addition n. f.	bill (restaurant)
adolescent, -e n. m. et f.	teenager
adoucir	to soften
adresse n. f.	skill
adresser	to level
s'adresser (à)	to address, to speak to
aéré, -e	airy, with clean air
affaiblir (s')	to become weaker
affaire n. f.	case

affairé, -e	busy
affaires n. f. pl.	business
affamé, -e	starving
affiche n. f.	poster, bill
rester à l'affiche	to be showing (film)
affiché, -e	posted
afficher	to show, to exhibit·
affirmer	declare, to state
s'affirmer	to assert oneself
affligeant, -e	depressing
affluent n. m.	tributary
affranchi n. m.	freed slave
affranchi, -e	freed, emancipated
affres n. f. pl.	pangs
affreux, -euse	horrible
affriolant, -e	appetizing, exciting
affronter	to face
afin que	so that
âgé, -e	old
agenouiller (s')	to kneel
agir	to act
il s'agit de	it's a question of, it's about
agitation n. f.	bustle, trouble
agité, -e	bustling, nervous
agiter	to shake, to wave
s'agiter	to move about
agrandi, -e	enlarged
agréable	pleasant
agricole	farming, agricultural
aiguille n. f.	needle, hand (clock)
aïeul	grandfather
ailleurs	elsewhere
d'ailleurs	besides
aimable	friendly, amiable
aimer	to like, to love
aîné n. m.	elder, oldest
ainsi	so, thus
pour ainsi dire	so to say
air n. m.	appearance, expression, manners
avoir l'air	to look, to seem
donner l'air	to make (someone) look
faire prendre l'air	to take out (in the open air)
prendre l'air	to go out
aisance n. f.	affluence
aise n. f.	ease
bien à l'aise	comfortably
mal à l'aise	ill at ease, uncomfortable

ajouter	to add	année n. f.	year
alentour	around	années-lumière n. f. pl.	light years
alentours n. m. pl.	surroundings	années soixante n. f. pl.	the sixties
aligné, -e	lined up	annonce n. f.	announcement,
aliment n. m.	food		advertisement
		antipode n. m.	opposite
allée n. f.	avenue	aux antipodes	poles apart
alléger	to lighten, to ease	antiquaire n. m. et f.	antique dealer
allées et venues n. f. pl.	comings and goings	apaisant, -e	soothing, calming
allègre	cheerful, lively	apaiser	to calm, to satisfy
aller	to go	apercevoir	to glimpse, to see
s'en aller	to go, to go away	s'apercevoir	to notice
aller-retour n. m.	return	aperçu n. m.	glimpse
Allemagne n. f.	Germany	apogée n. m.	peak
Allemand n. m.	German	apostropher	to address sharply
allemand, -e	German	apparaître (p. p. aperçu)	to seem, to appear
alliance n. f.	link	appareil photo n. m.	camera
allumer	to light	appartenir	to belong
allumette n. f.	match	appauvri, -e	impoverished
allure n. f.	gait, air	appel n. m.	call
à toute allure	at full speed	appeler	to call
allusion n. f.	reference	s'appeler	to be called
faire allusion (à)	to refer to	appellation n. f.	name
alors	then	applique n. f.	wall lamp
alors que	when	appliquer	to apply
alouette n. f.	lark	s'appliquer à	to make an effort to
âme n. f.	soul	apport n. m.	contribution
amabilité n. f.	kindness	apporter	to bring
amélioration n. f.	betterment, improvement	apprentissage n. m.	training, apprenticeship
améliorer	to improve	apprêter (s')	to get ready, to prepare
amener	to take (persons, animals)		oneself
	to bring, to lead	apprivoiser	to tame
amer, -ère	bitter	approbation n. f.	approval
amertume n. f.	bitterness	approcher (s')	to go near
ameuté	brought out	appuyé, -e	leaning
ami, -e n. m. et f.	friend	appuyer sur	to press, to push
petit ami n. m.	boyfriend	s'appuyer	to use, to lean
petite amie n. f.	girlfriend	après	after
amitié n. f.	friendship	d'après	according to
amoindrir	to lessen, to diminish	arbrisseau n. m.	shrub
amont (en)	upstream	arc n. m.	arch
amoureusement	lovingly	ardeur n. f.	heat
amoureux, -euse	in love	armoire n. f.	cupboard
tomber amoureux, -euse	to fall in love	arracher	to tear off, to tear out,
ampleur n. f.	bombast		to tear away
amuser (s')	to enjoy oneself, to have	arranger	to settle, to make right
	fun	s'arranger	to manage, to be settled
an n. m.	year	arrêter	to stop, to arrest
ancien, -enne	former	arrière	back
Anglais n. m.	Englishman	arriver	to arrive, to happen
Angleterre n. f.	England	arriver à	to succeed, to manage
animé, -e	prompted, driven	arrosé, -e	watered

aseptisé, -e	disinfected
aspect n. m.	appearance, look
assemblage n. m.	collection
asseoir	to seat
assez	quite, fairly, enough
assiette n. f.	plate
assigner	to assign, to allocate
assister	to attend
assombrir (s')	to become gloomy
assommer	to bother, to annoy
assurer	to ensure
s'assurer	to make sure
atout n. m.	trump
attachant, -e	attractive
atteindre	to attain, to reach
attendre	to wait for
s'attendre à	to expect
attente n. f.	waiting, expectation
attentif, -ive	careful
attention (à)	beware (of)
faire attention	to take care, to pay attention
atterrir	to land
atterrissage n. m.	landing
attiré, -e	attracted, drawn
attrayant, -e	attractive
attrister	to sadden
aube n. f.	dawn
auberge n. f.	inn
aucun, -e	not any
au-delà	beyond
l'au-delà n. m.	the other world
aujourd'hui	today
aulx n. m. pl. (plural of *ail*)	garlic
auparavant	beforehand
auprès de	near, with
auréoler	to surround (as with a halo)
aussitôt	immediately
autant	as much
d'autant plus	the more so
autochtone n. m. et f.	native
automobiliste n. m. et f.	car driver
autour de	around
autre (adj.)	other
un autre (pron.)	another
d'autres	others
autrefois	formerly, in olden days
autrement	otherwise, much more
aval (en)	downstream
avaler	to swallow
d'avance	in advance
avant (que)	before

avant-gardiste	ahead of the times
avantageux, -euse	flattering
avenant, -e	pleasing
avenir n. m.	future
avérer (s')	to prove
avertir	to warn
avertissement n. m.	warning
aveugle	blind
avis n. m.	opinion
à mon (ton, votre, etc.) avis	in my (your) opinion
aviser (s')	to take it into one's head
avoine n. f.	oats
avoir (p. p. eu)	to have
il n'y a qu'à	the only thing to do is
il y a	there is, there are, ago
avoisinant, -e	neighbouring, near by
avouer	to confess, to admit

B

bâche n. f.	canvas
baigner	to bathe
baigneur n. m.	bather
bain n. m.	bath
baisser	to lower, to bow (head)
balade n. f.	walk, ride
balance n. f.	scale
balancer	to swing
baleine n. f.	whale
balle n. f.	bullet
ballot n. m.	bundle
banc n. m.	bench
banderole n. f.	advertising streamer
barbe n. f.	beard
barbelé n. m.	barbed wire
barreau n. m.	bar
bas n. m.	bottom, lower part
bas, -se	low
bâtiment n. m.	building
bâton n. m.	stick
battre	to beat
se battre	to fight
bavard, -e	talkative
bavarder	to chatter
baver	to drool
beau, bel, belle	beautiful
avoir beau + inf.	to + inf. in vain
beaucoup	many, much
beau-père n. m.	father-in-law
beaux-parents n. m. pl.	in laws
bec n. m.	beak
bégaiement n. m.	stuttering, stammering
bégayer	to stutter
belle-mère n. f.	mother-in-law

bénir	to bless
besoin n. m.	need
avoir besoin de	to need
bête n. f.	animal
bête	stupid
bibliothécaire n. m. et f.	librarian
bidonville n. m.	shanty town
bien n. m.	wealth, possession
bien	well
bien des	many
bien entendu	of course
bien que	although
bien sûr	of course
ou bien	or else
bien-être n. m.	well-being
bienfaiteur n. m.	benefactor
bientôt	soon
bienvenue n. f.	welcome
bijou n. m.	jewel
billet n. m.	ticket, note
bistrot n. m.	bar
bizarrerie n. f.	strange situation
blanc, blanche	white
blessé n. m.	wounded
blessure n. f.	wound
blondinet n. m.	fair-haired boy
bœuf n. m.	ox, beef
boire (p. p. bu)	to drink
bois n. m.	wood
bois de rose n. m.	rosewood
boisson n. f.	drink
boîte n. f.	box, establishment
bomber (se)	to bulge
bon, bonne	good
bond n. m.	jump, leap
bondé, -e	full
bonheur n. m.	happiness
bonhomme n. m.	guy
bord n. m.	edge
à bord	on board
au bord	on the edge
border	to line, to run along side
bordure n. f.	edge
borner	to limit
bosse n. f.	hump, bump
bouche n. f.	mouth, entrance
boucher	to stop, to block
bouchon n. m.	traffic jam
boucle n. f.	loop
boue n. f.	mud
boueux, -euse	muddy
bouger	to move
bouillie n. f.	mush
bouleau n. m.	birch
boulot n. m.	job
bourse n. f.	scholarship, bursary
bousculade n. f.	crush, rush
bousculé, -e	pushed around
bousculer (se)	to push one another
bout n. m.	end
au bout de	at the end of, after
joindre les deux bouts	to make ends meet
venir à bout de	to succeed in
boyau n. m.	bowel
branchement n. m.	connection
bras n. m.	arm
brasseur n. m.	brewer
brave	brave, good
brèche n. f.	opening
bref	in short
breloque n. f.	charm
bretelle n. f.	strap
bretelles n. f. pl.	suspenders
breuvage n. m.	drink
briller	to shine
briser	to break
britannique	British
brochette n. f.	kebab
broncher	to move
brouillard n. m.	fog
brouiller	to put on bad terms
brousse n. f.	bush
broyer	to crush
bruit n. m.	noise
brûler	to burn
brûlure n. f.	burning sensation
brume n. f.	midst
brun, -e	brown
brusque	sudden, abrupt
brusquement	suddenly
brut, -e	uncut, in the rough
bruyant, -e	noisy
buffle n. m.	buffalo
buisson n. m.	bush
bureau n. m.	office, desk
but n. m.	aim
butin n. m.	loot, booty

C

ça	that
ça y est	it's done
çà et là	here and there
cabane n. f.	hut
cacher	to hide
cachette n. f.	hiding place
cadavre n. m.	corpse

cadeau n. m.	gift	cendre n. f.	ash
faire cadeau	to give, to give as a present	cendrier n. m.	ash tray
cadence n. f.	rhythm, rate	centre n. m.	centre
cadet n. m.	youngest (brother)	centre commercial	shopping centre, mall
cadran n. m.	dial, face (clock)	centre-ville n. m.	downtown, city centre
cadre n. m.	frame, influence	cependant	however
caillou n. m.	pebble	cercueil n. m.	coffin
caleçon n. m.	underpants	cerf n. m.	deer
caler (se)	to settle firmly	cerise n. f.	cherry
câlin, -e	loving	certain	some
camion n. m.	truck	certes	certainly
campagne n. f.	country, countryside	cerveau n. m.	brain
en rase campagne	in open country	transport au cerveau n. m.	stroke
canard n. m.	duck	cervelle n. f.	brain
canne n. f.	stick	chacun, -e	each
canne à sucre	sugar cane	chaîne n. f.	chain
cannelle n. f.	cinnamon	production à la chaîne n. f.	mass production
canon n. m.	gun	chair n. f.	flesh
capacité n. f.	ability	chaleur n. f.	heat
capter	to capture	chaleureusement	warmly
car	for	chameau n. m.	camel
carabine n. f.	gun	chamelier n. m.	camel driver
carabinier n. m.	police officer	champ n. m.	field
caractère n. m.	nature	sur le champ	immediately
carême n. m.	Lent	champignon n. m.	mushroom
cargaison n. f.	load	chance n. f.	opportunity, luck
carré n. m.	plot (land)	chandail n. m.	sweater
carré, -e	square	changement n. m.	change
carreau n. m.	diamond (cards)	changement de vitesse n. m.	gear shift
carrefour n. m.	crossroads		
carrière n. f.	career, quarry	chanson n. f.	song
carte n. f.	card, map	chanter	to sing
carte de visite n. f.	visiting card	chaque	every, each
carte des vins n. f.	wine list	char n. m.	cart, car (Quebec)
carte postale n. f.	postcard	charbon n. m.	coal
carton n. m.	cardboard box	charge, à la c. de	on condition that
cas n. m.	case	chargé, -e	loaded
au cas où	in case	chariot n. m.	cart
en tout cas	in any case	charité n. f.	charity
case n. f.	hut	faire la charité	to give something (to a beggar)
caser	to find a husband for		
cassé, -e	broken	charnier n. m.	charnel house, mass of corpses
casser	to break		
castor n. m.	beaver	charpente n. f.	frame, build
cauchemar n. m.	nightmare	chasse n. f.	hunt
causer	to speak, to chat	tableau de chasse n. m.	hunt tally
ce, cet, cette, ces	this, that, those	chasser	to hunt, to drive away
ceci	this	chasseur n. m.	hunter
céder	to yield, to give up	château n. m.	castle
ceinturer	to pull up at the waist	châteaux en Espagne n. m. pl.	castles in the air
célèbre	famous		
célibataire n. m. et f.	single man, woman	chatouiller	to tickle, to irritate
celui, celle, ceux, celles	the one, the ones	chatouiller les narines	to titillate the nostrils

chaud	warm, hot	cloche n. f.	bell
avoir chaud	to be warm	clocher n. m.	steeple
il fait chaud	it is warm, hot	cochon n. m.	pig
chaudron n. m.	caldron	cœur n. m.	heart
chaussée n. f.	road	avoir à cœur	to want
chaussette n. f.	sock	coffre n. m.	trunk (car)
chaussure n. f.	shoe	cohabiter	to live together
chef-d'œuvre n. m.	masterpiece	coiffeur n. m.	hairdresser, barber
chemin n. m.	way, road	coin n. m.	corner
chemin de fer n. m.	railway	col n. m.	collar
cheminée n. f.	fireplace	colère n. f.	anger
chemise n. f.	shirt	en colère	angry
cher, chère	dear	coléreux, -euse	prone to anger
chercher	to seek, to look for	colibri n. m.	hummingbird
aller chercher	to go and get	coller	to glue, to stick
chercher à	to try to	colline n. f.	hill
venir chercher	to pick up, to come to get	colon n. m.	settler
chevaleresque	chivalrous, gentlemanly	colonisateur n. m.	colonizer
chevauchée n. f.	ride	comble n. m.	height
chevaucher	to be astride, to ride	commander	to order
chevelure n. f.	hair	commerçant n. m.	merchant
chevet n. m.	bedside	commerçant, -e	commercial
cheville n. f.	ankle	commettre (p. p. commis)	to make, to commit
chez	with, at, to the home of	commettre une imprudence	to do something foolish
chiche	meagre	commis n. m.	clerk
chiffon n. m.	rag	communication n. f.	call
choir	to fall	comparaître (p. p. comparu)	to appear
choisir	to choose	complet n. m.	suit
choix n. m.	choice	comportement n. m.	behaviour
chose n. f.	thing	comporter	to entail
chou n. m.	cabbage, pet	se comporter	to behave
choucroute n. f.	sauerkraut	compris, -e	including
chuchoter	to whisper	non compris, -e	excluding
chuter	to fall	compte n. m.	account
cible n. f.	target	en fin de compte	finally
ciel n. m.	heaven, sky	exiger des comptes	to demand an explanation
Le Ciel m'en préserve !	God forbid!	régler son compte	to settle up (with someone)
cigogne n. f.	stork		
cime n. f.	top, summit	(à quelqu'un)	
cinéaste n. m.	film maker	rendre compte	to give an account
circulation n. f.	traffic	se rendre compte	to realize
cirer	to polish	sur son compte	about her, him
ciseaux n. m. pl.	scissors	tenir compte (de)	to take into account
citer	to quote	compter	to count, to number, to expect
clair, -e	clear		
il fait clair	it is daylight	comptoir n. m.	counter
classement n. m.	grading	concerner	to concern
cliché n. m.	shot (photography)	en ce qui concerne	as regards
climatisé, -e	air conditioned	concevoir (p. p. conçu)	to imagine
climatiseur n. m.	air conditioner	conciliabule n. m.	consultation
cliquetis n. m.	clinking	concitoyen n. m.	compatriot
clochard n. m.	bum	conclure (p. p. conclu)	to conclude

concourir (à)	to lead (to)	coquin, -e	mischievous
concours n. m.	competition	corbeau n. m.	crow
conçu, -e	conceived, thought of	corde n. f.	rope
concurrence n. f.	competition	cordeau n. m.	line
conducteur n. m.	driver	au cordeau	straight as a die
conduire	to drive, to take (someone)	cordonnier n. m.	shoemender
conduite n. f.	driving	corne n. f.	horn
confectionner	to make	corps n. m.	body
confiance n. f.	trust	corpulence n. f.	build
faire confiance (à)	to trust	corsaire n. m.	pirate
confins n. m. pl.	end	corser	to add spice
jusqu'aux confins	to the end	corvée n. f.	unpaid labour
confondre	to confuse	cossu, -e	rich
se confondre	to merge, to be one with, to become confused	côte n. f.	coast
		côte à côte	side by side
confrérie n. f.	fraternity	côté n. m.	side
congé n. m.	leave, holiday	à côté de	next to
conjurer	to cast out, to ward off	du côté de	in the direction of
connaissance n. f.	knowledge, acquaintance	cou n. m.	neck
perdre connaissance	to faint	coucher n. m.	bedtime
connaître (p. p. connu)	to know, to be acquainted with	coucher de soleil n. m.	sunset
		coucher	to sleep
conquérir (p. p. conquis)	to conquer	se coucher	to go to bed, to lie down
consacrer	to devote	coudre (p. p. cousu)	to sew
conscience n. f.	conscience	couler	to flow, to pass
avoir conscience	to be conscious	se couler	to slip (into)
conscient, -e	conscious	couloir n. m.	corridor
conseil n. m.	council, advice	coup n. m.	blow
conseiller	to advise	jeter un coup d'œil	to glance at
conserver	to keep	un coup de téléphone	a call
considéré, -e	respected	un coup d'œil	a glance
consommation n. f.	drink	coupable n. m.	the guilty party
consommer	to consume	coupé, -e	cut
constater	to notice, to see	coupé de	cut off from
construire	to build	couper	to cut, to interrupt, to cut across
content, -e	pleased, happy		
contenter (se)	to be satisfied	couplet n. m.	verse
contraindre (p. p. contraint)	to force	cour n. f.	courtyard, court
contraire n. m.	opposite	courbé, -e	bent
contrarié, -e	thwarted	courir	to run
contre	against	couronner	to crown
par contre	on the other hand	courrier n. m.	mail
contrée n. f.	region	cours n. m.	class, course
convaincant, -e	convincing	au cours de	in the course of, during
convaincre (p. p. convaincu)	to convince	en cours	going on
se convaincre	to become convinced	en cours de route	on the way
convenir (p. p. convenu)	to be suitable, fitting, to agree	cours d'eau n. m.	stream, river
		course n. f.	shopping, errand, race
convoiter	to desire, to want	court, -e	short
convoquer	to call, to summon	courtement	briefly
copain n. m.	friend	courtiser	to court
coque n. f.	shell	couteau n. m.	knife

coutume n. f.	custom	début n. m.	beginning
couverture n. f.	blanket	débutant n. m.	beginner
couvrir (p. p. couvert)	to cover	débuter	to begin
cracher	to spit	décès n. m.	death
craindre (p. p. craint)	to fear	décharger	to unload
crainte n. f.	fear	déconseiller	to advise against
de crainte	for fear	décor n. m.	scenery, setting
craquer	to split	découverte n. f.	discovery
crasseux, -euse	filthy	découvrir (p. p. découvert)	to discover
crépu, -e	frizzy	dédaigner	to spurn
creuser	to dig	dédommager	to compensate
se creuser la tête	to rack one's brain	défaire (p. p. défait)	to undo
creuset n. m.	crucible	définitivement	permanently
creux, -euse	hollow, empty	défoncé, -e	broken up
crevette n. f.	shrimp	défouler (se)	to work off one's
critique n. f.	criticism		frustrations, to unwind
crochet n. m.	hook	défroque n. f.	old clothing
vivre aux crochets	to live at the expense	dégager	to take out, to release
croire	to believe	dégainer	to draw (a sword)
croiser	to meet	dégoût n. m.	disgust, revulsion
croix n. f.	cross	dehors n. m.	outside, appearance
croupir	to wallow	en dehors de	apart from
croyable	credible	déjeuner n. m.	lunch, breakfast (Quebec)
cru, -e	raw	petit déjeuner n. m.	breakfast (France)
cru n. m.	invention	déjeuner	to have lunch, breakfast
crue n. f.	rise (in water)	délabrement n. m.	decay
cueillir	to pick	délavé, -e	washed out, pale
cuiller n. f.	spoon	délayer	to mix
cuir n. m.	leather	délirer	to be delirious, raving
cuire (p. p. cuit)	to cook	demande n. f.	request, proposal
cuisinier n. m.	cook	faire la (sa) demande	to ask in marriage
cuisse n. f.	thigh	demander	to ask
mi-cuisse	mid-thigh	démarche n. f.	undertaking, step, gait
culotte n. f.	pants	démarrer	to start (vehicle)
curieux, -euse	inquisitive, strange	démasquer	to unmask
cynégétique	belonging to the hunt	demeurer	to remain
		demi, -e	half
D		dénicher	to find, to unearth
dancing n. m.	dance hall	denier n. m.	coin
darder	to point	de ses propres deniers	out of his own pocket
davantage	more, anymore	dénouer	to untie
déambuler	to walk	denrée n. f.	produce
débâcle n. f.	rout	dent n. f.	tooth
débarquer	to disembark, to arrive,	dentelle n. f.	lace
	to land	dépasser	to pass, to go beyond
débarrasser de (se)	to rid oneself of	dépaysement n. m.	feeling of strangeness
débattre (se)	to struggle	dépêcher (se)	to hurry
débile	weak	dépit n. m.	spite
déborder	to overflow	en dépit de	in spite of
debout	standing up	déplacer	to move
se tenir debout	to stand up	déployer	to display, to deploy
débrouiller (se)	to manage, to find a way	déposer	to put down, to drop

dépouiller	to rob
depuis	since, for
depuis que	since
déranger	to disturb, to trouble
dernier, -ière	last
ce dernier n. m.	the latter
cette dernière n. f.	the latter
dérober	to steal
dérouler (se)	to take place
derrière	behind
dès	from
dès lors	therefore, as a result
dès que	as soon as
désaffecté, -e	disused
désagrément n. m.	unpleasantness, annoyance
désespéré, -e	hopeless
désespérer	to despair
désespoir n. m.	despair
déshabiller (se)	to undress
désigner	to show
désobligeant, -e	unpleasant, rude
désolé, -e	sorry
désormais	from now on
desséché, -e	dried up
desservir	to serve
dessin n. m.	drawing
dessin animé	cartoon
dessiné, -e	drawn, defined
dessous n. m.	hidden side
dessous	below
ci-dessous	(immediately) below
dessus n. m.	surface, (the) upper hand
dessus	above
au-dessus	above
destiner	to intend
se destiner	to plan on
déterrer	to dig out
détour n. m.	deviation
faire un détour	to go a round about way
détourner	to turn away, to divert
détruire (p. p. détruit)	to destroy
deuil n. m.	mourning
prendre le deuil	to go into mourning
devant	in front (of), before, in the face of
au-devant (de)	before
dévastateur, -trice	destructive
devenir	to become
dévêtir (p. p. dévêtu)	to undress
devin n. m.	soothsayer, seer
deviner	to guess
devoir n. m.	duty

devoir (p. p. dû, due)	to have to, must
dévolu, -e	allotted
diable n. m.	devil
dicton n. m.	saying
Dieu n. m.	God
le bon Dieu	God
digne	worthy
diluvien, -ne	torrential
diminution n. f.	reduction, decreasing
dire (p. p. dit)	to say
c'est-à- dire	that is to say, i.e.
entendre dire	to hear
vouloir dire	to mean
dirigeant n. m.	leader
dirigeant, -e	governing
diriger	to direct
se diriger	to go (towards)
discours n. m.	speech
diseuse de bonne aventure n. f.	fortune teller
disparaître (p. p. disparu)	to disappear
disposition n. f.	disposal
dispute n. f.	quarrel
dissimuler	to hide
distraction n. f.	absent-mindedness, oversight
divaguer	to ramble
divers, -es	different, several
doigt n. m.	finger
domaine n. m.	field, area
domestique n. m. et f.	servant
dommage n. m.	damage, harm
quel dommage !	what a pity!
dompté, -e	overcome
don n. m.	gift
donc	then, therefore, really
donner	to give
donner dans	to have a tendency to, a liking for
étant donné que	given that, seeing that
dont	of whom, whose, of which
doré, -e	golden
dormir	to sleep
à dormir debout	cock and bull
dos n. m.	back
doucement	gently
douceurs n. f. pl.	sweets, sweet things
douché, -e	having showered
douleur n. f.	sorrow, pain
douter	to doubt
se douter	to suspect

doux, douce	sweet, gentle, pleasant, soothing
dramaturge n. m. et f.	dramatist
drame n. m.	tragedy
drapeau n. m.	flag
dresser	to raise, to erect, to draw up
droit n. m.	right
être en droit	to have the right
droit	directly, straight
droite n. f.	right
à droite	(to the) right
drôle	funny
drôle de	strange
dur n. m.	tough guy
dur, -e	hard, harsh, hardy
durant	during
des heures durant	for hours
durer	to last

E

eau n. f.	water
eau-de-vie n. f.	brandy
ébène n. f.	ebony
d'ébène	black
éblouissant, -e	dazzling
ébrouer (s')	to shake oneself
écaille n. f.	scale
écailler (s')	to chip
écarlate	bright red
écarter	to brush aside, to push aside
s'écarter	to go away from
échappement n. m.	exhaust
échapper	to escape
s'échapper	to escape
éclatant, -e	dazzling, resounding
éclater	to burst
écolier n. m.	schoolboy
économiser	to save
écorce n. f.	bark
écorcher	to skin, to scratch
écorcher vif	to flay alive
écorchure n. f.	scratch
écouler (s')	to pass
écran n. m.	screen
écrasant, -e	crushing
écraser	to crush, to knock down
écrier (s')	to exclaim
écrire (p. p. écrit)	to write
écrit n. m.	piece of writing
par écrit	in writing

écriture n. f.	writing
écrivain, -ne n. m. et f.	writer
écrouler (s')	to collapse
écume n. f.	foam
écureuil n. m.	squirrel
écurie n. f.	stable
édification n. f.	building
édifice n. m.	building
éditeur n. m.	publisher
effectif, -ive	actual
effectivement	actually
effectuer	to carry out
effet (en)	indeed
effondrer (s')	to collapse
efforcer (s')	to try
effrayant, -e	frightening
effrayer	to frighten
effréné, -e	mad
effroi n. m.	terror
effrontément	boldly
également	also
égard n. m.	mark of respect
à l'égard de	towards
égaré, -e	lost
église n. f.	church
égorger	to slit the throat
égout n. m.	sewer
égratignure n. f.	scratch, graze
Eh quoi !	Well!
élan n. m.	impulse, thrust forward
élargir	to widen, to enlarge
élevé, -e	high
élever	to raise
s'élever	to rise
éleveur n. m.	(horse) breeder
embarras n. m.	trouble, embarrassment
l'embarras du choix	the difficulty of choosing
embaucher	to hire
embêté, -e	annoyed
embrasser	to kiss
émission n. f.	radio, T.V. programme, broadcast
emménager	to move (to), to settle (in)
emmener	to take, to take away (person)
emmitouflé, -e	wrapped up warmly
émoi n. m.	emotion
émotif, -ive	emotional
émoussé, -e	blunted
émouvant, -e	moving
empanaché, -e	plumed
emparer (s')	to get a hold of, to take

empêcher	to prevent, to stop
empiler	to pile up, to stack up
s'empiler	to be piled up
emplâtre n. m.	plaster
emploi n. m.	employment, hiring
emploi du temps n. m.	time table
employer	to use
s'employer	to apply oneself
empoisonner	to poison
emporter	to take away, to win
emprunter	to borrow, to take
ému, -e	moved, touched
en	some, any
enchaîner	to continue
encore	again
encore plus	still more
pas encore	not yet
plus … encore	still more
endormi, -e	asleep
endormir (s')	to fall asleep
endosser	to take on
endroit n. m.	spot, place
endurcir	to harden
énervé, -e	irritated
énerver (s')	to get worked up
enfance n. f.	childhood
enfilade n. f.	row
enfiler	to put on, to thread
enfin	finally, at last, in short
enfoncer	to dig (in), to push (in)
s'enfoncer	to disappear (into)
enfourcher	to mount
enfourner	to shove
enfuir (s')	to flee
enfumé, -e	smoky, full of smoke
engagé, -e	committed
engager (s')	to enter, to begin
engendrer	to create
engin n. m.	machine, contraption
engueuler (s')	to row
enlèvement n. m.	kidnapping
enlever	to take off, away, out, to remove, to kidnap
ennuyer	to annoy
s'ennuyer	to be bored
ennuyeux, -euse	boring
enorgueillir (s')	to take pride
enragé, -e	keen
enregistré, -e	registered
enrhumer (s')	to catch a cold
enrouler	to wind around
enseigne n. f.	sign
enseigner	to teach
ensemble n. m.	whole
ensemble	together
ensevelir	to bury
ensoleillé, -e	sunny
ensorcelé, -e	bewitched
ensuite	then
entendre	to hear, to understand
bien entendu	of course
s'entendre	to consult one another, to get on with one another
enterrement n. m.	funeral
entêter (s')	to persist
entourage n. m.	circle
entourer	to surround
entracte n. m.	intermission
entraînement n. m.	attraction
entraîner	to train, to practise, to drag away
entrave n. f.	obstacle
entre	between
entrejambes n. m.	crotch
entremets n. m.	dessert
entreprendre	to undertake
entre-temps	meantime
entretenir	to keep, to feed
envahir	to invade
enveloppé, -e	wrapped
envergure n. f.	calibre
envers n. m.	inside
envie n. f.	envy
avoir envie de	to want
faire l'envie de	to be envied by
environ	about
environner	to surround
envisager	to foresee, to think of
envoi n. m.	gift
envolé, -e	vanished
envoyer	to send
épais, -se	thick, heavy
épaissir (s')	to thicken
épanouir (s')	to bloom, to flourish
épargner	to save, to spare
épars, -e	dispersed, scattered
épaule n. f.	shoulder
épée n. f.	sword
épeler	to spell
épice n. f.	spice
épier	to spy
épine n. f.	thorn
épineux, -euse	thorny
épingle n. f.	pin

épluchure n. f.	peel
éponger	to wipe
époque n. f.	period, time
épouser	to marry
épouse n. f.	wife
épouvantable	terrible, dreadful
épouvantail n. m.	scarecrow
épouvanter	to scare
épreuve n. f.	trial, test, suffering, ordeal
à toute épreuve	staunch, unfailing
éprouver	to feel, to experience
épuisé, -e	worn out, exhausted
équilibre n. m.	balance
bien en équilibre	well balanced
équilibriste n. m. et f.	tightrope walker
équipe n. f.	team
érable n. m.	maple
éreinté, -e	exhausted
ergoter	to quibble
errance n. f.	wandering
erreur n. f.	mistake
escalader	to climb
escale n. f.	stop
faire escale	to stop over
escalier n. m.	staircase, stairs
escarmouche n. f.	skirmish
esclaffer (s')	to burst out laughing
esclavage n. m.	slavery
esclave n. m. et f.	slave
espace n. m.	space, size, time
espèce n. f.	species, kind
espérer	to hope
espoir n. m.	hope
esprit n. m.	mind, spirit
avoir de l'esprit	to be witty, to be intelligent
esquiver	to dodge
s'esquiver	to sneak away
essayer	to try
essence n. f.	gasoline
essoufflé, -e	out of breath
essuyer	to wipe
estomac n. m.	stomach, tummy
établir	to establish
s'établir	to settle
étage n. m.	floor
à l'étage	upstairs
étaler (s')	to spread out
étape n. f.	stage
état n. m.	state, account
États-Unis n. m. pl.	United States
été n. m.	summer
éteindre (p. p. éteint)	to put out (light, fire)
éteint, -e	lifeless (eyes)
s'éteindre	to die, to die out
étendre	to stretch out
étendu, -e	extensive
étendue n. f.	surface, expanse
étonnant, -e	surprising
étonnement n. m.	surprise, astonishment
étonner	to surprise, to astonish
s'étonner	to be surprised
étouffer	to stifle, to choke, to squash
d'une voix étouffée n. f.	in a low voice
étrange	strange
étranger n. m.	stranger, foreigner
à l'étranger	abroad
être n. m.	being
étreindre	to squeeze, to embrace
étriller	to curry
étroit, -e	narrow
étude n. f.	study
eux	they, them
éveillé, -e	awake
événement n. m.	event
éventer (s')	to fan oneself
éventuel, -le	possible
évidemment	of course
évidence n. f.	evidence
mettre en évidence	to set out, to bring out
éviter	to avoid
évanouir (s')	to faint
évolué, -e	evolved, developed
évoluer	to move about
examen n. m.	examination
examen de conscience n. m.	self examination
exclamer (s')	to exclaim
exécutant n. m.	underling
exercer	to practise
exiger	to demand
exorde n. m.	beginning, introduction
expédié, -e	dispatched
expliquer	to explain
exposé n. m.	account
exposer	to exhibit
exprès	on purpose
extasier (s')	to go into raptures
exténué, -e	exhausted
extérieurement	from the outside
extraire	to extract, to pull out

F

fabriquer	to make, to manufacture
face n. f.	face
face à	before
faire face à	to face up to
en face de	opposite, facing
perdre la face	to lose face
fâcher (se)	to get angry
facilité n. f.	ease, easiness
façon n. f.	way, manner
facture n. f.	bill
faculté n. f.	possibility
faiblard, -e	weak
faible	weak, small
faiblesse n. f.	weakness
faiblir	to weaken
faillir + inf.	to almost + verb
faire (p. p. fait)	to make, to do
bien faire	to do the right thing
ça fait	for (time)
se faire à	to become accustomed to
se faire + inf.	to get, to be + p. p.
fait n. m.	fact, happening
du fait de	because of
falloir (p. p. fallu)	to be necessary
falzar n. m. (pop.)	trousers
fameux, -euse	real, quite (a)
fané, -e	faded
fange n. f.	mire
fardeau n. m.	load
farine n. f.	flour
farouche	timid, fearful, fierce
faufiler	to tack
se faufiler	to weave in and out
fauteuil n. m.	armchair
fauve n. m.	wild animal
favoriser	to encourage
fébrile	trembling, nervous
fébrilement	feverishly
féerique	magical
feindre	to pretend
félin n. m.	feline
femme n. f.	woman
fendu, -e	slit, cracked
fente n. f.	crack
féodal n. m.	feudal lord
féodal, -e	feudal
fer n. m.	iron, piece of iron
fermer	to shut, to turn off (light)
fermeture n. f.	closing
ferveur n. f.	keenness
fête n. f.	celebration
la Fête nationale	National holiday
feu n. m.	fire
au feu	on the stove
en feu	on fire
un feu rouge	a red light
feuillage n. m.	foliage
feuille n. f.	leaf, sheet of paper
feuilleton n. m.	serial
fiché, -e	stuck
fidèle	faithful, true
fiel n. m.	gall
fier, fière	proud
fier à (se)	to trust
fierté n. f.	pride
fièvre n. f.	fever
fiévreux, -euse	feverish
figé, -e	frozen
figurer (se)	to imagine
fil n. m.	wire, thread
au bout du fil	on the line
au fil	with the passing, throughout
au fil de l'eau	with the current
filer	to run, to go quickly, to dash off
filet n. m.	net
fille n. f.	girl, daughter
fille à soldats	prostitute
jeune fille	young woman
fils n. m.	son
fin n. f.	end
prendre fin	to end
toucher à sa fin	to be coming to an end
fin, -e	clever
finir	to end
en finir avec	to put an end to
finir par + inf.	to finally + verb
Finlandais n. m.	Finnish
fixer	to fasten, to fix
flageolant, -e	shaky
flamboyant, -e	gleaming
flâner	to loiter
flaque n. f.	pool, puddle
flatteur, -euse	flattering
fléau n. m.	scourge
flèche n. f.	arrow
fleur n. f.	flower
en fleurs	in bloom
fleuve n. m.	river (flowing to the sea)
florissant, -e	blossoming
flot n. m.	wave, stream, mass

foi n. f.	faith
foin n. m.	hay
fois n. f.	time
à la fois	both, at the same time
une fois	once
folie n. f.	madness
foncé, -e	dark
fonctionnaire n. m.	civil servant
fond n. m.	bottom, substance
au fond	really
au fond de	deep down inside
fondre (se)	to melt
fondu, -e	melted
force n. f.	strength
de force	by force
forcément	necessarily
forme n. f.	form
pour la forme	for the sake of appearances
formulaire n. m.	form
fort n. m.	height
au fort de	at the height of
fort, -e	strong, large
fort (adv.)	very
un peu fort	a bit much
fortement	strongly
fortuit, -e	chance, fortuitous
fortune n. f.	fortune
faire fortune	to become rich
fortuné, -e	rich, well off
fossé n. m.	ditch
fou n. m.	madman
fou, folle	mad
fouet n. m.	whip
fouetter	to whip
fouiller	to search, to dig
foule n. f.	crowd
fourchette n. f.	fork
fourchu, -e	forked
fournir	to provide
fourré n. m.	thicket
fourrure n. f.	fur
foyer n. m.	centre, breeding ground
frais n. m.	cool air
prendre le frais	to take a breath of cool air
fraîcheur n. f.	freshness
franchir	to cross, to pass
frappé, -e	iced, chilled
frapper	to hit, to strike
fredonner	to hum
freiner	to break (vehicle)
frénétiquement	wildly
fréquenté, -e	often visited

frissonner	to shiver
frites n. f. pl.	French fries
frit, -e	fried
froid n. m.	cold
froid, -e	cold
avoir froid	to be cold
il fait froid	it is cold
frôlement n. m.	contact (of bodies)
fromage n. m.	cheese
froncer	to gather
froncer les sourcils	to frown
front n. m.	forehead, front
attaquer de front	to attack head on
front de lutte n. m.	united front
frotter	to rub
fructifier	to be productive
fuir (p. p. fui)	to flee
fuite n. f.	flight, escape
prendre la fuite	to take flight, to flee
fumant, -e	smoking
fumée n. f.	smoke
fumer	to smoke
funeste	disastrous
fureur n. f.	fury
faire fureur	to be the rage
fusil n. m.	gun

G

gaffe n. f.	blunder
gagner	to gain, to earn, to reach
gaillard, -e	bawdy, bold
galonné, -e	adorned
gant n. m.	glove
garçon n. m.	boy, son
garçon de café	waiter
garde n. f.	guard
prendre garde	to beware, to take notice
se tenir en garde	to beware
garde-malade n. m. et f.	nurse
garder	to keep
gardien n. m.	guard
gare n. f.	station
gare maritime	harbour station
gars n. m.	fellow
gâté, -e	bad, spoilt
gauche n. f.	left
à gauche	to the left
geler	to freeze
gémir	to groan, to moan
gendarme n. m.	policeman
gendre n. m.	son-in-law
genou n. m.	knee

gens n. m. et f. pl.	people
gentillesse n. f.	kindness
geste n. m.	gesture, act
gibier n. m.	game
gifle n. f.	slap in the face
gigantisme n. m.	gigantic size
glace n. f.	mirror
glace n. f.	ice, ice cream
glacé, -e	glazed, shiny
glaive n. m.	sword
glèbe n. f.	soil
glissant, -e	slippery
glisser	to slip, to slide
se glisser	to slip (into)
globuleux, -euse	protruding (eyes)
gorge n. f.	throat
gorgée n. f.	mouthful
gosier n. m.	throat
gosse n. m. et f.	child
goût n. m.	taste
goûter	to taste
goutte n. f.	drop
grâce n. f.	charm, grace
grâce à	thanks to
gracieux, -euse	graceful
grand, -e	large, great, tall
grandeur n. f.	greatness, size
grandir	to grow, to grow up
grand-mère n. f.	grandmother
grand-père n. m.	grandfather
arrière-grand-père n. m.	great-grandfather
gratis	free
gratuit, -e	free
grave	serious
(au) gré de	at the whim of
grenier n. m.	attic
grenouille n. f.	frog
gribouiller	to scribble
griffe n. f.	claw
griffer	to scratch
grimpant n. m.(pop.)	trousers
grimper	to climb
grincer	to creak
grincer des dents	to gnash, to grind one's teeth
grisant, -e	intoxicating
gronder	to growl
groom n. m.	bellboy
gros, -se	fat
gros de	full of
grossir	to grow fat, to increase, to grow

groupement n. m.	group
guenon n. f.	female monkey
(ne) guère	not much, hardly any
guérir	to cure, to heal
guerre n. f.	war
guerrier n. m.	warrior
guide n. m.	guidebook
guidon n. m.	handlebars
guillemets n. m. pl.	quotation marks
guise n. f.	wish
à sa guise	as one wishes

H

habile	clever
habileté n. f.	cleverness, skill
habillé, -e	dressed
habiller (s')	to get dressed
habits n. m. pl.	clothing
habitat n. m.	living conditions
habitude n. f.	habit, custom
comme d'habitude	as usual
d'habitude	generally
habitué n. m.	regular
habituel, -le	usual
habituer (s')	to become accustomed
hache n. f.	axe
hacher	to chop
hagard, -e	distraught
haine n. f.	hatred
haïr	to hate
hanche n. f.	hip
hanté, -e	haunted, obsessed
hantise n. f.	obsession
harcelé, -e	harassed
hargneux, -euse	aggressive
haricot n. m.	bean
hasard n. m.	chance
par hasard	by chance
hasarder (se)	to venture
hâte n. f.	haste
avoir hâte	to be in a hurry, to look forward
hâter (se)	to hasten, to rush
hâtif, -ive	hasty
hâtivement	hastily
haut n. m.	top
en haut	to, at the top
haut, -e	high, loud
hautement	highly
hauteur n. f.	height
hein !	exclamation: O.K.
hélas !	alas!

herbe n. f.	grass
hétéroclite	disparate
heure n. f.	hour, time
à l'heure qu'il est	by now
de bonne heure	early
heureusement	happily, fortunately
heureux, -euse	happy
heurt n. m.	collision
sans heurt	smoothly
hibou n. m.	owl
histoire n. f.	history, story
hiver n. m.	winter
hocher	to shake (head)
Hollandais n. m.	Dutchman
honnêtement	honourably, decently
honte n. f.	shame
avoir honte	to be ashamed
horloge n. f.	clock
hors de	out of
hospitalier, -ière	hospitable
hôte n. m.	host
houille n. f.	coal
huile n. f.	oil
huilé, -e	oiled, smooth
huileux, -euse	oily
huit jours	a week
humecté, -e	moistened
humeur n. f.	mood, spirits
humoristique	humorous
hurler	to scream, to howl

I

ici	here
idolâtrer	to idolize
immeuble n. m.	building
ignoble	shameful
ignorer	not to know, to ignore
illuminé, -e	lit up
immerger (s')	to immerse oneself
immobilier, -ière	in real estate
agent immobilier	real estate agent
immobilisme n. m.	opposition to change
immondices n. m. pl.	refuse, garbage
impératrice n. f.	empress
imperméable n. m.	raincoat
impitoyable	pitiless
importer	to matter
n'importe	no matter
n'importe quel, quelle	any
n'importe quoi	anything
qu'importe	what does it matter
imprévisible	unpredictable

imprévu n. m.	(the) unforeseen, unexpected
imprévu, -e	unforeseen, unexpected
impuni, -e	unpunished
imputable (à)	imputable (to), attributable (to)
inamovible	which cannot be moved, permanent
inattendu, -e	unexpected
incarner	to embody
incendier	to burn, to set alight
incessant, -e	ceaseless, constant
inclure (p. p. inclus)	to include
incommodité n. f.	inconvenience
inconnu, -e	unknown
inconvénient n. m.	disadvantage
incroyable	incredible
incursion n. f.	foray
indifférent, -e	unconcerned
indigène n. m. et f.	native
indigne	unworthy
indigné, -e	indignant
indigner (s')	to be indignant
indompté, -e	untamed
inébranlable	unshakable
infirmier n. m.	male nurse
infirmière n. f.	nurse
infliger	to inflict
ingéniosité n. f.	cleverness
ingénu n. m.	naïve man
inlassablement	tirelessly
inondation n. f.	flood
inonder	to flood
inopérant, -e	useless
inquiet, -iète	anxious
inquiéter (s')	to worry
insaisissable	impossible to catch
inscrire	to inscribe
s'inscrire	to be written, to register
insolite	unusual, strange
installer	to establish
s'installer	to settle, to place oneself
intempérie n. f.	bad weather
interdire	to forbid
intéressé n. m.	concerned person
intéressé, -e	involved, concerned
intéresser à (s')	to be interested (in), to take an interest (in)
intermède n. m.	interlude
interpeller	to call out, to shout out
interroger	to question, to interrogate
intimité n. f.	intimacy

intitulé, -e	entitled
inusable	hard-wearing
inutilement	uselessly
invectiver (s')	to shout insults at one another
inverse	reverse, opposite
invité, -e n. m. et f.	guest
isolement n. m.	isolation
ivre	drunk
ivrogne n. m.	drunk

J

jaillir	to gush forth, to flow
jamais	never
ne … jamais	never
jambe n. f.	leg
jambon n. m.	ham
jardin n. m.	garden
jaser	to chat, to gossip
jaune	yellow
jeter	to throw (away)
jeter les yeux	to cast one's eyes
jeter un coup d'œil	to glance
se jeter	to throw oneself, to get involved
jeu n. m.	game, hand (cards)
jeune	young
jeunesse n. f.	youth
joindre (se)	to join
jongler	to think, to dream (Quebec)
joue n. f.	cheek
jouer	to play, to act
joueur n. m.	player
joug n. m.	yoke
jouir	to enjoy
joujou n. m.	toy
jour n. m.	day
voir le jour	to be born
journal n. m.	newspaper
journée n. f.	day
joyau n. m.	jewel
joyeux, -euse	happy, joyful
jubiler	to rejoice
juge n. m. et f.	judge
juin n. m.	June
jumeau n. m.	twin
jument n. f.	mare
jurer	to swear
juriste n. m. et f.	lawyer
jus n. m.	juice
jusque	until, up to, to

jusqu'à	until, up to, to
jusqu'à présent	until now
juste	correct, just
justement	rightly, correctly
justice n. f.	justice
rendre la justice	to dispense justice
juteux, -euse	juicy

K

képi n. m.	cap

L

là	there
là-bas	over there
là-haut	up there
par là	that way
labour n. m.	ploughing, tilling
labourer	to plough, to till
lacet n. m.	shoe lace
laid, -e	ugly
laideur n. f.	ugliness
laine n. f.	wool
laisser	to let, to allow, to leave
lait n. m.	milk
laitier n. m.	milkman
lampion n. m.	Chinese lantern
lancer	to launch
se lancer (dans)	to throw oneself (into), to undertake
langue n. f.	tongue, language
lanière n. f.	strip
lapin n. m.	rabbit
Lapon, -e n. m. et f.	Laplander, Lapp
lapon, -e	Lapp, Lappish
Laponie n. f.	Lapland
large	wide
(prendre le) large	to go off
largement	greatly
larme n. f.	tear
las, -se	tired
lasser	to tire
latéral, -e	on the side
latte n. f.	board
laver	to wash
laverie n. f.	laundry
lécher	to lick
lecteur n. m.	reader
lecture n. f.	reading
léger, -ère	light, slight
légèrement	slightly
légume n. m.	vegetable
lendemain n. m.	the next day

lentement	slowly
lequel, laquelle, lesquels, lesquelles	which
(se) leurrer	to deceive oneself
lever	to raise
lever n. m.	rising
le lever du soleil n. m.	sunrise
se lever	to get up
lèvre n. f.	lip
lézarder	to bask in the sun
se lézarder	to crack
liasse n. f.	bundle
libellule n. f.	dragonfly
libérer	to free
liberté n. f.	freedom
libre	free, empty
libre-échange n. m.	free trade
lier	to tie
lieu n. m.	place
au lieu de	instead of
avoir lieu	to take place
haut lieu	main place
ligaturer	to tie up
lime n. f.	file
linge n. m.	washing
lire (p. p. lu)	to read
lisière n. f.	edge
lit n. m.	bed
litière n. f.	litter
littoral n. m.	coast
livide	pale
livre n. f.	pound, pound sterling
livrer	to deliver, to give, to hand over
localité n. f.	place, village
loger	to live, to stay, to sleep
logis n. m.	home
loi n. f.	law
loin	far
de loin en loin	occasionally
lointain, -e	far away, distant
lointain n. m.	distance
long	
le long de	along
tout au long	all along
longer	to border, to run alongside, to walk, to travel alongside
longévité n. f.	longevity, life expectancy
longtemps	long, for a long time
longuement	at length
lors	then
dès lors	from then on
lors de	during
louable	praiseworthy
louange n. f.	praise
louche	shady
loup n. m.	wolf
lourd, -e	heavy
lourdement	heavily
lucarne n. f.	skylight
lueur n. f.	light
lui	him, her, to him, to her
lui-même	him, it (self)
luire	to shine
lumière n. f.	light
lumineux, -euse	illuminated
lune n. f.	moon
lunettes n. f. pl.	glasses
lustre n. m.	chandelier
lutte n. f.	fight, conflict
lutter	to fight
luxueux, -euse	luxurious
luxuriant, -e	lush
lys (or lis)	lily

M

machinalement	mechanically
magasin n. m.	shop, store
magnétoscope n. m.	tape recorder
maigre	thin, sparse, meagre
maigrir	to lose weight
maille n. f.	mesh
main n. f.	hand
main-d'œuvre n. f.	manpower
sous la main	handy
maint, -e	many
maintenant	now
maintenir	to argue
maïs n. m.	corn
maître n. m.	master
maîtresse n. f.	mistress
maître, maîtresse	master (card, etc.)
maîtrise n. f.	mastery, control
maîtrise n. f.	master's degree
mal n. m.	pain, trouble, harm, disease
avoir mal à	to have pain in
malade	sick, unhealthy
maladie n. f.	illness
malaise n. m.	uncomfortable, awkward feeling, discomfort
malgré	despite

malheur n. m.	misfortune
malheureusement	unfortunately
malheureuse n. f.	wretched woman
malheureux, -euse	unhappy
maltraiter	to ill-treat
malveillant, -e	malevolent
mamelon n. m.	knoll, hillock
manger	to eat
manger à sa faim	to eat one's fill
mangue n. f.	mango
manguier n. m.	mango tree
manifestation n. f.	demonstration, show
manifestement	obviously
manifester	to demonstrate
manque n. m.	lack
manquer	to fail, to lack
manquer à	to be missed by
manquer de	to be short of
manquer de + inf.	to almost + verb
manteau n. m.	coat
marbre n. m.	marble
marché n. m.	deal, market
à bon marché	cheaply
par-dessus le marché	to top it all
marche n. f.	step
marcher	to walk
marcheur n. m.	walker
marécage n. m.	swamp
marécageux, -euse	swampy
marée n. f.	tide
mari n. m.	husband
marier	to marry
se marier	to get married
marli n. m.	edge (of plate)
marmonner	to mutter
martin-pêcheur n. m.	kingfisher
massés, massées	assembled
mât n. m.	mast
maternelle n. f.	nursery school
matière n. f.	matter
matin n. m.	morning
de grand matin	in the early morning
maudit !	damn!
maussade	glum
mauvais, -e	bad
méchanceté n. f.	wickedness, nastiness
méchant, -e	wicked
mèche n. f.	lock (of hair)
mécontent, -e	displeased
médecin n. m.	doctor
médiatique	of the media
médusé, -e	dumbfounded
méfiance n. f.	mistrust
méfier (se)	to mistrust
meilleur, -eure	better, best
mélange n. m.	mixture
mélanger	to mix
mêler	to mingle, to mix
se mêler (de)	to interfere (with)
mélopée n. f.	chant
membre n. m.	limb
même (adj.)	same, very
elle-même	herself
nous-mêmes	ourselves
même (adv.)	even
(être à) même de	to be able
quand même	all the same
tout de même	all the same, surely
mémento n. m.	handbook, guide
menace n. f.	threat
menacer	to threaten
ménage n. m.	household
ménagement n. m.	care
avec ménagement	tactfully
ménager	to spare, to take care of
mendiant n. m.	beggar
mener	to lead, to bring, to take (someone), to conduct
mensonge n. m.	lie
mentir	to lie
menton n. m.	chin
mépris n. m.	contempt
méprisé n. m.	despised one
mépriser	to despise
mériter	to deserve
se mériter	to earn
merveille n. f.	marvel
messe n. f.	mass
mesurer	to gauge, to realize
météo n. f.	weather forecast
métissé, -e	of mixed race
métro n. m.	subway
mets n. m.	dish
mettre (p. p. mis)	to put, to wear
mettre de côté	to save
mettre en scène	to direct, to present
se mettre à	to begin
meuble n. m.	piece of furniture
meurtri, -e	hurt
meurtrier n. m.	murderer
midi n. m.	midday
mieux	better
le mieux	the best
mijoter	to simmer

milieu n. m.	middle, environment	morue n. f.	cod
au milieu	in the middle, in the midst, among	mot n. m.	word
		moteur n. m.	engine
en plein milieu	right in the midst	mouche n. f.	fly
mille n. m.	mile	mouette n. f.	seagull
millénaire n. m.	a thousand years	mourir (p. p. mort)	to die
milliard n. m.	billion	mousse n. f.	moss
millier n. m.	thousand	mousson n. f.	monsoon
mince	slim	mouton n. m.	sheep
mine n. f.	look	mouvant, -e	changing
bonne mine	healthy look	moyen, -ne	average
minuit n. m.	midnight	moyen n. m.	means, way
minutieux, -euse	scrupulous	les moyens n. m. pl.	(financial) means
miroir n. m.	mirror	Moyen Âge	the Middle Ages
misérable n. m.	wretched man	munir de (se)	to provide oneself (with), to arm oneself (with)
misère n. f.	poverty		
mode n. f.	fashion	muet, -te	mute, silent
à la mode	in fashion, « in »	mûrir	to ripen
mode n. m.	way, style	musculature n. f.	muscle structure
moine n. m.	monk	mutisme n. m.	silence
moins	less		
à moins	for less	**N**	
au moins	at least	nager	to swim
du moins	at least	naissance n. f.	birth
mois n. m.	month	naître (p. p. né)	to be born
moitié n. f.	half	nappe n. f.	tablecloth
à moitié	half	narine n. f.	nostril
moments, par m.	at times	narquois, -e	mocking
monde n. m.	world, people	natal, -e	native
tout le monde	everybody	natte n. f.	mat
mondial, -e	of the world	nature, en n.	in kind
monologuer	to soliloquize, to speak to oneself	naufrage n. m.	shipwreck
		ne … pas	not
mont n. m.	mountain	ne … guère	seldom, not much
montagne n. f.	mountain	ne … plus	no longer
monté, -e sur	standing on	ne … que	only
monter	to go up, to climb	néant n. m.	nothingness
montre n. f.	watch	néfaste	bad, harmful
montrer	to show	négoce n. m.	commerce, trade
monture n. f.	mount	neige n. f.	snow
moquer (se)	to make fun	neiger	to snow
moqueur, -euse	mocking	nerf n. m.	nerve
moral n. m.	morale	nerveux, -euse	energetic
morale n. f.	morality	net, nette	clean
morceau n. m.	piece	nettoyer	to clean
morceler	to break up	neuf, neuve	new
mordre	to bite	neveu n. m.	nephew
morfondre (se)	to worry	nez n. m.	nose
morsure n. f.	bite	ni … ni	neither … nor
mort n. f.	death	niaisement	stupidly
mort n. m.	dead man, dead body	nid n. m.	nest
mort, -e	dead	nippon, -e	Japanese

niveau n. m.	level	tenir à l'œil	to watch
niveau de vie	standard of living	œuvre n. f.	work
noblesse n. f.	nobility	œuvrer	to work
noce n. f.	wedding (often plural)	offrande n. f.	offering
secondes noces	second marriage	offrir	to offer, to suggest
Noël n. m.	Christmas	s'offrir	to buy for oneself,
nœud n. m.	knot		to afford
noir, -e	black	offusquer	to shock, to offend
il fait noir	it is dark	s'offusquer	to be shocked, to take
noix n. f.	nut		offence
noix de coco	coconut	oiseau n. m.	bird
nom n. m.	name	ombre n. f.	shade, shadow
de nom	by name	on	one, they
nombre n. m.	number	onguent n. m.	ointment
faire nombre	to make up the numbers	opérer (s')	to take place
nombreux, -euse	numerous	opiniâtrer (s')	to persist
nommer	to name	opiniâtreté n. f.	stubbornness
(non-)pensant, -e	without the gift of thought	opportunité n. f.	timeliness, opportuneness
note n. f.	grade	opposer	to set against
notoire	well-known	s'opposer à	to stand in the way
notre, nos	our	or n. m.	gold
(le, la) nôtre	ours	or	now
nouilles n. f. pl.	noodles	orage n. m.	storm
nourricier, -ière	foster parent	oranger n. m.	orange tree
nourrir	to feed	orbite n. f.	socket
nourriture n. f.	food	ordinateur n. m.	computer
nouveau, nouvel, nouvelle	new	ordre n. m.	order, nature
de (à) nouveau	again	ordure n. f.	dirt, filth, rubbish, garbage
nouveau venu	newcomer	orée n. f.	edge of the forest
nouvelle n. f.	short story, news	oreille n. f.	ear
noyer	to drown	dur, -e d'oreille	hard of hearing
nu, -e	naked	orgueil n. m.	pride
nuage n. m.	cloud	orgueilleux, -euse	proud
nuance n. f.	shade	orienter (s')	to find one's way
nuire (p. p. nui)	to be harmful	originaire (de)	born in, come from
nuit n. f.	night	orme n. m.	elm
à la nuit tombée	at nightfall	orné, -e	adorned
		orner	to adorn
O		orphelin n. m.	orphan
obéissant, -e	obedient	orthographe n. f.	spelling
obliger	to force	os n. m.	bone
obscurité n. f.	darkness	oser	to dare
obtenir	to obtain, to get	osier n. m.	wicker
occasion n. f.	opportunity	ossature n. f.	bone structure
à l'occasion	some time	ôter	to take off
occuper de (s')	to take care (of), to worry	où	where
	about, to be engaged in	d'où	hence
octroyer	to give	oubli n. m.	forgetfulness, forgetting
odeur n. f.	smell	tomber dans l'oubli	to be forgotten
odoriférant, -e	sweet smelling	oublier	to forget
œil (yeux) n. m. (pl.)	eye (eyes)	ours n. m.	bear
coup d'œil n. m.	glance	outrecuidance n. f.	presumption

ouvert, -e — open
ouvrage n. m. — work, book
ouvrir (p. p. ouvert) — to open
   s'ouvrir à quelqu'un — to open one's heart to someone

P

pacotille n. f. — cheap stuff
pagne n. m. — loincloth
païen, -ne — pagan
paille n. f. — straw
pain n. m. — bread
   petit pain n. m. — roll
pair n. m. — peer
paisible — peaceful, serene
paisiblement — peacefully
paix n. f. — peace
palabres n. f. pl. — interminable discussions
palefrenier n. m. — groom (castle)
palier n. m. — landing
palmier n. m. — palm tree
paludisme n. m. — malaria
panne n. f. — breakdown
   tomber en panne — to break down
panneau n. m. — board
pansement n. m. — bandage
panser — to bandage
pantalon n. m. — trousers, pants
papier n. m. — paper
papillon n. m. — butterfly
papoter — to chatter
paquebot n. m. — liner
paquet n. m. — package
paradisiaque — heavenly
paraître (p. p. paru) — to appear
   il paraît que — they say that
parapluie n. m. — umbrella
paravent n. m. — screen
parcourir — to skim through (look at), to go through, to travel through
parcours n. m. — trip, journey
pardonner — to forgive, to excuse
pareil, -le à — same as, similar to
   un pareil — such a
pareillement — likewise
parent n. m. — parent, relative
paresse n. f. — laziness
paresseusement — lazily
parfois — sometimes
parfumé, -e — sweet smelling
pari n. m. — bet

parmi — among
parole n. f. — word
   adresser la parole — to address
   donner la parole — to allow (someone) to speak
   prendre la parole — to begin to speak
part n. f. — share
   à part — apart from
   faire part — to share, to announce
partage n. m. — sharing
partager — to share
parti n. m. — match
particulier, -ière — specific, special, private
partie n. f. — part, game
   faire partie — to belong, to be part of
partir — to leave
   à partir de — starting from
partout — everywhere
parvenir — to succeed
pas n. m. — step
   à deux pas — close
   au pas — slowly
passage n. m. — brief visit
passager, -ère — passing, temporary
passant, -e n. m. et f. — passer-by
passé n. m. — past
   passer — to spend (time), to go on to, to proceed, to give
   passer à l'attaque — to attack
   se passer — to take place
passionnant, -e — exciting, fascinating
pasteur n. m. — shepherd, herdsman
pâte n. f. — dough
pâtée n. f. — swill
patente n. f. — licence
pâtes n. f. pl. — pasta
pâtisserie n. f. — pastry shop
patrie n. f. — motherland, adopted land
patrimoine n. m. — inheritance
patron n. m. — boss
pâturage n. m. — pasture
paupière n. f. — eyelid
pauvre n. m. — poor, pauper
pauvreté n. f. — poverty
payant, -e — where there is a charge
payer — to pay
   se payer — to buy oneself
pays n. m. — country
paysan n. m. — peasant, farmer
peau n. f. — skin
péché n. m. — sin
pêcher — to fish

pêcherie n. f.	fishery, fishing ground	phrase n. f.	sentence
pêcheur n. m.	fisherman	pièce n. f.	coin, room, specimen
pécule n. m.	savings	pièces détachées n. f. pl.	spare parts
peine n. f.	trouble	pied n. m.	foot
à peine	barely	à pied	on foot
ça vaut la peine	it's worth the trouble	mettre les pieds	to set foot
se mettre en peine	to worry, to bother	piège n. m.	trap
peintre n. m. et f.	painter	pierre n. f.	stone
peinture n. f.	paint	piéton n. m.	pedestrian
pelé, -e	hairless	pigiste n. m. et f.	freelance
penchant n. m.	inclination	pilori n. m.	stocks
penché, -e	leaning	pin n. m.	pine
pencher (se)	to lean	pince n. f.	tongs
pendant (que)	while	pincement n. m.	twinge
pendre	to hang	pique n. f.	lance
pénétrer	to enter	piquer	to drive down
pénible	painful	se piquer	to like to think
péniblement	painfully, with difficulty	pire n. m.	the worst
pénombre n. f.	semi-darkness	pirogue n. f.	dugout canoe
pensant, -e	thinking	pis	worse
pensée n. f.	thought, thinking	tant pis	too bad
penser	to think	piste n. f.	trail, path
pension n. f.	boarding house	pitance n. f.	food, sustenance
pente n. f.	slope, hill	piteux, -euse	pitiful
perçant, -e	piercing	pitié n. f.	pity
percé, -e	pierced	pitoyable	pitiful
perdre	to lose	placard n. m.	closet
se perdre	to get lost	place n. f.	place, square, seat, spot, room
perfectionner	to improve		
périphérique n. m.	circular route, ring road	sur place	on the spot
permettre	to allow, to enable	plage n. f.	beach
se permettre	to allow oneself, to take the liberty	plaie n. f.	wound, sore
		plaindre (p. p. plaint)	to pity
perplexe	puzzled	se plaindre	to complain
perroquet n. m.	parrot	plaire (p. p. plu)	to appeal to
personnage n. m.	character	se plaire	to enjoy
personne (ne)	nobody	plaisanter	to joke
personne n. f.	person	plaisanterie n. f.	joke
perturbation n. f.	disturbance	plaisir n. m.	pleasure
pesant, -e	heavy	planifier	to plan
peser	to weigh	planter	to leave
petit, -e	small	plat n. m.	dish
petit à petit	little by little	plein, -e	full
peu	little, few	en plein	in the middle of
à peu près	about	en pleine nature	in the open country
peu à peu	little by little	pleur n. m.	tear
un peu	a little	pleurer	to weep
peuple n. m.	people	pleuvoir	to rain
peupler	to populate	plié, -e	folded, bent
peur n. f.	fear	plier	to bend
avoir peur	to be afraid	se plier à	to give in to
peut-être	maybe, perhaps	ployé, -e	bent

pluie n. f.	rain
plume n. f.	feather
plupart (la)	most
plus	more
de plus en plus	more and more
en plus	moreover
ne ... plus	no longer
non plus	either, neither
plus ... plus	the more ... the more
(tout) au plus	at the most
plusieurs	several
plutôt	rather
pneu n. m.	tire
poche n. f.	pocket
poésie n. f.	poetry
poids n. m.	weight
poids lourd n. m.	heavy weight truck
poignant, -e	heartrending
poignée n. f.	handful
poignet n. m.	wrist
poil n. m.	hair
poinçonner	to clock in
poing n. m	fist
point n. m.	point
mettre au point	to put the finishing touches
pois n. m.	pea
poisseux, -euse	sticky
poisson n. m.	fish
poitrine n. f.	chest
policier n. m.	policeman
pomme n. f.	apple
ponctué, -e	marked
pont n. m.	bridge
porte n. f.	door
mettre à la porte	to throw out
portée (à la)	within reach
porter	to carry, to wear, to bring
être porté à	to be inclined to
se porter (sur)	to focus (on), to concern
portière n. f.	door (car)
posé, -e	lying on, placed on
poser	to ask (question)
posséder	to own, to know
possession n. f.	ownership
poste n. m.	station
poste de télévision	television set
posture n. f.	pose
potiron n. m.	pumpkin
pou n. m.	louse
pouce n. m.	thumb
poudre n. f.	powder

poulain n. m.	foal
pour	for
le pour et le contre	the pros and cons
pour n. m.	arguments in favour
pour que	so that
pourboire n. m.	tip
pourchasser	to chase, to pursue
pourquoi	why
poursuite n. f.	pursuit, chase
poursuivant n. m.	pursuer
poursuivre	to pursue, to follow, to continue, to sue
pourtant	yet, however
pourvu que	provided that
poussé, -e	thorough, grown
pousser	to push, to drive, to utter
poussière n. f.	dust
poussif, -ive	puffing, wheezing
pouvoir n. m.	power
pouvoir (p. p. pu)	to be able to, to be able to do
il se peut	it is possible
prairie n. f.	meadow, field
préau n. m.	playground
précipiter (se)	to rush
préjugé n. m.	prejudice
prélasser (se)	to lounge
premier, -ière	first
en premier	first
le premier venu	anybody
prendre	to take (up), to catch
prendre garde	to take care, to beware
prendre pour	to interpret as
se prendre pour	to consider oneself
prénom n. m.	first name
préoccupation n. f.	worry
préparatifs n. m. pl.	preparations
préposée n. f.	employee
près	close, near
présent n. m.	present, gift
à présent	now
faire présent	to give as a gift
présenter	to introduce
presque	almost
presse n. f.	rush
pressé, -e	in a hurry
presser	to put pressure
se presser	to hurry, to crowd around
prêt, -e	ready
prétendant n. m.	suitor
prétendre	to claim
prêter	to lend

prêtre n. m.	priest
preuve n. f.	proof
faire preuve	to demonstrate
prévenu, -e	warned
prévoir (p. p. prévu)	to foresee
prier	to pray
prière n. f.	prayer
princier, -ière	princely
principalement	mainly
printemps n. m.	spring
prisonnier n. m.	prisoner
faire prisonnier	to take prisoner
priver	to deprive
prix n. m.	price, prize
à tout prix	at any price
procéder	to conduct
procès n. m.	action, lawsuit
procès-verbal n. m.	statement
prochain, -ne	next
proche	close, close by, close to
proche n. m.	person close to
proclamer	to announce
procurer (se)	to get, to obtain
produire (se)	to happen
proférer	to utter
profiler (se)	to appear, to emerge
profit n. m.	benefit
mettre à profit	to take advantage
profiter	to take advantage
profond, -e	deep, inner
profondément	deeply
progéniture n. f.	offspring
projet n. m.	plan
projet de loi n. m.	bill
projeter	to plan
promener	to talk for a walk
promener les yeux (un œil)	to cast one's eyes
se promener	to walk, to go on a pleasure trip
promettre	to promise, to vow
prôner	to laud, to advocate
propice	auspicious, favourable
propos, à p. de	about, talking of
proposer	to suggest
propre n. m.	characteristic feature
en propre	exclusively
propre	clean, own, suitable
proprement	cleanly, neatly
propriétaire n. m. et f.	owner
provenir	to come from
provisoirement	temporarily
prudence n. f.	modesty
prune n. f.	plum

psalmodier	to chant
pucelle n. f.	virgin
pudeur n. f.	modesty, shyness
offense à la pudeur publique	indecent exposure
puis	then
puiser	to draw
puisque	since
puissamment	powerfully
puissance n. f.	power
puissant, -e	powerful
punition n. f.	punishment
putain n. f.	whore

Q

quant à	as for
quarantaine n. f.	about forty
quartier n. m.	neighbourhood
quartier général	headquarters
quatrième	fourth
que (pron. rel.)	whom, that
que ... que ... (conj.)	whether ... or ...
quel, quelle	what
quelconque	some ... or other
quelque	some, about
quelque chose	something
quelquefois	sometimes
quelque part	somewhere
quelque peu	somewhat
quelques	a few
quelques-uns, -unes	some
quelqu'un	someone
querelle n. f.	quarrel, fight
quérir	to seek
envoyer quérir	to send for
quête n. f.	search
queue n. f.	tail
faire la queue	to line up
qui	who, whom, that, which
qui que ce soit	whomever it may be, anybody at all
quinzaine n. f.	about fifteen
une quinzaine de jours	about two weeks
quitter	to leave
ne quittez pas	stay on the line
quoi	what
de quoi	a reason
eh quoi !	what!
quoi qu'il en soit	whatever the case may be
quoique	although
quolibet n. m.	jeer
quotidien n. m.	daily (paper)
quotidiennement	daily, every day

R

rabais n. m.	rebate, discount
rabatteur n. m.	beater (hunting)
racine n. f.	root
raconter	to tell, to narrate
racorni, -e	dried up
radieux, -euse	radiant
raidir (se)	to brace oneself
raison n. f.	reason
à raison de	at the rate of
avoir raison	to be right
rajeunir	to become younger
ralentir	to slow down
ralliement n. m.	rallying
ramasser	to pick up
ramener	to bring back (persons, animals)
rang n. m.	rank
rangée n. f.	row
ranger	to tidy up, to arrange, to line up, to store
ranimé, -e	revived
ranimer	to revive
rapidité n. f.	speed
rappeler	to remind
se rappeler	to remember
rapport n. m.	relationship
rapports n. m. pl.	relations, terms
rapprocher	to bring close
se rapprocher	to get close
rare	few, scarce
rarement	seldom
ras, au ras de	level with
rasé, -e	shaved
rassemblement n. m.	gathering
rassembler	to gather, to assemble
rassurer	to reassure
se rassurer	to put one's mind at ease
rat musqué n. m.	muskrat
ravir	to delight, to kidnap
ravisseur n. m.	kidnapper
rayon n. m.	department
razzia n. f.	raid, razzia
reboire	to drink again
rebondir	to rebound
recevoir (p. p. reçu)	to receive
réchauffer (se)	to warm (oneself)
recherche n. f.	search, elegance
à la recherche	in search
récipient n. m.	container
récit n. m.	account, story
réclamation n. f.	complaint

réclamer	to ask for, to demand
récolter	to harvest
récompenser	to reward
reconnaissance n. f.	gratitude
reconnaître	to recognize, to acknowledge
se reconnaître	to be recognized
reconquérir	to recover
recoucher	to lay down again
recours n. m.	recourse
avoir recours (à)	to resort (to)
recouvert, -e	covered
recouvrer	to recover
recrue n. f.	recruit
recruter	to recruit
recruteur n. m.	recruiting agent
recueil n. m.	volume
recueillir	to collect, to pick
recul n. m.	retreat
récupérer	to pick up
redescendre	to go down (again)
redevance n. f.	dues
redoutable	fearsome, formidable
redouter	to fear
redresser (se)	to sit up
réduire	to reduce
refaire	to do again
refermer	to close again
réfléchir	to think about, to reflect
donner à réfléchir	to give food for thought
réflexion n. f.	thought, reflection
réflexion faite	on second thought
réfractaire (à)	impervious (to)
être réfractaire à	to resist
réfugier (se)	to take refuge
refuser	to refuse, to reject
regard n. m.	look, eyes
regarder	to look (at), to concern
se regarder	to look at one another
règle n. f.	rule, law
régler	to settle
régner	to rule
regroupement n. m.	grouping together
reine n. f.	queen
rejeter	to reject, to transfer (the blame)
rejoindre	to join, to get back to
réjouir (se)	to rejoice, to be glad
relater	to relate, to recount
relation n. f.	connection
relier	to bond, to join
religieuse n. f.	nun

remarquer	to notice
faire remarquer	to point out, to say
rembourser	to reimburse
remerciement n. m.	thanks
remercier	to thank
remettre	to give, to put on again
se remettre	to recover
se remettre à	to begin again to
remonter	to go up (again), to go back to
remorque n. f.	trailer
rempli, -e	filled, full
remplir	to fill, to complete (forms)
remporter	to win
remuer	to move, to dig
renard n. m.	fox
rencontre n. f.	meeting
rencontrer	to meet, to encounter
rendez-vous n. m.	appointment
un rendez-vous de chasse	meet
rendormir (se)	to fall asleep again
rendre	to return
rendre + adj.	to make
se rendre	to go
rêne n. f.	rein
rengaine n. f.	refrain
renier	to renounce
renne n. f.	reindeer
renoncer	to give up
renseignement n. m.	information
renseigner (se)	to make inquiries, to find out
rentable	profitable
rentrer	to go home, to return, to go into
renvoyer	to send back, to return
répandre	to spread out
reparaître	to appear again, to return
réparation n. f.	repair
réparer	to repair
se réparer	to be mendable
repartie n. f.	retort
repas n. m.	meal
repasser	to iron
repérer	to find out
répéter	to repeat
réplique n. f.	reply
réponse n. f.	answer
repos n. n. m.	rest
reposer	to put down again, to lie
se reposer	to rest
repoussant, -e	repulsive

repousser	to push back
reprendre (p. p. repris)	to take again, to start again
reprendre ses esprits	to recover
représailles n. f. pl.	reprisals, retaliation
représentant, -e	representative
reprise n. f.	repetition
à plusieurs reprises	en several occasions
reproche n. m.	reproach
faire des reproches	to reproach, to blame
requérir	to require, to call for
réseau n. m.	network
résine n. f.	resin
résoudre (p. p. résolu)	to solve, to resolve
respirer	to breathe
ressembler (à)	to look like
se ressembler	to look alike
ressentir (se)	to be influenced
ressortir	to bring out
ressource n. f.	resourcefulness
rester	to stay, to remain, to be left
résumer	to summarize
rétablir	to restore
retard n. m.	lateness, delay
avoir du retard	to be late
en retard	late
retarder	to delay
retenir	to remember, to keep
retentir	to resound
retentissant, -e	resounding
retenue n. f.	detention
retirer	to withdraw, to remove
rétorquer	to retort
retouche n. f.	alteration
retour n. m.	return
retourner	to return, to turn over
se retourner	to turn around
retracer	to relate, to recount
retrouver	to find (again), to recover
se retrouver	to meet, to join each other
réunion n. f.	meeting
réunir	to bring together, to gather together
réussir	to succeed
revanche n. f.	revenge
en revanche	on the other hand
rêve n. m.	dream
réveiller	to wake up
revendiquer	to claim
revenir	to come back, to return
il me revient	I remember

revenu n. m.	income	rudesse n. f.	roughness
révérence n. f.	respect	rue n. f.	road, street
revers n. m.	setback	ruelle n. f.	lane
revers de fortune	reverse of fortune	ruer	to kick
revivre	to live again	rugissement n. m.	roar
revoir (p. p. revu)	to see again, to revise	pousser un rugissement	to roar
rez-de-chaussée n. m.	ground floor	rupture n. f.	gap, break
rhabillé, -e	dressed again	ruse n. f.	cunning, tactics
ricanement n. m.	sniggering	russe	Russian
richesse n. f.	wealth		
ride n. f.	wrinkle	**S**	
ridé, -e	wrinkled	sable n. m.	sand
rideau n. m.	curtain	sabot n. m.	hoof
rien	nothing	sac n. m.	bag
ça (ne) me fait rien	it does not matter to me	saccagé, -e	devastated
rien du tout	nothing at all	sage	wise
rieur, rieuse	cheerful	sagesse n. f.	wisdom
rigoureux, -euse	harsh	saignant, -e	rare (meat)
rigoureusement	strictly	sain, saine	healthy
rire n. m.	laughter	sain et sauf	safe and sound
fou rire	giggles	saint, -e	holy
rire	to laugh	saint des saints n. m.	holy of holies
rivaliser	to compete	Sainte-Vierge n. f.	Holy Virgin
rive n. f.	bank	saisir	to understand, to grasp
rivé, -e	attached (to), fixed on	saisissant, -e	breathtaking
riz n. m.	rice	sale	dirty
robe n. f.	dress	saleté n. f.	dirt
robe d'intérieur n. f.	housecoat	salle n. f.	room
rocher n. m.	rock	salon n. m.	sitting room, lounge
roi n. m.	king	salon de coiffure	hairdressing salon
roman n. m.	novel	saluer	to greet
roman policier n. m.	detective novel	salut n. m.	salvation
romancier n. m.	novelist	samedi n. m.	Saturday
romancière n. f.	novelist	sang n. m.	blood
rompre	to break off, to put an end to	se faire du mauvais sang	to worry
		sang-froid n. m.	calm
ronflement n. m.	hum	de sang-froid	calmly
ronger	to kill gradually	sanglant, -e	bloody
rose	pink	sanglier n. m.	boar
voir la vie en rose	to look at the bright side of things	sanglot n. m.	sob
		sans-abri n. m.	homeless
rosée n. f.	dew	santé n. f.	health
rôti, -e	roasted	sapin n. m.	pine
roue n. f.	wheel	sauf	except
rouge	red	saugrenu, -e	weird, strange
rouillé, -e	rusty	sauter	to jump, to leave out
rouler	to drive, to roll	sauterelle n. f.	grasshopper
route n. f.	road	sauvage	wild
roux, rousse	red headed, red	sauver	to save
royaume n. m.	kingdom	se sauver	to run away
ruban n. m.	ribbon	savoir (p. p. su)	to know
rude	rough, harsh	sceau n. m.	seal

scène n. f.	scene
mettre en scène	to direct (play), to present
scier	to saw
scripteur n. m.	writer
scrutin n. m.	vote, ballot
séance n. f.	session
seau n. m.	bucket
sec, sèche	dry
séché, -e	dried
séchoir n. m.	dryer
secouer	to shake
secourir	to help
secours n. m.	help
secousse n. f.	jolt
sécurité n. f.	security, safety
séduire	to seduce, to win over
seigneur n. m.	lord, nobleman
sein n. m.	bosom
séjour n. m.	stay
selon	according
semaine n. f.	week
semblable	similar, same
sembler	to seem
semer	to sow
sens n. m.	direction, meaning
sens unique n. m.	one way
sensuel, -le	sensuous
sentiment n. m.	feeling
sentir	to smell
se sentir	to feel
séparément	separately
sérieux n. m.	seriousness
au sérieux	seriously
serment n. m.	oath
prêter serment	to swear an oath
serpenter	to snake, to meander
serré, -e	squeezed
le cœur serré	with a sad heart
serrer	to squeeze, to hold tight
serveur n. m.	waiter
serveuse n. f.	waitress
service n. m.	service, set
rendre des services	to be useful
serviette n. f.	towel
servir	to serve
se servir	to help oneself
se servir de	to use
seuil n. m.	threshold, doorstep
seul, -e	alone, only
seulement	only
si	if, so
siècle n. m.	century

siège n. m.	seat
le sien, la sienne	his, hers
les siens	his, her own people
sieste n. f.	nap
faire la sieste	to take a nap
signalement n. m.	description
significatif, -tive	significant
signaler	to point out
sillon n. m.	furrow
sillonner	to go to and fro, to go up and down
simiesque	monkey-like, ape-like
simulacre n. m.	pretence
simulé, -e	sham, feigned
singe n. m.	monkey, ape
singer	to ape, to imitate
singulier, -ière	strange
sinon	otherwise, if not
sitôt que	as soon as
slalomer	to zigzag
sobriquet n. m.	nickname
soi n. m.	oneself
soif n. f.	thirst
soigné, -e	careful
soigner	to treat, to take care of
soigneusement	carefully
soin n. m.	care
soirée n. f.	evening
soit	that is to say
soit	whether it be
soit ... soit	either ...or
sol n. m.	soil
solde n. f.	sale
soleil n. m.	sun
le lever du soleil	sunrise
le soleil couchant	setting sun
solennel	solemn
solennité n. f.	solemnity
solide	strong
solidité n. f.	sturdiness
sombrement	sadly
somme n. f.	sum
en somme	all things considered
sommer	to summon
sommité n. f.	prominent person
somnoler	to doze
son n. m.	sound
songer	to think
sorcier n. m.	sorcerer
sort n. m.	fate
mauvais sort	curse
sorte n. f.	sort, way

de la sorte	in that way	parc de stationnement n. m.	parking lot
de sorte que	so that	subir	to undergo, to suffer
de telle sorte que	so that	subit, -e	sudden
en aucune sorte	in no way	sud n. m.	south
sortie n. f.	outing	suffire	to suffice, to be sufficient
sortir	to go out, to take out	suite n. f.	continuation
sottise n. f.	foolishness	à la suite	following
dire des sottises	to say foolish things	de suite	following
souche n. f.	founder	suivant	following
souci n. m.	concern, worry, preoccupation	suivant, -e	next, following
		suivre (p. p. suivi)	to follow
souffle n. m.	breath	supplémentaire	additional
avoir le souffle coupé	to be out of breath, to be flabbergasted	supporter	to bear, to put up with
		supposer	to suppose, to presume
souffrance n. f.	suffering	supprimer	to cancel
souffrir	to suffer, to have pains	sur	on, by
soulagé, -e	relieved	sûr, -e	certain
soulagement n. m.	relief	bien sûr	of course
soulager	to relieve	sûrement	surely
soulever	to raise	surgir	to appear
se soulever	to rise up	surmenage n. m.	overwork
soulier n. m.	shoe	surnommer	to call, to nickname
souligner	to underline, to point out	surprenant, -e	surprising
soumettre	to submit	surtout	especially
se soumettre	to submit (to), to undergo	surveillance n. f.	watch, supervision
soupçon n. m.	suspicion	surveiller	to watch
avoir des soupçons	to suspect	survenir	to take place, to occur
soupçonner	to suspect	survivant, -e n. m. et f.	survivor
soupçonneux, -euse	suspicious	susciter	to incite
souper	to have supper (in Quebec: to have dinner)	suspendre	to interrupt
		suzerain n. m.	suzerain, overlord
soupir n. m.	sigh	sympathique	likeable
soupirer	to sigh		
sourcil n. m.	eyebrow	**T**	
sourd, -e	deaf, muffled	tablette n. f.	bar (of chocolate)
sourire n. m.	smile	tableau n. m.	painting, scene
sourire	to smile	tablier n. m.	apron
souris n. f.	mouse	tâche n. f.	task
sous	under	taché, -e	stained
sous-estimer	to underestimate	taille n. f.	waist, size
sous-titre n. m.	subtitle	taire (se) (p. p. tu)	to be silent, quiet
soutenir	to maintain, to support	taloche n. f.	clout, cuff
souterrain, -ne	underground	tambour n. m.	drum
souvenir n. m.	memory	tandis que	while
souvent	often	tanière n. f.	den
spolié, -e	despoiled	tant	so much, so many
sportif, -ive	casual (clothes)	en tant que	as
stade n. m.	stage	pas tant	not so much
stalle n. f.	stall, box	tant que	so long as
standardiste n. m. et f.	operator	tantôt … tantôt	now … now
station-service n. f.	gas station	taper	to type
stationnement n. m.	parking		

tapis n. m.	carpet
tard	late
tardivement	belatedly
tas n. m.	heap
teint n. m.	complexion, colour
teinture n. f.	dye
tel, telle	such a, like
téléporter	to carry through the air
tellement	so much
témérité n. f.	foolhardiness
témoigner	to show, to prove
témoin n. m.	witness
tempe n. f.	temple
temps n. m.	time, weather
ces derniers temps	lately
ces temps-ci	these days
en même temps	at the same time
de temps à autre	from time to time
un temps	a pause
tenace	persistent
tendre	to stretch out
tendresse n. f.	love
tenir (p. p. tenu)	to hold, to have, to keep
tenez !	come on!
tenir à	to be keen on, to insist on
tentant, -e	tempting
tenter	to attempt
tenue n. f.	clothing, appearance
terme, au t.	at the end
terrain n. m.	ground, land
terrain de football	football field
terminer (se)	to end
terrasser	to lay low, to overwhelm
terre n. f.	earth, land, soil
par terre	on the ground, on the floor
terre-plein n. m.	platform
terrien n. m.	earthman
terrifiant, -e	terrifying
terroir n. m.	soil, region
tête n. f.	head
en tête	ahead
tiers n. m.	third party, a third
tige n. f.	stem, branch, stick
timide	shy
timidement	shyly
tinter	to ring
tirer	to pull, to shoot, to take out, to pull out, to draw
titre n. m.	title
toile n. f.	canvas, painting, cotton
tomber	to fall
laisser tomber	to drop
ton n. m.	tone, pitch
de bon ton	in good taste, in good form
tordre	to ring
se tordre	to become agitated
torse n. m.	torso
tort n. m.	wrong
avoir tort	to be wrong
totalement	totally, in full
toucan n. m.	toucan (bird)
touchant	about, regarding
toujours	always, ever, still, anyway
toujours est-il	nonetheless
tour n. f.	tower
tour n. m.	turn
à votre tour	your turn
faire le tour	to go round, to walk round
jouer des tours	to play tricks
tour à tour	in turn
tour de force	feat, tour de force
tournant n. m.	bend
tourne-disques n. m.	record player
tourner	to turn, to make a film
tournoyer	to whirl around
tourtière n. f.	meat pie (Quebec)
tousser	to cough
tout, toute, tous, toutes	all
tout (adv.)	completely, all, very
pas du tout	not at all
tout à coup	suddenly
tout à fait	completely
tout de suite	immediately
toutefois	however
toux n. f.	cough
trace n. f.	trail, track
tracé n. m.	design
traducteur n. m.	translator
traduire	to translate
traduire (devant le juge)	to bring (before the judge)
trafic n. m.	dealings, trafficking
trahison n. f.	betrayal, treason
train n. m.	pace
du même train	at the same pace
être en train de + inf.	to be (busy) + pres. part.
traîneau n. m.	sledge
traîner	to drag, to bring about, to hang around
trait n. m.	feature, characteristic
avoir trait (à)	to relate (to), to be connected (with)

trajet n. m.	trip	un	one
tranche n. f.	slice	l'un l'autre	one another
trancher	to conclude (a discussion)	les uns les autres	one another (mutually)
tranquille	calm, peaceful	uni, -e	united
tranquillement	quietly	unique	only
transporter	to carry	usage n. m.	custom
transversal, -e	running across	user	to use, to make use of
travail n. m.	work	s'user	to get worn
travers, à	through, throughout, across	usuel, -le	common
		utiliser	to use
traversée n. f.	crossing		
traverser	to cross	**V**	
tremblement n. m.	trembling	vacances n. f. pl.	holiday, vacation
tremblement de terre	earthquake	vaincre (p. p. vaincu)	to conquer, to beat
trempé, -e (par)	made strong (by) (character)	vaincu, -e	defeated
		vaisseau n. m.	vessel
trépied n. m.	tripod	vaisselle n. f.	dishes
très	very	vallée n. f.	valley
trésor n. m.	treasure	valoir	to be worth, to deserve
triage n. m.	sorting	vanter (se)	to boast
tribu n. f.	tribe	vapeur n. f.	steam
tricher	to cheat	variante n. f.	variation
trimestre n. m.	term (three months)	vase n. f.	mud
triste	sad	vaseux, -euse	muddy, sludgy
tristement	sadly	vedette n. f.	star
troisième	third	véhiculer	to transport
tromper	to betray, to cheat	veille n. f.	eve
se tromper	to make a mistake	veiller	to watch over, to make sure
se tromper de billets	to give the wrong tickets		
se tromper d'établissement	to go to the wrong establishment	vélo n. m.	bicycle
		vélomoteur n. m.	motorized bike
tronc n. m.	trunk	vendeur n. m.	salesman
trôner	to sit enthroned	vendre	to sell
trop	too, too much	vendredi n. m.	Friday
trottoir n. m.	pavement	venger (se)	to avenge oneself, to take revenge
trou n. m.	hole		
trouble n. m.	disease, distress, unrest	venin n. m.	venom
troué, -e	pierced	venir	to come
troupe n. f.	company	faire venir	to send for
troupeau n. m.	herd	venir au monde	to be born
trouver	to find	venir de	to have just
aller trouver	to go and see	vent n. m.	wind
se trouver	to be (place)	en plein vent	in the open
se trouver être	to happen to be	venter	to be windy
tuer	to kill	ventre n. m.	belly
tuile n. f.	tile	vergogne (sans)	shamelessly
tuyau n. m.	pipe	véridique	true
		vérification n. f.	checking
U		vérifier	to check
ulcéré, -e	furious	véritablement	truly
ulcéreux, -euse	ulcerated	vérité n. f.	truth
unir	to unite	vernissé, -e	varnished

verre n. m.	glass, drink
prendre un verre	to have a drink
vers	towards, about
vert, -e	green
vert Nil	Nile green (colour)
vertige n. m.	dizziness
donner le vertige	to make dizzy
veste n. f.	jacket
vêtement n. m.(vêtements)	article of clothing (clothes)
vêtu, -e	dressed
veuve n. f.	widow
viande n. f.	meat
victorieux, -euse	triumphant
vide	empty
vider	to empty
vie n. f.	life
en vie	alive
vieillard n. m.	old man
vieille n. f.	old woman
vieillesse n. f.	old age
vieilli, -e	old, grown old
vieillir	to grow old
vieux n. m.	old man
vieux, vieil, vieille	old
vif, vive	lively
vigueur n. f.	strength
ville n. f.	town, city
vin n. m.	wine
vis n. f.	screw
visage n. m.	face
visite n. f.	visit
faire une visite	to visit
rendre visite	to visit (a person)
vite	quickly
vitesse n. f.	speed
à toute vitesse	at full speed
vitrail n. m.	stained-glass window
vitrine n. f.	shop window
vivant, -e	alive
vivre (p. p. vécu)	to live
vœu n. m.	wish
voie n. f.	road
en voie de	in the process of
voile n. m.	veil
voiler	to veil
se voiler	to veil oneself, to hide
voir (p. p. vu)	to see
faire voir	to show
voisin, voisine n. m. et f.	neighbour
voisin, -e	neighbouring
voisiner	to be next to
voiture n. f.	car
voix n. f.	voice
à mi-voix	in a low voice
à voix basse	in a low, hushed voice
à voix haute	in a loud voice
vol n. m.	flight, theft, robbery
attraper au vol	to catch something as it flies past
voler	to steal, to rob, to fly
volet n. m.	shutter
voleur n. m.	thief
volonté n. f.	will
volontiers	gladly, willingly
vôtre	yours
vouloir	to want (to)
en vouloir à	to bear a grudge against, to blame
je voudrais bien	I should like
qu'est-ce que vous voulez	what can you expect
vouloir bien	to be willing
voûter (se)	to stoop
voyage n. m.	trip, journey
faire un voyage	to go on a trip
voyageur, -euse n. m. et f.	traveller
voyant, -e	showy
voyou n. m.	good for nothing
vrai, -e	true, real
il est vrai	of course
vrai de vrai	really
vraiment	really

Y

yeux n. m. pl.	eyes
ne pas quitter des yeux	not to stop looking at
yourte n. f.	yurt (tent)

Z

zèle n. m.	zeal

INDEX GRAMMATICAL

CREDITS

Literary Credits

p. 2: Adapted from Jules Verne, « Le Tour du monde en quatre-vingts jours, » Paris, Hachette, 1950, pp. 13-18.

p. 21: Roch Carrier, « La Guerre, yes sir !, » Montréal, Éditions Stankè, 1976. Réimprimé avec l'autorisation de John C. Goodwin et Associés.

p. 41: Hédi Bouraoui, « Ainsi parle la Tour CN, » Vanier (Ontario), Éditions L'Interligne, 1999, pp. 151-153. Réimprimé avec l'autorisation de COPIBEC.

p. 45: Didier Leclair, « Toronto, je t'aime, » Ottawa, Les Éditions du Vermillon, 2000, pp. 128-130. Réimprimé avec l'autorisation de Editions du Vermillon.

p. 59: Gabrielle Roy, « La Détresse et l'Enchantement, » Montréal, Éditions Boréal, 1984, pp. 11-17. Copyright: Fonds Gabrielle Roy.

p. 75: Vladimir Volkoff, « Diou et les démes », Nouvelles américaines, Paris, Éditions Julliard, 1986, pp. 71-77. Réimprimé avec l'autorisation de Éditions Robert Laffont.

p. 92: Jacques Poulin, « Volkswagen Blues, » Montréal, Leméac, 1998, pp. 123-135. Réimprimé avec l'autorisation de Leméac Editeur.

p. 111: Michel Faure, « Reportage — Le Brésil, » L'Express 2 mars 2000, pp. 65-68. Réimprimé avec l'autorisation de The New York Times Syndicate.

p. 125: Marilú Mallet, « Les Compagnons de l'horloge pointeuse, » Les Compagnons de l'horloge pointeuse, Montréal, Québec/Amérique, 1981, pp. 9-18. Réimprimé avec l'autorisation de Marilú Mallet.

p. 143: Joseph Zobel, « Mapiam, » Laghia de la morte. Paris: Présence Africaine, 1978, pp. 101-111. Réimprimé avec l'autorisation de Présence Africaine Éditions.

p. 161: Bernard Dadié, « La Lueur du soleil couchant, » Légendes et poèmes, Paris, Seghers, 1966. Réimprimé avec l'autorisation de Éditions Robert Laffont.

p. 184: Pierre Sammy Macfoy. « L'Odyssée de Mongou, » Paris, Hatier, 1983, pp. 5-13.

p. 207: Shodja Ziaïan, « Le singe trop curieux, » Contes iraniens islamisés: contes à dormir debout pour enfants pas si méchants que ça, Toronto, Transmedia, 2001, pp. 26-29. Réimprimé avec l'autorisation de Shodja Ziaïan.

p. 212: Shodja Ziaïan, « Les qualités pour être juge, » Contes iraniens islamisés: contes à dormir debout pour enfants pas si méchants que ça, Toronto, Transmedia, 2001, pp. 75-78. Réimprimé avec l'autorisation de Shodja Ziaïan.

p. 234: Paul Gauguin, « Noa Noa, » Oviri, écrits d'un sauvage. Paris: Editions Gallimard, 1974, pp. 31-35.

p. 252: Marc Epstein, « L'Inde, » L'Express international (30 septembre-6 octobre 1999), pp. 47-51. Réimprimé avec l'autorisation de The New York Times Syndicate.

p. 268: Henri Alleg, « Le Siècle du dragon, » Le temps des cerises, France, Les Éditeurs français réunis, 1994, pp. 12-18. Réimprimé avec l'autorisation de Le Temps des Cerises.

p. 283: Jean-Émile Vidal, « La Mongolie, » Paris, René Julliard, 1971, pp. 62-74. Réimprimé avec l'autorisation de Éditions Robert Laffont.

p. 301: Jean-François Regnard, « Voyage en Laponie, » France, Éditions du Griot, 1992, pp. 89-98.

p. 304: Georges Fourest, « Petits Lapons, » Le Livre d'Or de la Poésie française : des origins a 1940. ed. Pierre Seghers. Verviers, Belgique (Paris): Marabout université, p. 278. Réimprimé avec l'autorisation de Éditions Robert Laffont.

p. 321: Extracted from M. Ancelot, « Six mois en Russie, » Œuvres complètes, Paris, Adolphe Delhays Librairie, 1855, pp. 505-512.

p. 339: Félicien Marceau, « L'Honneur de don Pasquale, » Les Belles Natures, Paris, Gallimard, 1957, pp. 87-107. © Éditions Gallimard.

p. 361: Pierre Daninos, « Les Carnets du major Thompson, » Paris, Hachette, 1954, pp. 155-162. © Hachette, 1954.

p. 364: Dave Barry, « Un americain a Paouis, » L'actualité (15 décembre 1998), p. 55. (Courrier International).

p. 367: Alain Stanké, « Les Tribulations d'un Québécois à Paris, » Dans ed. DeMéo, Patricia and Maureen Taggart. Passe-partout : stratégies de lecture, 2e éd. Don Mills, Ontario : Addison-Wesley, 1996. pp. 78-80. Réimprimé avec l'autorisation de Alain Stanké.

p. 384: Pierre Boulle, « La Planète des singes, » Paris, Rene Julliard (Pocket), 1963, pp. 49-54. Réimprimé avec l'autorisation de Éditions Robert Laffont.

Photograph Credits

p. 3: PEN2029 © Underwood & Underwood/CORBIS/Magma

p. 23: Corel Quebec #232029

p. 41: Corel Toronto #462085

p. 46: Dick Hemingway

p. 60: Photo by Hubert Pantel.

p. 77: Kent Knudson/ PhotoLink/PhotoDisc

p. 95: Courtesy of Gateway Arch, St. Louis, MO   www.gatewayarch.com

p. 111: FT0030300 © AFP/CORBIS/Magma

p. 128: Corel Library 3, South America #459094

p. 144: TA001662 © Tony Arruza/CORBIS/Magma

p. 164: Corel Library 2, Sunsets Around the World #345015

p. 185: Corel Zimbabwe #296089

p. 208: Courtesy of Shodja Ziaïan

p. 213: Eyewire ALI_004

p. 235: Arearea (Joyousness), Paul Gauguin, Musee d'Orsay, Paris/SuperStock

p. 252: HU028919 © Hulton-Deutsch Collection/CORBIS/Magma

p. 269: Reprinted by permission of Lowell Riethmuller

p. 274: Eyewire/Getty Images

p. 284: BE040323 © Bettmann/CORBIS/Magma

p. 301: © Leonard de Selva/Corbis/Magma

p. 303: Pajala Kommun

p. 323: CS002812 © Archivo Iconografico, S.A./CORBIS/Magma

p. 344: Courtesy of Santina Pilegra.

p. 363: Corel Library 3, World Landmarks #551043

p. 365: Corel Library 2, Paris #205067

p. 383: Corel Library, Space Scenes, #283067

p. 385: PLA011AG Kobal Collection/20th Century Fox